ЭФРАИМ СЕВЕЛА

Собрание сочинений

 Издательство «Грамма»

1996

Э. Севела
Собрание   сочинений.   Том   первый. —
М , «Грамма», 1996 — 496 с.

В первый том Собрания сочинений классика современной литературы Э. Севелы включены два произведения «Легенды Инвалидной улицы» и «Тойота Королла»

ISBN 5-86061-015-7

ЭФРАИМ СЕВЕЛА

Собрание сочинений

ТОМ ПЕРВЫЙ

ЛЕГЕНДЫ ИНВАЛИДНОЙ УЛИЦЫ

«ТОЙОТА КОРОЛЛА»

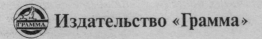 Издательство «Грамма»

1996

Среди нас появился великолепный новый писатель. Эфраим Севела достиг вершин еврейской комедии.

Мы имеем дело с подлинной литературой того направления, в которой блистал Вильям Сароян в его лучших вещах... Севела превзошел его...

Лукас Лонго,
американский писатель.
Газета «Нью-Хевен реджистер».

ЛЕГЕНДЫ ИНВАЛИДНОЙ УЛИЦЫ

*«Легенды Инвалидной улицы» Эфраима Севелы —
маленький шедевр.*

ОТ АВТОРА

Евреи, как известно, за редким исключением, не выговаривают буквы «р». Хоть разбейся. Это — наша национальная черта, и по ней нас легко узнают антисемиты.

В нашем городке букву «р» выговаривало только начальство. Потому что оно, начальство, состояло из русских людей. И дровосеки, те, что ходили по дворам с пилами и топорами и нанимались колоть дрова. Они были тоже славянского происхождения.

Все остальное население отлично обходилось без буквы «р».

В дни революционных праздников — Первого мая и Седьмого ноября, когда в нашем городе, как и во всех других, устраивались большие демонстрации и когда русское начальство с трибуны приветствовало колонны:

— Да здравствуют строители коммунизма!

Толпы дружно отвечали «ура», и самое тонкое музыкальное ухо не могло бы уловить в этом крике ни единого «р».

Таков был город, в котором я родился.

И была в этом городе улица по названию Инвалидная. Теперь она переименована в честь Фридриха Энгельса — основателя научного марксизма, и можно подумать, что на этой улице родился не я, а Фридрих Энгельс.

Но когда я вспоминаю эту улицу и людей, которые на ней жили и которых уже нет, в моей памяти она остается Инвалидной улицей. Поэтому все, что я собираюсь вам рассказать, я и назвал:

ЛЕГЕНДЫ ИНВАЛИДНОЙ УЛИЦЫ.

Легенда первая
МОЙ ДЯДЯ

Моего дядю звали Симха.

Симха — на нашем языке, по-еврейски, означает радость, веселье, праздник, в общем все, что хотите, но ничего такого, что хоть отдаленно напоминало бы моего дядю.

Возможно, его так и называли потому, что он при рождении сразу рассмеялся. Но если это и было так, то это было в первый и последний раз. Никто, я сам и те, кто его знал до моего появления на свет, ни разу не видели, чтобы Симха смеялся. Это был, мир праху его, унылый и скучный человек, но добрый и тихий.

И фамилия у него была ни к селу, ни к городу. Кавалерчик. Не Кавалер или, на худой конец, Кавалерович, а Кавалерчик. Почему? За что? Сколько я его знал, он на франта никак не походил. Всегда носил один и тот же старенький, выцветший на солнце и заштопанный в разных местах тетей Саррой костюм. Имел внешность самую что ни на есть заурядную и одеколоном от него, Боже упаси, никогда не пахло.

Возможно, его дед или прадед слыли в своем местечке франтами, и так как вся их порода была тщедушной и хилой, то царский урядник, когда присваивал евреям фамилии, ничего лучшего не смог придумать, как Кавалерчик.

Симха Кавалерчик. Так звали моего дядю. Нравится это кому-либо или нет — это его дело. И, дай Бог, другим прожить так свою жизнь, как прожил ее Симха Кавалерчик.

На нашей улице физически слабых людей не было. Недаром все остальные улицы называли наших — аксоным, то есть, бугаями, это если в переносном смысле, а дословно: силачами, гигантами.

Ну, действительно, если рассуждать здраво, откуда у нас было взяться слабым? Один воздух нашей улицы мог цыпленка сделать жеребцом. На нашей улице, сколько я себя помню, всегда пахло сеном и укропом. Во всех дворах держали коров и лошадей, а укроп рос на огородах и сам по себе, как дикий, вдоль заборов. Даже зимой этот запах не исчезал. Сено везли каждый день на санях и его пахучими охапками был усеян снег не только на дороге, но и на тротуаре.

А укроп? Зимой ведь открывали в погребах кадушки и бочки с солеными огурцами и помидорами, и укропу в них было не меньше половины емкости. Так что запах стоял такой, что если на нашей улице появлялся свежий человек, скажем, приезжий, так у него кружилась голова и в ногах появлялась слабость.

Большинство мужчин на нашей улице были балагулами. То есть, ломовыми извозчиками. Мне кажется, я плохо объяснил и вы не поймете.

Теперь уже балагул нет в помине. Это вымершее племя. Ну, как, например, мамонты. И когда-нибудь, когда археологи будут раскапывать братские могилы, оставшиеся от Второй мировой войны, где-нибудь на Волге или на Днепре или на реке Одер в Германии, и среди обычных человеческих костей найдут широченные позвоночники и, как у бегемота, берцовые кости, пусть они не придумывают латинских названий и вообще не занимаются догадками. Я им помогу. Это значит, что они наткнулись на останки балагулы, жившего на нашей улице до войны.

Балагулы держали своих лошадей, и это были тоже особые кони. Здоровенные битюги, с мохнатыми толстыми ногами, с бычьими шеями и такими широкими задами, что мы, дети, впятером сидели на одном заду. Но балагулы были не ковбои. Они на своих лошадей верхом не садились. Они жалели своих битюгов. Эти кони везли грузовые платформы, на которые клали до пяти тонн. Как после этой работы сесть верхом на такого коня?

Когда было скользко зимой и балагула вел коня к колонке напоить, то он был готов на плечах донести до колонки своего тяжеловоза. Где уж тут верхом ездить.

Скоро после революции евреев стали выдвигать на руководящую работу, и некоторые балагулы тоже поддались соблазну: стали тренерами по тяжелой атлетике и били рекорды, как семечки щелкали. Чемпион Черноморского флота по классической борьбе Ян Стрижак родом из нашего города. Его отец — балагула Хаим Кацнельсон жил на нашей улице. И не одобрял сына. Может быть, поэтому Ян Стрижак никогда наш город не посещал.

Вы можете меня спросить: как же так получается, если на минуточку поверить одному вашему слову, как же это выходит, что на вашей улице мог быть такой слабый физически человек, как ваш дядя Симха Кавалерчик?

На это я вам отвечу. Во-первых, Симха Кавалерчик родился не на нашей улице и даже не в нашем городе. Он родом откуда-то из местечка. Во-вторых, он, если называть вещи своими именами, совсем не мой дядя. Он стал моим дядей, женившись на моей тете Сарре. А тетя Сарра, про всех добрых евреев будь сказано, в семьдесят лет могла принести сто пар ведер воды из колонки, чтоб полить огород, а после этого еще сама колола топором дрова.

Но мы, кажется, не туда заехали. Я же хотел рассказать про моего дядю Симху Кавалерчика. И эта история не имеет никакого отношения к физической силе. Речь пойдет о душе человека. А как говорил один великий писатель: глаза — зеркало души. У Симхи глаза были маленькие, как и он сам, но такие добрые и такие честные, что я их до сих пор вижу. Должно быть, этими самыми глазами он и завоевал сердце моей тети Сарры.

Было это вскоре после революции. Шла гражданская война, и наш город, как говорится, переходил из рук в руки. То белые займут его, то красные, то зеленые, то немцы, то поляки. Правда, погромов у нас не было. Попробуй задеть еврея с нашей улицы. Конец. Можете считать, что война проиграна. Тут и артиллерия и пулеметы не помогут.

Мне моя тетя Рива рассказывала, что в ту пору, а она тогда была девушкой весьма миловидной, ее пошел провожать с танцев польский офицер. В шпорах, при сабле, на голове четырехугольная конфедератка с белым орлом, на груди белые витые аксельбанты. Кукла, а не офицер. И он на минутку задержался у наших ворот. Нет, никаких глупостей он себе не позволял. Он просто хотел продлить удовольствие от общения с тетей Ривой. Но моему дяде Якову, ее брату, это показалось уже слишком. Он набрал лопатой целую гору свежего коровьего навоза и через забор шлепнул все это на голову офицеру. На конфедератку, на аксельбанты.

Поляки — народ гордый, это известно. А польский офицер — тем паче. Он выхватил из ножен саблю и хотел изрубить дядю Якова на куски, тем более, что дядя Яков был еще не вполне самостоятельным, ему исполнилось лишь тринадцать лет. И что же вы думаете? Тетя Рива, как у ребенка, вырвала у офицера его саблю и этой самой саблей, но, конечно, плашмя, врезала ему по заднице так, что он помчался вдоль всей улицы, роняя с конфедератки и погонов куски коровьего навоза, и больше у нас носа не показывал.

Эта сабля потом валялась у нас на чердаке, и я играл ею в войну. На эфесе сабли было написано латинскими буквами, и я прочел, когда мы в школе стали проходить иностранный язык, что там написано. Это было имя владельца сабли. Пан Боровский. Если он жив где-нибудь, этот пан Боровский, он может из первых рук подтвердить все мною сказанное.

Итак, шла гражданская война. Симхе Кавалерчику было тогда лет восемнадцать. Узкоплечий, со впалой грудью, сидел он целыми днями, согнувшись, над сапожным верстаком у хозяина, в подвале, и весь мир видел через узкое оконце под потолком. Мир этот состоял из ног и обуви. Больше ничего в это оконце не было видно. Он видел разбитые, подвязанные веревками ботинки красных, крестьянские лапти и украденные лакированные сапоги зеленых, подкованные тяжелые сапоги немцев, щегольские, как для парада, бутылками, сапоги поляков.

Все это мельтешило перед его глазами, когда он их на миг отрывал от работы, и он снова начинал стучать молотко прибивая подметки к старой изношенной обуви городск обывателей, вконец обнищавших за время войны.

Был он, как я уже говорил, слабым и тихим, грамоты не знал, политикой не интересовался. Он старался лишь заработать себе на кусок хлеба и пореже высовываться на улицу, где была неизвестность, где было страшно и где каждый мог его избить. Потому что каждый был сильнее его, и крови жаждали почти все.

И, может быть, таким бы он остался на всю жизнь, если б однажды, подняв воспаленные глаза от верстака, он не увидел в оконце необычные сапоги, разжегшие его любопытство до предела. А как вы знаете, ни один еврей не может пожаловаться на отсутствие любопытства. И Симха не был исключением. Он поднял глаза и замер. Такого он еще не видел. Хромовые пропыленные сапоги стояли перед его глазами, с лихо отвернутыми краями голенищ, и по всей коже нацеплены вкривь и вкось, как коллекция значков, офицерские кокарды. Не сапоги, а выставка.

Пришедший с улицы хозяин, злой и скупой, которого Симха боялся больше всех на свете, дрожащим от страха голосом, оглядываясь и шепча молитвы, поведал своим подмастерьям, кто такие обладатели диковинных сапог.

В город вступила 25-я Чонгарская кавалерийская дивизия, из Первой Конной армии Буденного, самая свирепая у красных. Это они, срубив в бою голову белому офицеру, срывают с его фуражки кокарду и цепляют ее на голенище сапога и по количеству кокард на своих сапогах ведут счет убитым врагам

И еще сказал хозяин, они приказали всему населению собраться на площади, где будет митинг. Сам хозяин туда не пойдет, не такой он дурак, и им не советует, если им дорога голова на плечах.

Симха так не любил своего хозяина, и так ему хотелось хоть когда-нибудь насолить ему, что поступил как раз наоборот Первый раз открыто ослушался его. И этот раз оказался роковым

Он вылез из подвала на свет Божий, вдохнул впалой грудью свежего воздуха и не без робости оглянулся вокруг.

На улице заливались гармошки, стоял гвалт, творилось невообразимое. Красные кавалеристы с выпущенными из-под папах чубами, скуластые, с разбойничьими раскосыми глазами, плясали с еврейскими девицами, и те, хоть по привычке жеманились и краснели, нисколько их не боялись. И это было впервые. Богатых не было видно, как ветром сдуло, один бедный люд заполнил улицу и веселился, и галдел вместе с кавалеристами. И это Симха тоже увидел впервые.

Что-то менялось в жизни. Пахло чем-то новым и неизведанным.

— Все равны! Не будет больше богатых и бедных! Евреи и русские, простые труженики — один класс, одна дружная семья! Мир — хижинам, война — дворцам!

Симха слушал хриплые пламенные речи на митинге, и у него кружилась голова. Он поверил. Ему очень хотелось верить. И он поверил горячо и до конца. Со всей страстью чистой и наивной, тоскующей по справедливости души.

В подвал к хозяину он уже не вернулся.

Когда из нашего города на рысях в тучах поднятой пыли уходили на фронт эскадроны 25-й Чонгарской дивизии, среди лихих кавалеристов, ловко гарцевавших на бешеных конях, люди увидели нелепую жалкую фигурку, еле державшуюся на лошади. Это был Симха Кавалерчик. Еврейский мальчик, хилый и тщедушный, боявшийся всего на свете — людей и лошадей. Не помня себя, как во сне, он записался добровольцем к Буденному, и никто не прогнал, не посмеялся над ним. Назвали словом «товарищ», нацепили на него тяжелую саблю, нахлобучили на голову мохнатую папаху, сползавшую на глаза, и в первый раз в жизни он вскарабкался на спину коня, затрясся, закачался в седле, не попадая ногами в стремена, судорожно уцепившись за поводья, и в клубах пыли под гиканье и свист исчез, растворился в конной лавине, уходившей из нашего города на Запад, против польских легионов Пилсудского.

Нет, мой дядя не погиб. Иначе мне было бы нечего больше рассказывать. Он вернулся в наш город, когда отгремела гражданская война. Вернулся как из небытия, когда о нем все уже забыли.

Как он выжил, как уцелел — одному Богу известно. Рассказчик он был неважнецкий, и выжать из него что-нибудь путное не было никакой возможности. А кроме того, он вернулся с войны безголосым, сипел, тихо и невнятно. Как я понял с его слов, он сорвал голос во время первой кавалерийской атаки. Он мчался на своем коне вместе со всеми, размахивая саблей, и не видел ничего вокруг. Все его силы ушли лишь на то, чтоб не свалиться с коня. Он ошалел от страха и вместе со своими кричал диким, истошным, звериным криком. Но должно быть, кричал громче всех, потому что навсегда повредил голосовые связки и долго потом вообще разговаривать не мог, и до конца жизни издавал какие-то сиплые звуки, когда хотел что-нибудь сказать.

Он ни на грош не окреп на войне. Остался таким же тощим и хилым. Да вдобавок стал кривоногим, как все кавалеристы, и широкие кожаные галифе, в каких он вернулся домой, превращали его ноги в форменное колесо. Привез он с фронта кроме каменных мозолей, набитых на худых ягодицах от неумения сидеть в седле, также десяток русских слов, среди которых были и непристойные ругательства и такие диковинные выражения, как «коммунизм», «марксизм», «экспроприация». От первых он быстро отвык, потому что был очень кроткого нрава и не мог обидеть человека, но зато вторые произносил часто и не всегда к месту, и в глазах у него при этом появлялся такой горячечный блеск, что спорить с ним просто не решались.

Он вернулся большевиком на все сто процентов, верующим в коммунизм, как ни один раввин в свой Талмуд. Больше ничего для него на свете не существовало. Он был готов не есть, не пить, не спать, если это только нужно для того, чтоб коммунизм был здоров и не кашлял. Ни одна мать так не любит своего ребенка, как он любил свою идею. Он был готов заживо съесть любого, кто был против, хотя человек он был, повторяю, совсем не кровожадный, а добрый и честный. Но такой честный, что становилось тошно. И в первую очередь, его семье, то есть моей бедной тете Сарре, которая вышла за него, не знаю почему. То ли из-за кавалерийских галифе, то ли потому, что после войны вообще не хватало женихов, и она могла засидеться в девках. А может быть, и я этого не исключаю, тут не обошлось и без задней мысли. Ведь власть в России взяли большевики, а Симха был чистокровным большевиком, с такими заслугами, и, став его женой, тетя Сарра рассчитывала выбиться в люди, быть ближе к пирогу, когда его будут делить победители.

Не знаю. Это все догадки, предположения. Тетя Сарра выросла в такой бедности и нищете, что не приведи Господь, и, конечно, хотела, чтоб свет загорелся и в ее оконце. А большевик Симха Кавалерчик, как никто другой, имел возможность зажечь этот свет. Новая власть была его власть. Он сам был этой властью.

Кругом начиналась мирная жизнь, то есть строительство первой фазы — социализма. Люди ожили, зашевелились, стали поднимать головы, принюхиваться.

На нашей улице жил народ предприимчивый. Как только новая власть не прижимала их налогами, ничего не выходило. Финансовый инспектор, хоть был не с нашей улицы, но ведь тоже человек. Если положить ему в лапу, он спокойно закрывал глаза на многое. Недаром говорится: не подмажешь, не поедешь, не обманешь, не продашь. И люди жили. И даже богатели. И строили новые дома. И покупали мебель. И широкие затылки у балагул становились все багровее, и зады у их жен отрастали до таких размеров, что враги лопались от зависти.

Симха Кавалерчик себе дом не построил. И мебель не купил. Не было на что. Он один на нашей улице не обманывал свое советское государство и жил на сухой зарплате. И при этом он занимал такой высокий пост, какой никому на Инвалидной улице не снился. Он был заместителем директора мясокомбината, а мясокомбинат был первой стройкой социализма в нашем городе и еще долгие годы оставался единственным крупным промышленным предприятием. На этой должности Симха оставался всю жизнь: и до второй мировой войны и после. Заместитель директора.

Его бы с радостью поставили директором, но он до конца своих дней оставался малограмотным. Понизить же в должности, то есть снять с заместителей, было бы кощунством, равносильным тому, как если бы плюнуть в лицо всей большевистской партии. Потому что такого большевика, как Симха Кавалерчик, в нашем городе не было и, видать, никогда уже не будет. И потом, он был не просто большевик, а очень честный человек и работа была для него — все.

Сказать, что Симха любил свой мясокомбинат больше жены и детей — это ровным счетом ничего не сказать. Я не ошибусь, если скажу, что кроме мясокомбината для него ничего не существовало. За исключением, может быть, положения трудящихся в странах капитала, которое он принимал очень близко к сердцу, и мировой революции, которую он ждал со дня на день и так и не дождался.

Мясокомбинат был, как пишут в газетах, его любимым детищем. И хоть Симха был начальством, а начальству, как известно, положено сидеть в кабинете, никто никогда Симху не видел за письменным столом. Он делал любую работу наравне со всеми рабочими. Копал ямы, ставил столбы, клал кирпичи, когда возводили стены, своими плечиками подпирал многотонные машины, когда их под крики «Эй, ухнем!» устанавливали в цехе, и сердце его каждый раз обливалось кровью при мысли, что по неосторожности сломается какой-нибудь винтик, потому что машины эти были куплены за границей, на золото, а государственная копейка для Симхи была дороже своей собственной.

Своей же собственной копейки Симха попросту не имел. Потому что то, что он приносил домой в получку, были не деньги, а слезы. И такие тощие, что в них даже не чувствовалось вкуса соли.

Тогда еще не было на комбинате столовой, и в обеденный перерыв рабочие доставали принесенную из дома снедь и ели тут же в цехе. Рвали зубами куриные ножки, запивали из бутылок молоком и с ленивой вежливостью слушали речи моего дяди. Он в обеденный перерыв не обедал. Из дому он мог принести только дырку от бублика, как говорится, от жилетки рукава. Натощак, с урчащим от голода, впавшим животом Симха использовал обеденный перерыв для агитации и пропаганды. Наслушавшись пылких речей в Первой Конной Буденного, он кое-что из них усвоил на всю жизнь и в обеденный перерыв, голодный, рассказывал жующим людям сипло и безголосо, но с пламенной страстью, о светлом будущем, какое их ждет при коммунизме, когда у всех всего будет вдоволь и все люди станут братьями.

Строители коммунизма в деревенских лаптях и балагульских зипунах рвали крепкими зубами свое, частное, сало и куриные ножки, пили с бульканьем прямо из горлышек свое, частное, молоко и — вы не поверите — верили ему. Не так тому, что он говорил, а верили ему, Симхе Кавалерчику. Потому что не поверить в его честность было невозможно.

Моя тетя Сарра, которая, казалось бы, единственная из сестер сделала приличную партию, выйдя замуж за большевика, стала самой несчастной женщиной на свете. Так говорила моя мама. И так говорила вся Инвалидная улица.

Судите сами. Все кругом строятся, заводят мебель, живут как люди и желают революции долгих лет жизни, потому что при царе все было частное и там не украдешь и ничего не присвоишь, а теперь свобода — бери, тащи, хватай, только не будь шлимазл и не попадайся. А тетя Сарра? Не только своего дома не построила, но даже и не получила квартиру в многоэтажном Доме Коммуны, куда вселились исключительно семьи большевиков. Ее муж Симха Кавалерчик категорически отказался писать заявление и просить в этом доме квартиру. Он сказал тете Сарре, что сгорит от стыда, если поселится там. Потому что в стране еще много бездомных, и он согласится взять квартиру только последним, когда у всех остальных уже будет крыша над головой. Иначе, объяснял своей глупой жене мой дядя, для чего было делать революцию и заваривать всю эту кашу?

И они снимали на нашей улице комнату в чужом доме и платили за нее хозяину деньги из сухой зарплаты моего дяди. Что после этого оставалось на жизнь? Я уже говорил — слезы. Но Симха Кавалерчик не унывал. У него даже появились дети. Двое. Сын и дочь. Мои двоюродные брат и сестра. И по настоянию коммуниста-отца им были записаны такие имена, что вся Инвалидная улица потом долго пожимала плечами. Мальчика назвали Марлен, а девочку — Жанной. В честь революции. Имя Марлен — это соединенные вместе, но сокращенные две фамилии вождей мирового пролетариата — Маркса и Ленина. Марлен. А Жанной девочку назвали в честь французской коммунистки Жанны Лябурб, поднявшей восстание французских военных моряков в Одессе во время гражданской войны.

Детей, Жанну и Марлена, надо было чем-то кормить и во что-то одевать. Об этом Симха не думал. Не потому что он был плохим отцом. Просто было некогда.

Строительство социализма вступило в новую фазу Начиналась коллективизация. Это значит, у крестьян отбирали всю землю и скот и все это объединяли, делали общей собственностью, чтобы не было эксплуатации и все жили одинаково счастливой жизнью. Но крестьяне этого не понимали и держались за свою землю зубами. И эту землю приходилось вырывать с кровью. Кровь по деревням лилась рекой. Коммунисты расстреливали упрямых непослушных собственников которые почему-то никак не хотели жить счастливой жизнью в колхозах, а те в ответ стреляли в коммунистов из-за угла, резали их по ночам ножами, рубили топорами.

Время, ничего не скажешь, было веселое.

Из городов на борьбу с несознательным крестьянством отправляли коммунистов. На нашей улице жил один коммунист. Симха Кавалерчик. И он в числе первых загремел на коллективизацию. Добровольно. Никто его не гнал. Симха Кавалерчик всей душой хотел счастья беднейшему крестьянству и, вооруженный револьвером, отправился в глушь, в самые далекие деревни, уламывать, уговаривать мужиков вступить в колхоз и стать, наконец, счастливыми.

С грехом пополам выговаривая русские слова, с ужасающим еврейским акцентом, безголосый, он забирался к черту на рога, где до него зарезали всех присланных в деревню коммунистов, и, размахивая револьвером, ходил по хатам, сгонял людей на сходку и в прокуренной душной избе говорил пламенные большевистские речи.

И вот теперь представьте себе на минуточку такую картину. Деревенская изба. Ребристые, бревенчатые стены, тяжелые балки давят под низким потолком. Маленькие оконца промерзли насквозь. На дворе воет вьюга, и стонет лес на десятки верст кругом.

В избу набилось много мужиков и баб. Сидят в овчинных тулупах, смолят махорку и недобро глядят из-под мохнатых бараньих шапок на тщедушного человека с еврейским носом, нехристя, мельтешащего перед ними в красном углу, под иконой Николы Угодника, и тусклый огонек лампады кидает от него нервные тени на их потные, красные от духоты и злобы лица.

В этой глуши еще с царских времен еврея за человека не считали, а коммунистов ненавидели люто. И вот их вынуждают слушать эти несвязные нерусские речи и терпеть еврея и коммуниста.

Бабы, вникая в сиплую, сбивчивую речь моего дяди, глядя в его горящие огнем глазки, когда он расписывал им, как они счастливо будут жить в колхозе, если послушаются его, Симху Кавалерчика, и сделают все, как предписано партийной инструкцией, эти бабы плакали, плакали от бабьей жалости к нему. Уж они-то знали, что ждет этого юродивого, этого безумного праведника, через час-другой, когда он весь в поту выйдет из избы на мороз. Топор в спину. Или колом по голове. Не с ним первым здесь так расправились. А те были мужики в теле, не то, что этот, извините за выражение — соплей перешибешь.

Ничего не скажешь, хорошенькая картинка, скажете вы, аж мороз по коже. И он что, не боялся? На это я вам отвечу. Нет. Можете трижды плюнуть мне в глаза, он не боялся. Потому что, если бы он боялся, он бы оттуда живым не ушел. И умер бы даже не от топора, а от страха.

Он ничего не боялся, потому что ни о чем не думал, кроме одного: он коммунист и должен выполнить задание партии. Любой ценой. Даже ценой своей жизни, которую не ставил ни в грош, если это нужно было для дела революции. Теперь вы понимаете?

Целый месяц от него не было ни слуху, ни духу. Целый месяц он жил, как в волчьем логове. Спал в этих избах под иконами и видел коммунистические сны. Как загорятся под прокопченными потолками лампочки Ильича, так тогда называли электрические лампы, как загудят в полях трактора и как счастливые крестьяне живут, не тужат и водят хороводы на лесных полянах.

А кругом бушевала вьюга и стонал лес. И топор, предназначенный ему, был отточен до блеска.

Вы не поверите, но он вернулся живым. Больше того. В той деревне был создан колхоз и его не назвали именем Симхи Кавалерчика, на мой взгляд, только потому, что это имя не совсем подходило для названия колхоза. Колхоз назвали именем Сталина, и мужики, которых сумел убедить мой дядя, до сих пор ждут, когда же, наконец, наступит счастливая жизнь, какую он так искренне обещал.

Правда, со временем кое-что сбылось из того, что он им говорил. Загорелись лампочки Ильича, загудели в полях трактора, и колхозники даже стали водить хороводы, когда начальство этого требовало. А счастья, как говорится, как не было, так и нет. Но тут уж не вина моего дяди. Он очень хотел всех осчастливить. Оказалось же, что даже Карл Маркс, который был для дяди Богом, не смог всего предусмотреть.

Он вернулся и как ни в чем не бывало назавтра уже снова сипел речи на своем мясокомбинате. Шли годы. Росли дети. Тетя Сарра жила хуже всех, и мы ей давали в долг и не просили возвращать. Все жалели ее и детей и смотрели на Симху Кавалерчика, как на малахольного, и ждали, чем это все кончится.

Все эти годы он ходил в одном и том же одеянии, в каком вернулся с гражданской войны. Ботинки были по сто раз залатаны, штаны и китель — штопка на штопке. Но Симха не тужил. Он даже не замечал, во что одет, и проходил бы в этом еще двадцать лет, если б не случилась вторая мировая война и его не призвали в армию. Там ему, как положено, выдали казенное обмундирование, и он, наконец, расстался со своей ветошью и стал выглядеть прилично.

Он ушел на фронт и четыре года, пока шла война, не знал, где его семья и что с ней. Он знал, что немцы убивают всех евреев подряд, а так как наш город был оккупирован, то, естественно, полагал он, ни жены, ни детей нет в живых. Сказать, что он не горевал, нельзя. Он был мужем и отцом и, вообще, добрым человеком. Но все его существо было встревожено мыслями более широкого масштаба. Он никак не мог допустить, чтоб Советский Союз проиграл войну и погибло дело революции. Так что для тоски по семье не оставалось времени.

Симха Кавалерчик кончил войну в Берлине в звании майора. Он был политическим работником в армии и не околачивался в тылу, а торчал в самых опасных местах, на передовой и бежал в атаку вместе с пехотой, как рядовой солдат, забывая, что он — майор и ему положено быть поближе к штабу. Я думаю, что его любили солдаты. Невзирая на то, что он был не силен в грамоте, а может быть, именно потому, невзирая на сильнейший еврейский акцент и сиплый, неслышный голос, но, может быть, именно это вызывало сочувствие к нему, даже сострадание. И вся его отнюдь не военная фигура, в нелепых широких погонах на узких покатых плечах, и абсолютное бескорыстие, и забота только о других, а не о себе, отличали его от других офицеров и привлекали к нему солдатские сердца.

Он вернулся в наш город живым и невредимым, в новом офицерском костюме тонкого английского сукна, и на кителе было столько орденов и медалей, что они не умещались на узкой груди и бронзовые кружочки наезжали один на другой.

Сразу замечу, что все свои награды он тут же снял и больше их на нем никто не видел. Поступил он так из скромности, и мне он потом говорил, что наградами нечего гордиться и козырять ими. Он остался жив, а другие погибли, и его ордена могут только расстраивать вдов.

Свою семью он застал целехонькой, был весьма удивлен и, конечно, обрадован. После войны был острый жилищный кризис, и они снова, как до войны, ютились у чужих людей.

Война нисколько не отрезвила моего дядю. Он восстановил из руин мясокомбинат и был опять заместителем директора. Комбинат выпускал прекрасную, высоких сортов сухую колбасу, но в магазинах ее никто не видел. Она вся шла на экспорт. И Симха — хозяин всего производства, ни разу не принес домой ни одного кружка этой колбасы. Он потом признался мне, что лишь попробовал на вкус, когда был назначен в комиссию по дегустации.

А жизнь в городе понемногу приходила в норму. Люди строились, покупали мебель и хватали все, что попадало под руку. Одними идеями мог быть сыт только мой дядя Симха Кавалерчик.

На мясокомбинате воровали все. Рабочие уносили за пазухой, в штанах, под шапкой круги колбасы, куски мяса, потроха. Вооруженная охрана, выставленная у проходных, обыскивала каждого, кто выходил из комбината. Воров, а были эти воры вдовами и инвалидами войны, ловили, судили, отправляли в Сибирь. Ничего не помогало. Мясо и колбаса продолжали исчезать. Потом открылось, что и сама охрана ворует.

У Симхи Кавалерчика голова шла кругом, земля уходила из-под ног. Вечно голодный, совсем усохший, он выступал на собраниях, грозил, требовал, умолял людей не терять человеческий облик, быть честными и не воровать. Ведь еще немного и мы построим коммунизм, и тогда все эти проблемы сами по себе отпадут, всего будет вдоволь и они, эти люди, станут благодарить его, что он их вовремя остановил.

Ничто не помогало.

Государство строило заводы и фабрики, нужны были позарез все новые и новые средства, и каждый год объявлялся государственный заем, и рабочие должны были отдавать просто так, за здорово живешь, свою месячную зарплату. Рабочие, естественно, не хотели. И мой дядя, чтобы показать им пример, подписывался сам на три месячные заработные платы.

Его семья попросту голодала. Тетя Сарра уже потеряла всякую надежду. Кругом — худо-бедно — люди жили. Она же не знала ни одного светлого дня. Дети выросли, и прокормить их и одеть не было никакой возможности. Сам Симха донашивал свое фронтовое обмундирование из английского сукна. Тетя Сарра, как виртуоз, накладывала новую штопку на старую, и только поэтому костюм еще дышал и не превратился в лохмотья

Но мой дядя и в ус не дул.

Он приходил вечером с работы, садился в тесной комнатушке к окну и раскрывал газеты, пока жена, стоя к нему спиной, ворча, подогревала ему на плите ужин.

Когда он читал газеты, его сухое измученное лицо разглаживалось и светлело. Газеты писали о новых трудовых победах и расцвете страны. И тогда ему казалось, что все идет прекрасно и есть лишь отдельные трудности, да и то только в городе, где он живет.

— Сарра, — с неожиданной лаской в сиплом голосе обращался он к своей жене, — ты слышишь, Сарра?

— Что? — оборачивала она к нему угрюмое лицо и встречала его взгляд, восторженный и сияющий.

У жены начинало сжиматься сердце от радостного предчувствия, в которое она боялась поверить. Что с ним? Может быть, дали денежную премию и он ее принес полностью домой?

— Ну что? — уже теплее спрашивала она.

— Сарра, — торжественно говорил дядя, бережно складывая газету. — На Урале задута новая домна! Страна получит еще миллион тонн чугуна!

Моей тете Сарре, женщине очень крепкого телосложения и крутого нрава, порой, очевидно, хотелось убить его. Но она, прожив столько лет с этим человеком, понимала лучше других, что он такой и другим быть не может. Хоть ты его убей. А за что было его убивать? Он ведь честнейший человек и хотел только добра людям.

Он не хотел видеть реальности. Реальность искажала его представление о жизни, путалась в ногах, становилась на его пути к коммунизму. И он ее не замечал. Сознательно. Как досадную помеху.

Я не знаю, что думал Симха Кавалерчик, когда Сталин расстреливал тысячи коммунистов, объявлял их врагами народа, тех самых людей, которые установили советскую власть и его, Сталина, поставили во главе ее. Надо полагать, он верил всему, что писалось в газетах, и тоже считал тех людей врагами народа. Потому что, если бы он не поверил, то сказал бы это вслух, ведь он никогда не приспосабливался и не дрожал за свою шкуру. И тогда бы, конечно, разделил с ними их судьбу.

Он продолжал верить. Невзирая ни на что. Вопреки всему, что творилось вокруг. А вокруг творилось совсем уж неладное, и оно подбиралось к нему самому.

Начались гонения на евреев. Казалось бы, тут он уж должен очнуться. Его собственная дочь Жанна, названная так в честь революции, кончила школу и захотела поступить в институт. Ее не приняли. Хоть она сдала все экзамены. И не постеснялись объяснить ей причину — еврейка.

Дома стояли стон и плач. Тетя Сарра умоляла его:

— Пойди ты. Поговори с ними. Ведь ты старый коммунист. У тебя столько заслуг. Неужели ты не заработал своей дочери право получить образование?

Симха слушал все это с каменным лицом.

— Нет! — стукнул он по столу своим сухоньким кулачком. — Это все неправда. Значит, она оказалась слабее других. Моей дочери не должно быть никаких поблажек. Только наравне со всеми.

Деньги в стране, как говорится, решали все. За большие деньги можно было откупиться даже от антисемитизма.

На следующий год Жанну приняли в педагогический институт. Родственники покряхтели, поднатужились и собрали тете Сарре большую сумму денег, и она их сунула кому следует.

Когда Жанна вернулась домой после экзаменов с воплем, что ее приняли, мой дядя первым и от всей души поздравил ее:

— Вот видишь, Сарра, — радостно сказал он. — Что я говорил? Правда всегда торжествует.

Семья от него отвернулась. Он стал одиноким и чужим в этом мире, который жил совсем иной жизнью, а он ее, эту жизнь, замечать не хотел. И главное, он не чувствовал своего одиночества. У него впереди была заветная цель — коммунизм, и он, не сворачивая, шел к ней, полагая, что ведет за собой остальных. Но шел он один, в блаженном неведении о своем одиночестве.

И лег на этом пути его собственный сын Марлен, названный так в честь вождей пролетариата Маркса и Ленина. И мой дядя остановился с разбегу и рухнул.

Марлен пошел в свою маму и вымахал здоровым и крепким, как дуб, парнем. Гонял в футбол, носился с клюшкой по хоккейному льду, и у противника трещали кости, как орехи, при столкновении с ним. Парня надо было определять на работу, и тетя Сарра попросила мужа устроить его на мясокомбинат.

— Хорошо, — согласился мой дядя. — Но никаких поблажек ему не будет. Наравне со всеми. Пойдет простым рабочим, получит рабочую закалку и будет человеком.

С ним спорить не стали. Марлен, как говорится, пополнил собой рабочий класс.

Вскоре Симха заметил, как день ото дня становится обильней обеденный стол в его доме. Он ел вкусные куски мяса, нарезал ломтиками аппетитные кружочки сухой колбасы. И разглагольствовал за столом.

— Вот видишь, Сарра. Жизнь с каждым днем становится лучше и веселей. Ведь эту самую колбасу, — он высоко поднимал на вилке кружок колбасы и смотрел на него влюбленными глазами, — мы производим на экспорт, а сейчас она — на моем столе. Значит, ее пустили в широкую продажу. И скоро у нас в стране всего будет вдоволь.

Жена, сын и дочь смотрели в свои тарелки и не поднимали глаз.

Симха ел и нахваливал, и если бы он в то время плохо питался, то у него не хватило бы сил бороться с рабочими мясокомбината, которые тащили домой все, что могли. Мой дядя был потрясен несознательностью людей, день и ночь их воспитывал, умолял не воровать и не позорить честь советского человека — строителя коммунизма. И осекся на полуслове и умолк навсегда.

Его сына Марлена, из уважения к отцу, охрана в проходной не обыскивала. Как можно? Но поступил на работу новый охранник, вместо другого, отданного под суд за воровство, и этот охранник, не разобравшись что к чему, обыскал вместе с остальными и Марлена. Вы, надеюсь, догадались, что, как говорится, предстало его изумленному взору. Из штанов Марлена, названного так в честь вождей мирового пролетариата Маркса и Ленина, охранник вытряс полпуда сухой экспортной колбасы. Вот ее-то, миленькую, не чуя подвоха, и ел за обедом мой дядя Симха Кавалерчик, стопроцентный правоверный большевик, и видел в этом факте, как все ближе становятся сияющие вершины коммунизма. Как тот раввин, уплетающий за обе щеки свиное сало, в ... дении предполагая, что это кошерная курица.

Когда мой дядя узнал об этом, он ничего не сказал. Просто взял и умер. Тут же на месте. Без долгих разговоров.

Марлена ... ко из почтения к заслугам отца, не отдали под суд, а про... ыгнали с работы.

Симху Кава... рчика хоронили торжественно, с большой помпой. В день похорон многие люди впервые увидели, сколько орденов и медалей он заработал за свою жизнь, служа делу революции. Их несли на алых подушечках, каждый в отдельности, и процессия носильщиков дядиных н. град вытянулась на полквартала впереди гроба.

И это было все, что он заработал. Его даже не в чем было хоронить. Ведь не оденешь покойника в старые штопаные-перештопанные лохмотья, что он донашивал с войны. Ничего другого в доме не было.

И Симху впервые за всю жизнь, вернее, когда он уже этого не мог увидеть, обрядили в новый модный костюм. За казенный счет. Мясокомбинат не поскупился, и на средства профсоюзного фонда были куплены черные шикарные пиджак и брюки. И белая рубашка. И даже галстук.

Он лежал ... сном гробу, утонув в этом костюме. Потому что и при жизни мой дядя был маленьким и хилым, а смерть делает человека еще меньше. Костюм же купили, не скупясь, большого размера, и дядя в нем был, как сумасшедший в смирительной рубашке. Концы рукавов на лишних полметра свисали с пальцев, скрещенных на груди рук, и трепетали, как черные крылья, когда гроб повезли.

Играл духовой оркестр. Играл революционный марш. Толпы людей шли за гробом. И в первых рядах — комбинатские мясники с красными от избыточной крови затылками. Те самые, которых всю жизнь Симха, не щадя себя, обращал в свою коммунистическую веру. Умолял не воровать, а, подтянув ремни, ждать светлого будущего. Они же хотели жить сейчас, и хоть уважали за честность моего дядю, ничего с собой поделать не могли. И воровали. Каждый день.

Теперь по их толстым румяным щекам катились слезы.

Оркестр надрывно ревел революционные марши.

Что еще остается сказать?

Лучше ничего не говорить.

Легенда вторая
ПОЧЕМУ НЕТ РАЯ НА ЗЕМЛЕ

Ее звали Рохл. По-русски это звучит немножко по-другому: Рахиль. На нашей улице еврей с одним именем — это не человек и даже не полчеловека. К его имени приставлялись все имена родителей, чтобы не путать с другим человеком, у которого может быть такое же имя. Но чаще всего давалась кличка, и она намертво прирастала к имени и сопровождала человека до самой смерти. И даже после смерти, когда о нем вспоминали, то кличка употреблялась наравне с именем. Так было принято при наших дедах, а может быть, еще раньше и, как говорится, не наше собачье дело отменять, если люди придумали что-нибудь хорошее.

Поэтому ее звали не просто Рохл — это было бы неуважением к ней, — а Рохл Эльке-Ханэс. Ее мать была Эльке-Ханэ. Следовательно, ее имя звучало так: Рахиль, дочь Эльке-Ханэ. А какой нормальный человек с Инвалидной улицы назовет женщину по фамилии? Правда, ее иногда называли. Потому что она была не просто женщина, а общественница. А что такое общественница, я расскажу ниже. Достаточно того, что в отличие от остальных наших женщин она ничего дома не делала, и ее муж балагула Нахман Лифшиц, мужчина больших размеров и, как в арифметике, кроткий и тихий, в обратной пропорции, весь день, натаскав шестипудовых мешков или бревен, еще должен был сам убирать в комнатах, стирать белье и варить обед для пяти дочерей, таких же больших, как папа, и уже со всеми задатками будущих общественниц, как мама.

Рохл Эльке-Ханэс в официальных случаях называли: товарищ Лифшиц. И ей это очень нравилось. Она даже переставала лузгать семечки, без которых могла обойтись только во сне, ладонью смахивала с губ цепочки шелухи и отвечала по-русски:

— Я вас слушаю.

Этим она почти полностью исчерпывала свой запас русских слов, но этого было достаточно, чтобы вы себя почувствовали не совсем в своей тарелке.

Но еще большее удовольствие ей доставляло, когда к ней обращались: мадам Лифшиц. Так к ней обращался только один человек с Инвалидной улицы — попадья, что означает: жена попа. Да, да. Именно на нашей улице в окружении евреев жил когда-то православный поп. Еще до моего рождения.

Может быть, его поселили у нас для того, чтобы евреи не забывались и помнили, что они живут в русском государстве. Но я думаю, что все было иначе. У попа, как говорится, была губа не дура. И когда ему надо было выбирать место жительства, он, конечно, остановился на нашей улице, лучше которой нет во всем мире. И еще я думаю, но это только мои догадки, он, то есть поп, поселившись в гуще самых отъявленных евреев, в глубине души лелеял план обратить их всех в православную веру. Этот план, как и вообще большинство планов, остался неосуществленным. То ли потому, что к нашим евреям было не так-то легко подступиться, то ли потому, что случилась революция и очень скоро попа, как и полагается после революции, расстреляли.

В поповском доме, наглухо закрытом от всей Инвалидной улицы густыми старыми акациями, осталась одинокая попадья, и, сколько я ее помню, она всегда была старой и ходила в одном и том же допотопном плюшевом салопе, темном, с лысинами от долгой носки, и голова ее была повязана по-монашески черным платком. С евреями после революции она стала приветлива и здоровалась первой, а евреи ее даже любили как достопримечательность улицы. Найдите на другой свою попадью. На нашей же улице есть все, даже своя попадья.

Попадья, опасаясь, чтоб с ней большевики не поступили, как с ее мужем, проявляла большую лояльность к новой власти и активно, даже самоотверженно, участвовала в общественных делах. Кто, например, разрешит вырыть в своем дворе, чтобы испортили огород, бомбоубежище во время учебных воздушных тревог ОСОАВИАХИМА? Ни один нормальный человек. Бомбоубежище рыли в огороде у попадьи, и она не только не сопротивлялась, но даже наоборот, когда учебно выли в городе сирены, стояла, натянув на голову очкастую маску противогаза, а сверху темный платок и с нарукавной повязкой Красного Креста поверх салопа, — все-таки крест, хоть красный, — гостеприимно, на старый русский лад, зазывала евреев укрыться в подземелье, как полагалось по инструкции, подписанной закорючками: товарищ Лифшиц.

Вот она-то, как общественница общественницу называла Рохл Эльке-Ханэс — мадам Лифшиц и Рохл Эльке-Ханэс, очень польщенная таким обращением, ставила потом попадью в пример всем еврейкам Инвалидной улицы как человека, лучше всех готового к химической обороне СССР.

Попадья дожила до второй мировой войны и дождалась прихода Гитлера. Она осталась абсолютно одна на всей Инвалидной улице, потому что часть евреев заблаговременно покинула город, а те, что остались, были до единого уничтожены. И оставшись одна, без евреев, к которым она привыкла, от тоски скончалась в своем доме с закрытыми ставнями, и о ее кончине стало известно много времени спустя, по запаху.

Чтобы больше не возвращаться к этой теме, я еще расскажу, как в нашем городе в порядке антирелигиозной борьбы ликвидировали православный собор и к каким событиям это привело на Инвалидной улице.

Большой и старый православный собор высился над всем городом гроздью круглых голубых куполов с золотыми крестами, и по утрам лучи солнца сначала зажигали их, и от них отражаясь, зайчиками играли на стеклах наших окон. Потом начинался сладкий колокольный звон. Он у меня остался в памяти. Под него я пробуждался ото сна ребенком, и это было самое лучшее время в моей жизни.

Стоял себе собор, никому не мешал, и, честно говоря, без него наш город не выглядел бы как город. Но сверху виднее: и когда партия говорит — надо, народ отвечает — есть! Собор решили закрыть, а колокол, стопудовый медный колокол, сбросить с колокольни. Такое увидишь нечасто. Может быть, раз в жизни. И когда слух об этом прокатился по всему городу и, обрастая подробностями, достиг Инвалидной улицы, все от мала до велика пришли в большое возбуждение и стали ждать того полдня — ибо ровно в 12 часов должно было все совершиться — как ждут большого военного парада. Сообщения, одно оглушительнее другого, захлестывали нашу улицу, вызывая замирание духа и холодок на спине. На скамейках, у калиток, во дворе остервенело спорили, с какой высоты будет падать колокол, сколько потребуется людей, чтоб его сбросить, и даже на сколько осколков он разлетится, когда грохнется о булыжник мостовой. Стало точно известно, что это очень опасно и предвидятся жертвы и что единственный в городе санитарный автомобиль «скорой помощи» будет уже за сутки дежурить там, и если у кого-нибудь в эти сутки случится заворот кишок, то в больницу он не попадет, потому что не на чем везти. От таких подробностей сердце замирало еще больше и возрастало значение ожидаемого события.

Наконец, наступил этот день. Вернее, утро, а надо было ждать до полудня. Но на Инвалидной улице подготовка началась с самого утра. Матери решили, чтоб ни один ребенок с нашей улицы и носа не показывал там, у собора. Это смертельно. Поэтому рано-рано, когда в последний раз над городом сладко и прощально зазвонил обреченный колокол, во всех дворах Инвалидной улицы послышался многоголосый детский рев. Во всех дворах отцы по просьбе матерей с предупредительной целью секли ремнями своих детей, чтоб им неповадно было в полдень бежать к собору.

Первым тоненько взвыл в своем дворе Берэлэ Мац. Его отец, грузчик с мельницы, раньше всех уходил на работу и спешил уложиться до гудка. Берэлэ Маца отец сек ровно, ритмично, как на мельнице кидал мешки с мукой, и Берэлэ в своих криках сохранял этот ритм. Потом заскулили сразу трое у соседей, потом дальше и дальше, двор за двором присоединялся к воплю и плачу, пока очередь не дошла до меня.

Об этом рассказывать неинтересно. Скажу лишь одно. Ровно в полдень, в двенадцать часов, все дети Инвалидной улицы стояли в толпе у собора вместе с обалдело ждущими родителями, и милиция их оттесняла за канаты, которыми было ограждено предполагаемое место падения колокола.

Колокол упал, как и обещали, в полдень, но вызвал большое разочарование. Он не разлетелся на куски, а остался абсолютно целым, если не считать одной трещины, которую и не каждый смог увидеть. И, главное, никаких жертв. Это уже было попросту надувательством. Люди разошлись молча, разочарованные и обманутые. И мнение всех очень точно высказал Нэях Марголин, балагула с Инвалидной улицы:

— Много шума из ничего.

Инвалидная улица отличалась еще вот чем. Все евреи на ней имели светлые волосы, ну в худшем случае, русые, а у детей, когда они рождались, волосы были белые, как молоко. Но, как говорится, нет правила без исключения. Ведь для того и существует правило, чтобы было исключение. У нас очень редко, но все же попадались черноволосые. Ну как, скажем, мой дядя Симха Кавалерчик. Но вы сразу догадались. Значит, это чужой человек, пришлый, волею судеб попавший на нашу улицу.

Даже русский поп Василий, который жил у нас до своего расстрела, был, как рассказывают, огненно-рыжий и не нарушал общего цвета улицы. Уж кого-кого а рыжих у нас было полным-полно Всех оттенков, от бледно-желтого до медного А веснушками были усеяны лица так густо, будто их мухи засидели. Какие это были веснушки! Сейчас вы таких не найдете! Я, например, нигде не встречал. И крупные, и маленькие как маковое зерно. И густые, и редкие У многих они даже были на носу и на ушах.

Одним словом, красивые люди жили на нашей улице. Таких здоровых и сильных, как у нас, еще можно было найти кое-где, но таких красивых — тут уж, как говорится, извини-подвинься. Поэтому так охотились сваты за нашими девицами на выданье. Сами чужие парни соваться к нам не смели — была прямая перспектива уйти с Инвалидной улицы действительно инвалидами

Если уж мы заговорили о красоте, то за примером, как говорится, не нужно далеко идти. Моя тетя Рива, когда была еще ребенком — было это очень давно, во времена русско-японской войны, так поразила своей красотой одну бездетную семью царского офицера, что этот самый ваше превосходительство, среди бела дня прикатил на нашу улицу со своей женой в лакированной коляске с лакеем сзади и просто-напросто украл тетю Риву, чтобы ее удочерить.

На другой улице такой номер еще мог пройти. Но не на Инвалидной

Мой дед, плотник Шая, прослышав об этом и, невзирая на то, что у него было одиннадцать детей, и, казалось бы, можно не так огорчаться, если пропал один, побежал догонять офицера и догнал эту коляску, запряженную чистокровным английским рысаком. Мой дед обогнал рысака, заскочил коню со стороны морды, схватил за повод и хотел остановить. Но конь был чистых кровей, и если уже взял разбег, остановить его — не шутка. И тогда дед хлопнул его между глаз и свалил наповал. Он убил коня, которому цена была многие тысячи рублей и не в нынешних бумажках, а в царских золотых монетах. Рассказывают, что его превосходительство, укравшее тетю Риву, чтоб удочерить, так побледнел, а его жена упала в такой глубокий обморок, что дед Шая молча, без единого слова взял своего ребенка из коляски, дал тете Риве еще подзатыльника за то, что дала себя украсть, и был, как говорится, таков. А за чистокровного английского рысака не уплатил ни копейки. Его превосходительство само замяло это неприятное дело.

В нашей семье с тех пор, вот уже более полувека, когда

ссорятся с кем-нибудь чужим или просто хотят показать, что и мы не лыком шиты, обязательно вспоминают этот случай.

— И вы это нам говорите?

Или:

— И вы нам хотите что-нибудь доказать? Да знаете ли вы, что нашу Риву, еще в мирное время, до революции, сам его превосходительство царский генерал (генерал, как вы понимаете, звучит лучше, чем офицер, и тут нет никакого обмана, потому что и тот и другой — военные) хотел украсть и удочерить. И когда этот номер у него не прошел, с горя стал пить и повесился. А вы нам говорите.

Теперь вы, надеюсь, понимаете, какие красивые люди жили на Инвалидной улице.

А все потому, что у всех, за исключением пришлых, на нашей улице были светлые глаза. Серые, голубые, синие, даже зеленые, даже с рыжинкой, как спелый крыжовник. Но, Боже упаси! — чтоб коричневые или черные. Тогда сразу ясно — не наш человек.

Балагула Нэях Марголин, который из всей мировой литературы прочитал только популярную брошюру о великом садоводе Иване Мичурине, потому что у Нэяха Марголина у самого был сад и он по методу Мичурина скрещивал на одном дереве разные сорта яблок, из чего почти всегда ничего не получалось, так вот этот самый Нэях Марголин так определил породу обитателей Инвалидной улицы:

— Здесь живут евреи мичуринского сорта, правда, горькие на вкус. Как говорится, укусишь — подавишься.

Мой друг детства Берэлэ Мац был плодом неудачного скрещивания. Мало того, что он был очень маленьким и почти не рос, как деревья в саду у Нэяха Марголина, он был брюнет, и черными волосами зарос у него даже весь лоб, оставив очень узенький просвет над бровями, для определения умственных способностей. И хоть его всегда стригли наголо под машинку «ноль», он все равно оставался брюнетом в шумной белоголовой ораве Инвалидной улицы.

Но Берэлэ Мац зато имел такие глаза, что с ним никто не мог сравниться. Один глаз — светлый, зеленый, одним словом, наш глаз, а другой — коричневый, карий, как спелая вишня, явно из другого сада, то есть улицы.

По этому поводу у нас было много толков. Женщины, вздыхая и качая головами, пришли к выводу, что это результат дурной болезни, которую подхватил когда-то его непутевый предок. Может быть, сто лет тому назад. Или двести. Масло всегда всплывает наверх рано или поздно. Хоть по советским законам сын не отвечает за отца и тем более за прадеда. И жалели Берэлэ Маца, как инвалида.

Я считаю это чистейшей клеветой. Мало ли какую гадость люди могут придумать. Не от нас это повелось. Скажем, у соседа подохла корова. Казалось бы, не своя, чужая, а все равно приятно. Так и с Берэлэ Мац.

Не нужно быть большим умником, чтоб определить причину появления разных глаз у него. Все очень просто. Отец Берэлэ — грузчик с мельницы Эле-Хаим Мац — с нашей улицы. Отсюда один глаз. Тот, который зеленый. А взял он в жены чужую женщину, низенькую, черноволосую, с заросшим лбом. Отсюда, как вы сами понимаете, второй глаз. И все остальные неприятности, такие, как маленький рост, отсутствие лба и темные корни волос, даже когда их стригли наголо.

Берэлэ — по-еврейски медвежонок, но его все называли — Майзэлэ — мышонок. И это было справедливо. Маленький и черненький, он очень был похож на недоразвитого мышонка. И был он на нашей улице на особом положении. Я бы теперь сказал: двойственном.

С одной стороны, матери приводили его нам в пример. Берэлэ учился на круглые пятерки и еще, сверх того, каждый день бегал в музыкальную школу с маленькой скрипочкой в черном футлярчике. И там тоже получал одни пятерки.

С другой стороны, матери категорически запрещали нам с ним дружить, оберегая нас от него, как от заразы.

Секли у нас детей во всех домах. Но на долю Берэлэ Маца выпадало больше всех. Его секли чаще и дольше. Потому что отец его, грузчик Эле-Хаим Мац — человек основательный и ничего не делал спустя рукава. Если б меня так били, я бы умер еще до войны, а не дождался бы прихода немцев, как это сделал Берэлэ Мац.

Сейчас я понимаю, что это был уникальный человек, редкий экземпляр, который рождается раз в сто лет. И если б он дожил до наших дней, то перевернул бы всю науку и вообще человечество вверх дном. И Советскому Союзу не пришлось бы так долго и мучительно, каждый раз с плачевным результатом, догонять и перегонять Америку. Америка бы сама капитулировала и на коленях просила хоть на один год одолжить им Берэлэ Маца, чтобы поправить свои дела.

Берэлэ Мац обладал счастливым свойством — он был оптимист. На это вы скажете: мало ли на земле оптимистов. И что чаще всего этот их оптимизм не от большого ума. Это, возможно, и справедливо. Но не по отношению к Берэлэ Мацу.

Его оптимизм происходил от огромной силы таланта, причем таланта разностороннего, который бушевал, как огонь, в маленьком тельце под узким, заросшим волосами лобиком. Ему никогда не бывало грустно, даже в такие моменты, когда любой другой бы на его месте повесился. Сколько я его помню, он всегда скалил в улыбке свои крупные, квадратами, зубы, а в глазах плясали, как говорили женщины с нашей улицы, все тысячи чертей. Потому что когда в человеке сидит такой талант, ему море по колено.

Бывало, его отец, грузчик Эле-Хаим Мац, высечет Берэлэ, а как вы понимаете, утром у отца рука особенно тяжелая, потому что он отдохнул за ночь от таскания мешков на мельнице, и казалось, что уже на Берэлэ живого места не осталось, но проходит десять минут и уже из дома несутся звуки скрипки. Берэлэ стоит у окна и водит смычком по струнам, прижав подбородком деку своей скрипочки, и косит бесовским глазом в спину отца, шагающему по улице на работу.

Отец шагает удовлетворенно. И его походка, тяжелая, вразвалку, выражает уверенность, что он все сделал, как надо. Высек Берэлэ от всей души, без халтуры, основательно. Ребенок все понял и теперь, на зависть соседям, занимается с утра музыкой и отцу приятно под такую музыку идти на работу.

Но стоило отцу завернуть за угол, — и скрипка, издав прощальный стон, умолкала. С треском распахивалось окно, и Берэлэ кубарем скатывался на улицу. С тысячью новых планов, сверкающих в его бесовских глазах.

Если б хоть часть его планов осуществило неблагодарное человечество, сейчас бы уже был на земле рай.

Но Берэлэ Мац рано ушел от нас.

И на земле нет рая.

— Зачем люди доят коров и коз в ведра? — сказал как-то Берэлэ Мац. — Ведь это только лишние расходы на посуду. Надо доить прямо в рот. А из сэкономленного металла строить дирижабли.

Сказано — сделано. В тот же день он взялся осуществлять

первую часть плана — доение в рот, чтобы вслед за этим приступить к строительству дирижаблей.

Мы поймали соседскую козу, загнали её к нам во двор привязали за рога, и Берэлэ лег под нее спиной к земле и распахнул свой большой рот. А я, присев на корточки, стал доить Как известно, соски у козы большие и мягкие и не висят прямо надо ртом, а раскачиваются, когда на них надавишь. Струйки молока хлестали вкривь и вкось, попадали Берэлэ то в глаз, то в ухо, но никак не в рот, хотя он терпеливо дергался своим залитым молоком лицом под каждую струйку, чтоб уловить ее губами.

На крик козы — она ведь не понимала, что этот эксперимент для всего человечества, — прибежала ее хозяйка. Вскоре Эле-Хаим Мац имел работу: он сек нещадно Берэлэ, и Берэлэ кричал так, что было слышно на всей улице.

Так в зародыше был убит этот проект, и он уж никогда не осуществится. Берэлэ рано ушел от нас.

И на земле нет рая.

Все женщины нашей улицы считали Берэлэ хулиганом, злодеем и вором и, когда он заходил в дом, прятали деньги, оставленные на кухне для милостыни нищим. При этом они забывали, что Берэлэ Мац учится в школе лучше их детей и знаний у него больше, чем у всей улицы, вместе взятой.

У Берэлэ был брат Гриша — старше его лет на семь. Уже почти взрослый человек. Гришу Бог со стороны отца одарил чрезмерно богатырской мускулатурой, но соответственно убавил умственных способностей. Гриша уже кончал с грехом пополам школу и готовился в техникум. Все, что ему надо было запомнить, он зубрил вслух и по двадцать раз подряд. Маленький Берэлэ, слушая краем уха заунывное, как молитва, бормотание верзилы-брата, на лету все запоминал и в десять лет решал за брата задачки по геометрии и физике.

А своей сестре Хане, которая была тоже старше его, но физически и умственно была ближе к Грише, писал сочинения, заданные на дом. Короче говоря, в этой семье все учились только благодаря стараниям Берэлэ. Но остальных детей родители любили и холили, как и положено в приличной еврейской семье, а Берэлэ лупили, как сидорову козу, осыпали проклятьями и призывали на его голову все Божьи кары.

Мне теперь понятно. Берэлэ родился раньше своего времени, и люди его не поняли, не раскусили. Ему бы родиться не в первой фазе строительства коммунизма, а при его завершении. Тогда бы он осчастливил человечество.

Но Берэлэ Мац рано ушел от нас.

И на земле нет рая.

А до коммунизма все так же далеко, как прежде, если не еще дальше.

Почему Берэлэ считали вором?

За его доброе сердце.

Да, он воровал. И воровал тонко, изобретательно. Но ведь не для себя он старался. Он хотел осчастливить человечество.

Скажем так. Кто из детей, например, не любит сливочное мороженое «микадо», аппетитно сжатое двумя вафельными хрупкими кружочками?

Таких нет. На Инвалидной улице детей кормили, как на убой, но мороженое родители считали баловством (их в детстве тоже не кормили мороженым) и категорически нам отказывали в нем.

И как назло, именно на нашем углу стоял мороженщик Иешуа, по кличке Иисус Христос, со своей тележкой на надувных шинах под полосатым зонтом. Мы млели, когда проходили мимо, и особенно остро понимали, почему произошла в России революция в 1917 году. Нам очень хотелось продолжить ее дальше и сделать мороженое тоже общим достоянием и бесплатным.

Выход нашел Берэлэ Мац. Сначала он умыкал мелочь у себя дома. На эти деньги он покупал у Иешуа максимальное число порций и раздавал нам. А ему всегда не оставалось. Довольствовался лишь тем, что мы ему, скрепя сердце, позволяли лизнуть от наших порций.

Мы же, спеша и давясь холодными кусками, старались быстрей улизнуть домой, потому что знали — расплата неминуема И точно. Еще не успевало окончательно растаять мороженое в наших животах, а уже со двора грузчика Эле-Хаима Маца на всю улицу слышался первый крик Берэлэ. Его секли за украденные деньги. И он громко кричал, потому что было больно, и еще потому, что если бы он молчал, отец посчитал бы что все труды пропали даром. И мог бы его совсем добить

Дома у Берэлэ приняли все меры предосторожности, и даже при всей его изобретательности он там уже больше денег достать не мог Тогда он обратил свои глазки на соседей. У них стала исчезать мелочь, оставленная для нищих, а мы продолжали лизать мороженое «микадо», и Берэлэ Маца секли пуще прежнего, потому что соседи приходили жаловаться отцу.

Когда на нашей улице появился китаец-коробейник с гроздью разноцветных шаров «уйди-уйди», Берэлэ чуть не погиб. Эти шары, когда из них выпускали воздух, тоненько пищали «уйди-уйди», и мы чуть не посходили с ума от желания заполучить такой шарик. Но как раз, как на грех, именно тогда на Инвалидной улице все были помешаны на антигигиене и антисанитарии, потому что в предвидении будущей войны они поголовно обучались на санитарных курсах и сдавали нормы на значок «Готов к санитарной обороне СССР».

Китаец-коробейник был единогласно объявлен разносчиком заразы, его шары «уйди-уйди» — вместилищем всех бактерий и микробов, и застращенные своими женами наши балагулы турнули китайца на пушечный выстрел от Инвалидной улицы.

Через два дня вся улица огласилась воплями «уйди-уйди», и разноцветные шары трепетали на ниточке в руке у каждого ребенка, кто был в состоянии удержать шарик. Улицу осчастливил Берэлэ Мац. Он украл целых два рубля у Рохл Элькэ-Ханэс, ответственной за кружок «Готов к санитарной обороне СССР», и на эти деньги скупил все шары у китайца, разыскав его на десятой от нас улице.

Еще продолжали попискивать «уйди-уйди» истощенные шарики, а со двора Эле-Хаима Маца уже неслись крики Берэлэ. На сей раз его секли показательно, в присутствии пострадавших: Рохл Элькэ-Ханэс, именуемой официально товарищ Лифшиц, и ее мужа, огромного, но кроткого балагулы Нахмана, который при каждом ударе моргал и страдальчески морщился, как будто били его самого. Общественница Рохл Элькэ-Ханэс, она же товарищ Лифшиц, наоборот, удовлетворенно кивала после каждого удара, как это делает любящая мать при каждой ложке манной каши, засунутой ребенку в рот.

У нее с Берэлэ были свои счеты. За неделю до этого он так подвел товарища Лифшиц, что она чуть не сгорела от стыда и боялась, что ее лишат возможности в дальнейшем заниматься общественной работой.

Во дворе у попады наши женщины сдавали нормы на значок «Готов к санитарной обороне СССР». Экзамены принимала важная комиссия во главе с самим представителем Красного Креста и Красного Полумесяца доктором Вайшинкер. Рохл Эльке-Ханэс так волновалась, что свои семечки, от которых она даже в такой день отказаться не могла, не лузгала, как обычно, а жевала, проглатывая вместе с шелухой.

Для проверки медицинских знаний нужен был человек, на котором можно было бы все продемонстрировать. Его нужно было таскать на носилках, бежать с ним по лестницам, спускаться в бомбоубежище. Короче, нужен был человек, которого надо спасать от ожогов всех трех степеней, огнестрельных ранений, проникающих навылет, переломов костей, открытых и закрытых. Уважающий себя человек на эту роль не согласится, даже если бы от этого зависела вся санитарная оборона СССР.

И решили взять для этой цели ребенка. Во-первых, его согласия и спрашивать не надо. Во-вторых, его легче таскать на носилках. А наши женщины, хоть были очень здоровые и тяжелой физической работы не чурались, таскать груз просто так, за здорово живешь, не очень хотели. Поэтому их выбор пал на самого легкого по весу Берэлэ Маца, и он охотно отдал свое тело в их распоряжение, на пользу обществу.

Но впопыхах наши женщины забыли об одном обстоятельстве, которое потом чуть не погубило общественную карьеру товарища Лифшиц. При всех своих талантах Берэлэ Мац обладал еще одним. У него был постоянный хронический насморк, и верхняя губа под его носом никогда не просыхала.

Когда его в присутствии комиссии уложили на носилки, нос и верхняя губа были сухими. Чтобы добиться этого, мать Берэлэ, очень польщенная выбором сына для общественной пользы, полчаса заставляла его сморкаться в подол своего фартука.

И все бы, может быть, обошлось, если б с ним не стали проделывать всю процедуру искусственного дыхания по системе Сильвестра и Шеффера.

Рохл Эльке-Ханэс, она сдавала первой, грузно опустилась на колени у носилок, на которых лежал с открытыми бесовскими глазками Берэлэ Мац, взяла в свои могучие руки его тоненькие ручки и точно по системе стала поднимать их и опускать, как качают кузнечный мех. И Берэлэ действительно сделал глубокий вдох, а потом выдох. Вдох прошел удачно, и все погубил выдох. Вместе с выдохом из одной ноздри Берэлэ возник и стал все больше раздуваться многоцветный пузырь, по-

ка не [...] я Берэлэ
не вы[...]

Пр[...] умесяца
доктор[...] чего по-
добно[...] щ Лиф-
шиц, [...] стала от-
паива[...] рта не-
сколь[...] е ко все-
му, им[...] ими мо-
гучим[...] помогли
ему п[...] оллетене
из-за[...]

Б[...] я. Я был
на по[...] нь разбе-
житься, но зато была полная гарантия относительно носа.

После истории с шариками «уйди-уйди» Берэлэ Мац не смог самостоятельно подняться со скамьи, на которой его сек отец. Его унесла на руках мама и, плача, уложила под одеяло, обвязав мокрым полотенцем голову и положив на спину и тощие ягодицы компрессы. Но еще не высохли на щеках у мамы слезы, а уже с улицы доносился как ни в чем не бывало веселый, неунывающий голос сына.

Берэлэ Мац был удивительно вынослив и живуч. Худенький, маленький, совсем заморыш, с торчащими в стороны большими, как лопухи, что растут под забором, ушами, с несоразмерным, до ушей ртом, переполненным квадратными крупными зубами, лучший друг моего детства — Берэлэ Мац, по кличке Мышонок, был воистину великим человеком. Его я даже не могу сравнить с известнейшими в истории страдальцами за человечество, как, скажем, Джордано Бруно или Галилео Галилей. Они терпели за абстрактные идеи, и народ их тогда не мог как подобает оценить. Берэлэ Мац творил благодеяния конкретные, понятные каждому и с радостью принимаемые всеми нами, и страдал за них постоянно и знал, что за каждым его новым поступком последует очередное возмездие. И не сдавался. А главное, не унывал.

Приглядитесь хорошенько к портретам Джордано Бруно и Галилео Галилея. У них в глазах написано эдакое страдание, жертвенность. Эти глаза как бы говорят: помните, люди, не забывайте мы столько перенесли горя для того, чтоб вы не пу-

тались в звездах на небе и безошибочно могли ответить на экзамене, что земля вертится.

Берэлэ Мац не требовал от человечества благодарности.
Он просто иначе жить не мог. Ему самому его поступки достав-
ляли величайшее наслаждение. И если б сохранился для по-
томства хоть один его портрет, то на вас бы теперь смотрели
озорные, шустрые глазки и под курносым мокрым носиком
улыбка во весь рот до самых ушей, торчащих, как лопухи. И
если бы Берэлэ дожил до наших дней и стал бы самостоятельным и не должен был бы воровать деньги, а имел бы свои собственные, как всякий приличный человек, то... У меня даже
дух захватывает при мысли о том, что бы он мог сделать для
людей. И как бы вообще сейчас выглядела вся наша грешная
планета.

Но Берэлэ рано ушел от нас.

И потому нет рая на земле.

Я прошу будущих историков очень внимательно выслушать, что я дальше расскажу. И в списке высочайших подви-
гов на благо человечества найти место еще для одного. И быть
объективными при этом. Не так, как в Большой Советской
Энциклопедии. И не смущаться от того, что человек этот —
увы! — еврей, и имя его — Берэлэ Мац звучит не совсем по-
итальянски, и родился он не где-нибудь среди благодатных
холмов Тосканы, а на нашей Инвалидной улице.

Незадолго до второй мировой войны, когда в Советском
Союзе уже стояли длинные очереди за хлебом, а чтобы купить
велосипед, надо было три ночи спать у дверей магазина, в Москве торжественно открыли первую детскую железную дорогу.
Это было чудо, а не дорога, и все газеты о ней писали и печата-
ли фотографии, откровенно намекая на то, что капитали-
стическому Западу подобное и не снилось.

Представьте себе только на минуточку. Маленький, как
игрушечный, паровозик и такие же вагончики. И в то же время все, как у больших, у настоящих. И пар настоящий, и гудок, и движется паровоз без обмана, сам. Машинист паровоза
и кондукторы — дети, одетые в настоящую железнодорожную
форму. Пассажиры — исключительно нашего возраста, взрослым вход категорически воспрещен.

Можно было сойти с ума. Сталин — лучший друг советских детей, а заодно и советских железнодорожников, осчастливил московских пионеров, а про остальных или забыл, или

у него просто не хватило времени. Ведь он тогда вел всю страну к коммунизму. Нешуточное дело. Кругом столько врагов народа, сующих палки в колеса, и их надо беспощадно уничтожать. Не удивительно, что он мог в своих заботах и хлопотах забыть о нас, детях с Инвалидной улицы.

Исправить эту оплошность взялся Берэлэ Мац. Конечно, проложить железную дорогу посередине Инвалидной улицы было и ему не под силу. Тем более, достать паровоз и вагоны Я уже говорил, в те годы велосипед купить было событием. Берэлэ Мац нашел свое решение, и оно было таким ослепительным, что наша Инвалидная улица, правда, ненадолго, но утерла нос самой Москве.

Была зима, и балагулы своими тяжелыми санями укатали снег на нашей улице глянцевитыми, скользкими колеями. Они вполне могли сойти за рельсы. В каждом дворе были детские санки, и привязав одни к другим, можно было вытянуть длиннейший поезд. Недоставало только паровоза. Берэлэ попросил нас молчать и завтра утром со своими санками быть в полной готовности.

Меня он взял в ассистенты, и на рассвете, свистом вызвав из дому на улицу, повел на городской базар. Всегда неунывающий, он показался мне в это утро немножечко смущенным. И не без причины. Берэлэ украл у соседей целых двадцать рублей. Имение — как говорила о такой сумме моя мама. Отец Берэлэ, грузчик Эле-Хаим Мац, ворочал на мельнице две недели тяжелые мешки, чтоб принести домой столько денег. Это был настоящий капитал. И у нас у обоих кружились головы.

Имея такой капитал в кармане, мы прошли, не дрогнув, мимо тележки мороженщика Иешуа, по кличке Иисус Христос, мимо ларька, где желтели этикетками бутылки сладкого ситро. Мы мужественно прошли мимо сотни соблазнов, расставленных на нашем пути. И дошли до конных рядов на городском базаре, где снег был усеян клочьями сена и дымящимися катышками навоза и стоял такой крик, как будто не торговались из-за лошадей, а резали человека.

Честно сознаюсь, я не осмелился сунуться к кому-нибудь с такими деньгами. Сразу отведут в милицию. Откуда у ребенка такие деньги? Берэлэ из-за своего роста выглядел намного моложе меня и тем не менее не струсил. Подмигнув мне и утерев рукавом нос, он исчез среди лошадиных хвостов, а я с замирающим сердцем остался ждать его.

Почему его не схватили, почему не отвели в милицию, какой сумасшедший продал ему коня — это для меня останется загадкой на всю жизнь, потому что мне было не до вопросов, когда я увидел Берэлэ Маца, уверенно, как ни в чем не бывало ведущего на веревке купленную лошадь. Я так ошалел в первый момент, что даже не совсем хорошо рассмотрел ее поначалу. Только потом, опомнившись, я разобрался, что то, что он купил, уже давно не было лошадью. Великий писатель Лев Толстой назвал бы ее «живым трупом», и это было бы слишком мягко сказано. Старая, умирающая на ходу кобыла, полуслепая, и кости на ней выпирали так, что казалось вот-вот прорвут шкуру.

Теперь-то я понимаю, что за те двадцать рублей что-нибудь получше купить было невозможно. Но тогда я был уверен — Берэлэ жестоко обманули и, не дыша, шел за лошадью следом, больше всего боясь, что она не доковыляет до нашей улицы и упадет и сдохнет по дороге.

Мой же друг Берэлэ Мац сиял от удовольствия. На худую шею кобылы была накинута толстая веревка, и Берэлэ держал в руке ее конец и торжественно шагал впереди кобылы по самой середине улицы, и редкие прохожие в недоумении оглядывались на нас.

Был выходной день. В такой день мужчины с Инвалидной улицы поздно отсыпались, а их жены в этот час еще рвали глотку на базаре, торгуясь с крестьянами за каждую копейку. Только поэтому мы смогли, никем не остановленные, добраться до дому.

Я побежал за санками. И все остальные сорванцы притащили свои. Санок не было только у Берэлэ Маца. Его отец считал санки баловством и непозволительной роскошью. Поэтому Берэлэ Мац единогласно был назначен машинистом. С нашей помощью он вскарабкался по лошадиным ребрам на колючий хребет, натянул веревку, заменявшую повод. Из его зубатого рта вырвался хриплый, ну совсем настоящий паровозный гудок, и длиннющий поезд из двадцати санок тронулся по самой середине Инвалидной улицы.

Мы млели, мы выли, мы скулили от наслаждения. И больше всех наслаждался наш машинист Берэлэ Мац, гордо и деловито восседавший на шипах конского хребта, как человек, сделавший доброе дело и теперь с удовлетворением взиравший на дело рук своих. Время от времени он издавал паровозный гудок и вдобавок еще шипел, как пар, вырывающийся из-под колес. Для полного правдоподобия не хватало только дыма из трубы, но наш «паровоз», очевидно, перекормленный хозяином перед продажей, извергал из-под хвоста столько дымящихся шариков навоза, и они падали на меня, потому что я был на передних санках на правах помощника машиниста, что все выглядело почти как на настоящей железной дороге, и наше счастье, прорывавшееся в безумных воплях, казалось беспредельным.

Но, к сожалению, всему есть предел.

Наши полоумные визги подняли на ноги всю улицу. Последним, отстегивая на ходу ремень, вышел мрачный грузчик Эле-Хаим Мац.

Чем это кончилось, вы сами понимаете. В тот раз Берэлэ отделали так, и он кричал так громко и так жалостно, что его мать Сарра-Еха, стоически выдерживавшая все прежние экзекуции, упала без чувств, а в соседних домах женщин отпаивали валерианкой.

Достойно внимания лишь следующее. Отведя душу, как никогда, на своем отпрыске, отец Берэлэ, грузчик Эле-Хаим, повел коня на живодерню и был еще рад, что там дали за него 5 рублей. Дали только за шкуру. Остальные пятнадцать Эле-Хаим Мац доложил из своего кармана и вернул Нэяху Марголину двадцатку, исчезнувшую у того, когда в доме не доглядели за вошедшим на минутку Берэлэ. Нэях Марголин деньги взял, но потребовал впридачу, чтобы Эле-Хаим Мац извинился перед ним за своего сына. Это было уже слишком. Эле-Хаим никогда не извинялся и не знал, что это такое и, как говорится, с чем его едят. Но Нэях Марголин настоял на своем, и несчастный Эле-Хаим Мац после этого лишился аппетита и неделю не мог смотреть не только на хлеб, но даже и на сало.

О моем друге Берэлэ можно рассказывать всю ночь, пока все не свалятся от усталости. И даже тогда будет рассказано далеко не все. Но я ограничусь еще одной историей, из которой будет видно, на какие дела он был способен

Когда я говорил, что он был маленький и худенький, то вы, наверное, подумали, что он был хлипким и слабым. Как говорится, отнюдь нет! Хоть он происходил от чужой женщины, отец-то его, Эле-Хаим, был наш человек, с Инвалидной улицы. Берэлэ был здоров, как бык, и ловок, как бес. Вот о его ловкости я и хочу рассказать.

Сколько я себя помню, в нашем городе всегда была проблема с хлебом. То его продавали по карточкам, только норму, то при очередной победе социализма в нашей стране карточки ликвидировали и хлеба можно было покупать сколько душе угодно, но при одном условии — предварительно выстояв по многу часов в длиннейшей очереди. К тому времени, о котором я хочу поведать, а было это накануне второй мировой войны, хлеба снова стало не хватать, но карточной системы еще не ввели.

Продавали только одну буханку хлеба в одни руки, а одна буханка хлеба на Инвалидной улице — это на один зуб. Но добро бы так. Приходи и получай в свои одни руки свою одну буханку хлеба. Как говорится, держи карман шире. Может быть, вы бы еще хотели, чтобы вам при этом сказали «спасибо»?

А вы не хотите занять с вечера, на морозной улице очередь возле магазина и мерзнуть до восьми часов утра, когда откроют магазин, чтобы не быть последним, потому что последним вообще хлеба не доставалось.

Зима тогда стояла жуткая, мороз доходил до 40 градусов по Цельсию, и все мичуринские деревья в саду у балагулы Нэяха Марголина вымерзли до единого. Я хорошо помню ту зиму, потому что тогда шла советско-финская война. Это была репетиция перед большой войной. Но на эту репетицию забрали всех молодых парней и даже мужчин с нашей улицы, и один из них даже умудрился не вернуться живым. Как говорится, пал смертью храбрых.

Подумать только, маленькая крохотная Финляндия, страна, извините за выражение, которую на карте не заметишь, вздумала угрожать нашему легендарному городу, колыбели революции — Ленинграду. Советский Союз, естественно, должен был проучить ее, эту занозу Финляндию. И ка-ак размахнется! Ка-ак стукнет! И, как говорится, мимо. Кроха Финляндия не только не сдавалась, но и крепко покусала своего большого соседа. Это было уму непостижимо. Мы, которые летаем быстрее всех, мы, которые летаем выше всех, и мы, которые, наконец, летаем дальше всех, ничего не могли сделать с этими упрямыми белофиннами.

Мальчики с Инвалидной улицы были готовы порвать Финляндию на куски. Но что могли поделать мы, люди еще не самостоятельные, когда вся страна от Тихого океана до, как говорится, Балтийских морей целую зиму, истекая кровью билась головой об стенку, то есть об линию Маннергейма, и ни с места. Говорят, что эта страна, Финляндия, еще существует до сих пор, и никакая зараза ее не берет.

Все может быть. Я сейчас верю чему угодно. К одному только не могу привыкнуть, что хлеба можно достать без очереди и купить сколько душа пожелает. Это кажется необыкновенным, волшебным, как в сказке. И если вы, слушая мои слова, недоверчиво пожимаете плечами, то это только оттого, что вы не стояли морозной ночью в очереди за хлебом на Инвалидной улице.

Уже вечером к магазину начинали стекаться люди, одетые, как ночные сторожа, в тулупы, валенки, укутанные в толстые платки, и мерзли до утра. И при этом жестоко ссорились, подозревая каждого в подвохе и бдительно следя, чтобы очередь соблюдалась. К восьми утра вырастала огромная черная толпа, окутанная паром от дыхания и обросшая белым инеем на бровях и усах, а у нас многие женщины были усатыми, как маршал Буденный, и все люди выглядели ну, точно, как новогодние деды морозы. Кроме наших, еще набегали колхозники из соседних деревень. Там хлеба вообще не продавали.

Когда, наконец, со страшным скрипом отпирали двери магазина, от очереди и следа не оставалось. Все смешивалось в настоящий муравейник, трещали кости, визжали бабы, густо матерились мужики, потные разгоряченные люди давили друг друга так, что я до сих пор удивляюсь, почему не было жертв. Видать, это происходило оттого, что человека с нашей улицы не так-то легко задавить. Толпа штурмом брала узенькие двери, там создавалась пробка из рук, ног, задов и голов с выпученными глазами, и первые пять минут ни один человек не мог прорваться в магазин.

Вот этими-то пятью минутами умудрялся воспользоваться Берэлэ Мац. Приличные матери были готовы умереть с голоду, без хлеба, но своих детей в такую бойню не посылали. Мать Берэлэ — Сарра-Еха, очевидно, не слыла приличной матерью. Единственным добытчиком хлеба для всей семьи был маленький Берэлэ, по кличке Мышонок.

Вы, конечно, не поверите, но он приносил не одну буханку хлеба, как полагалось в одни руки, а две. И не стоял с вечера у магазина. И не мерз ночью. А спокойно спал себе в кровати, над изголовьем которой отец, грузчик Эле-Хаим, вешал на ночь на гвоздик, что подпирал портрет Ворошилова, страшный ремень, как говорится, чтоб всегда был на виду и всегда под рукой.

К магазину он приходил, маленький, неприметный, укутанный, как девочка, в платок, вместе с мамой за несколько минут до открытия, когда уже очереди и в помине не было, а бурлила большая озверевшая толпа. Мама столбенела при виде этого кошмара, а он стоял и держал ее за руку, совсем как ребенок, и только глазки его из-под маминого платка цепко шарили по толпе.

Когда ровно в восемь двери магазина распахивались и под напором человеческих тел там сразу возникала пробка, Берэлэ дергал маму за руку. Это возвращало ее к реальности. Она кряхтя и каждый раз с недобрым предчувствием поднимала своего сыночка, подсаживала его на спину крайнему человеку в толпе, и дальше Берэлэ все делал сам. С ловкостью не акробата — акробат рядом с ним мало каши ел — а как обезьяна Чита из кинофильма «Тарзан», Берэлэ пробегал над толпой, отталкиваясь ногами от чужих плеч и голов. Прямо по шапкам, по платкам. И пока люди разбирались что к чему, он уже добегал по их головам до дверей и нырял в узкий просвет, что оставался между притолокой и головами. И получал хлеб первым. Одну буханку. Вторую он брал, пропустив несколько человек вперед и снова став в возникшую у прилавка очередь. А потом бежал в школу и приносил оттуда исключительно пятерки по всем предметам.

Слухи о том, как маленький Берэлэ добывал своей семье хлеб, скоро стали достоянием всей улицы. В нечестности его никто не упрекал. Боже упаси! На нашей улице ловкость ценилась и была в почете. Волнение вызывало совсем иное. Ведь Берэлэ Маца ни в одном доме, кроме как шкодой, хулиганом, вором и босяком, никто иным словом не называл и своих детей от него берегли, как от заразы. Теперь же начинали петь по-иному. У людей дети как дети, добытчики, помогают родителям, приносят хлеб в дом, а наши могут только жрать. Это говорила моя мама, не глядя мне в глаза, а так, в пространство, и имела в виду меня. Потому что братьев у меня не было. И говорилось это все чаще и чаще. И по-прежнему не глядя в глаза, а в пространство. Потому что она была приличной матерью и жалела мои бедные косточки, а с другой стороны, почему другим людям повезло и у них такие дети, как Берэлэ Мац.

На Инвалидной улице для каждого ребенка мама была —

Бог. И моя для меня тоже. Я ее понял. И решил попытать счастья. Но не один, а с Берэлэ Мацем. Рядом с ним, может быть, и мне повезет, и я вернусь живым с буханкой хлеба.

Мы пришли к магазину без десяти минут восемь. Очереди уже, как всегда, не было, а бурлил живой водоворот. Сарра-Еха, мать Берэлэ, с нами не пошла. Ведь подсадить его на чужую спину мог и я.

Но нам не повезло. К Берэлэ уже давно пригляделись и теперь опознали.

— Хулиган! Шкода! Вор! Босяк! Чтоб твоего духу здесь не было!

На него кричали со всех сторон и все поворачивались к нему лицом, а не спиной, которая так нужна была, чтоб, взгромоздившись на нее, потом бежать по плечам и головам и юркнуть в двери магазина.

На сей раз, как говорится, номер не прошел. Моя мама потом говорила, что это все из-за меня. Потому что я шлимазл и мне вечно не везет. Это ошибка природы, говорила мама, что я родился на Инвалидной улице, да еще в такой приличной семье. В общем, мне не повезло, и не повезло и Берэлэ, который имел неосторожность со мной связаться.

Я приуныл и был сам не рад, что пошел. Другое дело — Берэлэ. Он и на сей раз не растерялся. Улыбаясь до ушей, но с очень серьезными глазками, он минуту оценивал обстановку, и крохотный его лобик от напряжения сморщился и исчез совсем. Остались одни брови.

— Идем со мной, — сказал Берэлэ Мац и взял меня за руку.

Мы отошли на почтительное расстояние от толпы, уже бравшей штурмом открытые двери магазина, затем свернули в какой-то двор и через забор вышли в тыл противнику. Здесь, с другой стороны магазина, было сравнительно тихо. Лишь с улицы доносились малохольные вопли. В задней стене было окно с толстой железной решеткой, а в самом низу окна форточка, распахнутая настежь, и в нее был всунут конец полукруглого деревянного желоба. Другой конец, поднятый повыше, лежал на полу фургона, в котором балагула привез свежий хлеб. Вкусно пахнущие коричневые буханки с темной поджаренной корочкой одна за другой скользили по желобу в форточку и исчезали в гудящем чреве магазина.

Балагула швырял буханки охапками и пока набирал следующую, желоб на момент пустел. Этого момента оказалось вполне достаточно для Берэлэ. Бросив мне на руки мамин платок и пальто, он вскочил в желоб, вытянулся в нем как покойник — руки по швам, ногами вперед и пулей влетел в форточку, а вслед за ним покатились буханки хлеба из следующей охапки.

О том, что он остался жив и все идет как по маслу, я понял через полминуты, когда из гудящего, как улей, нутра магазина послышался притворно хнычущий вопль моего друга:

— Не душите ребенка!

Берэлэ Мац вынес две буханки хлеба и одну честно отдал мне. Хотя, если быть откровенным, я на нее не имел никакого права.

Что тут говорить! Я очень и очень сомневаюсь, имели ли вы когда-нибудь в жизни таких бескорыстных друзей. И навряд ли будете иметь. Потому что Берэлэ рано ушел от нас.

О его последних днях я много рассказывать не собираюсь. И потому, что я все это знаю с чужих слов, и потому, что у меня при этом портится настроение.

Берэлэ стал одной из шести миллионов еврейских жертв фашизма. И если все эти шесть миллионов хоть отдаленно были чем-то похожи на моего друга, то я никак не понимаю, как это выдержал земной шар, который продолжает по-прежнему вертеться, как ни в чем не бывало, а солнце так же всходит каждое утро, ни разу не покраснев. Уму непостижимо!

Отец Берэлэ, грузчик Эле-Хаим Мац, был человеком небогатым, простым работягой и не сумел, как другие, с легким сердцем оставить свое жалкое добро. Он не убежал из города, когда подходили немцы, не смог расстаться со своей халупой и сараем. Очень трудно они ему достались. И потому лежит сейчас в большом противотанковом рву, поросшем молодым лесом, рядом со своей женой Саррой-Ехой, у которой был низенький лоб, доставшийся по наследству моему другу, усы и даже бакенбарды. С ними лежит сестра Берэлэ — Хана, которая установила перед войной рекорд города в метании диска, и он сам — великий маленький человечек, гибель которого теперь так остро чувствует вся земля.

Из всей семьи остался только старший брат Гриша Мац — гигантского и красивого сложения парень, который своими бицепсами прославил наш город до войны на соревнованиях по штанге. Но и он ненадолго пережил своих родных.

Гриша был на войне танкистом, механиком-водителем. Когда освободили от немцев наш город, он буквально на второй день явился туда весь в орденах и медалях и все часы, отпущенные ему начальством на свидание с семьей, потратил на то, чтобы узнать, как это произошло. И узнал. Нашел очевидцев, и они все подтвердили.

И как рассказывают, у Гриши Маца стало черным лицо. Он не заплакал. На Инвалидной улице мальчики после десяти лет уже не плачут. И молча ушел от пепелища и поехал на попутных грузовиках догонять свой полк. Люди рассказывают, что товарищи его, танкисты, сразу не узнали своего механика-водителя. Он молчал, сколько ни тормошили его. И в глазах у него светилось что-то нехорошее. Его бы в госпиталь, тогда и он, может быть, остался бы жив. Но начинался штурм Кенигсберга, и танки двинулись на позицию. По дороге им попалась встречная колонна немецких военнопленных, которых вели под конвоем в тыл. Когда обе колонны поровнялись, один танк Т-34 вдруг вырвался из строя и ринулся на немцев, давя людей, наматывая руки и ноги на свои гусеницы. Этот танк вел механик-водитель Гриша Мац.

Его расстреляли по приговору военного трибунала за месяц до конца войны. Расстреляли перед строем своих же однополчан-танкистов. И люди рассказывают, что стрелявшие чуть не плакали, оттого что им придется продырявить, попортить такое красивое, могучее тело.

От всего семейства никого не осталось на земле. И я потом ни разу не встречал людей по фамилии Мац. Очень редкая фамилия. И видимо, она не будет иметь продолжения.

Я вас очень прошу. Если когда-нибудь вы встретите кого-нибудь с такой фамилией, не поленитесь черкнуть мне пару слов. У меня камень спадет с души. Значит, не все еще потеряно. И возможно, через два или три поколения на земле снова появится со своим низеньким лобиком, большими ушами и вечной улыбкой новый Берэлэ Мац, и человечество снова сможет надеяться, что на земле, в конце концов, все же будет рай

Легенда третья
ШКАФ «МАТЬ И ДИТЯ»

предвижу ваш вопрос: что такое шкаф «Мать и дитя» да такое странное название?

И чтобы не испытывать вашего терпения, отвечу в самом начале, а потом расскажу все остальное по порядку.

По вашему вопросу сразу видно, что вы не жили в Советском Союзе до второй мировой войны. В противном случае вы бы, несомненно, знали, что такое шкаф «Мать и дитя», и не задавали бы детских вопросов. В ту пору такой шкаф был символом налаженного советского быта и красовался почти в каждой квартире, вернее, комнате, потому что квартира чаще всего состояла из одной комнаты. А там, где его не было, была нищета, и люди лезли из кожи вон, чтоб достать такой шкаф и, таким образом, подняться до среднего жизненного уровня. Не знаю, как в других городах, но у нас обладатели шкафа «Мать и дитя» считали себя отмеченными судьбой и на всех остальных смотрели свысока, как дворяне на плебеев. И если невеста, выходя замуж, получала в приданое этот шкаф, то лучшего свидетельства солидности партии и не надо было. Дай Бог, всем так выходить замуж, говорили люди.

Шкаф «Мать и дитя» был единственным стандартом, освоенным советской мебельной индустрией, и как это водится в плановом хозяйстве, спрос на него значительно превосходил предложение. Чтобы заполучить шкаф, нужно было не только собрать деньги, но и выстоять в очереди не одну ночь. Зато как им дорожили и как им гордились! Нынешнее поколение лишено этой радости.

Теперь таких шкафов нет. Есть модерн и есть под старину. А шкаф «Мать и дитя» — не очень удобный и не очень красивый, я бы даже сказал, аляповатый, стал музейной редкостью. Да и в музеях вы его тоже не найдете.

Я его, например, после войны увидел один лишь раз. Четверть века спустя. В коммунальной московской квартире моего друга. Шкаф достался ему по наследству от родителей и сохранился потому, что он инженер, а на жалование инженера, как известно, не очень разбежишься покупать новую мебель.

Как живой, стоял этот шкаф в его комнате. Угловатый, немножко громоздкий и застенчивый, как провинциал. Из желтоватого неполированного дерева с подслеповатыми стеклышками в дверях малого отделения, именуемого «дитя», и без стекол в большом, именуемом «мать». По шероховатому дереву кое-где проведена фигурная резьба, совсем немножко, чтобы шкаф отличить от обычного ящика, и в этом был намек на извечное стремление человека к уюту, даже в наше суровое пуританское время.

Когда я увидел этот шкаф, мою грудь стеснила, как пишут в романах, теплая волна. Как будто я увидел мою старенькую бабушку Хаю-Иту, которой давно уже нет в живых. Ее расстреляли немцы в 1941 году, и она этого даже не видела, потому что была абсолютно слепой.

Мысленно я сразу перенесся в тридцатые годы на Инвалидную улицу. И первое, что я увидел, — торжественный провоз шкафа «Мать и дитя» по нашей улице.

Это было зрелище. И люди выходили из калиток, а кто не мог выйти, смотрели в окна. И выражали свои чувства открыто: и радость, и зависть.

Огромный желтый шкаф, перетянутый толстыми веревками, везли на ручной тележке, которую тащил, запрягшись между оглобель, тележечник (тогда была и такая профессия) Шнеер. Какой нормальный человек повезет драгоценный шкаф на балагульской подводе? Боже упаси! Еще, не дай Бог, разобьет. А на тележке с большими колесами — полная гарантия. Во-первых, везет не глупая лошадь, а человек, и он-то понимает, как надо быть осторожным. Во-вторых, вся семья сопровождает тележку от самого магазина, подпирая шкаф со всех сторон руками, и кричит на тележечника хором:

— Осторожней! Шлимазл! Где твои глаза?

Больше всех и громче всех кричит сама мать семейства, потная, со сбитой прической, с оторванными пуговицами на кофточке, но с накрашенными по торжественному случаю помадой губами. Это она отстояла много ночей в очереди, а не эти дармоеды: муж и дети. Это она проследила, чтоб не подсунули брак с трещиной на стекле или отбитым кусочком резьбы. Все сделала она сама и теперь, как на параде, принимает заслуженные поздравления и нескрываемую зависть соседей.

Тележка гремит коваными колесами по булыжникам мостовой, шкаф опасно качается из стороны в сторону, пока колеса переваливаются с камня на камень, и владельцы шкафа — и мать, и отец, и дети — наперебой осыпают тележечника Шнеера градом ругательств.

А он, раскачивая, как лошадь, в такт шагам бритой головой, налегает на брезентовую лямку грудью, руками держит оглобли и улыбается доброй глуповатой улыбкой. Вы можете спросить: чего он улыбается?

И я вам отвечу, что у него для этого много причин.

Во-первых, он не так уж умен, как я это и отметил выше. Как говорили на нашей улице, недоделанный. Во-вторых, ему лестно внимание всей улицы к его тележке. И в-третьих, он знает по опыту, что ругают его беззлобно и больше для того, чтоб привлечь внимание соседей к шкафу, а когда шкаф, наконец, благополучно будет сгружен, хозяева не поскупятся, доложат ему лишний рубль и, весьма возможно, угостят обедом со стопочкой водки.

Сам Шнеер тоже живет на нашей улице, но не на правой стороне, а на левой. И это немало значит.

Правая сторона отличалась от левой, как день и ночь. На правой стояли добротные, из толстых бревен, дома, до крыши утонувшие в яблоневых и грушевых садах. От улицы они были отгорожены высокими крашеными заборами и тяжелыми воротами. И люди в них жили, очень похожие на свои дома. Сытые, благополучные и очень здоровые. Здесь жили балагулы, грузчики, мясники, дамские и мужские портные и выдвиженцы, то есть бывшие балагулы, выдвинутые новой властью на руководящую работу и ставшие советскими служащими.

Эта сторона улицы смотрела на мир с чувством собственного достоинства и был у нее лишь один враг — финансовый инспектор. Его боялись, перед ним заискивали. Завидев его, сразу накрывали стол для угощения.

Но финансовый инспектор, хоть и враг, но тоже живой человек. С ним можно было ладить, найти общий язык. Особенно, если ему на язык что-нибудь положить. Гроза всех частников, финансовый инспектор на нашей улице становился шелковым. Он привык к тому, что здесь живут приличные самостоятельные люди, которые, если и обманывают государство, чтоб как-нибудь прожить, уж его-то не обойдут и оставят ему его долю. У нас он был шелковым и, действительно, носил рубашку из натурального шелка, подаренную ему вскладчину балагулами.

На левую сторону улицы финансовый инспектор даже не глядел. Ибо там поживиться было нечем. На левой жила голытьба. В тесных двориках, без единого деревца, в стареньких, заваливающихся домишках с прогнившими, в зеленой плесени, крышами ютилось множество семей с оравами грязных, оборванных детей. Этих людей мы почти никогда не видели. Они рано уходили и поздно приходили, топили печи, чтоб приготовить еду, и тогда несло на улицу кислые, прогорклые запахи.

Там жили чернорабочие, холодные сапожники, набивавшие набойки прямо на улице, прачки и уборщицы. Люди тихие и убогие. И нам, детям правой стороны, категорически запрещалось появляться на левой, потому что там можно подцепить заразу и научиться нехорошим словам.

Мой дядя Шлема, живший, как и мы, на правой стороне, потому что он был мясник, и умел рубить мясо так, чтоб и себе осталось, говорил, глядя на левую сторону улицы:

— Для таких людей делалась революция в семнадцатом году, а они живут так же бедно, как и раньше. Финансовый инспектор хочет прикончить и нашу, правую сторону. Тогда спрашивается, для чего мы делали революцию?

Когда он говорил «мы», это была не оговорка и не ошибка малограмотного человека. Не будучи грамотным, мой дядя Шлема действительно делал революцию собственными руками и даже штурмовал Зимний дворец в Петрограде. Был ранен и контужен в гражданской войне. А когда все кончилось, сам испугался того, что натворил, стал мрачным и даже не читал газет.

Он думал лишь об одном — как прокормить свою семью. Бывший революционер, как огня, боялся финансового инспектора и, только выпив два стакана водки, осмеливался произносить слова насчет левой стороны улицы и зачем делалась революция. Сказав эти слова, он начинал плакать, и мы, дети, боялись к нему подойти, потому что он мог ударить.

Дамы с правой стороны, хоть и с брезгливостью, но опекали левую сторону. Каждый год в августе, перед началом учебного года в школе, правая сторона избирала двух самых заметных дам для сбора милостыни. Для этого случая эти дамы одевались, как говорил мой дядя Шлема, в пух и прах, то есть в самое лучшее из своего гардероба. А лучшее обычно было зимним нарядом, и они, невзирая на августовскую жару, обувались в белые фетровые ботики на высоком каблуке, облачались в меховые жакеты, пахнущие нафталином шляпы, шеи укутывали в рыжие лисы и, накрасив яркой помадой губы и напудривщись, торжественно потея, отправлялись в обход правой стороны, с лакированными ридикюлями в руках. И принимали их в каждом доме тоже торжественно. Хозяева здоровались с ними за руку, хоть уже не раз видели их сегодня, приглашали к столу, покрытому свежей хрустящей скатертью, и давали милостыню, кто сколько может. Дать меньше пяти рублей считалось позором.

На эти деньги обе дамы покупали детям левой стороны обувь и тетради. Это было традицией, и день сбора милостыни превращался в своего рода праздник. В тот день умолкали ссоры, люди добрели и гордились собой.

Левая сторона с молчаливой радостью принимала эту коллективную милостыню, а потом до следующего августа все забывалось, и обе стороны жили каждая своей жизнью.

В тридцать восьмом году несчастье постигло правую сторону. Во всей России шли повальные аресты, и они не миновали Инвалидную улицу. В одну ночь на правой стороне были арестованы все выдвиженцы, то есть советские служащие, и половина домов осталась без кормильцев. Нужда и бедность перекинулась с левой на правую сторону.

Пришел август. Напуганная, укрывшаяся за закрытыми ставнями, правая сторона забыла о традиции. Но ее не забыли на левой.

Две дамы с той стороны, две нищие, измученные работой женщины принарядились во что могли: в бабушкины протертые капоты, в рваные соломенные шляпки с искусственными цветами и, накрасив губы, отправились по всем лачугам левой стороны собирать милостыню для осиротевших детей с правой. Не помню, много ли они собрали, но когда они принесли, что смогли, на правой стороне плакали и очень долго, стеная и всхлипывая, благодарили.

Так что я не могу сказать, что Инвалидная улица не была способна на добрые дела, и все, что будет рассказано дальше, только подтвердит справедливость моих слов. И вообще, на нашей улице могла быть райская жизнь. Если бы не женщины.

Таких женщин, какие жили на Инвалидной улице, вы сейчас не найдете. Жены балагул были такие же широкие в кости и особенно в заду, как кони-тяжеловозы их мужей. И груди на их обширных, жирных телах занимали непомерно большое место. Не было случая, чтоб наша женщина, купив новую кофточку и с трудом натянув ее на плечи, тут же не обнаружила двух рваных дыр на грудях. Кофточки лопались, а так как новую купить не всегда было по карману, то на рваное место накладывали цветные заплатки в виде розочек или листиков, и наши женщины поэтому всегда щеголяли с вышивками на груди.

Но если б они были только здоровы и могучи, то это, как говорится, еще полбеды. Женщины нашей улицы наповал опровергли поговорку: бодливой корове Бог рогов не дает. Еще какие дал! Совершенно мужская физическая сила и буйный бабий темперамент превращали их в опасный динамит.

Как точно охарактеризовал их балагула Нэях Марголин: наши бабы — огонь и от них можно прикурить, если нет в продаже спичек.

То, на что они были способны, не снилось самому отважному мужчине. Судите сами.

В семье не без урода. У приличного, самостоятельного человека балагулы Меира Шильдкрота был брат Хаим. Так вот, он был тем уродом, без которого семьи не бывает. Рыжий и здоровый, как и его брат, Хаим был непутевым человеком, и его изгнали из дому за нежелание стать балагулой, как все. Он искал легкой жизни и через много лет приехал в наш город под именем Иван Вербов и привез с собой льва. Живого африканского льва. Хаим, то есть Иван Вербов, стал выступать в балагане на городском базаре с аттракционом «Борьба человека со львом»

Ни один человек с Инвалидной улицы ногой не ступил в этот балаган. Меир Шильдкрот публично отрекся от брата и не пустил его в свой дом, хоть дом был их совместной собственностью, потому что достался в наследство от отца, тоже приличного самостоятельного человека.

Иван Вербов жил в гостинице и пил водку ведрами. Он пропивал все и даже деньги, отпущенные на корм для льва, и его лев по кличке Султан неделями голодал и дошел до крайнего истощения.

Говорят (я этого не видел и видеть не хотел), что когда Вербов боролся со своим львом, было трудно отличить, кто лев, а кто Вербов. Потому что Ивану Вербову досталась от отца Мейлаха Шильдкрота по наследству рыжая шевелюра, такая же, как грива у льва. Рожа у него была красная от водки, а нос широкий, сплюснутый в драках, и если бы ему еще отрастить хвост с метелочкой, никто бы его не отличил от льва.

Вербов, одетый в затасканный гусарский ментик с галунами и грязные рейтузы, трещавшие на ляжках, сам продавал у входа билеты и сам впускал в балаган публику. Что это была за публика, вы можете себе представить. Базарные торговки и глупые крестьянки, приехавшие из деревни на базар. Для них Иван Вербов тоже был дивом.

Закрыв вход в балаган, Иван Вербов включал патефон и, пока издавала визгливые звуки треснутая пластинка, вытаскивал за хвост своего тощего, еле живого льва, ставил его на задние лапы, боролся с ним, совал голову в пасть и, наконец, валил его на пол. Лев при этом растягивался так, что напоминал львиную шкуру, которую кладут вместо ковра. Но рычала эта шкура грозно, потому что хотела есть, а сожрать кудлатую голову Вербова брезговала, боясь отравиться алкоголем. Базарные торговки и крестьянки в ужасе замирали, когда лев рычал, и даже ходили на несколько сеансов подряд, надеясь увидеть, как лев откусит башку дрессировщику. Эти бабы распространяли по всему базару слухи о грозном и голодном льве Султане и храбрости Ивана Вербова.

Слухам, а заодно и репутации Вербова, положила конец женщина с Инвалидной улицы, жена его брата — Ента Шильдкрот. Чтобы спасти честь своей семьи, она решилась на безумное дело. Купила у Вербова билет, прошла в балаган и, когда он выпустил из клетки льва, громко заявила при публике, что лев так слаб от голода и истощения, что она, женщина, может с ним бороться. И потребовала, чтоб Вербов пустил ее за решетку.

Вербов испугался, и первый раз люди видели его красную рожу бледной. Ента рвалась за решетку, а он просил ее одуматься, потому что лев действительно голоден и незнакомого человека порвет на куски. На шум и крики собрался весь базар. Мужчины шли на пари: съест лев Енту или нет? Вербов умолял ее идти домой, грозился позвать милицию, а она в ответ заявила, что милиция арестует его, как жулика. Это было уже слишком, и Вербов распахнул дверь в решетке.

Лев Султан, почуяв чужого, грозно заревел и разинул пасть. Все замерли, а у Вербова затряслись руки.

Ента Шильдкрот прошла за решетку, положила руку на львиную гриву, слегка толкнула Султана, и он лег, растянувшись, как ковер.

Ночью Иван Вербов скрылся из города, даже не захватив с собой льва и не уплатив за гостиницу. Султана забрали в зверинец, и он, откормившись, стал со временем похож на царя зверей. В гостиницу внес деньги Меир Шильдкрот, чтоб отстоять честь семьи.

Ента, когда ее потом расспрашивали, как она решилась на такой отважный поступок, отвечала, что каждый советский человек на ее месте поступил бы так же, и люди понимали, что, кроме всего прочего, она регулярно читает газеты и наизусть знает достойный советский ответ.

Вот какие женщины жили на Инвалидной улице. Сейчас таких нет и еще долго не будет.

Их мужья, силачи-балагулы, боялись им слова поперек молвить и при первой вспышке дамского гнева позорно бежали, не заботясь о своей репутации. Поэтому ссориться женщины могли только друг с другом. И они это делали каждый день и делали всласть.

В центре улицы была единственная водопроводная колонка, и все женщины ходили туда с двумя ведрами на коромысле за водой. Пока журчала тоненькая струйка, их собиралось довольно много и они вступали в соседские беседы о житье-бытье, и это каждый раз кончалось ссорой.

Женская ссора на Инвалидной улице только в первой стадии была похожа на то, как ссорятся везде женщины. Начинался крик, взаимные обвинения и... угрозы. Вот угрозы-то у наших женщин не были пустыми. Как только иссякали словесные аргументы, а для этого было достаточно одной минуты, в ход пускались кулаки и коромысла. И начиналась драка, от которой мужчины холодели. У нас женщины не таскали друг друга за волосы и не царапались. Они дрались по-мужски, короткими звучными ударами. И очень часто от водопроводной колонки люди бежали за доктором Беленьким, потому что требовалось вмешательство хирурга.

Но это легко говорится — бежать за доктором Беленьким. Хоть он жил на нашей улице, в самом конце, за ним надо было ехать на извозчике.

Доктор Беленький при всех своих достоинствах обладал одним недостатком: не любил ходить пешком. От его дома до колонки было пятьсот шагов, но надо было бежать через три улицы на центральную, где находилась стоянка извозчиков, и на фаэтоне заезжать за ним. Только так он добирался к своим пациентам. Было ему очень много лет, и, несмотря на возраст, он был высок и могуч, как дуб, и отличался от балагул тем, что носил на большом носу пенсне с золотой цепочкой. Нэях

Марголин, самый грамотный из балагул, клялся, что у доктора Беленького отличное зрение и в его пенсне стекла обычные, а носит он пенсне исключительно для того, чтоб иметь интеллигентный вид. Доктор Беленький лечил все болезни и с бедных платы не брал. Его обожала вся улица не только за то, что он может мертвого поставить на ноги, но особенно за то, что он никогда не кривил душой, как другие доктора, и говорил пациенту правду.

Скажем, приходит к нему столетняя бабуля с Инвалидной улицы и жалуется, что больше десяти ведер воды принести не может, начинаются боли в животе. Доктор Беленький вежливо попросит ее раздеться до пояса, постучит по ребрышкам, прослушает в трубочку и говорит ласково и убедительно:

— Пора умирать.

Бабуля кокетливо прикрывает рубашкой то, что было когда-то грудью, и говорит ему искренне, как родному человеку:

— Что-то не хочется, доктор.

А он похлопает ее по плечику и дружески, как своему человеку, скажет:

— Ничего, одумаетесь и согласитесь.

Вот так. И он честно все сказал, и ей приятно, потому что поговорили по душам. И никаких обид. Вроде наобещал черт знает что, а человек взял и умер. Наоборот, человек умер спокойно, потому что доктор Беленький ему все сказал, а уж он не обманет. Авторитет доктора Беленького еще больше возрос после того, как его квартиру хотели ограбить, и доктор поймал ночью незадачливого грабителя, не знакомого с нравами нашей улицы, собственноручно оглушил его ударом по голове и сам же наложил ему швы, прописал лекарство и отпустил, дав денег на дорогу, чтоб он мог незамедлительно покинуть наш город и больше сюда носа не показывать.

Вот этот-то доктор Беленький и приезжал на фаэтоне к водозаборной колонке, когда там бушевали женщины, оказывал хирургическую помощь пострадавшим и мирил враждующие стороны. Но даже он не всегда мог заглушить опасные очаги ссор на Инвалидной улице, потому что избыток энергии у наших женщин требовал выхода. А страдали от этого мужья, кроткие, добрые силачи-балагулы. Жены им категорически запрещали разговаривать с мужьями своих обидчиц, и мужчины, не смея нарушить запрет, только переглядывались и перемигивались между собой и сразу же отводили глаза, как только ловили строгий контролирующий взгляд своих жен.

За всю историю Инвалидной улицы был только один год, незадолго до войны, когда мир и благодать снизошли на ее обитателей и они возлюбили друг друга, как родные. Целый год не было ссор, целый год вся улица жила одними интересами, как одна семья. Как будто учуяли ожидающую всех беду.

Повод для мира придумал доктор Беленький. И пришелся он всем по душе, раскрыл в людях все самое доброе, что они имели за душой.

Вот что придумал доктор Беленький.

На левой стороне Инвалидной улицы, в жалкой трущобе жила старая дева по имени Стефа. Было ей за тридцать, и была она рыжей и все лицо в веснушках, но отличалась от полногрудых и дородных женщин нашей улицы отчаянной худобой и была плоской и спереди и сзади. Абсолютно не товар для замужества, как говорится. Молчаливая и забитая, она жила на нищенское жалованье уборщицы в больнице, на улице редко появлялась и краснела до кончиков ушей, завидев мужчину.

Доктор Беленький приметил ее в больнице, где она мыла полы, и захотел сделать доброе дело. Выдать Стефу замуж. Ее согласия и спрашивать не надо было. Требовалось только найти жениха. И его тоже подыскал доктор Беленький. На нашей улице. Ну кого бы вы думали? Никогда не догадаетесь.

Тележечника Шнеера. Того самого, что возил на своей тележке шкафы «Мать и дитя». Доброго, забитого, недоделанного Шнеера, одинокого, как перст, и не помышлявшего о женитьбе. Единственное, что было известно всей улице, это то, что Шнеер и Стефа поглядывают друг на дружку и оба очень застенчивы.

Своими мыслями доктор Беленький поделился с женщинами Инвалидной улицы, и, как говорится, идея овладела массами. Вы себе даже представить не можете, как сразу изменилась вся жизнь. Буйная энергия наших женщин, тяга к добру, глубоко запрятанная в каждой, фонтаном прорвались наружу.

Началось с того, что все на улице помирились, потому что все принимали участие в затеваемом деле. Женские лица просветлели, угрюмые складки разгладились, и у всех появилось выражение радостной, волнующей озабоченности.

Совещания шли попеременно в каждом доме, женщины шептались на всех углах и при этом обнимались, как сестры. У водозаборной колонки вспыхивали стихийные митинги. И без единой ссоры.

Мужей, которые вначале только посмеивались, понемногу тоже втянули в подготовку к свадьбе. Невесте шили приданое, жениху заказали костюм у лучшего портного, у которого на вывеске было написано «Мужские костюмы, военное обмундирование, а также штаны-клеш».

И только два человека на нашей улице не знали об этих приготовлениях. Жених и невеста. Шнеер и Стефа. Он по-прежнему таскал на своей тележке чужие шкафы «Мать и дитя», а она ползала на коленях по каменному полу больницы с мокрой тряпкой в руках. Правда, с некоторых пор они стали замечать на себе чересчур внимательные взгляды и то, что все на улице с ними здоровались первыми и осведомлялись о самочувствии. Каждому из них это было удивительно и приятно, но значения этому они никакого не придавали, просто было некогда. Оба работали, чтоб вышибить копейку на пропитание, а о женитьбе и не помышляли, потому что не только на семейную жизнь, на свадьбу у них не было средств.

Свадьбу было решено справить в саду у Нэяха Марголина. Это был самый большой сад на нашей улице, и все деревья там были научные, мичуринские, по несколько сортов на одном корне, и, если Нэях Марголин согласился отдать свой сад, чтоб его истоптали сотни людей, потому что вся улица должна была гулять на свадьбе, то можете себе представить, каким это стало важным делом для каждого человека, в том числе и для Нэяха Марголина.

Добровольцы провели в сад электричество и развесили лампочки между деревьями, каждая семья обязалась принести свой стол и стулья, а питье и закуски готовили вскладчину, на бумаге расписав, кто что варит и жарит.

Моя мама, например, пекла яблочный пирог такого размера, что он в печь не влезал. Считалось на улице, что она лучше всех печет именно яблочные пироги, и сейчас так волновалась, как никогда в жизни, и я схлопотал оглушительную затрещину, когда неосторожно высказал предположение, что пирог может подгореть. На всех подоконниках появились огромные бутыли с вишнями и черной смородиной, покрытые сверху белыми шапками сахарного песку. Все это выставлялось на солнце, чтобы скорей началось брожение и превратилось в наливку Наши портнихи, шившие платье невесте и не желавшие до времени раскрыть секрет, с ума сходили, как снять со Стефы размер. Ее останавливали под любым предлогом на улице, заговаривали о чем-нибудь и на глаз, а порой обнимая ладонью несколько раз, определяли ширину талии и плеч.

Улица кипела, волнующее ожидание плавало в воздухе, из всех окон несло вкусными запахами, а главное, все улыбались и были чересчур приветливы. И вот тогда я впервые понял, и это утешало меня в труднейшие минуты моей жизни, что во всех людях, без исключения, заложен неисчерпаемый заряд добра и любви, готовый прорваться наружу, если обстоятельства этому не мешают. Но чаще всего они мешают. И это очень досадно. Потому что оттого многих людей жизнь обделяла положенной им порцией тепла и любви.

Но вернемся на Инвалидную улицу. В день свадьбы хозяйки подмели тротуары, а детям с утра мыли шеи и уши. Главное событие разыгралось еще до наступления темноты, сразу после обеда. Наши женщины вскладчину купили для молодоженов мечту каждой семьи — шкаф «Мать и дитя». Это был самый дорогой подарок, какой можно себе только представить. Дело не в деньгах. Ведь кто-то, и не один человек, должен был простоять в очереди. И не одну ночь. И заполучить этот самый шкаф, о котором сам мечтаешь, и отдать его чужому человеку. Согласитесь, это не так просто.

Но зато какие страсти бурлили на лицах наших женщин, когда шкаф «Мать и дитя» торжественно провезли по Инвалидной улице. Вез его тот же Шнеер, не подозревая, что шкаф предназначен ему. Вез, оглушенный воплями и стонами женщин, в количестве не меньше двадцати, сопровождавших шкаф от самого магазина и подпиравших его с трех сторон руками, чтоб, не дай Бог, этот шлимазл Шнеер не опрокинул драгоценный коллективный подарок.

При каждом неосторожном толчке колес на булыжнике женский крик сотрясал воздух:

— Шлимазл! Босяк! Подкидыш! Недоделанный! Малахольный! Оборванец! Выкрест!

Все это сыпалось градом на стриженую круглую голову несчастного Шнеера, которого они все собирались осчастливить. И он налегал на лямку взмокшей грудью и ошалело озирался по сторонам, где на тротуарах люди смотрели на него, а не на шкаф, и смотрели так ласково и любовно, что он уже совсем ничего не мог понять.

О том, что они жених и невеста, Шнеер и Стефа узнали только вечером, когда уже вся улица снесла на противнях и в чугунных горшках в сад к Нэяху Марголину все, на что только способны еврейские кухарки. Запах на улице стоял одуряющий, потому что вдобавок остро пахло нафталином. Ведь каждый извлек из своего шкафа лучшее одеяние, хранимое в нафталине исключительно для больших торжеств.

В саду у Нэяха Марголина на все лады настраивал свои инструменты сводный оркестр из Сада кустарей и городской пожарной команды. Им было уплачено вперед и не торгуясь. И под эти звуки делегация мужчин отправилась в каморку к Шнееру, и разодетая в пух и прах делегация самых уважаемых дам посетила Стефу. И им все сказали.

Они оба лишились дара речи. Оба, не сопротивляясь, дали одеть себя в новые костюм и платье и, сопровождаемые густой ликующей толпой, были приведены в сад к Нэяху Марголину, где при свете множества электрических лампочек томились и прели на столах в соусе и с подливкой сотни блюд, и сводный оркестр дружно грянул туш.

Их усадили рядом друг с другом, окаменелых и бледных, и началось веселье, какого еще не знала наша улица. Нэях Марголин потом очень точно сказал, что самый богатый человек на свете ни за какие деньги не смог бы себе справить такую свадьбу. Потому что радость и любовь людей не купишь даже за миллион.

Уже на свадьбе доктор Беленький поднес жениху свой личный подарок. Зимнее пальто с котиковым воротником. Оно было сшито на доктора Беленького еще до революции и уже изрядно трачено молью, но зато такого сукна и такого меха сейчас днем с огнем не найти. Жених утонул в этом пальто и не снимал его до конца, хотя было очень душно, ведь дело происходило в июле.

Про молодоженов, как водится, быстро забыли. Водка и наливка горячили головы. Люди, годами враждовавшие, целовались взасос и клялись в вечной любви и уважении. Детей за стол не сажали, они стояли позади родителей, и матери передавали им, не оборачиваясь, то гусиную ножку, то кусок пирога.

Оркестр старался изо всех сил, потому что ему было хорошо заплачено, и поэтому, чтоб услышать друг друга, люди кричали громко, как глухие.

Все подарки, а их была целая гора вокруг шкафа «Мать и

дитя», стояли под открытым небом здесь же в саду, и их охранял от чужих людей Гилька Кнут, только недавно вернувшийся из тюрьмы, где он отбывал год за мелкое воровство. Выбор сторожа был сделан точно, как в аптеке. У такого не украдешь.

Гилька, польщенный доверием общества, облачился в лакированные полуботинки, из-за которых и сидел в тюрьме, но при обыске смог их упрятать, и каждого, кто подходил близко к подаркам, встречал одним и тем же лаконичным вопросом:

— А в зубы не хочешь?

Уже во втором часу ночи, когда все было выпито и съедено и опьяневшие музыканты стали играть вразнобой, а дети уснули тут же подле столов на траве, балагула Нэях Марголин спохватился, что главное забыли. А главное состояло вот в чем. Ни жених, ни невеста, по общему мнению, понятия не имели о том, что такое первая брачная ночь и с чем это едят. Поэтому, для инструкции, балагулы увели жениха в один конец сада, а их жены — невесту в другой конец и там горячо, споря друг с другом, поделились личным опытом.

Назавтра почти у всех болели головы, и улица проснулась немного позже обычного. Но проснувшись, улица снова вернулась к вчерашнему дню. Все выглядывали из окон, взлохмаченные и припухшие, и ждали, когда появятся из своей конурки на свет Божий новобрачные, а когда они, наконец, вышли, держась как дети за руки, на них обрушилось изо всех окон и дверей столько приветствий и тонких намеков, произнесенных во всеуслышание, что они, застыдившись, тотчас юркнули обратно.

Жизнь понемногу входила в свои обычные берега. Улица погружалась в прежние заботы в предвидении неминуемого посещения финансового инспектора, ибо о свадьбе гудел весь город и затраченные суммы в устном пересказе возрастали стократно.

Но хоть праздник кончился, а что-то осталось. Вся улица как бы породнилась в дни подготовки к свадьбе, и эти отношения укреплялись новыми общими заботами. А заботы эти были не из простых — они касались самолюбия Инвалидной улицы. Каждый день женщины пытливо осматривали Стефу, судачили у колонки, вздыхали и охали вечерами у калиток. Всех теперь волновало одно: когда, наконец, Стефа забеременеет. Даже самый острый глаз не отличал в ней никаких перемен, кроме того, что она, по общему мнению, явно похорошела и скоро будет совсем похожа на цветок.

Мужчины свой интерес проявляли более откровенно и, встретив Шнеера со своей тележкой, укоряли его в мужской слабости, предлагали научить, а главное, требовали от него не подводить улицу и не обманывать ожиданий общественности.

До осени эти волнения все нарастали и, наконец, все облегченно вздохнули. Сам доктор Беленький авторитетно подтвердил, что Стефа, таки да, беременна и все развивается нормально, как и положено быть. Вся наша улица искренне и откровенно ликовала, как если бы, наконец, она сама, то есть вся улица, после долгих ожиданий угадала в своем чреве будущего ребенка.

И тут начались новые хлопоты. Каждая женщина с Инвалидной улицы сочла своим долгом дать Стефе совет, основанный на собственном опыте, и следила за его неукоснительным выполнением. Советов была тьма, и они отрицали один другой. Пришлось вмешаться доктору Беленькому, чтобы оградить Стефу от чересчур ретивых советчиц.

Но надо знать наших женщин. Они не могли сложа руки ждать событий. Клокочущая энергия нашла новый выход. Началась подготовка приданого для будущего ребенка, и вспыхнули первые ссоры по поводу имени. Ссоры горячие, но мирные, ибо общая радость и приподнятость продолжали витать над Инвалидной улицей.

По настоянию наших женщин, Стефу перевели в больнице из уборщиц в санитарки, и ее теперь в разговорах с людьми не с нашей улицы с гордостью именовали медицинским работником. Конуру, где жили молодожены, отремонтировали вскладчину, и она приняла человеческий вид. Возле шкафа «Мать и дитя» появилась железная детская кроватка-качалка с матрасиком, жесткой подушечкой и стеганым новым одеяльцем голубого цвета. Это на случай, если родится мальчик. В шкафу же лежало такое же, но розовое одеяло. Для девочки. Как говорится, запас карман не ломит. И наконец, что такое два одеяльца для нашей улицы? Пустяк. Купили бы и десять, если бы так полагалось.

К весне, когда Стефа дохаживала последние недели, волнение снова стало возрастать во всех семьях. Боялись, что она поскользнется и, не дай Бог, упадет. Причем, выражая это опасение, трижды сплевывали. Наши мужчины, не проявлявшие большой деликатности к своим женам, завидев идущую по скользкому тротуару Стефу, хватали ее под руку и доводили до порога. Подобного у нас на роду не бывало.

И вот наступил тот день, вернее, вечер. У Стефы начались схватки. Извозчик Саксон до глубокой ночи дежурил на своем фаэтоне, во дворе собралась толпа, и когда доктор Беленький сказал, что пора, ее бережно не вывели, а вынесли из дома, усадили в фаэтон, укутали одеялами и, осыпав предварительно Саксона всеми проклятьями, чтоб он не смел быстро ехать, отправили Стефу в родильный дом.

В ту ночь наша улица не спала. Несколько самых ретивых женщин вместе со Шнеером остались в коридоре родильного дома ждать вестей. Остальные нервничали в своих домах. Моя мама каждые полчаса вставала пить, а отец жег спички, проверяя время на часах. Из-за них не спал и я, и когда на рассвете глянул в окно, то увидел в предутренней мгле, как светятся окошки на всей нашей улице.

В восемь часов утра пришло первое известие Радостное. Стефа родила. Мальчика. Весом почти в четыре кило. И люди высыпали на улицу, бросились к соседям с поздравлениями. Моя мама всхлипнула и сказала, что гора с плеч.

В девять часов утра пришло второе известие. Стефа скончалась. От родовой горячки. И это было неожиданно, как удар по темени.

Улица опустела, как будто ее вымели, и дома сжались, ушли в снежные сугробы.

Такого плача, таких стонов, когда рыдают и голосят сразу в сотне домов, я никогда не слыхал и надеюсь, что и впредь не услышу. Стало до того страшно, что и мы, дети, не сознавая всего, но видя горе наших матерей, заревели, как от самой большой обиды.

И еще много дней потом, встретив Шнеера, совершенно потерявшегося и обалдевшего, одинокого, как бездомный пес, люди начинали плакать.

Похороны Стефы были такими пышными, каких наш город не помнил, и за гробом, который везли на грузовике, шли тысячи плачущих людей. Как будто хоронили самого дорогого и важного для всех человека, а не бедную Стефу, которую до того, как затеяли свадьбу, никто и не замечал. Плакало, рыдало доброе, любвеобильное сердце нашей улицы, горевало о том, что так внезапно оборвались общая радость и общие заботы. Саму Стефу, как человека, оплакивал один Шнеер, о котором совсем позабыли, погрузившись в траур.

Остался жить ребенок — плод духовного взлета всей Инвалидной улицы. Каждая семья хотела взять ребенка себе, но был живой отец Шнеер, который впервые показал, что и у него есть характер. Ребенка, сказал он, никому не отдаст и будет сам растить. Наших женщин охватила паника: что будет с бедным ребенком в руках у грубого неотесанного тележечника?

Спор разрешил доктор Беленький.

Ребенок, пока не подрастет, будет в государственном Доме малютки, где обитают подкидыши, но где обеспечен нормальный медицинский уход. А там — видно будет.

Улица, поворчав, согласилась. Немного поупирался Шнеер, который проявил вдруг бешеное отцовское чувство и никого к ребенку не подпускал. Но авторитет доктора Беленького сломил и его.

Ребенка забрали в Дом малютки, и в тот же день Шнеер выбросил свою тележку и нанялся в этот Дом, полный орущих младенцев, истопником, чтобы всегда быть рядом со своим сыном.

Страсти на Инвалидной улице вскоре улеглись. Стало скучно и неуютно. И снова у колонки начались бурные ссоры и драки, и неприязнь потихоньку овладела женскими сердцами, как в доброе старое время.

Что еще остается прибавить к этой истории?

Всего несколько слов.

Началась война. Немцы подошли к нашему городу, и кто успел, убежал. Дом малютки эвакуировали на автобусах, и Шнеер с ребенком получил там место. Но в своей безумной любви к сыну он совершил непоправимое. Схватив младенца, унес его к себе, в конуру.

Шнеера расстреляли вместе с ребенком. И они покоятся в общей могиле, которой стал противотанковый ров, вместе со многими из тех, кто так весело и от всей души гулял на свадьбе. На такой свадьбе, какой уж больше никогда не будет.

Легенда четвертая
КТО, НАКОНЕЦ, ЧЕМПИОН МИРА?

Каждая улица имеет начало и конец. Инвалидная тоже. Но если другие улицы начинаются где-нибудь, скажем, в поле и кончаются где-нибудь, скажем, возле леса, то наша — извините! — ничего похожего. Наша брала свое начало от большого старинного городского парка, именуемого Сад кустарей. Кустарь — это уже сейчас вымершее понятие и на нормальном человеческом языке означало — ремесленник, то есть портной, сапожник, часовщик, носильщик, тележечник, извозчик и даже балагула. Были кустари-одиночки, их особенно прижимали налогами, как частников, и они кряхтели, но все же — жили, и были артели кустарей, которым покровительствовало государство, считая их полусоциалистической формой производства, и если артельные кустари не воровали, то их семьи клали зубы на полку, то есть не имели, что в рот положить.

Все кустари, обладатели членских билетов профсоюза, пользовались правом бесплатного входа в Сад кустарей, и поэтому половина города паслась там даром. Но эта привилегия не касалась членов семей, и мы — другая половина города — от этого жестоко страдали и сходили с ума от явной несправедливости, существующей в государстве, где нет классов, а следовательно, и классовых противоречий.

Кончалась улица, или, если хотите, начиналась — это зависит оттого, с какой стороны посмотреть — стадионом «Спартак». Без этого стадиона я не мыслю жизни нашей улицы. Когда происходил футбольный матч или соревнование по поднятию тяжестей, наша улица пустела и только древние старухи оставались в домах следить, чтобы малыши не сожгли дом, и завидовали остальным, которые получали удовольствие на стадионе. Но даже эти старухи были в курсе всей спортивной жизни.

Когда после матча со стадиона по нашей улице валила толпа, возбужденная, как после драки, и разопревшая, как после бани, эти беззубые старушки уже дежурили у своих окошек и на улицу сыпался град вопросов:

— Кто выиграл?

— С каким счетом?

— А наш хавбек опять халтурил?

— Центрфорвард не мазал?

— Вратарь не считал ворон?

Дело в том, что футбольная команда «Спартак» в основном формировалась и пополнялась с нашей улицы. Все игроки были евреи, кроме тройки нападения — братьев Абрамовичей. Абрамовичи, Эдик, Ванька и Степан, невзирая на еврейскую фамилию, были чистокровными белорусами, но охотно откликались, когда к ним обращались по-еврейски. Должен признать, что в нашем городе не было людей, не понимавших по-еврейски. За исключением, может быть, начальства, упрямо и с ошибками говорившего только на государственном языке — русском.

О футбольной команде так и говорили: в ней все евреи и три Абрамовича. Все футболисты, как и вообще любой нормальный человек с нашей улицы, имели клички. Порой неприличные, произносимые только в узком мужском кругу. Но во время матча, когда страсти закипали и стадион стонал, подбадривая и проклиная своих любимцев, почтенные матери семейств басом орали эти клички, не вдумываясь, а, вернее, забывая об их истинном смысле и совсем непристойном звучании.

Футбол был так популярен у нас, что когда хотели вспомнить о каком-нибудь событии, сначала вспоминали футбольный матч той поры, а потом уже точную дату события. Например.

— Мой младший, продли ему Господь его годы, родился как раз перед матчем, когда десятая и одиннадцатая кавалерийские дивизии играли три дня подряд на кубок города и все с ничейным счетом. Хоть ты убейся! И кубок вручили по жребию. А это уже совсем неприлично, и так у самостоятельных людей не бывает. Следовательно, мой младший родился... подождите... июнь... июль... в августе.

И назывался абсолютно точно год рождения.

Или.

— Моя бедная жена скончалась в этом... как его!.. Сейчас вспомню, в каком году. Ну, конечно, это было в тот самый день, когда корова директора стадиона Булкина весь первый тайм спокойно паслась на нашей половине поля, когда «Спартак» играл с первой воздушной армией. А во втором тайме, когда поменялись воротами, снова паслась на нашей половине. Это был матч! Полное превосходство! Мяч ни разу даже не залетал на нашу половину поля, и корова директора Булкина так хорошо наелась травы, что вечером дала на два литра молока больше. Значит, моя бедная жена умерла...

Итак, Инвалидная улица начиналась Садом кустарей и кончалась стадионом «Спартак» или, наоборот, как хотите, это роли не играет, и мы, аборигены Инвалидной, по праву считали и Сад и Стадион продолжением своей улицы и никак не могли привыкнуть к тому, что туда нахально ходят люди и с других улиц.

Уже в мае мы с замиранием сердца следили, как рабочие устанавливают высоченные столбы, сколачивают из нестроганых досок длиннющие, но круглой формы скамьи. А потом, в одно прекрасное утро, над вершинами старых лип конусом поднимался к небу парусиновый шатер. Это означало, что в нашем городе открывает свои гастроли цирк «Шапито».

Дальше я рассказывать не могу. Потому что мне надо успокоиться и прийти в себя.

Как говорится, нахлынул рой воспоминаний. И среди них самое важное и драгоценное — история о том, как я, пацан, и если разобраться — никто, как говорила мама, недоразумение природы, целых три дня был в центре внимания всей улицы и взрослые, самостоятельные люди не только разговаривали со мной как с равным, но открыто завидовали мне.

Но это потом. Предварительно я вас хочу познакомить с местом действия, то есть с Садом кустарей. Сказать, что это был хороший Сад — это ровным счетом ничего не сказать. Это был всем садам Сад. На его длинных глухих аллеях можно было заблудиться, как в джунглях. Рохл Эльке-Ханэс, товарищ Лифшиц, главная общественница на нашей улице, имела от этого большие неприятности, которые потом, правда, кончились благополучно.

Она как-то решила пустить туда пастись свою козу, чтобы сэкономить на сене, а вечером пришла ее взять и сколько ни искала, сколько ни звала, от козы, как говорится, ни слуху, ни духу. А коза была дойная, давала жирное молоко, и ее только недавно водили к козлу, за что тоже были уплачены немалые деньги. Короче говоря, Рохл Эльке-Ханэс, товарищ Лифшиц, была жестоко наказана за то, что польстилась на дармовщину и хотела на чужой спине в рай въехать. Признаваться в этом ей, как общественнице, было как-то не к лицу, и она молча горевала и каждый раз вздрагивала, как конь, когда слышала козье меканье.

А поздней осенью, когда Сад оголился, сторожа обнаружили там козу с двумя козлятами. И вернули все Рохл Эльке-

Ханэс и даже не взяли с нее штраф. Так как, с одной стороны, она — общественница, и ее позорить — значит подрывать авторитет, а с другой — и так достаточно наказана. Все лето не имела своего молока.

Вот какой был Сад кустарей. И это было единственное место, где наши девицы могли более или менее безбоязненно встречаться с кавалерами, не ведущими своей родословной с нашей улицы. Здесь можно было спрятаться от ревнивых глаз своих покровителей и защитников женской чести. Но, конечно, далеко не всегда.

В этом саду обнаружил свою сестру с летчиком из первой воздушной армии грузчик с нашей улицы огненно-рыжий Гилель Манчипудл. Манчипудл — это кличка, и что она означает, я ума не приложу. Так вот, Гилель Манчипудл поймал в кустах Сада кустарей свою сестру с летчиком, и это ему не понравилось. Летчик, так как был военным, а следовательно, тренированным и со смекалкой, успел скрыться, а сестру Гилель стукнул один раз. И этого было достаточно. Она потом долго не выходила из дому, и ее мама говорила соседям, что у нее недомогание, и доктора обнаружили мигрень. А соседи участливо вздыхали и говорили в назидание своим дочкам о том, что вот к чему приводит знакомство с летчиками.

Но если бы Гилель только на этом остановился, то, может быть, все бы кончилось хорошо, за исключением недомогания сестры. Но Гилель не остановился. И вот к чему это привело.

Как у каждого самостоятельного человека, у Гилеля были товарищи. Конечно, с нашей улицы. С таким же понятием о женской чести. И такие же дубы — в физическом смысле — как и он. Они стали прочесывать Сад, чтоб найти того самого летчика. Его они не нашли. Но зато всех, кто был в Саду в военной форме, выбросили из Сада через забор, предварительно сунув, как полагается, в зубы. И не только летчиков. Но и артиллеристов, и саперов, и даже пехоту. Без различий рода войск и званий. За исключением танкистов. Потому что рыжий Гилель отслужил действительную службу в танковых войсках и не мог поднять руку на своего брата-танкиста. Гилель привез из армии вместе с почетными грамотами за успехи в боевой и политической подготовке одно новенькое для нашего города выражение: «порядок в танковых частях» и не без гордости пользовался им часто и по любому поводу.

Так что только танкистов в тот вечер пощадили.

Вы можете спросить: кому это понравится, когда его изби-
вают? И я вам отвечу. Никому. И военным летчикам в первую
очередь. Так как авиация была до войны гордостью нашей армии и народа, то летчики, естественно, не могли примириться
с поражением. Назавтра, построившись в колонну и воору-
жившись палками (оружие в мирное время не полагалось),
они двинулись на город, то есть на центральную улицу, где по
воскресным вечерам совершается променад, люди гуляют,
одеваясь во все лучшее, и никого не трогают. Конечно, те, кто
умеет и любит драться, не гуляют по улице в такой вечер. Их
место в Саду кустарей или, в худшем случае, в кинотеатре
«Пролетарий», где они в десятый раз смотрят революционную
картину «Юность Максима».

Кто же гуляет в воскресный вечер по центральной улице?
Старики, почтенные отцы семейств с женами и с потомством.
Люди самостоятельные и тихие, мухи не обидят. Они себе спокойно гуляют туда и назад, чинно и чтоб было слышно всем здороваются через улицу, громко икают после сытного обеда, чтоб
враги лопались от зависти и, когда у них совсем хорошее настроение, угощают своих детей газированной водой с сиропом.

На них-то и напали военные летчики — гордость армии и
народа. И уж тут отвели душу. Скорая помощь потом навалом
увозила с центральной улицы, которая официально называ-
лась Социалистической, искалеченных, воющих и стенающих
людей.

Военные летчики, одержав победу, снова построились в
колонну и отправились на аэродром, грянув свою любимую
песню:

Мы рождены, чтоб сказку сделать былью,

Преодолеть пространство и простор,

Нам разум дал стальные руки-крылья,

А вместо сердца пламенный мотор.

Так они пели ровно пять минут по часам. Потому что колонна уткнулась в преграду. Из Сада кустарей вышли на пере-
хват рыжий Гилель и его товарищи — все с нашей улицы. Они
вышли с голыми руками. У нас так было принято. Боже упаси,
пускать в дело ножи, или камень, или палку. Это считалось не
то что не приличным, а даже позорным. Не надеешься на свои
чистые руки — сиди дома и пусть тебя мама бережет.

Бой, как говорится, был коротким, но с кровью. Колонна
рассеялась и глухими переулками, точно по уставу, перебежка-

ми и по-пластунски добралась на исходные рубежи, то есть к себе на аэродром. А на булыжной мостовой Социалистической улицы осталось пять трупов. И все в одинаковой форме военных летчиков. И исполнены они были чисто, без применения оружия, а голыми руками.

Когда этих летчиков хоронили и траурная процессия двигалась через город в сопровождении конвоя с примкнутыми штыками, местная милиция разбежалась и в город ввели танкистов — единственный нейтральный род войск, потому что рыжий Гилель сам раньше был танкистом, и они, тоже с оружием, патрулировали по всем улицам во избежание беспорядков.

Пять гробов провезли мимо городской больницы, где приходили в себя избитые летчиками старики, и звуки траурного марша сливались со стонами из окон больницы.

Вы, конечно, спросите меня: «И все это сошло вам с рук?« На это я вам отвечу: «Отнюдь нет».

Эти события имели потом свои, и я бы сказал, политические последствия. Конечно, советская власть от этого не рухнула, но кое-кто — таки да — рухнул.

В наш город срочно выехал из Москвы сам нарком обороны железный маршал Ворошилов. Приехал тайком. Потому что, в противном случае, его могли бы подстеречь шпионы и разные враги народа и подсыпать отравы в еду. Но для нас, жителей города, это тайной не было. На нашей улице вообще не было тайн и ничего не скрывали. Ну как не поделиться с человеком, если ты что-нибудь знаешь, а он нет? Просто неприлично.

Ворошилов справедливо расценил то, что у нас произошло, как попытку разбить нерушимое единство армии и народа, и очень многих из начальства по головке не погладил, а наоборот, снял с плеч некоторые головки.

Я лично Ворошилова не видел, но об этом говорили на нашей улице все, а на нашей улице, как известно, живут приличные, самостоятельные люди.

Ни Гилеля, ни его товарищей даже пальцем не тронули. Потому что не было улик. И ни одного свидетеля. Вся наша улица, конечно, знала, но кто может сказать что-нибудь дурное про взрослого самостоятельного человека. Таких нет. По крайней мере, на Инвалидной улице. И во всем городе тоже.

Армия, вернее, ее гордость — авиация, приняла вину на

себя. И это было осprincipто на нашей улице как справедливый и достойный уважения акт

Вы спросите: «И рыжему Гилелю ничего не было?»

Я вам отвечу: «Было».

Прошло почти полгода, и уже балагулы поменяли колеса на сани, когда его настигло возмездие. Летчики подстерегли его ночью на темной улице одного и изрезали ножами так, что буквально живого места не оставили. И он пополз домой, выпуская кровь на снег, и этой крови было так много, как у нас на мясокомбинате, когда хотят выполнить план.

Он дополз до родного крыльца, но постучать в дверь не хватило сил. Утром его нашла на ступеньках мать. И он еще был жив, но, как говорится, двумя ногами на том свете. Но так как он был хороший сын и к матери относился, как и подобает приличному, самостоятельному человеку, то все же нашел в себе силы сказать своей маме последнее прости, и об этом потом с уважением говорили на всей нашей улице.

Он сказал маме, еле ворочая языком, и с уже закатившимися глазами, одну фразу, но в нее было вложено многое:

— Не хнычь, мама. Порядок в танковых частях.

И умолк навеки.

Да, чуть не забыл. Виновница, как говорится, торжества, сестра рыжего Гилеля, которую он застал в кустах с летчиком, отчего и заварилась вся эта каша, жива-здорова до сих пор, и никакая хвороба ее не берет. Ее вскоре выдали замуж за вполне приличного самостоятельного человека с тремя детьми, и на этом была поставлена точка на всей истории.

Наш город поволновался-поволновался и приступил к дальнейшему строительству коммунизма.

Да, так что я вам собирался рассказать? Ах, про это! Как я дуриком, без никаких усилий с моей стороны, как говорится, волею случая, стал на целых три дня знаменитостью на нашей Инвалидной улице.

Хорошо. Но давайте условимся не забегать вперед, чтоб все было по порядку. А то я могу сам запутаться и сказать не то, что надо. Существует цензура, и надо ее тоже уважать.

В тот год, в цирке «Шапито», что открыл свои гастроли в Саду кустарей, впервые в жизни нашего города проводился чемпионат мира по французской борьбе. Теперь эта борьба называется классической.

Вы меня можете спросить: что-то мы не слыхали о таком чемпионате, который проводился в вашем городе?

И я вам отвечу: я — тоже. Ни до, ни после этого. Когда я вырос и стал самостоятельным человеком и к тому еще работником искусства, мне многое стало ясно. Это был липовый чемпионат. Для привлечения публики в цирк. Так часто делают не только в цирке. Но тогда мы верили. И не только мы. Но весь город. Взрослые самостоятельные люди. И гордились тем, что именно наш город, конечно, заслуженно, был избран местом мирового чемпионата.

С афиш аршинными буквами били по мозгам имена, одно оглушительнее другого. Например: АВГУСТ МИКУЛ Тула. Тяжелый вес.

Тула — было написано шрифтом помельче, и это означало, что Август Микул приехал из города Тулы и будет достойно представлять его на мировом чемпионате. Но мы же читали все подряд, как говорится, залпом, и получалось до колик в животе красиво, загадочно и обещающе:

АВГУСТМИКУЛТУЛА

Ну, ни дать, ни взять, древнеримский император, или, на худой конец, гладиатор, и он в наш город прибыл на колеснице прямо из древнего Рима.

Увидеть хоть одним глазом этот чемпионат стало пределом мечтаний всего города. А уж о нас и говорить нечего.

Но между нами и чемпионатом мира стояла неодолимая преграда: деньги. Как говорится, хочешь видеть, гони монету. Это тебе не коммунизм, когда все бесплатно, а пока лишь только социализм. И надо раскошеливаться.

У нас, детей, денег не было. А чемпионат открывался, как писали в афишах, в ближайшие дни, спешите видеть. И сразу начинали с тяжелого веса. Можно было с ума сойти.

Оставался один выход или, вернее, вход. Бесплатно. Но, как говорится, с немалой долей риска. Чтоб нам попасть на чемпионат, предстояло преодолеть, минимум, две преграды. Через забор прыгать в Сад кустарей и, вырыв подкоп, проникнуть в цирк.

И тут я должен остановиться на одной личности, без которой картина жизни нашей Инвалидной улицы была бы неполной. Я имею в виду сторожа Сада кустарей Ивана Жукова. В Саду кустарей был не один сторож, но все остальные рядом с Жуковым — дети. Ну, как если бы сравнить обученную немецкую овчарку со старыми, издыхающими дворнягами. Последние рады, что дышат и никого не трогают. А вот Жуков... Это был наш враг номер один. И притом, злейший враг.

Иван Жуков был прославленный красный партизан времен гражданской войны, спившийся в мирное время от тоски по крови. Он единственный в нашем городе имел орден боевого Красного Знамени и носил его на затасканном пиджаке, привинтив на красный кружочек фланелевой материи. Жуков потерял на войне ногу, но костылей не признавал. Так как в те времена о протезах еще не слыхали, он собственноручно выстругал из липового полена деревянную ногу, подковал ее снизу железом, как копыто балагульского коня, и так быстро бегал на этой ноге, что мы, легконогие, как козлы, не всегда успевали от него удрать. Эту деревянную ногу он использовал не только для бега. Он обожал поддать под зад ее окованным концом, и это было как удар конского копыта прямо по копчику.

Кроме того, Ивану Жукову, в знак уважения к его прошлым заслугам, единственному из всех сторожей, было дозволено пользоваться ружьем, заряженным крупной серой солью. И он им пользовался с наслаждением. Я в свое время отведал этой соли, и когда вспоминаю, у меня начинается нестерпимое жжение пониже спины.

Жуков нюхом старого партизана угадывал места нашего возможного проникновения в Сад кустарей и устраивал там засаду.

Когда мы с моим другом Берэлэ Мац вскарабкались однажды на верхушку забора и повернулись спиной к Саду, готовясь спрыгнуть туда, Жуков оглушительно выстрелил с короткой дистанции, в упор. Мы скатились обратно на улицу с воплем и стонами. Вернее, вопил я один. Весь заряд, до последней крупицы соли, угодил мне в зад. Как потом говорила моя мама, такого шлимазла еще надо поискать. Маме было легко рассуждать, потому что не в нее стрелял Жуков, и она меня увидела уже потом, когда я с помощью моего друга Берэлэ Маца освободился от этой соли.

Упав с забора, я стал кататься по земле, как полоумный. Соль быстро растворялась в крови и жгла, как острыми ножами. Мой друг Берэлэ Мац самоотверженно пришел мне на помощь. Сняв с меня, воющего и скулящего, штанишки, он тут же на улице поставил меня на четвереньки, и мой зад, рябой от кровавых дырочек осветила полная луна, заменявшая на Инвалидной улице по ночам фонари

Берэлэ припал губами к моему заду и старательно высасывал из каждой дырочки кровь с солью, а потом деловито сплевывал на тротуар Прохожие, которых было довольно много в этот час на улице, не удивлялись и даже не останавливались. Подумаешь, обычное дело. Товарищ товарищу помогает в беде.

Слышался только хриплый смех Ивана Жукова. Он через дырочку в заборе с удовлетворением наблюдал за нами.

Используя свой богатый партизанский опыт, Жуков доводил свою охоту за нами до виртуозного совершенства. Особенно удачно блокировал он наши подкопы под цирк. Уверяю вас, ни один сторож в мире до этого бы не додумался.

Вечером, перед началом представления рыть подкоп было делом бессмысленным. Поэтому подкоп рыли днем, до обеда, когда в цирке никого не было и в Сад можно было войти свободно, без билетов. Всю вырытую землю тщательно присыпали травой, а отверстие маскировали ветками. С тем чтобы вечером, когда стемнеет, если удастся благополучно преодолеть забор, проползти через подкоп под скамьи цирка, идущие вверх амфитеатром, и между ног зрителей выбраться наверх и спокойно, как ни в чем не бывало, смотреть представление.

Но не тут-то было. Легендарный герой гражданской войны Иван Жуков быстро разгадал наш маневр. Днем он из кустов наблюдал, как мы роем подкоп, и не мешал нам. Потом, когда мы исчезли, брал казенное ведро, отправлялся в общественный туалет Сада и зачерпывал из выгребной ямы полное ведро вонючей жижи. Затем с этим ведром залезал под скамьи цирка и у самого подкопа, но с внутренней стороны, опорожнял его. Жуков в этом деле использовал весь свой военный навык. Он даже учитывал направление воздушной тяги. Запах шел вовнутрь, в цирк, а мы снаружи не могли его унюхать.

Первым, как обычно, нырял в подкоп Берэлэ Мац — самый ловкий из нас и самый смелый. И он же первым начинал булькать, зарывшись лицом в зловонную жижу.

Иван Жуков даже не подходил к нам в этот момент. Он себе сидел на открытой веранде буфета и пропускал чарочку водки, спокойно дожидаясь, когда сама сработает его ловушка.

И действительно. Когда Берэлэ Мац, весь измазанный и похожий на черта, а вслед за ним и мы, тоже пропитанные не одеколоном, выползали из-под скамей в цирк и пытались рассредоточиться среди зрителей, нас тут же обнаруживали по запаху, и возмущенные дамы звали контролеров, и те приходили в своей лакейской униформе и брезгливо брали нас пальцами за конец уха, потому что ухо было единственным чистым местом на нас, и с позором, зажав свой собственный нос, выдворяли на свет Божий. Под хриплый смех Жукова, который сидел на открытой веранде буфета и пропускал третью чарочку.

Я расквитался с Жуковым. Не тогда, а много лет спустя, уже после войны, когда я вернулся в наш город взрослым, самостоятельным человеком и даже успел забыть, что жил когда-то на земле красный партизан Иван Жуков. Никого из своих прежних товарищей не застал — все до единого погибли. Не обнаружил я в городе Инвалидной улицы. Она сгорела, и то, что заново построили, назвали именем Фридриха Энгельса. Не нашел и Сада кустарей. Его столетние липы вырубили, и остался огороженный новым забором маленький пятачок, усеянный толстыми пнями, пускавшими вверх бледные побеги. И это недоразумение, а не Сад, называлось Садом горсовета, и за вход туда брали, как и прежде, плату.

Меня это возмутило до глубины души. И хоть я уже был взрослым, самостоятельным человеком и денег на билет у меня хватало, я принципиально махнул через забор. И с грохотом опустился не на землю, а на что-то мягкое, издававшее подо мной жалобный писк.

Это оказался сторож Иван Жуков, уже старый и без ордена, который он где-то потерял по пьянке, сидевший и теперь в засаде под забором, подстерегая безбилетную шпану. От прошлого Жукова в нем остался лишь багровый от пьянства нос и деревянная нога.

Он так испугался, когда я чуть не придушил его своей тяжестью, что долго не мог прийти в себя, и я потом его угощал водкой в буфете, и он выпил целых триста граммов, пока восстановил нормальную речь.

Жуков плакал пьяными слезами, глядя на меня, и искренне сокрушался, что из всей нашей банды уцелел и выжил я один. И говорил, моргая красными веками и хлюпая носом, что он еще тогда меня приметил и поэтому нет ничего удивительного, что я вымахал таким молодцом и стал уважаемым человеком. Потом он жаловался мне на жизнь, на злую обиду, нанесенную ему. Появились новые, загра-

ничные протезы и их выдают бесплатно инвалидам Отечест-
венной войны, а его обошли, потому что он с гражданской
войны, и неблагодарные люди забыли, что именно он, ценой своей ноги, устанавливал для них советскую власть. Он
еще долго сокрушался об ушедшем поколении, которое не
чета нынешнему. И на прощанье меня мокро облобызал, вы-
ругался по матери и сказал:

— Нужен мне их протез! В гробу я его видал в белых тапочках. Я свой самодельный на сто новых не променяю. Пятьдесят лет ношу без ремонта и еще сто протаскаю. Понял?

Теперь вы, надеюсь, понимаете, чего нам стоил чемпионат
мира по французской борьбе? И мы туда попадали и смотрели
захватывающие матчи. Правда, не каждый раз попадали, но
иногда все же прорывались.

Тут я подхожу к главному событию, сделавшему меня героем дня, после чего мне стоило немалых усилий вести себя нормально и не зазнаваться.

Когда не удавалось проникнуть в цирк через подкоп, я использовал оставленную на крайний случай другую возможность. С утра заискивал, заглядывал в глаза моему мрачному
дяде Шлеме, который еще, кроме своей основной профессии
— мясника, был добровольцем-пожарным, и в его доме висела начищенная до блеска медная каска с шишаком.

Пожарные пользовались в нашем городе правом свободного входа на любое зрелище, в том числе и в цирк, чтоб всегда быть под рукой, если вспыхнет огонь и надо будет спасать
публику. Правда, места они могли занимать только свободные, непроданные, а если был аншлаг, им администрация давала стул, и они сидели в проходе.

Не знаю, полагалось ли так, но пожарные проводили с собой без билетов и своих детей. Вот ради этого я с утра уже под-
лизывался к дяде Шлеме.

В тот день он был менее мрачен и пошел со мной, об-
лачившись во все свои пожарные причиндалы. Когда мы с
ним проходили мимо билетера и дядя Шлема отдал ему по-
военному честь, приложив руку к каске, и тот в ответ поздоровался с ним приветливо и на меня даже не обратил внимания, я на радостях оглянулся и увидел в толпе сторожа Жукова — героя гражданской войны — и показал ему язык, высу-
нув его так далеко, насколько смог. Я был для него недосяга-
ем. И я видел, как он переживал.

В тот день свободных мест было очень много, и мы с дядей сидели на самых дорогих местах, в ложе, у самого барьера арены.

Вы можете спросить: почему это именно в этот день было много свободных мест?

И я отвечу: потому, что заранее стало известно, что главная пара борцов выступать не будет по болезни, и купленные билеты действительны на другой день, когда эта пара выздоровеет. Многие ушли домой через пять минут и потом очень сожалели. Мы с дядей сидели в полупустом цирке, и я не собирался уходить, так как на другой день мой билет не был действителен из-за того, что я вообще не имел билета. Даже дядя Шлема ушел домой в антракте и потом долго упрекал меня, что я его не задержал и что со мной лучше дела не иметь. Честное слово, он подозревал, что я знал, какое событие произойдет в конце представления, и скрыл от него, чтобы остаться единственным свидетелем на всей Инвалидной улице. Что с ним спорить и что ему доказывать? Пожарный. И этим все сказано.

В цирке в тот день произошло вот что. Даже дух захватывает, когда вспоминаю.

На ковре сопела, и это называлось боролась, самая никудышная пара. Тот самый Август Микул Тула со своим звучным древнеримским именем и его напарник, имя которого я даже не запомнил, но оно было тоже, как у древних римлян или у древних греков.

Пара, действительно, была древняя. По возрасту. Август Микул был уже стар и, видимо, только потому, что не имел другой профессии, продолжал зарабатывать кусок хлеба на ковре. Он был необъятно толст, отчего задыхался, с дряблыми мышцами и с большим, как барабан, животом. Одним словом, из тех, о ком говорили наши балагулы: «Пора на живодерню, а то и шкура пропадет».

Это была не борьба, а горе. И я с большим трудом усидел. И не жалею.

Оба борца, как быки, уперлись друг в друга лбами и, обхватив могучими руками толстые, красные шеи противника, давили со страшной силой слипившимися животами. Давили-давили и, казалось, конца этому не будет. Но конец наступил.

Август Микул Тула не выдержал давления на свой огромный живот и издал неприличный звук так громко, с таким оглушительным треском, что я до сих пор не понимаю, как на нем уцелели трусы.

В первый момент я решил, что это — гром, и даже поднял глаза к небу. Казалось, что парусиновый купол цирка подпрыгнул вверх и медленно вернулся на место. Публика в первых рядах отшатнулась, и женщины лишились сознания тут же, как говорится, не отходя от места.

Вы меня спросите: а не преувеличиваете ли вы?

Я вам отвечу: я вообще не хочу с вами разговаривать, потому что так можно спрашивать только от зависти.

После такого грома в цирке наступила мертвая тишина. Борцы еще по инерции сделали одно-два движения и разомкнули руки на шеях, не глядя в зал. Оркестр на верхотуре, чтоб спасти положение, рванул туш, но после первых тактов музыка разладилась, трубы забулькали от хохотавших в них музыкантов. И тут весь цирк затрясло от хохота. Люди потом клялись, что они отсмеялись в тот вечер не только на стоимость своего билета, а на целый сезонный абонемент.

Весь цирк ржал, икал, визжал, кудахтал, гремел басами и дискантами, сопрано и альтами. Парусиновый купол ходил ходуном, как во время бури. Говорят, наш смех был слышен не только на Инвалидной улице, но и на другом конце ее — стадионе «Спартак». Люди бросились к цирку, полуодетые, в чем были, чтоб узнать, что там случилось. Но опоздали. Они только видели, как мы, публика, все еще заливаясь смехом, покидали цирк и смотрели на нас как несчастные, обойденные судьбой.

И с того момента взошла звезда моей славы. И держалась эта звезда целых три дня, пока полностью не было удовлетворено любопытство Инвалидной улицы.

Я был единственный с нашей улицы живой свидетель этого события. Уже назавтра с самого утра моя популярность начала расти не по часам, а по минутам. Взрослые, самостоятельные люди приходили к нам домой и не к родителям, а ко мне, чтобы услышать все из моих уст и до мельчайших подробностей.

На улице за мной шли табуном и завистливо внимали каждому моему слову. Взрослые, самостоятельные люди здоровались со мной за руку и без всякого там панибратства или покровительственного тона, как бывало прежде, а как с равным и даже, я не боюсь этого сказать, снизу вверх.

По сто раз на дню я рассказывал обо всем, что видел, и, главное, слышал, но появлялись новые слушатели и меня просили повторить. Я охрип. У меня потрескались губы, а язык стал белым. И когда я совсем уставал, мне приносили мороженое «микадо» и не одну порцию, а две, и если бы я попросил, принесли бы и третью, чтоб я освежился и мог продолжать. Мама предостерегала соседей, чтоб меня так не мучали, а то придется ребенка неделю отпаивать валерианкой, но при этом сама в сотый раз слушала мой срывающийся от возбуждения рассказ и посматривала на всех не без гордости.

Три дня улица жила всеми подробностями из моих свидетельских показаний. У нас народ дотошный, и меня прямо замучили вопросами. Самыми различными. И не всякий можно при дамах произнести.

Одним словом, вопросов были тысячи, и я, ошалев от общего внимания и уважения к моей персоне, старался как мог, ответить на все вопросы.

Даже Нэях Марголин, самый грамотный из всех балагул и поэтому человек, который не каждого удостоит беседы, тоже слушал мой рассказ и даже не перебивал. И тоже задал вопрос. Но такой каверзный, что я единственный раз не смог ответить.

— А скажи мне, — спросил Нэях Марголин, — можешь ли сказать, раз был свидетелем и считаешь себя умным человеком, что ел на обед Август Микул Тула перед этим выступлением?

Я был сражен наповал. Все с интересом ждали моего ответа. Но я только мучительно морщил лоб и позорно молчал.

— Вот видишь, — щелкнул меня дубовым пальцем по стриженой голове Нэях Марголин. — А еще в школу ходишь.

И все вокруг понимающе вздохнули. Потому что я действительно ходил в школу и государство тратило на меня большие деньги, а отвечать на вопросы не научился.

И я видел, как присутствовавшие при моем позоре буквально на глазах теряли ко мне уважение.

Но когда Нэях Марголин, щелкая в воздухе своим балагульским кнутом, ушел с выражением на лице, что растет никудышное поколение, даже не способное ответить на простой вопрос, мой престиж стал понемногу восстанавливаться. Потому что как-никак все же я живой свидетель и все это видел, вернее, слышал своими собственными ушами. Я, а не Нэях Марголин, хоть он знает больше моего и считается самым умным среди балагул.

Вот так-то. Но все проходит, как сказал кто-то из великих, и слава не вечна. Понемногу интерес ко мне угас, а потом меня, как и раньше, перестали замечать. Плохо, когда человек переживет зенит своей славы. Вы это сами не хуже меня знаете. Человек становится пессимистом и начинает ненавидеть окружающих. Я таким не стал. Потому что я был ребенком и, как метко выразился наш сосед Меир Шильдкрот, у меня еще все было впереди.

Вы меня можете спросить: к чему я это все рассказываю?

И я бы мог ответить: просто так. Для красоты

Но это был бы не ответ, а, главное, неправда. Я все это рассказал, чтобы ввести вас в курс дела, прежде чем приступить к центральному событию.

Оно произошло вскоре на этом же самом чемпионате мира по французской борьбе. Чемпионат немножко затянулся, и начальный интерес к нему стал пропадать. А от этого, как известно, страдает, в первую очередь, касса. То есть финансы начинают петь романсы.

И тогда администрация цирка, чтобы расшевелить публику и заставить ее окончательно очистить свои карманы, придумала трюк: предложила ей, публике, выставить любого из местных жителей, кто согласится выйти на ковер и сразиться с борцом-профессионалом.

Вот тут-то и разыгрались самые интересные события, свидетелем которых я уже, к величайшему моему сожалению, не был. В тот вечер Берэле Мац чуть не захлебнулся в ловушке, устроенной Иваном Жуковым в подкопе, и мы его еле живого вытащили за ноги обратно. И больше не рискнули и пошли домой, как говорится, несолоно хлебавши. И простить этого я себе не могу до сих пор.

Все, что случилось в тот вечер в цирке, я знаю с чужих слов и от людей, из которых лишнего слова не выдавишь, поэтому много подробностей пропало и это очень жаль.

Когда шпрехшталмейстер — так называют в цирке ведущего программу, конферансье, объявил, что на ковер приглашаются желающие из публики, вся публика сразу повернулась к Берлу Арбитайло — балагуле с Инвалидной улицы, пришедшему в цирк за свои деньги честно посмотреть на борьбу, а не выступать самому.

Сразу должен сказать несколько слов о Берле Арбитайло. Он был с нашей улицы и представлял молодое поколение балагул. Спортом никогда не занимался, и все считали, что он, как все. Ни здоровее, ни слабее. Только молодой

Он был того типа, о котором у нас говорят: шире, чем выше. То есть рост соответствовал ширине и даже третьему измерению. Потому что он был, как куб, у которого, как известно, все стороны равны. Но куб этот состоял из костей и мяса, и мясо было твердое, как железо.

У нас так принято: если очень просят, отказывать просто неприлично. И Берл Арбитайло вышел на арену, хотя потом божился, что он этого очень не хотел. Его, конечно, увели за кулисы, одели в борцовку — это борцовский костюм, вроде закрытого дамского купальника, но с одной шлейкой, обули в мягкие высокие ботинки, подобрав нужный размер, и он красный, как рак, выбежал, качаясь, на арену под марш и даже неумело сделал публике комплимент, то есть — отставил назад одну свою, как тумба, ногу и склонил на один миллиметр бычью шею. Этому его, должно быть, научили за кулисами, пока он переодевался. Борцовка обтягивала его так тесно, большего размера найти не смогли, что все честные девушки в публике пальцами закрывали глаза.

Шпрехшталмейстер на чисто русском языке, поставленным голосом и без всякого акцента, объявил его Борисом Арбитайло, потому что по-русски Берл это то же самое, что Борис, и еще сказал, что он будет представлять на чемпионате наш город.

Рыжий клоун, который при этом был на арене, истерически захохотал своим дурацким смехом, но публика нашла, что это совсем не смешно и этот смех неуместен, и даже обиделась. После этого рыжего клоуна, сколько ни продолжались гастроли цирка, каждый раз освистывали, и он был вынужден раньше времени покинуть наш город и, говорят, даже сменил профессию.

А дальше произошло вот что. Берл Арбитайло, теперь уже Борис, дал своему противнику, настоящему профессиональному борцу, ровно пять секунд на размышление.

По заведенному церемониалу борцы сначала здороваются за руку. Берл руку противника после пожатия не отпустил и швырнул его, как перышко, к себе на спину и, описав его телом дугу в воздухе, хрякнул, не выпуская руки, на лопатки так, что тот самостоятельно не смог подняться.

Зал взорвался. И парусиновый купол чуть не унесло на деревья. Победа была чистой, а не по очкам. А главное, молниеносной. Противника унесли за кулисы и несли его восемь униформистов, как будто несли слона. В цирк вызвали «скорую помощь».

А Берл Арбитайло стоял посреди арены, ослепленный прожекторами, оглушенный оркестром и ревом зала, поправлял в паху тесную борцовку и краснел, как девушка.

Растерявшаяся администрация устроила совещание, и все это время цирк стонал, потом на арену вышел белый, как снег, шпрехшталмейстер и, с трудом угомонив зал, объявил, что против Арбитайлы выставляется другой борец.

Его постигла та же участь и за те же пять секунд.

Что тут было, описать невозможно. Короче говоря, в этот вечер цирк выставил против нашего Берла Арбитайло всех своих тяжеловесов подряд, и он, войдя во вкус, разложил их всех до единого, сразу в один присест, став абсолютным чемпионом мира по французской борьбе.

Назавтра мы все же прорвались в цирк, но Берл Арбитайло больше не выступал. Цирковые борцы, участники чемпионата мира, наотрез отказались выходить с ним на ковер, какие бы деньги им за это не предлагали. И вообще, борьба была снята с программы и ее заменили музыкальной эксцентриадой. То есть поменяли быка на индюка. Мы весь вечер плевались. И я уже никогда больше не увидел на ковре Берла Арбитайло.

Он стал самым популярным человеком в нашем городе. И когда он проезжал по улице на своем ломовом тяжеловозе, все движение прекращалось, и все провожали его глазами, как будто никогда прежде не видели. Он сразу пошел на выдвижение, и в конторе конно-гужевого транспорта его сделали бригадиром балагул, а на всех торжественных собраниях в городе его избирали в президиум, и он сидел там сразу на трех стульях и краснел.

Тут как раз в Советском Союзе стали готовиться к первым выборам в Верховный Совет, и наше начальство, которому пальца в рот не клади, выдвинуло Бориса Арбитайло кандидатом в депутаты от блока коммунистов и беспартийных, понимая, что с ним это беспроигрышная лотерея. Биография у него была подходящая. Как говорили в предвыборных речах агитаторы, он из бедной семьи, честный труженик и воспитан советской властью и прямо как в той песне — как невесту, родину он любит и бережет ее, как ласковую мать.

Я не видел Берла Арбитайло на ковре, но я присутствовал

на его выступлении перед избирателями на предвыборном митинге, и второй раз я подобного уже не увижу.

Митинг происходил под открытым небом на конном дворе конторы гужевого транспорта, так сказать, по месту службы
кандидата.

Большой, мощенный булыжником двор был усеян лошадиным навозом, который не успели подмести, и народу туда
набилось, что яблоку было негде упасть. Вместо трибуны использовали конную грузовую площадку на колесах, на которой штабелями лежало мешков сорок муки. На мешках был
натянут красный транспарант с надписью: «Да здравствует
сталинская конституция — самая демократическая в мире!». С
этой высоты кандидат в депутаты — бригадир балагул Берл
Арбитайло должен был сказать речь.

Он поднялся наверх по приставной лестнице в новом,
сшитом на заказ костюме, и, пока поднимался, выпачкал в
муке колени и от этого стал еще демократичней и ближе
избирателям, ибо он рисковал отдалить их от себя галсту-
ком, который у него впервые видели на шее и который
очень мешал ему, и он от этого мотал головой, как конь,
одолеваемый слепнями. В таком же галстуке он смотрел с
портретов, во множестве развешанных по городу и здесь,
на конном дворе.

Речи народный кандидат, чемпион мира по французской
борьбе Берл Арбитайло не сказал. И потому, что было очень
шумно — народ вслух, еще до тайного голосования, выражал
свое одобрение кандидату, и потому, что рядом громко ржали
кони, словно приветствуя в его лице своего человека в парла-
менте. Но, в основном, потому, что Берл Арбитайло говорить
не привык и не умел этого делать, особенно с такой высокой
трибуны. Его квадратное лицо, с маленьким, кнопкой, носом
и широкая, шире головы, шея наливались кровью все больше
и больше, он несколько раз гулко кашлянул, словно поперх-
нулся подковой, и даже его кашель вызвал бурю аплодисмен-
тов. Но дальше этого он не продвинулся. Как говорят балагулы, ни «ну!», ни «тпру!». Хоть ты убейся.

Начальство очень стало нервничать и снизу ему в десять
глоток стали подсказывать начало речи. «Дорогие товарищи!..
дорогие товарищи!.. дорогие товарищи!» На эту товарищескую
помощь Берл Арбитайло смог ответить только: «Да!» — и
спрыгнул сверху, очень удивив отшатнувшийся народ, потому

что многие, и начальство в первую очередь, решили, что он хочет попросту сбежать.

Но не таков наш человек с Инвалидной улицы, народный кандидат Берл Арбитайло. Никуда он не побежал. Кряхтя, он залез под грузовую платформу, на которой было не меньше сорока мешков с мукой и транспарант «Да здравствует сталинская конституция — самая демократическая в мире!», и там расправил свои плечи и оторвал все это от земли.

Такого гвалта, какой подняли в ответ польщенные избиратели, наш город еще не слыхал. То, что сделал Берл Арбитайло, было красноречивей любой речи и нашло самый горячий отклик в сердцах людей. Победа на выборах ему была обеспечена на все сто процентов. Даже если бы на наших выборах не выбирали из одного одного, в чем проявлялась большая забота партии о людях, потому что им не нужно было ломать себе голову, за кого отдать свой голос, и им не приходилось потом переживать, что они ошиблись, не за того кандидата проголосовав. Кандидат был один, и депутат избирался один, и такое бывает только в нашей стране — стране победившего социализма. Но даже, если бы у нас, не дай Бог, выборы были бы такими же лжедемократическими, как на Западе, в странах капитала, и на одно место претендовала бы тыща кандидатов, все равно в депутаты прошел бы один — Берл Арбитайло, человек простой и понятный, сумевший найти кратчайший путь к душе народа.

Правда, накануне выборов одно обстоятельство чуть не сгубило блистательную карьеру нашего кандидата. Последние дни он не работал и в ожидании выборов слонялся по центральной улице, ведя за собой тучу поклонников. А там, на центральной улице, была стоянка легковых извозчиков. Тогда еще не было такси. И пассажиров возили в конных фаэтонах с поднимающимся верхом и с мешком сена и пустым ведром сзади.

На облучке первого в очереди фаэтона сидел горой самый старый извозчик — Саксон. В рыжем крестьянском зипуне и с одеялом на ногах. Он сидел и тихо напевал на мотив из одноименной оперетки одну и ту же фразу на идиш: «О, Баядера, мир из калт ин ди фис», что означает: «О, Баядера, у меня мерзнут ноги». У него, действительно, мерзли ноги даже летом от застарелого ревматизма, и потому он круглый год носил меховые сапоги и вдобавок накрывал ноги одеялом. Шел ему седьмой десяток, но он еще был в соку и работал и так бы продолжал, возможно, до ста лет. Если бы не война.

Вообще-то его звали Авром-Иче. А Саксон — это была кличка, с которой он, видимо, прямо появился на свет. И намекала она, должно быть, на сходство с библейским Самсоном. Фамилии его я никогда не слыхал. И, кажется, никто ее не знал. В паспорте, конечно, у него фамилия была записана, как у каждого нормального человека. Но на нашей улице верили на слово и фамилии, как говорится, не спрашивали. Саксон — так Саксон.

Тоже неплохо. И надо же было, чтоб Саксону в тот день вздумалось остановить нашего народного кандидата Берла Арбитайло.

— Это, кажется, вас мы будем избирать в депутаты? — спросил он со своего облучка, и Берл Арбитайло имел неосторожность остановиться и кивнуть.

Тогда Саксон задал следующий вопрос:

— Это, кажется, вы чемпион мира по французской борьбе? Саксон говорил ему «вы», и это уже многим не понравилось. Берл Арбитайло второй раз застенчиво кивнул.

— Интересно, — сказал Саксон и, сняв с ног одеяло, стал слезать с фаэтона, отчего фаэтон накренился в сторону и чуть не упал набок. На своих слоновых ногах он прошагал на середину булыжной мостовой и, отбросив наземь кнут, радушно протянул Берлу руку.

— Дай пожать мне руку чемпиона, — сказал он при этом.

И Берл Арбитайло простодушно дал. И как цирковые борцы в его руках, так на сей раз он сам, в чем был, в новом, сшитом на заказ костюме и галстуке, тем же манером взлетел на спину Саксону и, описав в воздухе дугу, грохнулся лопатками на булыжник мостовой. Победа была чистой, по всем правилам. Те, кто был рядом, стояли потрясенные и не могли даже слова сказать. Чемпион мира лежал поверженный на мостовой. Саксон отряхнул ладони и даже вытер их об зипун.

— Так кто же тут чемпион мира по французской борьбе? — спросил он заинтересованно и обвел взглядом всех, будто ища в толпе чемпиона.

На булыжнике лежал экс-чемпион, но заодно лежал и народный кандидат. И это чуть не имело потом серьезные последствия. Саксона отвели в участок и продержали три ночи и хотели уже пришить политическое дело. Спасло его только то, что он был стар и абсолютно неграмотен. А также и то, что сам кандидат в депутаты Берл Арбитайло хлопотал за него и грозил, что не будет баллотироваться, если Саксона не выпустят.

Все кончилось благополучно. Саксона выпустили, и он сам отдал свой голос за Берла Арбитайло, и Берл Арбитайло победил на выборах единогласно. Тем более, что конкурентов у него не было.

И все бы вообще хорошо закончилось, если бы не два обстоятельства.

Первое — это то, что очень скоро стали снова ловить врагов народа и нещадно их истреблять. В нашем городе забрали всех выдвиженцев, каждого, кто высунул нос чуть дальше, чем все. Из заслуженных людей судьба обошлась хорошо только с двумя на нашей улице. С моим дядей Симхой Кавалерчиком, потому что он был такой тихий и незаметный, что о нем попросту позабыли, и с легендарным героем гражданской войны Иваном Жуковым, потому что он никуда не выдвигался, а был простым сторожем в Саду кустарей и был все время так пьян, что его даже гадко было арестовывать.

Берл Арбитайло, который мог бы жить, как нормальный человек, имел несчастье стать депутатом, и его пришли арестовывать одним из первых. Когда его брали ночью, то люди рассказывают, что восемь сотрудников государственной безопасности были изувечены так, что им никакое лекарство потом не помогло.

А Берл Арбитайло пропал. И никаких следов до сих пор отыскать не могут. В руки НКВД он не дался. Это мы знаем точно. Потому что НКВД потом отыгралось на всей его семье и всех, кто носил фамилию Арбитайло, вывезли в Сибирь, и они в наш город больше не вернулись. А где сам Берл, никто так и не знает.

Когда я встретил много лет спустя одного моего земляка, оставшегося живым после войны, и мы с ним разговорились за жизнь, о том, о сем, вспомнили чемпионат мира по французской борьбе, и он, человек неглупый, каждый день читающий газеты, высказал мысль, что снежный человек, которого, если верить газетам, обнаружили в горах Тибета, возможно, и есть не кто иной, как Берл Арбитайло, который там в Тибете скрывается до сих пор от НКВД, не зная, что Сталин уже умер и Хрущев всех реабилитирует посмертно. Возможно, что он шутил, мой земляк. Весьма возможно. Но в каждой шутке, как говорится, есть доля правды.

А теперь второе обстоятельство Что стало дальше с Саксоном. Он погиб на войне. Не на фронте. Кого это посылают в семьдесят лет на фронт? Но погиб он как человек, достойно, как и подобает жителю Инвалидной улицы.

Когда к нашему городу подходили немцы, и население пешком убегало от них на Восток, Саксон запряг своего коня в фаэтон и нагрузил его детьми. Говорят, он усадил человек двадцать. Одного на другого. Так что во все стороны торчали руки и ноги. Взял вожжи и пошел рядом, хоть ходить ему было трудно из-за болезни ног, но если бы он сам сел, не хватило бы места детям и конь бы не мог везти так много.

Этот фаэтон двигался в толпе беженцев по шоссе, когда налетел немецкий «мессершмитт» и из пулемета стал расстреливать толпу. Одна из пуль попала в коня, и он упал в оглоблях и откинул копыта, но зато и Саксон и дети в фаэтоне остались невредимы. Когда самолет улетел, Саксон распряг мертвого коня и оттащил с шоссе, чтобы не мешал движению. Сам встал в оглобли и потащил не хуже коня фаэтон, полный детей. Говорят, он тащил так километров пять, ни разу не сделав остановки, пока снова не вернулся тот самый «мессершмитт» и не открыл огонь. В Саксона попало несколько пуль, и он замертво упал в оглоблях и так и остался лежать. Оттащили ли его с шоссе и похоронили в поле, я не знаю. Сомневаюсь. Людям было не до того. И потом, чтоб поднять Саксона с земли нужен был десяток силачей с нашей улицы, а их среди беженцев не было. Они были на фронте. И все до одного погибли там.

Немножко грустно стало. Верно? Ничего не поделаешь. Нельзя всю жизнь смеяться.

Теперь я вас спрашиваю. Скажите мне вы. Как разобраться в одном? Кто же действительно был в том году чемпионом мира по французской борьбе? Официально, Берл Арбитайло. Ясно и понятно. Но неофициально? Мы же с вами знаем, что с ним сделал Саксон.

Легенда пятая
ВСЕ НЕ КАК У ЛЮДЕЙ

— У нас все не так, как у людей, — говорила моя мама и была очень близка к великой истине, которую человечество все никак не хочет замечать.

Судите сами.

Две тысячи лет человеку говорят, что он лишний, чужой и ему нет места на земле. А чтоб он не заблуждался относительно искренности этих слов, его постоянно бьют, грабят, плюют в лицо, время от времени режут и даже жгут на кострах. Любому нормальному человеку уже давно стало бы ясно, что пора кончать, как говорится, поиграли и хватит и надо уступить всему миру, если уж так настойчиво просят тебя убраться с этого света.

Но у нас все не так, как у людей. Мы не только продолжаем жить, раздражая человечество до белого каления, но плодимся и размножаемся и даже порой отпускаем шуточки, которые потом с удовольствием повторяют остальные люди и, посмеявшись вдоволь, в хорошем настроении начинают точить ножи, предназначенные для наших шей.

Моя мама, когда говорила эти слова, ничего не хотела обобщать. Она имела в виду конкретный пример. То, что случилось на Инвалидной улице. Вернее, на нашем дворе. А если быть еще точнее, в нашей семье.

Ну, припомните сами, как это бывает у людей? Скажем, получает жена похоронное извещение, что ее муж такой-то и такой-то погиб смертью храбрых в боях с немецко-фашистскими захватчиками за свободу и независимость нашей социалистической Родины и ей, как вдове, назначается пенсия. Казалось бы, все ясно! Яснее не скажешь.

Что делают в таких случаях люди? Плачут, рвут волосы на голове, жалеют несчастных детей, которые отныне будут называться сиротами, и очень переживают, что от покойного супруга не осталось даже фотографической карточки, чтобы дети, а потом внуки могли увидеть, от кого они произошли. Проходит время и все забывается. Как говорится, жизнь берет свое. И мужа вспоминают лишь раз в месяц, когда получают пенсию, потому что она очень мала и на нее не проживешь. А покойник не догадался хоть что-нибудь оставить своим наследникам. Даже своего портрета.

Проходят годы и все забывается. Как будто так и надо, и удивляться тут нечему.

У нас же все, не как у людей. Начало, правда, было такое же. И похоронное извещение, и плач, и никакого портрета, и пенсия, на которую не проживешь. А конец? Даже близко не похож. Наберитесь капельку терпения, я потом вам все объясню.

Или другой пример. Женщина, мать, причем еврейская мама, своими глазами видит, как ее ребенок, ее единственный сын, отличник учебы, не способный выговорить хотя бы одно ругательство, прямо у нее на глазах погибает от взрыва бомбы, и его, который только что был жив в своих коротких штанишках и кожаных сандалиях на босу ногу, буквально разрывает на куски и от него ничего не остается, кроме матросской шапочки с надписью «Аврора» на ленте, которую взрывной волной бросает маме прямо в руки.

Ну, скажите сами: может после этого женщина выжить и остаться нормальной?

Вы можете мне ответить: в редких случаях — да. И я с вами соглашусь.

Но если я вам расскажу, чем все это кончилось, и вы, придя в себя от удивления, все же попытаетесь убедить меня, что и после этого можно не сойти с ума, тут уж я с вами, извините, не соглашусь. А если и соглашусь, то при одном условии. Только человек с Инвалидной улицы может это пережить и не свихнуться и даже считать, что все идет как положено. Потому что мы из другого теста и у нас все не так, как у людей.

А сейчас, как говорится, маленькая деталь. Мальчик, которого разорвало на куски бомбой и от него осталась маме на память матросская шапочка с надписью «Аврора» на ленте — это я. А муж, оплаканный вдовой и не оставивший после себя даже фотокарточки, а лишь маленькую пенсию, на которую нельзя было прожить, мой отец. И он жив-здоров до сих пор и, чтоб больше не повторять прежних ошибок, фотографируется каждый год дважды.

Что? Смешно?.. Кажется, не очень. Я так тоже думаю.

А сейчас послушайте всю эту историю, которая больше похожа на легенду, чем на быль, и ничему не удивляйтесь. Потому что вы имеете дело с Инвалидной улицей, где, если верить моей маме, все не так, как у людей.

Как известно, Гитлер напал на Советский Союз 22 июня 1941 года. Сталин очень хотел с ним дружить, с Гитлером. И в

знак этой дружбы согласился разделить с ним Польшу: запад-
ную часть взял себе Гитлер, а восточную — мы, то есть Сталин.
Но так как Гитлер был фашист, то считалось, что он захватил,
оккупировал Польшу, поработил польский народ, а так как мы
были самые прогрессивные в мире, то наши войска совершили освободительный поход, протянув братскую руку трудя-
щимся восточной Польши, нашим единокровным братьям
белорусам и украинцам, стонавшим под панским гнетом. Красиво звучит, верно? Не придерешься.

Мне посчастливилось все это увидеть своими глазами, но
именно поэтому много дополнительных несчастий свалилось
на нашу семью. На захваченной, то есть освобожденной территории надо было устанавливать советские порядки, делать
население счастливым, таким же, какими были мы, и для этой
цели туда назначили большим начальством моего дядю, который был женат на другой маминой сестре. Тетя, то есть мами-
на сестра, в первом же письме оттуда, абсолютно вопреки га-
зетным сообщениям, поставила нас в известность, что в бывшей Польше — рай земной и на базаре все так дешево, что, можно считать, почти без денег. И пригласила нас в гости.

Я не знаю, что такое рай. Но когда мы приехали в этот
бывший польский городок у самой новой немецкой границы,
моя мама чуть не потеряла сознание, когда в первый раз вышла на базар. Здесь были такие продукты, которых мы в глаза
не видели, и стоили они так дешево, что становилось просто
смешно. А люди, которых мы пришли освобождать от нищеты
и голода, были одеты так, как будто смотришь заграничный
фильм, и все они капиталисты. Даже дети. Правда, меня тоже
сразу приодели и, как говорила мама, почти без денег, и я долго не мог привыкнуть к новой красивой одежде, потому что
раньше я такого в глаза не видел.

Но человек ко всему привыкает. Я привык к новой одежде.
Одна моя мама никак не могла привыкнуть к низким ценам и
высокому качеству продуктов и каждый раз, приходя с базара
с пудовыми корзинками, охала и недоумевала и мучила вопросами моего дядю-коммуниста: почему, каким образом и как
это понимать. И мой дядя, главное начальство в этом городке,
ничего не мог объяснить и начинал кричать на маму, что она
политически неподкованный человек.

Я уважал своего дядю. Он был не еврей, а русский. И женился на моей тетке потому, что был коммунист и, естественно,

интернационалист. Для коммуниста иметь еврейку жену считалось признаком стопроцентного большевика. Мой дядя и был
стопроцентным. Малограмотным и очень уверенным в себе.
Простым в обращении с людьми и не терпящим возражений.
Все освобожденное население, завидев дядю на улице, уже издали начинало низко кланяться, и дядя вначале сердился, а потом смеялся: «Вот чудаки, не понимают, что я такой же простой
человек, как они, что больше нет господ, а все люди равны».

И при этом дядя жил в самом лучшем доме, реквизирован-
ном у прежнего хозяина, и катался в единственном в городе
легковом автомобиле, а тетя каждую неделю отправляла домой многочисленной родне большие посылки, набитые отре-
зами чистой шерсти, которые приносили нам в дом бесплатно.
Дядя в это дело не вмешивался и делал вид, что не замечает. И
я понимал, что он, с одной стороны, настоящий коммунист, а
с другой стороны, хороший муж и горячий родственник. И
мое уважение к нему росло, и я мечтал вырасти и стать таким
же борцом за счастье трудящихся. Единственное, чего бы мне
не хотелось, это жить в самом лучшем доме и получать шер-
стяные отрезы бесплатно. Мне, несмышленышу, казалось это
не совсем приличным, но я, как и моя мама, очевидно, был тогда политически неподкованным человеком.

Война приносит много разочарований. И первое разочарование было связано с дядей. Так, как поступил он и остальное начальство — коммунисты, в первый день войны, пе-
ревернуло все в моей детской голове, и я не могу успокоиться
до сих пор, когда об этом вспоминаю.

Известно, что Гитлер напал на нашу страну внезапно, хотя
мы готовились к этой войне многие годы. В день начала войны
я купался с утра в озере и, когда в полдень направился домой
обедать, не смог пройти к нашему дому: немецкие войска не-
прерывной колонной двигались по улице. Из открытого окна
нашего дома высунулась мама и гневно кричала мне через головы немецких солдат, чтобы я скорей шел обедать — суп стынет
на столе. А я, хоть и был послушным сыном, не мог выполнить
ее просьбы: улицу нельзя было перейти, колонны двигались
беспрерывно. Это было как во сне. Мы ничего не понимали, хотя уже были оккупированы, война шла уже много часов, и узнали мы об этом официально только в полдень, когда местный ра-
диоузел включил Москву и из большого уличного репродукто-
ра напротив нашего дома сам товарищ Молотов поведал нам об

этом несчастье, и его слова в полном оцепенении слушал я, стоя на тротуаре, мама, высунувшись из окна, и немецкие солдаты, которые двигались между мной и мамой, и, не понимая ни слова, скалили зубы на говорящий непонятно репродуктор.

Ночевали мы уже не дома, а в каком-то огромном подвале на окраине городка. Там было полно испуганных женщин и детей — семьи командиров Красной Армии и местного начальства. На рассвете в переполненный спящими людьми подвал спустился дядя и шепотом, чтоб никто не слышал, разбудил свою жену с детьми и меня с мамой. Мы тихо, пробираясь среди спящих вповалку людей, выбрались наружу и в утреннем тумане увидели грузовую автомашину, в кузов которой грузили с чемоданами и узлами каких— то женщин и детей. Я узнал их: это были семьи дядиных товарищей-коммунистов, таких же начальников, как и он, которые ходили к нам в гости, пили водку и обязательно поднимали тост за здоровье товарища Сталина.

— Быстро грузитесь в машину, — шепотом приказал дядя, — мы удираем отсюда.

— А они? — показал я на дверь подвала, где, ничего не ведая, спали жены командиров Красной Армии и их дети. — Их же фашисты расстреляют.

Дядя посмотрел на меня, как на идиота.

— Машина одна, а их много, — прошипел он.

И мы медленно отъехали. Я сидел на чемоданах и узлах, свесив ноги через задний борт машины, и с недетской тоской смотрел на удаляющуюся дверь подвала, которая уже выглядела как вход в братскую могилу.

Дяде в глаза я уже смотреть не мог. Во-первых, мне было стыдно, а во-вторых, это было физически невозможно — он находился в кабине, рядом с шофером. Машина проселочной дорогой пробиралась на восточную окраину спящего городка, где находилась нефтебаза, и можно было взять запас горючего.

Тут я окончательно потерял уважение к моему дяде. Двор нефтебазы, где стояли цистерны с бензином, огороженный высоким забором, был в этот ранний час заполнен до отказа евреями. И местными, и теми, что бежали из Западной Польши от Гитлера год назад. Они-то знали, что ждет евреев при немцах, и сбились сюда во двор нефтебазы в надежде, что машины, зашедшие за горючим, подберут их и увезут подальше от неминуемой гибели.

Пока шофер заливал в баки бензин, нашу машину плотно

окружили старики и женщины, многие с грудными детьми на руках, и в один голос плакали, умоляли не покидать их.

— Возьмите хотя бы грудных детей! — исступленно кричали женщины. — Спасите хотя бы их!

И протягивали нам пищащие одеяльные свертки.

Мой дядя, главное начальство городка, коммунист, который всегда говорил, что его жизнь принадлежит народу, вытащил из кабины ручной пулемет, залез с ним в кузов и, неприлично выругавшись, навел пулемет на людей.

Толпа отхлынула. Машина стала выбираться на дорогу, и самые отчаянные побежали за нами, крича, умоляя, проклиная. Метров сто они не отставали от нас, и я думал, что сойду с ума. Потом шофер дал газ, и разрыв между бегущими людьми и машиной стал расти. Когда уже все отстали, продолжал бежать лишь один — мальчик, чуть старше меня, хромой, на костылях, в польской военной фуражке-конфедератке. Он прыгал на костылях в пыли, поднятой колесами машины, споткнулся и упал.

А мы спасались.

Что было потом, я плохо помню. Где-то нас остановил патруль Красной Армии. Автомашину реквизировали, долго проверяли документы у дяди, не дезертир ли он. И мне очень хотелось, чтоб его тут же расстреляли, хотя он не был дезертиром.

Всех мужчин, в том числе и дядю, забрали в армию, а нас погрузили в товарный эшелон, составленный из открытых платформ с низкими бортиками. И мы уже по железной дороге помчались на Восток, подальше от немцев. Потом нас разбомбили.

Дядя мой уцелел на войне и сделал хорошую карьеру, занимал высокие посты и чуть не сделался министром, но образования не хватило. Даже в голодные годы он имел все, что только можно пожелать, кроме птичьего молока, и пил много водки, обязательно поднимая тост за Сталина, пока Сталин был жив, потом за Хрущева, потом за Брежнева, и умер от ожирения сердца, и в газетах писали, что он был примерный коммунист и погиб на боевом посту в борьбе за народное счастье.

Но вернемся назад, к тому, как нас разбомбили. Это случилось ночью, когда поезд мчался на полной скорости. Бомба взорвалась рядом. Я спал наверху на каких-то тюках спрессованного сена, а мама с маленькой моей сестрой пристроилась внизу, под тюками. Она своими глазами видела, как в блеске пламени я взлетел вверх и рассыпался на куски. И один кусок упал ей в руки. Это была моя матросская шапочка с надписью «Аврора» на ленте.

А поезд, не снижая скорости, продолжал мчаться.

Как вы догадываетесь, меня не разорвало на куски. Иначе я бы не мог вам всего этого рассказать. Меня просто сбросило с поезда при взрыве бомбы, и я даже не ушибся, потому что упал в мягкий песок откоса железнодорожной насыпи. Поезд, откуда я явственно слышал крики моей мамы, исчез в темноте, а я остался один в тринадцать лет, в коротких штанишках и сандалиях на босу ногу. Потом, когда я добрался до ближайшей станции, чтобы найти маму, мне сказали, что наш эшелон вторично бомбили и никто не остался в живых. В это было нетрудно поверить, потому что сама станция уже горела и кругом валялось много убитых. Как я прожил четыре года войны один и остался в живых — это отдельная история и к нашему рассказу никакого отношения не имеет. Потому что это происходило не на Инвалидной улице, а я сейчас вспоминаю все, что связано именно с ней.

А вспомнил я об Инвалидной улице, когда кончилась война. Я уже к тому времени был солдатом и вместе со своим гвардейским артиллерийским полком находился в Германии под городом Нойбранденбург, хотя по возрасту не подлежал призыву. Меня, голодного, неумытого оборванца, подобрали солдаты этого полка в середине войны на одной станции на Волге, где я, так как не мог научиться воровать, собирал милостыню чтением стихов, памятных мне еще со школьной скамьи. И я стал «сыном полка», то есть маленьким солдатиком, и меня посылали под огонь там, где взрослый бы пройти не мог и даже наградили двумя медалями. Честное слово. Когда кончилась война, мой возраст еще не подходил для военной службы, и меня одним из первых демобилизовали и отправили домой.

Но тут возникает законный вопрос: где был мой дом? Семьи у меня не было — она погибла, куда мне ехать — я не знал. И тогда меня потянуло в город, где я родился, посмотреть, что стало с Инвалидной улицей, с которой я даже не успел попрощаться в начале войны, потому что был в другом городе. Я вспомнил наш дом, сложенный из толстых бревен моим дедом Шаей, и уже как взрослый человек понимал, что если этот дом не сгорел и каким-то чудом уцелел, то я остался единственным наследником и владельцем этого дома. Следовательно, я его немедленно продам, а цены после войны очень высокие, и с полными карманами денег начну новую жизнь, в которой мне, молодому здоровому солдату с двумя медалями на груди, будет море по колено.

Подгоняемый этими мыслями, я, как на парусах, мчался в наш город, который оказался основательно разрушенным и сожженным, а потом не шел, а бежал мимо руин и пепелищ, безошибочно угадывая направление.

Инвалидная улица сгорела почти вся. Ни домов, ни заборов. Только кирпичные фундаменты, поросшие травой, остатки обугленных бревен и сиротливые дымоходы русских печей, закопченных после пожара. И вы не поверите, потому что я не поверил своим глазам, наш дом стоял цел и невредим. И даже забор и большие ворота, на которых был написан тот же номер, что и до войны, и даже фамилия владельца. Моя фамилия. Вернее, не моя, а моих предков. Но какая разница — ведь я же их единственный наследник.

Как потом я узнал, наш дом не сожгли лишь потому, что в нем помещалась немецкая полиция. Но в тот момент меня это не интересовало. Главное было в том, что я не один на свете. После войны остались в живых я и наш дом. Я мгновенно стал человеком с обеспеченным будущим. Волнуясь, стоял я у калитки. Несомненно, какие-то сантименты бурлили в моей душе, но я был солдат и умел не показывать виду. Как солдат я пытался точно сориентироваться в обстановке — не продешевить по неопытности и продать дом за хорошую цену.

Мне лично дом не был нужен. Война меня сделала вольной птицей. Все мое имущество помещалось в тощем вещевом мешке и состояло из двух банок мясных консервов, выданных сухим пайком, и смены солдатского белья. Да еще трофейный кинжал, который мне был дорог как память. Им я был ранен в лицо в рукопашной схватке, окончившейся весьма удачно для меня. Владелец кинжала хотел попасть мне в горло, но промахнулся и воткнул его мне в челюсть, и я остался жив, чего не могу сказать о нем. Его сзади закололи штыком прибежавшие на подмогу ребята.

Так что, вы сами понимаете: к калитке я подходил нищим, а, открыв ее, становился сказочным богачом.

Я открыл калитку.

Тут я прошу моих слушателей оставаться спокойными и попытаться представить на миг выражение моего лица. Я его, естественно, видеть не мог, но когда теперь, спустя много времени, хочу его вообразить, то другого слова, как «помертвел», не могу подобрать. Я отчетливо помню только, что мне сделалось на минуточку нехорошо, хоть я был парнем крепким и отнюдь не сентиментальным.

То, что дом обитаем и что в нем кто-то живет я не сомневался. И я, пока шел к калитке, не без удовольствия представлял, как этим удивленным жильцам предъявлю свои хозяйские права и твердым, отнюдь не мальчишеским голосом, предложу выметаться подобру-поздорову.

В нашем доме, действительно, жили. И эти люди теперь стояли во дворе и с недоумением смотрели на обалдело застывшего в калитке молоденького солдатика с вещевым мешком на плече.

Кто же стоял во дворе?

Моя мама. Раз. Такая же, как до войны. Только очень плохо одетая. С косынкой на голове, она стояла, согнувшись над корытом, в котором пузырилась белая мыльная пена. Она взглянула на меня, не узнала и снова склонилась над корытом.

Моя сестра. Два. Она выросла за эти годы и вытянулась в длинного подростка, и я бы ее никогда не узнал, если бы не увидел рядом с мамой. Она меня, конечно, тоже не узнала и просто с любопытством разглядывала молоденького солдатика, который выглядел совсем мальчиком, хоть на нем была военная форма и на груди поблескивали медали. Ведь тогда, в ту пору вернувшиеся с войны солдаты бродили по чужим дворам, пытаясь хоть что-нибудь узнать о судьбе своих близких.

Третьей стояла моя старенькая тетя Рива. Одинокая, бездетная, никогда не выходившая замуж и отдавшая свое сердце многочисленным племянникам, в том числе и мне, которых она нянчила, защищала от родительского гнева и которые, когда вырастали, все до единого забывали о ней. Та самая Рива, что была самым красивым ребенком у деда Шаи, и очень давно, еще до русско— японской войны, ее хотел украсть и удочерить царский офицер.

Вот она-то меня и узнала.

Заслонив рукой глаза от солнца, она долго вглядывалась в меня и спокойно так, будто это у нее не вызвало никакого удивления, громко сказала:

— Кажется, это...

И она назвала меня тем самым уменьшительно-ласкательным именем, каким меня называли, когда я был очень маленьким.

Я чуть не крикнул:

— Да! Это — я!

Но ничего не сказал. Очевидно, вообще не мог выговорить ни слова.

Тогда мама подняла глаза от корыта, прищурясь посмотрела на меня, высокого, худого, в выгоревшей на солнце пилотке и запыленных сапогах, разогнулась и пошла, как неживая, ко мне, как-то странно переставляя ноги и стирая ладонями мыльную пену с голых до локтей рук. До меня ей было шагов двадцать пять. Она переставляла ноги, и лицо ее не выражало ничего, как маска, и она продолжала ладонями стирать с локтей пену, хотя пены на руках уже не было.

Я не трогался с места. Еще раз повторяю, я весьма далек от сантиментов, и, потом, люди, выросшие на Инвалидной улице, не привыкли к открытому проявлению чувств. Детство мое в войну было несладким и сделало меня волчонком, готовым в любой миг оскалить зубы, а плакал я последний раз задолго до войны. Я стоял, как пригвожденный, и не сделал ни одного шага навстречу маме. А она все шла, с каждым шагом лучше узнавая меня, и когда была уже совсем близко, раскинула руки, чтоб обнять меня. И тут я совершил такой поступок, за что любой нормальный человек назвал бы меня негодяем, подкидышем, выкрестом, скотом и был бы абсолютно прав. Но мама, моя мама, которая родилась и выросла на Инвалидной улице, все поняла и даже не обиделась.

Я не позволил маме обнять себя. Это было бы слишком. Ведь я плакать не умел, а вы можете сами представить, какие чувства бурлили в моей душе, и я бы мог взорваться, как бомба. Я крикнул армейскую команду:

— Отставить!

И руки матери упали вниз.

Потом я протянул ей свою руку и сказал просто, как будто вчера вышел из дому:

— Здравствуй, мама.

Она ничего не ответила и молча пошла рядом со мной к дому и ни одной слезинки не проронила

— У людей так не бывает, — скажете вы

И я вам отвечу:

— Да. Это бывает на Инвалидной улице. Ведь у нас все не так, как у людей.

Ну кто, скажите вы мне, может похвастать таким?

Потерять сына, видеть его смерть и через четыре года получить его живым и здоровым. И дом сразу получает хозяина. И этот хозяин ходит по двору голый по пояс, в брюках галифе и, как взрослый, чинит забор, колет дрова, и женщины в доме чувствуют себя в полной безопасности за его широкой спиной.

Когда все волнения улеглись, мама мне созналась, что в разгар войны, в далекой сибирской деревне ей гадала на камушках одна старушка и сказала маме, что у нее пропали двое мужчин и, как Бог свят, они оба живы. Насчет одного сибирская старушка действительно угадала — я вернулся живым. А что касается отца, тут уж она дала маху. Похоронное извещение у мамы на руках, и потом государство зря не будет платить пенсию. Спасибо уж за то, что угадала наполовину. Обычно гадалки просто врут. Но эта сибирская старушка, дай ей Бог долгие годы, как в воду глядела.

Через три недели после моего возвращения открывается наша калитка и входит мой отец. В такой же солдатской форме, как и я, и с таким же вещевым мешком на плече.

И он был удивлен точно так же, как и я, застав всю семью во дворе. Вы будете смеяться, но он, как и я, приехал продавать дом. Дом, построенный дедом Шаей. Дом, полагал он, еще может сохраниться после такой войны, но еврейская семья — ни за что.

Что тут долго рассказывать. Моя мама не сошла с ума. И, кажется, даже не удивилась.

— У нас все не так, как у людей, — сказала она.

Мой отец был в немецком плену. В плену убивали всех коммунистов и евреев. Он же был и коммунист, и еврей и должен бы погибнуть дважды. Но не забывайте на минуточку, что он родом с Инвалидной улицы.

И этим все сказано. Когда его освободили после плена, никто его не похвалил за находчивость. В России так не принято. Даже, наоборот. Сталин считал, что плен это позор и этот позор надо смыть кровью. Или быть убитым или хотя бы раненым.

И тогда Родина простит. Чтобы человеку было легче быть убитым или раненым, всех пленных, кто выжил у немцев, собрали в штрафные батальоны и без оружия погнали в атаку впереди наступающих войск, чтобы они приняли огонь на себя.

— Приятная перспектива, — скажете вы.

На что я вам отвечу:

— Не дай вам Бог, будучи русским солдатом попасть в

плен и потом еще остаться живым. Номер не пройдет. В штрафном батальоне доделают то, что в плену не смогли.

— Как же выжил ваш отец? — напрашивается естественный вопрос.

Лучше послушайте, как он мне самому на это ответил:

— Понимаешь, сынок. Везение. Наш штрафной батальон должен был пойти на прорыв ясско-кишиневской группировки в Бессарабии, и перед атакой нас загнали в воду на реке Прут, чтобы по сигналу форсировать ее. Но наступление отложили, и мы сидели в воде и неделями ждали сигнала. Было жарко и все штрафники схватили дизентерию, что означает — кровавый понос. Так как была опасность заразить всю армию, нас увезли в госпиталь. И из нас еще долго хлестала кровь, правда, не из ран, а из известного места. Чтобы смыть позор, нужна была кровь. Нашу кровь они получили. Значит, позор смыт. Как говорится, каков позор, такова и кровь.

И он при этом долго смеялся. И я смеялся. И мама. И моя сестра. На Инвалидной улице вообще любят смеяться. Даже там, где другие плачут, у нас смеются. У нас все не так, как у людей.

И чтобы покончить с этой историей, я хочу привести слова одного очень умного человека, которого на нашей улице все считали сумасшедшим. Когда-то он хотел стать кантором, но провалился на экзамене, после чего перестал верить в Бога и назло всему миру громко пел на улицах. Дети над ним смеялись, взрослые качали головами и выносили ему поесть. То кусок хлеба с гусиным жиром, то куриную ножку. Он пел итальянские песни на еврейском языке, и тексты были собственного сочинения. Милостыню он брал с большим достоинством, а свою публику, не скрывая, презирал. Единственный человек на всей улице, он носил шляпу и галстук и в любом месте, где он пел, на улице или во дворе, перед концертом доставал из кармана молоток и гвоздь, вбивал гвоздь в забор или стенку и вешал на него свою шляпу. Потом пел.

Так вот этот человек однажды сказал слова, и я их запомнил на всю жизнь.

— Все считают, что еврен умный народ, — сказал он. — Это сущее вранье. У нас самые примитивные мозги. Потому что будь у нас хоть капля воображения, мы бы уже давно все сошли с ума.

А сейчас хотите знать мое мнение? Меня сумасшедшим никто не считает. Но я с ним абсолютно согласен.

Легенда шестая
СТАРЫЙ ДУРАК

Я вернулся в наш город много лет спустя после второй мировой войны уже взрослым, самостоятельным человеком. И не узнал его. Это уже был не тот город. И люди в нем жили не те.

От Инвалидной улицы не осталось ровным счетом ничего. Даже названия.

На том месте, где прежде стояли крепкие деревянные дома, сложенные нашими дедами из толстых, в два обхвата, просмоленных бревен, где, казалось, на века вросли в землю из таких же бревен ворота с коваными железными засовами, где дворы заглушались садами, начиная от научного, по методу Мичурина, сада балагулы Нэяха Марголина до нашего неухоженного, дикого, но зато полного осенью плодов, где вдоль заборов росли огромные лопухи, как уши у Берэлэ Маца, и целые заросли укропа, и потому воздух нашей улицы считался, без сомнения, целебным и, дыша от рождения этим воздухом, на улице плодились и вырастали богатырского сложения люди, на этом самом месте теперь ничего нет.

Вернее, есть совершенно другая улица имени Фридриха Энгельса, и застроена она кирпичными четырехэтажными одинаковыми, как казармы, домами, а вместо садов из земли торчат редкие прутики с одним-двумя листочками, именуемыми в газетах зелеными насаждениями.

И нет на бывшей Инвалидной, а ныне улице Фридриха Энгельса, никого из ее прежних обитателей. Те, что уцелели, доживают свой век в разных концах города, их дети разъехались по белу свету, и пулеметной еврейской речи, без проклятой буквы «р», сладкого языка идиш мамелошн, на котором говорили только у нас и больше нигде в мире, теперь уже там не услышишь.

По общему признанию встреченных мною стариков, я, единственный, не сглазить бы, с нашей улицы вышел в люди и доставил им на старости удовольствие своим посещением города. Выходит, сказали они, не такая уж плохая была улица, если из нее вышел хоть один, но такой человек.

Я стал артистом и приехал на родину с концертом. Жанр, в котором я выступаю, не совсем обычный, но, как говорят, с большим будущим. Я — мастер художественного свиста. Свищу. Разные мелодии. Начиная с классики и кончая современными песнями советских и даже зарубежных композиторов. Отдельные музыкальные критики утверждают, что этот жанр имеет немалые перспективы в завязывании культурных связей со странами Запада и еще прославит СССР на мировой сцене. Свист не знает границ, не требует перевода и понятен всем. Я занял третье место на всесоюзном конкурсе мастеров художественного свиста, получил право выступать с концертами и зарабатываю на жизнь своим искусством. Если верить обещаниям одного ответственного лица, я, возможно, поеду в скором времени на гастроли за рубеж, но, во-первых, обещанного, как говорят, три года ждут. И потом вы не знаете, сколько интриг в нашем искусстве. А главное, то, что я — еврей, и это очень осложняет положение. Даже в художественном свисте. Когда я приехал в наш город, старики припомнили, что этот талант во мне прорезался не случайно. Мой дед с маминой стороны, плотник Шая имел кличку Файфер, что означает свистун, и все звали его только так: Шайка-файфер.

Он был, как рассказывают, потому что я родился через много лет после его смерти и мы друг друга в глаза не видели, очень положительным и очень здоровым человеком. Половину домов на нашей улице и сотни на других сложил он своими могучими руками из толстых бревен, и все эти бревна таскал на собственной спине. Все, что он делал, он делал добротно, на совесть, без обмана.

Может быть, потому он наплодил целых одиннадцать детей, таких же гигантов, как он сам. А свистел ли он в соответствии со своей кличкой Шайка-файфер, я не знаю. Но если и свистел, то в те годы, при царизме, художественный свист не ценился и не приносил никакого дохода. Потому на одиннадцать детей в доме имелась одна пара обуви, и зимой во двор дети выходили по очереди.

Вы можете спросить: как же это так у вас получается, уважаемый товарищ свистун (так меня называют иногда жена и еще несколько человек, которые вхожи в мой дом, и я на них не обижаюсь, потому что ценю и в других людях чувство юмора), значит, как же это получается, что такой хороший плотник, как ваш дед, который поставил столько домов и, следовательно, всегда был занят, не смог купить своим детям обувь, даже если это было в царские времена?

Вы, конечно, думаете, что тут-то и поймали меня, наконец, на неправде. Так, пожалуйста, не спешите и послушайте, что я вам отвечу.

Да, мой дед от отсутствия работы не страдал и трудился каждый Божий день, кроме, конечно, суббот. Да, он таки был большим мастером в своем деле, и ему платили соответственно. И, конечно, на обувь заработать даже для одиннадцати детей, несомненно, мог.

Но вы забываете об одной черте, которую он передал даже внукам по наследству. Или, возможно, я это упустил в своем рассказе? Тогда прошу прощения и мне понятен ваш подозрительный вопрос.

Так вот. Мой дед был очень горд или даже, вернее, тщеславен, как это называют у нас, у работников искусства. Он был готов уморить всю семью голодом, только бы не уронить свою честь. А как вы знаете, в синагоге лучшие места стоят больших денег и на них сидят самые богатые и уважаемые люди. Мой дед, простой плотник, всегда сидел в синагоге на лучшем месте. На это уходило все, что он зарабатывал. Не знаю, насколько он был религиозен, но гордости в нем было, как говорится, хоть отбавляй. Вся семья пухла от голода, но зато в синагоге ему всегда был почет. Вот таким был мой дед, и я его за это не осуждаю. Потому что не зря было сказано: лопни, но держи фасон.

Мой дед все делал на совесть. Когда началась первая мировая война и его хотели призвать солдатом в царскую армию, он не знал, как отвертеться от этого и не оставить голодными, без кормильца, одиннадцать ртов. По состоянию здоровья ему сделать скидку никак не могли. С таким здоровьем, как у него, брали прямо в лейб-гвардию. Оставалось одно — повредить здоровье и хоть больным, но остаться возле детей. Добрые люди посоветовали деду выпить отвар табака. Он так и сделал. И сделал основательно, без обмана, как и все, что делал в жизни. И умер через полчаса, оставив голодными одиннадцать ртов, но зато отвертевшись от мобилизации.

В памяти у людей осталась его кличка — Шайка-файфер. И она потом сохранилась по наследству за потомством. Но ко мне она не пристала. У меня есть двоюродный брат Шая. Его с пеленок уже называли Шайка-файфер, хотя он никогда не свистел. А я стал свистеть и достиг мастерства. Вы скажете на это парадокс. А я вам отвечу: еще много неизученного в этом мире

Все, что осталось в городе от Инвалидной улицы: старики и старухи, уже сгорбленные, без зубов, но все еще широкие в кости, бывшие балагулы, плотники и грузчики с боем добывали билеты на мой первый концерт. Оказалось, что все они меня прекрасно помнили и еще тогда, до войны, считали меня умным мальчиком, который далеко пойдет, хотя в глаза этого никогда не говорили, потому что на Инвалидной улице было принято ругать в глаза, но не хвалить.

Они аплодировали и шумели, когда надо и не надо, и администрации пришлось дважды призывать их к порядку. Всю классическую часть моего репертуара бывшие обитатели Инвалидной улицы встретили, как пишут в газетах, со сдержанным интересом. Эту часть приняли внимательно и кивали в такт головами представители местного начальства, занимавшие все первые ряды, в одинаковых полувоенного покроя костюмах, какие носил при жизни Сталин. Но зато, когда я после сонаты А-дур Шопена, перешел к песне «Где вы, где вы, очи карие?», в зале стало твориться что-то невероятное. Меня вызывали на бис по десять раз. Такого приема я нигде не встречал.

— «Голубку»! Попрошу «Голубку»! — кричали еврейские старухи и старики из зала. Эту самую «Голубку» они неоднократно требовали еще, когда я исполнял классический репертуар, но я выдержал до второй части и удовлетворил их желание, хотя к исполнению этой вещи не был готов. Это сентиментальная любовная испанская песенка, которая начинается словами: «Когда из родной Гаваны уплыл я вдаль...» Возможно, старики перенесли этот смысл на меня, который тоже покинул Инвалидную улицу и уплыл, как говорится, вдаль. Но ее требовали, как ни одну другую. И я исполнил. Без репетиции. Вложив в свой свист всю тоску по прежней Инвалидной улице. И зал это понял. Потому что в зале плакали.

И начальство это оценило. Назавтра в местной газете появилась большая статья под заголовком: «Наш знатный земляк». И в моем имени и фамилии было допущено всего лишь по одной ошибке. И там говорилось, что в песню «Голубка» я вложил своим свистом всю волю кубинского народа до конца бороться с американским империализмом.

Но по-настоящему я понял, как меня оценили в родном городе после того, как моя старенькая мама назавтра вернулась с базара. Все еврейские женщины, а они все же еще не перевелись в городе, пропустили ее без всякой очереди брать молоко, и, пока маме наливали его в бидон, эти женщины смотрели на нее с почтением и доброй завистью, и каждая в отдельности сказала ей только одну фразу:

— Не сглазить бы.

Жаль, что нет в живых балагулы Нэяха Марголина. Интересно, что бы он сказал? Ведь он обычно выражал мнение всей Инвалидной улицы. Но теперь не было ни улицы, не было и мнения.

Поздно вечером к моей маме приташилась в гости с другого конца города — вы бы думали кто? — Рохл Эльке-Ханэс, бывшая товарищ Лифшиц, первая общественница нашей улицы. Она, конечно, была уже не та. Не вернулся с войны ее муж, кроткий и тихий балагула Нахман Лифшиц, который делал все по дому, пока она занималась общественной деятельностью. И от этой деятельности ее давно отстранили, так как после войны более подходящими для нее сочли русских женщин.

Но, невзирая на седьмой десяток, она по-прежнему была здорова и без единой морщинки на лице. И как когда-то не расставалась с семечками и лузгала их круглые сутки, благо, времени у нее было хоть отбавляй и к старости наступила бессонница.

Она сидела напротив меня и молча, лишь шевеля челюстями, чтобы перемолоть семечки, неотрывно смотрела, как я пью чай с домашним вареньем, и в глазах ее, когда-то голубых, а теперь серых, светился восторг и удовлетворение, как если бы моя карьера создавалась не без помощи ее общественной деятельности. О моем выступлении она сказала только одну фразу, но этой фразой было сказано все.

— После смерти Сталина это было второе крупное событие в жизни нашего города.

Она имела в виду мой успех.

Прежде, чем покинуть мой город навсегда, я долго бродил по его ставшими чужими мне улицам.

В песке, возле строящегося нового и уже похожего на казарму дома, играли дети. Один из них, пятилетний еврейский мальчуган, привлек мое внимание. Сердце мое заныло. Запахло моим собственным детством. Рыжие, как огонь, волосы, веснушки — закачаться можно, глаза голубые, как небо, крепкая мужская шея и уже сейчас ощутимая широкая кость будущего силача. Он не мог быть ни кем иным. Он мог быть только потомком кого-нибудь из прежних обитателей Инвалидной улицы. И все дальнейшее только подтвердило мою догадку.

Я неосторожно раздавил ногой его совок. Он встал, уперев крепкие ручонки в бока, посмотрел, прищурясь, мне в лицо, со свистом втянул в нос длинную соплю и без единого «р» бросил мне в лицо, как мы это делали некогда на Инвалидной улице:

— Старый дурак!

И тогда я понял, что далеко не все потеряно.

1971 г. Le Moulin de la Roche Франция

«ТОЙОТА КОРОЛЛА»

ТОЙОТА

Звонок пронзительно зазвенел, когда Майра уже стояла в дверях, готовая уйти, и она какое-то время простояла, замерев, не решаясь подойти к телефону. Но он продолжал звонить, и тогда она неслышно, словно от кого-то таясь, приблизилась к висевшему на стене аппарату и неуверенно сняла трубку.

— Алло! Это вы повесили объявление на автобусной станции? — спросил в трубке низкий мужской голос, с акцентом, явно выдававшим иностранца.

— Я, — с облегчением перевела дух Майра. — А что? Вам нужно в Нью-Йорк?

— Вообще-то, да.

— И условия мои вас устраивают?

— Вообще-то, да.

— Значит, едем?

— Что же нам еще остается? — улыбнулся голос. — Когда выезжаете?

— Сейчас.

— Так прямо сейчас и в дорогу? Через всю Америку? На ночь глядя?

— Да. На ночь глядя. Мои вещи уже в машине. Позвони вы минутой позже, мы бы разминулись.

— К чему такой темп? Я полагал, завтра. с утра. Я совсем не готов.

— А что, у вас много вещей?

— Да нет. Все мое... на мне. И мелочей неполная сумка наберется.

— Слава Богу, легкий пассажир. Иначе нам багаж не уложить.

— У вас маленькая машина?

— «Тойота Королла».

— «Тойота Королла»? Какого выпуска?

— Вы задаете слишком много вопросов. Вам еще, может быть, заранее сообщить, какого цвета у меня глаза и какого типа мужчин я предпочитаю компаньонами в дороге?

— А что? — насмешливо возразил голос, — совсем не лишняя информация. Путь неблизкий. От Лос-Анджелеса до Нью-Йорка. Можно надоесть друг другу до чертиков. Вы не подумали об этом?

— Подумала. И даже нашла выход.

— Какой?

— В случае, если так и получится и нам станет невмоготу в одной машине, вы возьмете свою сумку с вещами и сойдете на первой же автобусной остановке. Всего-то и делов.

— А вы-то как?

— Что вы имеете в виду?

— Проделаете весь остальной путь в одиночестве, не деля ни с кем путевые расходы? Как я понял, вы подыскивали напарника в дорогу не для веселья, а чтоб сэкономить на расходах.

— Вы верно поняли. И так как вам теперь все ясно, то каков будет ваш ответ? Едете?

— Когда?

— Сейчас. Скажите адрес, и я за вами заеду.

— Откуда вы поедете?

— Из Санта Моники.

— Ну что ж, тогда у меня, пожалуй, хватит времени собраться. Я вас буду ждать на улице. Запишите адрес.

Майра порылась в сумочке, нашла смятую бумажку, расправила ее на стене и, прижав трубку плечом, записала адрес

— Да, последний вопрос, — спохватилась она.

— Слушаю.

— Сколько вам лет?

— Гм, немного неожиданный вопрос... из уст женщины, — заметил голос. — Скорее я должен был проявить подобное любопытство.

— Вопрос абсолютно практический, — сухо ответила Майра. — Если вы... стары, такое соседство сулит мне в дороге массу нежелательных хлопот. Я не нянька и не сестра милосердия

— О, напрасно беспокоитесь. Я хоть и не первой молодости, но достаточно крепок для такого путешествия. Тем более, в обществе такой интересной спутницы. Я по голосу уже нарисовал ваш портрет и предвкушаю нашу встречу.

— Не стройте больших иллюзий, легко разочароваться.

— А мне не привыкать разочаровываться. Вся моя жизнь — сплошные обломки иллюзий. В любом случае, я жду вас. Какого цвета ваша «Тойота»? Чтоб издали узнать.

— Желтого.

— Желтого?.. Странный цвет.

— А я вообще женщина со странностями. При встрече убедитесь.

— Вы меня заинтриговали. Кстати, нам не мешает познакомиться. Как вас зовут?

— Майра.

— Майра?

— Чему вы удивляетесь?

— Майра. Первый раз встречаю такое имя.

— Потому что вы не американец. Это легко установить по вашему акценту. А теперь ваше имя?

— Уверен, что с таким именем вы тоже не сталкивались. Меня зовут Олег. Даю по буквам. О-Л-Е-Г.

— Красивое имя. Какое оно?

— Только не падайте в обморок. Олег — русское имя. И сам я — русский. С год, как прикатил из Москвы в Америку.

— Не может быть!

— Почему же? Все может быть, дорогая, в этом не лучшем из миров.

— Ох, как интересно! Даже не верится. Нет, я действительно очень рада, что судьба мне подарила такого спутника в дорогу. Я не знала ни одного русского. А Россия для меня — сплошная и жуткая загадка... Теперь мне действительно не будет скучно в пути.

— Спасибо... за такое доверие... авансом. Мне уже боязно вас разочаровывать.

— Ничего. Мне не впервой. Как и вам, если я вас правильно поняла, сидеть у разбитых иллюзий. Одним разочарованием больше, одним меньше... Переживем. Не правда ли?

— Я с вами абсолютно согласен. И начинаю укладывать вещи. Если мне не помешает участившийся пульс.

— Вы себя неважно чувствуете?

— Наоборот, мой пульс, обычно вялый, подскочил до высшей отметки под воздействием вашего голоса. Я молодею с такой скоростью, что, если вы чуть замешкаетесь в пути, рискуете застать у моей сумки годовалого младенца. Этакого упитанного купидона. Амура с луком и колчаном стрел. Одним словом, всем оборудованием, необходимым, чтоб пронзить ваше сердце

— Ладно. Хватит трепаться. До встречи... Олег... Я правильно произнесла?

Майра повесила трубку, улыбаясь. Настроение ее явно улучшилось. Повеселевшими глазами оглядела комнату, в которой видны были следы поспешных сборов. Дверцы шкафов распахнуты, ящики тумбочек выдвинуты, на ковре валялись пустые коробки, пластмассовые плечики для одежды. В другой, смежной комнате все оставалось нетронутым. Это была комната Мелиссы, с которой она делила квартиру и кому ни словом не обмолвилась о своем отъезде из Лос-Анджелеса. Чтоб избежать ненужных объяснений, она покидала дом в этот поздний час, воспользовавшись тем, что Мелисса, как обычно, укатила к своему возлюбленному и вернется не раньше рассвета. А тогда Майра уже будет далеко от Лос-Анджелеса, на пустынной в ночные часы сто первой автостраде, взяв курс на север, к Сан-Франциско — первой запланированной остановке на долгом пути через весь американский континент, от Тихого океана до Атлантического, к шумному, кипящему, сумасшедшему Нью-Йорку.

Чтоб вдвое сократить расходы на бензин, а еще важнее, не рисковать уснуть за рулем от одиночества, она с утра съездила на автобусную станцию компании «Грейхаунд», потолкалась в обширных залах в толпе небогатых белых старушек и окруженных детьми мексиканцев, кому по карману лишь автобусный билет, и, не зацепившись взглядом ни за кого, кто бы выглядел возможным компаньоном в длительном путешествии, приклеила скотчем к стене бумажку-объявление, указав лишь номер телефона, но ни адреса, ни своего имени.

А теперь в наступающих сумерках мы ехали, затесавшись в густое стадо автомобилей, через весь Лос-Анджелес, чтоб на другом конце города подхватить откликнувшегося на ее объявление загадочного русского с таким непривычным для американского уха именем — Олег. И не в меньшей мере для моего японского уха тоже.

Я люблю ее, мою владелицу Майру. Мне нравится, как она правит мною, без давления, легким касанием поворачивая руль, как плавно, без рывка переводит скорость. Я чувствую, что и она меня любит, и успокаиваюсь, становлюсь энергичной и игривой, когда она садится и мягко, без грохота захлопывает дверцу. Мы с ней — семья. У нее — никого, кроме меня. К своим родственникам и даже мужчинам, которые на моем веку попадались ей в немалом числе, она проявляет чувства весьма сдержанно, и то моментами, под настроение. Ко мне же у нее отношение ровное, заботливое, трогательное. Я нисколько не преувеличиваю, считая, что я у нее — единственный настоящий друг.

Мне и облик ее по душе. Жгучая брюнетка с прямыми волосами, расчесанными на пробор и открывающими лоб треугольником. У нее длинное лицо натурального, не от загара, бронзового цвета. И в ее удлиненных глазах восточного типа, чуть скошенных по краям нависающими веками, и в ее мягких, с прихотливым изгибом губах есть что-то очень женственное, действующее на мужчин сразу же, с первого взгляда.

Я не припомню, чтоб кто-нибудь из них прошел равнодушно мимо нее. В ней есть тот магнит, что притягивает самцов помимо их воли. У нее тонкая, как у подростка, гибкая фигурка. Это сходство еще больше подчеркивает неровный зуб, задорно выпирающий из-под верхней губы. И страстная женщина, и проказливый ребенок в одном существе.

Он стоял на углу рядом с серым столбом светофора. На асфальте у ног покоилась пузатая, должно быть, с трудом затянутая на замок-молнию желтая спортивная сумка с двумя ручками. Чемодана не было. Все его имущество поместилось в одной туго набитой сумке. Действительно легкий пассажир.

Был он хорошего роста. Не меньше шести футов. Вполне подходящий под американский стандарт. Но тяжеловат. Явный избыток веса. И лет ему на вид — за пятьдесят. Если только полнота и одутловатость лица не старили его больше, чем это было на самом деле. Лицо — славянское. Широкое, с заметными скулами и коротким носом. Довольно мужественное, можно сказать, суровое. Короткие, негустые волосы темным валиком прикрывают лишь самый верх высокого интеллигентного лба.

Доминируют на лице глаза. Серые с голубизной и довольно большие. И они-то смягчают весь его облик. Глаза усталые и грустные. В них такая глубокая печаль, что она не исчезает, даже когда он улыбается. Улыбка у него мягкая, располагающая

Мне он понравился. И Майре тоже. Хотя она и не стала этого показывать. И даже с некоторым пренебрежением окинула его мятый, не лучшего вида пиджак и брюки какого-то неопределенного мышиного цвета, явно купленные из вторых рук. А возможно, и подаренные. Потому что были ему не по фигуре. Из-под штанин высовывались носки светлых парусиновых летних туфель, нечищенных, потемневших от осевшей на них пыли.

— Здравствуйте, компаньон, — не закрыв дверцу, протянула ему руку Майра.

— Здравствуйте, сеньорита, — улыбнулся он, открыв весьма темные, с желтизной зубы. По краям рта, в глубине, сверкнул металл. То ли пломбы, то ли коронки.

— Почему сеньорита? — вскинула брови Майра.

— У вас классический испанский облик, — продолжал улыбаться он, откровенно и с явным удовольствием разглядывая ее.

— Это как принимать? Как комплимент?

— Как констатацию факта.

— Вы не разочарованы?

— Что вы! Даже не предполагал, что поеду с такой очаровательной..

— Все! Я удовлетворена, — прервала его Майра. — Положите в багажник вашу сумку.

Потом они сели. Он рядом с ней, на переднем сиденье.

— С таким багажом в Нью-Йорк? — спросила она, включая зажигание. — Остальное у вас там?

— Нет. Все, что имею, со мной.

— Нежирно! А в Нью-Йорк на время... или насовсем?

— Затрудняюсь ответить.

— Тогда не затрудняйте себя.

— Нет, нет. Просто у меня нет постоянного пристанища Ни в Америке... ни где-нибудь еще. Я стал кочевником..., под старость. Вроде цыгана. Но у цыган все же есть шатры, в которых они спят, и лошади для передвижения..

— Кстати, о лошадях, — сказала Майра, выруливая в первую линию и прибавляя газу. — Как у вас с автомобильными правами?

— Права имеются... но без автомобиля.

— Это не важно. У нас с вами есть «Тойота», и для меня будет несомненным облегчением, если вы сможете сменить меня за рулем.

— Хоть сейчас, — с готовностью откликнулся он.

— Не к спеху. Я этот город знаю, пожалуй, лучше вас.

— Немудрено, — согласился он. — Я тут проболтался меньше месяца.

— И что? Надоело?

— Обстоятельства вынудили.

— Я не спрашиваю, какие обстоятельства. А в Нью-Йорке у вас есть дела?

Он вздохнул.

— Такие же дела у меня могли бы быть и в Чикаго, и в Вашингтоне. Дело в том, что в Нью-Йорке больше всего осело русских эмигрантов. Ну, и, как известно, каждый жмется к своим. Особенно в беде.

— А вы в беде?

— Эмиграция — это уже беда. От хорошей жизни не покидают родину.

— Почему? Бывают еще и политические мотивы.

— Я не еврей. По этой части меня в России не притесняли. Я чистокровный русский. И вполне преуспевал там. Был весьма близок к самому верху пирамиды. А здесь я барахтаюсь у ее подножия. С сомнительными шансами снова вскарабкаться наверх. Начинать жизнь с нуля... В моем возрасте? Ладно, к черту! Поговорим о чем-нибудь более веселом.

— А мне интересно говорить именно об этом. Если не возражаете?

— Ради Бога.

— Я вам задам несколько вопросов... Можно?

— Валяйте.

— Насколько я знаю... ну, хотя бы из газет, из России выпускают только евреев... и то с большим трудом. Вы же русский. Чистокровный... как вы сами сказали...

— Этот вопрос не вы первая задаете мне в Америке. Хорошо. Объясняю. Я выехал на Запад по еврейскому каналу. Из России можно получить, если повезет, выездную визу только в одно место — в Израиль. Только туда. А в Израиль, понятно, выпускают евреев, от которых правительство СССР избавляется не без облегчения. Евреев нигде не жа-

луют. Но в России они волею судеб вдруг попали в весьма
привилегированное положение. На зависть всем остальным
народам СССР, а этих народов и народцев насчитывается
там больше сотни, одни лишь евреи могут легально покинуть пределы этой страны, которая заперта на глухой замок
перед всеми другими. Я выехал, женившись на еврейке. Фиктивным браком. И так поступают многие неевреи. Знаете,
какая в Москве родилась поговорка? Еврейка — не предмет
роскоши, а средство передвижения. Грустный юмор. То есть
в паре с еврейкой можно надеяться вырваться из СССР. Понятно изложил?

— Вполне, — кивнула Майра.

Они умолкли.

Мы ехали по вечернему Лос-Анджелесу в бесконечных колоннах автомобилей, светивших впереди нас рубиновыми
огоньками. Ехали мы с включенными фарами. Над нами проплывали зажженные лампионы фонарей. Верхушки пальм за
тротуарами растворялись в темнеющем небе.

— Я тоже еврейка, — сказала Майра. — Хоть вы и определили мой тип как классический испанский.

— Никогда бы не подумал, — искренне удивился он.

— Это... форма комплимента?

— Да, ради Бога, не придирайтесь к словам. Евреи во всем
мире одинаково чувствительны.

— Я вас не обескуражила? Говорят, русские — жуткие антисемиты.

— Говорят, — хмыкнул Олег. — В России, например, говорят, что все американцы жуют резинку. Мало ли чего говорят!
Вы же не жуете. Так и я. Абсолютно не антисемит. Можете мне
поверить. Я даже преисполнен благодарности евреям. Без них,
вернее, без нее, мне бы не выбраться оттуда.

— А где она?

— Кто? — не понял Олег.

— Та, что фиктивно вышла за вас замуж... став средством
передвижения.

— В Израиле. Где же еще? Мы с ней переписываемся.

— А не фиктивно... вы были женаты?

— Был. В Москве осталась дочь.

— Скучаете?

— Смертельно.

— Простите... я не хотела..

— Ничего. Привык. У меня, какого места ни коснись, везде болит. Сплошная рана.

— Простите, пожалуйста, я не хотела.

Мы понемногу выползали из Лос-Анджелеса в многорядных пунктирах красных сигнальных огоньков. Дома по сторонам уменьшались в размерах и возникали со все большими интервалами. Сто первая автострада приняла нас в свой нескончаемый поток.

— Вы не голодны? — спросил он.

— Нет. А вы?

— Не мешало бы подзаправиться. Впереди — бессонная ночь.

— Я бы предпочла сначала выбраться из города.

— Не терпится расстаться с Лос-Анджелесом?

— Вот именно. Я почувствую себя лучше, когда он будет далеко позади.

— На меня дохнуло загадкой, — улыбнулся Олег. — Уж не предполагаете ли вы погони? С выстрелами... и столкновением автомобилей?

— О, какой вы провидец! А ведь, действительно, вы недалеки от истины, — скосила на него Майра быстрый взгляд. — Не жалеете, что сели со мной? Еще не поздно, могу высадить, пока мы в городе.

— Нет уж, валяйте дальше. Мне здесь оставаться лишнюю ночь тоже не по душе. Никакой радости этот город не принес. Единственная радость — поскорей унести отсюда ноги. Хуже не будет.

— Однако вы оптимист, — поджала губы Майра.

— Я-то? Дальше некуда. Советскому человеку на роду положено быть оптимистом. Без всяких сомнений и отклонений. Пессимизм в России — это уже государственное преступление.

— Следовательно, вас там считали преступником?

— С некоторых пор. Когда мой оптимизм, усвоенный с молоком матери, стал испаряться. Думаю, вам будет интересно знать, как на моей родине, в стране победившего социализма, понимают разницу между оптимизмом и пессимизмом. Хотите знать?

— Я слушаю.

— Это, собственно, особенно полезно усвоить обожателям коммунизма на далеком и безопасном расстоянии. Пессимистом там считают того, кто полагает, что уж так все плохо — хуже и быть не может. А оптимист... тот верит, что может быть и хуже.

Майра не рассмеялась.

— Не смешно? — вскинул он брови.

— Печально, — вздохнула она. — Я утешаю себя тем, что вы такой мизантроп лишь на пустой желудок. Скоро я вас накормлю и вы запоете по-иному. На всех континентах, под всеми широтами одна и та же древняя, как мир, аксиома: с мужчиной приятно иметь дело, только когда он сыт. Натощак в нем проявляются все дурные качества. Так что я даже рада слышать ваши рассуждения на пустой желудок. Лучше узнаю, с кем предстоит проехать столько миль. Можно вас спросить?

— Пожалуйста.

— Почему я вам показалась обожателем коммунизма? Ничего подобного я вам не говорила.

— Зачем говорить? Людей этого сорта я узнаю без слов. По некоторым приметам. Америка мне позволила лицезреть таких обожателей в немалом количестве. Сидя в сытой и богатой стране, пользуются всеми ее благами и завидуют, правда, на словах, тем, кто обитает в коммунистическом раю. Впроголодь и совершенно без всяких прав. Без которых вы, американцы, и не мыслите своей жизни. Как, например, без кислорода... или без автомобиля.

Майра на миг обернулась к нему, и глаза ее сузились.

— Ошибаетесь, я не так наивна. И к поклонникам русского коммунизма себя никогда не причисляла. Мне очень многое не нравится у нас в Америке. Это верно. Но разве это дурно — желать своему народу лучшей доли?

— Какой лучшей?

— Без язв капитализма.

— Следовательно, социализм?

— Пожалуй... Но с человеческим лицом.

Олег рассмеялся.

— Слушайте, моя милая спутница. Вы — очаровательны. Вы мне очень нравитесь. И я не хочу, чтоб хоть что-нибудь в нашем с вами путешествии мешало мне любоваться вами. Сделайте мне одолжение, о социализме с человеческим лицом больше не упоминайте... хотя бы в моем присутствии. Социализм не имеет лиц, дорогая моя. Ни человеческих, ни каких-либо других. У него морда. Всегда одна и та же. Звериная. Какими бы фиговыми листками он ни прикрывался. Я это гово-

рю, чтоб вы знали мое мнение и не строили никаких догадок
на предстоящем нам долгом совместном пути. Сделаем это путешествие приятным во всех отношениях. Ну ее к черту, поли-
тику! Говорить с вами о ней — грех. Такие женщины созданы
для иного...

— Для постели?

— Ну, зачем так грубо! Для приятных и волнующих бесед.
Вполголоса. С замирающим сердцем.

— Все ясно! Знаете, кто вы?

— Кто, если не секрет?

— У нас в Америке таких называют: мэйл шовинист пиг.
Не знаю, есть ли в русском языке адекват этому выражению?

— Нет. По-русски это звучит набором отдельных, трудно
соединимых слов — мужчина, шовинист, свинья.

— Видите, насколько английский язык богаче, — усмехнулась Майра.

— Особенно в ваших устах.

— Эй, послушайте! Да не собираетесь ли за мной приволо-
кнуться? Ваша речь стала слишком медоточивой.

— Вам это неприятно?

— Нисколько. Но, если вы натощак такой дамский
угодник, могу себе представить, каким вы будете после
сытного ужина.

— Пугаетесь?

— Нет. Сгораю от любопытства.

— Такой разговор мне по душе. Чтоб не томить вас и спол-
на удовлетворить вашу любознательность, лучший выход —
свернуть к первому же ресторану и вперить взоры в меню.

— Зачем же к первому? Выберем что-нибудь поприличней.
Я эти места знаю. Как вы относитесь к ориентальной кухне?

— К какой именно? Китайской? Японской?

— Скажем, китайской.

— Положительно.

— Прелестно. Впереди имеется весьма недурной ресторан.
Вам понравится. Хотите, для начала я оплачу счет?

— С какой стати? Не лишайте меня жалких остатков мужского достоинства.

— Ни в коей мере не собираюсь чего-либо вас лишать. Дело в том, что мы с вами не любовники и, полагаю, ими не будем. Мы — на равных. Делим все расходы пополам. Такой был
уговор? Поэтому, что изменится в мире, если я оплачу этот

ужин, а вы — следующий? Мне не нужны ни ваши ухаживания, ни ваше покровительство. Я достаточно сильна сама и не ищу широкой мужской спины, за которой можно так уютно укрыться. Мы — равные партнеры. Возможно, даже расстанемся товарищами. Но ничего больше. Вы меня поняли?

— С полуслова.

— Я рада. Значит, ужинаем? Наберитесь терпения. Это уже недалеко.

— Так. А можно, я задам вопрос?

— Пожалуйста.

— Вы замужем?

— Нет. Но была.

— Уже успели?

— В России разве поздно выходят замуж?

— Я не то имею в виду. То, что вы успели развестись... так рано.

— Для этого большого ума не надо. Сколько, вы думаете, мне лет?

— Ну, по крайней мере, — протянул он, — вы, пожалуй, вдвое моложе меня.

— Пожалуй, — согласилась она.

— Все! Мое любопытство удовлетворено.

— Фантастика! — вдруг улыбнулась она.

— Что вы находите фантастичным?

— Весь мир содрогается, кипит, машет кулаками. Два гиганта — Америка и Россия суют друг другу в нос водородные бомбы... И все кругом замирают в ожидании апокалипсиса. А тут... в теплой Калифорнии на сто первой автостраде сидят рядышком американка и русский... И мирно болтают... И даже испытывают симпатию один к другому. Вы ничего в этом не находите удивительного?

— Дорогая моя, я давно уже перестал удивляться. Даже не удивлюсь, если мы воспламенимся взаимной страстью... как Ромео и Джульетта.

— Не думаю, — усмехнулась она. — Правда, если мне память не изменяет, Ромео мог бы вполне быть вашим сыном.

— А знаете, сколько было Джульетте? — парировал он.

— Шестнадцать? — неуверенно сказала она.

— Тринадцать.

— Не гожусь я для этой роли, — рассмеялась Майра. —

Вдвое моложе меня... Не получается. Поищите какой-нибудь более подходящий пример.

— Жаль, — вздохнул он. — Я бы предпочел быть в возрасте Ромео. Боже, скольких ошибок я бы избежал!

— И сотворили бы кучу новых.

— Не сомневаюсь. Но те, что я уже совершил, необратимы. Мало осталось времени что-нибудь исправить. Нет дистанции для разбега. Ведь мне все начинать сначала. А впереди уже явственно видны ворота.

— Какие ворота?

— Обыкновенные. Кладбищенские.

— Ну, с вами, действительно, не соскучишься. Только и норовите нагнать тоску. Неужели все русские такие? Я совершенно другими представляла их.

— Какими?

— Ну, по крайней мере, как мой дедушка Сол.

— Он что, из России?

— Из Польши. Но тогда Польша была частью России. Я — американка в третьем поколении. Не только мои родители, но и их родители — американцы. Лишь один дед приехал мальчиком из Старого Света. Из России. И я его больше всех люблю. Точнее сказать, его одного я и люблю в моей многочисленной родне. А насчет ворот вы глубоко заблуждаетесь. На американских кладбищах нет ворот. Как нет и оград. Все открыто. Свободная страна.

— Вы язва! — рассмеялся Олег. — С вами надо держать ухо востро.

— И это вас затруднит?

— Нисколько. Терпеть не могу размазни. Ни рыба ни мясо. Общение с острыми людьми полирует кровь, не дает ей застояться. Я в самом деле рад, мне очень повезло с попутчицей.

— Надеюсь, и я не прогадала.

— Постараюсь. Из последних сил. Оправдать ваши надежды.

— Сейчас мы укрепим ваши силы хорошим ужином. Подъезжаем.

Справа от автострады мелькнула освещенная реклама китайского ресторана с указателем поворота через полмили. Мы послушно приняли к сведению эту рекомендацию и вскоре затормозили перед гирляндами цветных китайских фонариков, обрамлявших вход в ресторан. В низком, но просторном зале, с такими же фонариками под темным потолком, было не много посетителей, и Майра с Олегом долго выбирали, за какой из свободных столов им сесть. Наконец, нашли в углу у стены уютный столик на двоих. Не знаю, сознательно ли они сделали этот выбор, но меня это порадовало: с моего места на автомобильной стоянке видны были в окне макушки их голов, склоненных над меню. Китаец-официант в желтом фирменном кителе терпеливо замер у стола с блокнотом в одной руке и карандашом в другой. Крохотный цветной фонарик, стоявший посреди стола, озарял их сосредоточенные лица.

Олег блуждал глазами по страницам большого, в тисненом переплете меню и ни на чем не мог остановиться. Майра догадалась, что он несведущ в китайской кухне, и принялась излагать ему особенности и преимущества различных стилей приготовления этих тысячелетней древности блюд: шанхайского, пекинского, кантонского, сычуаньского...

Он был сокрушен обилием гастрономических сведений, обрушенных Майрой на него, и, пристыженный собственным невежеством, полностью отдался на ее волю, предложив ей по своему вкусу выбрать ему ужин. Китаец-официант был приятно удивлен познаниями, проявленными ею при заказе. Когда он почтительно удалился, она спросила Олега:

— В Москве разве нет китайских ресторанов?

— Имеется. Один. «Пекин» называется, — усмехнулся, вспомнив что-то, Олег. — Но сейчас там лишь русские пельмени можно получить. Ну, еще борщ, который китайским национальным блюдом никак не назовешь. С тех пор, как между Москвой и Пекином испортились отношения, опустошилось меню в единственном китайском ресторане в Москве.

Олег со зверским аппетитом уплетал блюдо за блюдом, услужливо подставляемые официантом. Майра ела медленно, смакуя каждый кусочек, отправляемый в рот двумя деревянными палочками. И запивала глотком ароматного зеленого чая. Без сахара Олегу чай тоже пришелся по душе. И официант несколько раз менял фарфоровые чайники. Вначале Олег вслед за Майрой попробовал есть палочками, но скоро отказался от этой затеи. С непривычки ронял, не донеся до рта, куски мяса и испачкал темным соусом рубашку. Поборов смущение, попросил официанта принести вилку и нож и тогда уж без помех смог насладиться всей прелестью китайской кухни.

Сытный ужин размягчил, даже слегка опьянил их. Хоть за весь вечер не было выпито ни капли вина. Зал заметно заполнялся. В окно можно было видеть автомобили, один за другим подруливавшие к стоянке.

За соседний с ними большой круглый стол с шумом уселась компания типичных американцев среднего достатка в клетчатых пестрых пиджаках и светлых высоких шляпах с прижатыми по бокам полями. Они явно прикатили откуда-нибудь из глубинных штатов поглазеть на Калифорнию. Обожженные солнцем лица, неуклюжие, медвежьи движения. И у мужчин, широких и коренастых, и у их подруг, как на подбор светловолосых и уже жирных, хоть ни одной из них не дашь больше тридцати лет.

Эта шумная компания доставила Майре и Олегу несколько веселых минут. Они долго и с комментариями рассматривали меню, громко спорили между собой, испытывая терпение покорно ждущего официанта. С детской непосредственностью расспрашивали его, что кроется за диковинными названиями, и, внимательно выслушав ответ, кивали, но просили не записывать, а еще подождать, пока они не сделают окончательный выбор.

Наконец они сделали выбор. Один из них, должно быть, старший, устремил на официанта свое кирпичного цвета лицо и, резанув воздух коротким взмахом мускулистой руки, изрек:

— Шесть гамбургеров!

Майра расхохоталась до неприличия громко. Сконфуженный официант даже не стал записывать заказ и, уязвленный святотатством гостей, удалился с поникшей головой.

— Такого не придумаешь! — ликовала Майра. — Видали? Нет, скажите, вы видали что-нибудь подобное? Явиться в китайский ресторан, перерыть все меню, где каждое блюдо пестовалось, складывалось по крупицам веками и несет на себе следы вдохновения сотен поколений, и остановиться на том, что они жрут каждый день в забегаловках самого низкого пошиба. Типа «Мак Дональда». Заказать эту гадость, на которую кроме детей и собак никто смотреть не может. Вот вам Америка! Подлинная. Без истории. Без прошлого. Без своей культуры. С плебейскими вкусами и наглостью нуворишей. Вас, как европейца, должно тошнить при виде этого.

— Нисколько, — качнул головой Олег и немного извиняющимся тоном добавил: — Я люблю эту страну.

— Неужели? — ахнула Майра. — Вы производите впечатление интеллигентного, думающего человека. Что вам здесь может быть по душе? Хрюканье сытых безмозглых свиней? Вы меня удивляете, Олег.

— Что поделаешь, — миролюбиво пожал он плечами. — В жизни много загадок. И часто неразрешимых.

— Уклоняетесь от спора. Ладно. Принимаю ваши условия игры.

— Нет, почему же? Гневайтесь. Вам это к лицу. Каким огнем зажигаются ваши глаза! Как трепещут ноздри! Продолжайте в том же духе. Я любуюсь вами.

— От ваших слов у меня исчез весь запал. О'кей, посмотрим, что нам китайцы пророчат.

Она взяла с тарелки, поданной к концу ужина официантом, один из комков слепленного сухого теста, наподобие высушенных пельменей, с треском разломила и извлекла оттуда тонкую полоску бумаги, на которой мельчайшим шрифтом были напечатаны несколько строк.

— Не упускайте ваш шанс, — щурясь, прочитала Майра. — Не ищите там, где не положили. Что суждено, от вас не уйдет.

— Странные намеки, — пытливо глянула она на Олега. — Вы не поможете мне расшифровать эту китайскую грамоту?

— Явный намек, — согласился Олег. — Но я не рискую соваться с советом... дабы не быть уличенным в неискушенности. А я тоже могу испытать судьбу?

— Конечно. Берите с тарелки любой и взломайте.

На его бумажке тем же бисерным шрифтом, который Олег без очков не смог разобрать, и передал ее Майре, был такой текст:

«Ваша звезда не закатилась. Жизнь, как река: рассекает горы и разливается в долинах. Ваш лучший месяц — май».

— Вот это верно! — рассмеялся Олег. — В мае я покинул Москву.

— А вы уверены, что поступили разумно в мае?

— До сих пор не жалею.

— Не успели оглядеться. У вас все впереди.

На тарелочке, деликатно повернутый тыльной стороной, белел счет, и Олег протянул к нему руку.

— Вы непременно хотите заплатить? — спросила Майра.

— Как условились.

— В таком случае я беру на себя мотель.

— Зачем вам понадобился мотель? Мы ведь решили эту ночь провести в пути, добраться до Сан-Франциско...

— Я раздумала. Могу себе позволить такую слабость? Изменить решение. Меня разморил ужин. Это ли не повод подумать о ночлеге? Да и вообще, куда мы спешим? Нас разве ждет что-нибудь сверхъестественное в Нью-Йорке? Давайте жить минутой. Дальше одной ночи не заглядывать вперед. Иначе можно свихнуться. Платите, сэр! Ночь оплачиваю я.

Мотель оказался совсем недалеко от китайского ресторана. К нему мы добрались в несколько минут. Было уже поздно. Все небо усеялось звездами. Длинный, в один этаж мотель прятался за живой оградой из толстых, кривых кактусов. Майра взяла ключи от комнаты и велела Олегу, оставшемуся за рулем, следовать за ней. Мы заехали за кактусы и остановились перед дверью комнаты, уже открытой Майрой. Они вошли туда. А меня оставили у порога, носом к двери. Как сторожевого пса. Слева и справа от меня дремали мои собратья: темный «Додж» и светло-серый «Рено».

В комнате были две кровати под покрывалами, разделенные ночным столиком с лампой на нем.

— Какую кровать предпочитаете? — спросила Майра.

— Мне безразлично. Вас не стеснит мое присутствие?

— Нисколько. Так где вы ляжете?

— Ну, скажем, на правой.

— И я на правой, — улыбнулась Майра.

— А что, вас левая чем-то не устраивает? — не понял Олег.

— Не устраивает.

— Почему?

— Потому что вас там не будет. Я, Олег, лягу с вами. Не возражаете? Мне еще не приводилось спать с русским.

Скоро в широком окне, затянутом шторой, погас свет. И, хотя умею видеть сквозь стены и в темноте, рассказывать дальше считаю неделикатным. Как подглядывать в замочную скважину.

С той стороны, где пульсирующим гулом ревела бессонная автострада, повисла большая оранжевая луна, за кактусами без умолку звенели цикады. Сон незаметно сморил меня.

ОН

Меня разбудил гомон птиц за окном. Они так яростно вопили, встречая восход солнца, что даже через плотно закрытое окно, вдобавок затянутое толстой шторой, перекрывали ровное гудение кондиционера. Ликование птиц заполняло всю комнату мотеля, в которой мы с Майрой провели нашу первую ночь.

Она отдалась мне спокойно, я бы сказал, даже деловито. Без привычных в таких случаях попыток вытянуть из меня объяснение в любви или хотя бы признание в том, что я ее не презираю. Так ведут себя женщины в России, для которых первый раз лечь с мужчиной — исключительно важное событие, сравнимое с прыжком в глубокую воду, не умея плавать и посему без большой уверенности вынырнуть живьем обратно.

Что меня еще удивило: отдавшись мне и выпрыгнув из-под простыни в ванную, она оттуда не вернулась в мою кровать, а легла на вторую, отделенную от моей ночным столиком.

Женщины обычно норовят всю ночь спать с мужчиной, тесно обнявшись, и такой сон вдвоем в узкой кровати доставляет им не меньше радости, чем сам половой акт.

Кровати в мотеле были не узкими, полуторными. И Майра предпочла провести всю ночь одна в своей постели, потому что так она себя чувствовала свободней, комфортабельней, а вдвоем спала бы плохо и утром встала неотдохнувшей.

Я без особого энтузиазма согласился с ее доводами. Уже засыпая, она прошептала мне, чтоб я не обижался. Надо, мол, привыкать к обычаям другой страны, где каждый член семьи имеет не только свою кровать, но и располагает отдельной спальней.

Тут я ничего возразить не мог. В России, действительно, живут в тесноте. Порой вся семья в одной комнатке. И, возможно, привычка спать вместе не от хорошей жизни. Нужда приучила. Допускаю. И все же меня покоробила такая трезвая рассудительность молодой женщины, проводящей первую ночь с мужчиной и не забывающей позаботиться о своем комфорте.

С этим я уснул. А проснулся от птичьих воплей за окном, от жаркого дыхания солнца через толстую штору, в отличнейшем настроении. Майра еще спала, сладко, совсем по-детски причмокивая припухшими губами. На щеке бахромкой чернела отклеившаяся от века искусственная ресница. Она и во сне оставалась вызывающе привлекательной, и мне, глядя на нее, стало совсем хорошо при мысли, какой прелестной женщиной я обладал в эту ночь. И могу обладать и утром. Если только это не пойдет вразрез с ее представлениями о комфорте.

Точно угадав, какие мысли закипают в моей башке, Майра

открыла глаза, удивленно заморгала, смахнула ладонью со щеки ресницу и поманила меня пальчиком.

— Иди ко мне.

— Лучше ты ко мне, — почему-то возразил я.

— Я у тебя уже была в гостях, — игриво потянулась она и повторила: — Иди же, глупый.

Наша утренняя любовь, к моему удивлению, не опустошила меня, а, наоборот, освежила. Майра тоже была удовлетворена.

— Мне было хорошо с тобой, — сказала она, потягиваясь, — лучше, чем ночью.

— Ночью я сплоховал? — насторожился я.

— Не знаю, — капризно протянула она. — Но теперь я ощутила мужчину. И это было хорошо.

— Я тоже предпочитаю утром, — согласился я. — К вечеру устаю и чувствую себя вялым. А вот отдохнув за ночь, такую силу в себе ощущаешь! Свеж, как огурчик!

— Это возрастное, — безо всякой жалости кольнула она.

— Тебе-то откуда известно? — не скрыл я обиды. — Приходилось спать со стариками?

— Я не сторонница возрастной дискриминации.

— В таком случае, милая, скажи мне, что привлекло тебя во мне, если мои сверстники уже бывали в твоих объятиях? Неужели только спортивное любопытство? Отведать и русского хера?

— Не только это.

— Что же еще?

— Тебе это интересно? Скажу. Чтоб забыть другого мужчину.

— Вот как! — с трудом сдержал я раздражение. — В России это называется вышибать клин клином. И как? Помогло?

— Нет, — вызывающе улыбнулась она и сладко, как сытая блудливая кошка, потянулась всем телом, качнув перед моим носом крепкой, налитой грудью с твердым темным соском.

Завтракали мы в мотеле, сев на высокие стулья у стойки бара. Завтрак традиционный: стакан апельсинового сока, от которого у меня с непривычки пить его натощак начинается изжога, и яичница с поджаренными сосисками. Я выпил свой сок после яичницы, вызвав удивленные взгляды Майры и бармена. Еще больше удивились они, что все это я запил кофе. Американцы пьют кофе вначале. Перед соком. Но я ведь из другой конюшни. Почему не позволить себе вольность? Кото-

рая немногого стоит, но весьма приятна. Как ощущение традиции, что ли?

За завтрак уплатил я, а она рассчиталась в мотеле за ночлег.

— Так, мой друг, начнем распределять обязанности с самого начала, — сказала она, когда мы пошли к «Тойоте», дремав-
шей под жгучим солнцем в длинном ряду автомобилей на стоянке между мотелем и оградой из колючих, мясистых кактусов. — Сегодня за рулем — ты. Я — пассажир.

Я не возразил. Наоборот, мне хотелось размяться за рулем,
ощутить ладонями нетерпеливую дрожь мотора. Своего автомобиля у меня не было. Купил было в Нью-Йорке за гроши
развалину и, недолго потарахтев на ней, бросил ночью на
обочине дороги, сорвав номера, и, осчастливленный, бежал от
этого места, чтоб не нарваться на полицию и не схлопотать из-
рядный штраф за загрязнение природы. Мой более чем скромный бюджет не выдержал расходов на бензин и постоянные
починки старушки «Пинто». С тех пор я отвык от руля, и теперь у меня чесались руки снова взяться за него.

— Устанешь — сменю, — проявила великодушие Майра. —
Знаком с «Тойотой»?

Я чистосердечно признался, что еще ни разу не правил
японской машиной. Но уверен, что с этим делом никакой
проблемы не будет.

— И я думаю, — согласилась Майра, отпирая ключом
дверцу машины. — Ничем особым от других не отличается.
Разве только добрым нравом и послушанием. Но, может быть,
я пристрастна. К машине иногда привяжешься больше, чем к
человеку.

Она провела ладонью по краю капота. Погладила автомобиль, как ребеночка. И мне показалось, что «Тойота» сладко
зажмурила правую фару под ее рукой.

Внутри «Тойоты» было душно от успевших нагреться на
солнце металла и краски. Мы сели на горящие сиденья и опу-
стили стекло, чтобы проветрить немного. Я — за рулем. Она —
рядом. Включила зажигание и кивнула мне, давая понять, что
дальше я буду все делать сам. Я прибавил газу. «Тойота» задрожала нетерпеливой дрожью застоявшихся мускулов. И легко и
послушно тронула с места и пошла на выход к дороге. Машина доверилась мне, и я почувствовал себя легко.

На Майре вместо джинсов были белые шорты, и они,

плотно обтянув ее литое бедро, подчеркивали загар круглого колена.

— Следи за дорогой, — перехватив мой взгляд, посоветовала она. И вполне своевременно. За поворотом, после стены из кактусов, начинался крутой и петлистый спуск к автостраде.

Майра с любопытством косила на меня своим большим и черным, на синем белке, глазом.

— Не отвлекайся, — сдержала она улыбку. — За ночь не нагляделся на меня?

— Ты настолько похожа на испанку, эдакую знойную креолку, что у меня ощущение, будто мы не в Америке, а где-нибудь в Мексике.

— А мы и есть в Мексике. Калифорнию Америка отняла у Мексики. И Техас тоже. Ты этого не знал?

Я затормозил.

— Что случилось? — недоуменно вскинула она брови.

— Ничего, — улыбнулся я. — Полюбуйся!

Вниз убегала окаймленная высокими пальмами асфальтовая лента, вливаясь, как ручеек в бурную реку, в широкую и густо набитую машинами автостраду. Река эта аккуратно разделялась посередине зеленой полосой, и потоки мчались параллельно навстречу друг другу. За автострадой желтели песчаные дюны, кудрявясь рыжим кустарником. За ним слепил, отражая солнце, Тихий океан. На самом краю расплавленного серебра, у горизонта, темной букашкой ползло небольшое судно.

— Подобных красот еще много встретим на пути, — сказала Майра.

— Не туда смотришь! Левее! К нашему мотелю.

— А что там? Ничего не вижу. Кактусы... Что еще?

— Ты что, слепая? Гляди! Лошадь с жеребеночком. Приветственно нам машут головами.

— Что ты выдумал? Какая лошадь? Какой жеребенок?

Я не стал объяснять. Я глядел во все глаза и не мог налюбоваться. В лощине, под стеной из кактусов, ограждавших мотель от дороги, на маленьком, поросшем бурой травой пятачке паслись кобыла и жеребенок. Так я сразу окрестил две нефтекачалки, мотавшие вверх и вниз своими лошадиными головами.

У нефтекачалок, а их полно вдоль дорог в Калифорнии, поразительное сходство с лошадьми, какими их дети изображают на рисунках. Непомерно большая голова и тонкое тело с хвостом. Металлическая штанга была телом, два железных

противовеса на концах, большой и малый, головой и хвостом
И все время машут, качают. Точь-в-точь кони, отгоняющие
слепней и оводов.

Меня поразила композиция. Две качалки рядышком. Одна —
крупная, тяжелая. Кобыла. Вторая, вдвое меньше, до мельчайших
подробностей повторяла большую. Жеребеночек. Рядом с матерью. И так же, как мать, явно подражая ей, машет головкой и хво-
стиком. Тоже сосет из земли нефть. Только меньше, чем мать.

Проследив за моим взглядом, Майра тоже заметила их.

— Действительно, лошадь с жеребенком. Как на картине
современного художника. Верно?

Я кивнул.

— Представляешь, Майра, я ведь ночью слышал их сопение. И не мог понять, кто это без устали чавкает за окном. Пока мы с тобой предавались любви, эти трудяги, кобыла с же-ре-
беночком, бессонно качали нефть, чтоб мы могли сесть в
«Тойоту» и катить дальше, куда глаза глядят. Ну, совсем до-
машние качалочки. Стоят себе под окном мотеля и знай мота-
ют головами. Как прирученные человеком животные.

— Вот таким ты мне нравишься. — Майра ласково провела ладонью по моему затылку.

— И ты мне.

— Тебе не кажется, что мы слишком рано объяснились в
любви? После единственной ночи.

— Не кажется, — усмехнулся я. — Насколько мне помнится, в любви объясняются не после ночи, а до нее. После чего
уже следует первая ночь.

— Ты — пуританин. Я это еще в постели обнаружила.

— Разочарована?

— Воздержусь от комментариев. Значит, мы с тобой немного запоздали с объяснениями в любви?

— Если следовать устарелым традициям цивилизованных
людей.

— А зачем ты претендуешь быть цивилизованным? К чему
тебе эта ветошь? Будь свободным, раскованным. Представь,
что мы с тобой — дикари. Нам плевать на цивилизацию. И на
весь мир. Есть только ты и я. И «Тойота». И дуй вперед. Не оглядываясь. Позади ничего хорошего.

— А лошадь с жеребеночком?

— Прощай, лошадь! Прощай, жеребеночек! А теперь тро-
гай, милый! — потрепала она меня по плечу.

До чего прекрасна эта страна!

Сколько я исколесил по ее дорогам, — а я в этой стране уже год, — никак не могу насытиться открывающимися слева и справа от широченных автострад картинами могучей, пышущей здоровьем и силой, спокойной уверенностью жизни.

Говорят, что пейзажи Америки однообразны. Мол, сколько ни едешь, одинаковые бензоколонки, те же мотели, словно близнецы, отштампованные на одном прессе, закусочные «Мак Дональд».

Господи! Какой дальтонизм! Разве бывает тоскливым цвет здорового румянца во всю щеку? Разве может наскучить взгляду вид мускулистого тренированного тела?

Едешь, и душа наполняется восторгом. Вот на что способен человек! Вот как он преображает землю! Здесь уже давно создано все, чем коммунисты столько лет пытаются соблазнить человечество, да дальше пышных слов и посулов не смогли уйти. Погрязнув вместе с клюнувшими на их приманку народами в бесконечном болоте бесхозяйственности и нищеты.

Только в Америке я понял, как могуч и привлекателен трижды проклятый капитализм. Какой силой обладает свободная инициатива, расковавшая творческую потенцию человека. Земля здесь ухожена с нежностью пылкого любовника, и человек берет у нее, благодарной, все, что ему нужно. И берет с избытком. Да с таким, что может кроме себя до отвала накормить весь остальной мир.

Есть красота весеннего цветения. Легкая, воздушная, пьянящая. И есть грубоватая, тяжеловесная красота обильно покрытой плодами земли. Америка прекрасна вот этой красотой изобилия. И мне, выросшему в стране фальшивых лозунгов и обещаний, где, сколько я себя помню, временные трудности всегда остаются постоянным фактором, вот эта рубенсовская красота румяной Америки сразу пришлась по душе.

Еще в России, пытаясь представить Америку, я предполагал нечто подобное, но моя фантазия оказалась слаба по сравнению с тем, что предстало моему взору в этой стране. Любая мелочь, которую и не заметит человек, родившийся здесь, мне, новичку из совсем другого мира, говорит о многом.

Мы неслись на хорошей скорости, я лихо перестраивался из ряда в ряд, обгоняя одних и давая обойти себя другим, нетерпеливым. «Тойота» гудела ровно, уверенно, как знающая свою силу лошадка, и вела себя, как рыба в воде, на упругом бетоне, расстилающемся под колесами, в многорядной колонне себе подобных.

Слева то укрывался за холмом, то снова широко распахивал слепящую ширь океан. В воде, за мили от берега, чернели переплетениями металлических конструкций вышки на искусственных островах с пузатыми белыми цистернами для нефти, добытой со дна морского. Здесь все работало на человека. И море, и земля. Как только зеленые, в пальмах и кукольных домиках холмы сглаживались в равнину, возникали квадраты ухоженных полей. Разной окраски. Одни квадраты изумрудно-зеленые. На них ровными рядами набирали сочность кочаны салата, осеняемые струями дождя из автоматических поливалок. Другие квадраты — золотисто-желтые. Урожай с них убран. Осталось жесткое жнивье. А на третьих — сплошная жирная чернота свежевспаханной земли, готовой быть осемененной. И все это рядом, по соседству. Словно сбился календарь, смешались в одну кучу и весна, и лето, и осень.

Не было лишь признаков зимы. Надо всем этим жаркой улыбкой лучилось калифорнийское солнце, любуясь плодами рук человеческих. Молодой и сильной нацией, в которой смешались бесчисленные иммигранты со всего мира в такой крепкий коктейль, какому только могут удивляться и завидовать народы Земли.

Нечто вроде этого я и высказал Майре, подремывавшей на переднем сиденье справа от меня. И вызвал немедленную отповедь.

— Протри глаза, — сморщила она свой носик. — Сними розовые очки. Ты ведь достаточно зрел и бит жизнью, чтоб разглядеть что-нибудь и позади витрин.

— Прости меня, — не согласился я. — Но в таком случае, вся Америка — сплошная витрина. Даже чрезмерно отягощенная разложенными товарами.

— И этот товар радует твое сердце? — кивнула она на окно. Я взглянул и ничего не понял.

— Ты что имеешь в виду?

— А вот этих женщин, согбенно собирающих урожай, чтоб у молодой и сильной нации, как ты говоришь, был круглый год на столе свежий салат.

— Что же плохого в свежем салате круглый год? В благословенной России его не хватает даже в сезон уборки урожая.

А уж зимой и весной днем с огнем не сыщешь, как, впрочем, и другие овощи и фрукты.

— Знаешь, кто эти женщины, собирающие салат?

— Кто?

— Мексиканки. Дешевая рабочая сила. Которой за гроши предоставляют самый тяжелый ручной труд американские благодетели.

— Но ведь их сюда не на аркане тянули? Раз эти мексиканки по своей воле пересекают границу в поисках работы, значит, здесь они зарабатывают больше, чем у себя на родине. И уверяю тебя, они благодарны Богу, что могут работать и жить в богатой Америке.

— Голодному не до выбора. Они согласны на любые условия... лишь бы набить свое брюхо. И мои соотечественники этим безжалостно пользуются. Богатство этой страны, приводящей тебя в такой восторг, в значительной мере сколочено на рабском труде черных невольников, а теперь на лишних, готовых на все рабочих руках Латинской Америки.

— Ты меня ни в чем не убедила. Америка, пожалуй, единственное место на земле, где нет голодных. Тебе не дадут голодать, даже если ты этого захочешь. Десятки благотворительных организаций одолеют тебя своей опекой, бесплатно набьют тебе брюхо. Я, иммигрант, на своей шкуре все это проверил и испытал.

Но я хочу тебе втолковать совсем иное. Ты видишь, сколько легковых автомобилей стоит по краям поля, на котором в поте лица трудятся несчастные мексиканцы? Чьи это автомобили? Кто на них приехал? Эти вот несчастные, по-твоему, мексиканцы. У себя дома они не только не могут позволить такую роскошь, как собственный автомобиль, но я сомневаюсь, всегда ли у них хватает денег на билет в автобусе.

А что касается России, которая, конечно же, не жалкая Мексика, а великая держава, даже слишком великая и своей мощью держит в трепете весь мир, так в этой самой России, стране, где, казалось бы, нет эксплуататоров, то есть сбылась мечта вот таких, как ты, прогрессивных дурачков, власть в руках у рабочих и крестьян, русские крестьяне и не мечтают о собственном автомобиле и на работу в поле ходят пешком за много километров и также пешком, на своих двоих, возвращаются, отработав день, домой. И это не какие-нибудь нелегальные иностранцы, готовые взяться за любой труд, а коренные

русские, у себя дома, так называемые хозяева страны торжест-
вующего социализма.

Ты понимаешь, о чем я говорю? А теперь я тебе посоветую,
как и ты мне, протереть глаза и заметить, что возле каждого поля, где работают люди, стоит стандартная, вроде усеченного
конуса железная будка на колесах. Заметила? Вон она. На другом углу поля — другая. Окрашены в веселые тона. И стоят на
колесах. Их привезли и поставили у края каждого поля вслед за
автомобилями, на которых пожаловали на работу бедненькие
мексиканцы. Что это за будки? Ты можешь мне объяснить?

— Я полагаю, уборные.

— И я так полагаю. Вон, видишь, женщина выходит из
будки, прикрывает дверцу. Конечно, уборная.

— Подумаешь, невидаль? Что ты этим желаешь мне доказать?

— Элементарную вещь. Заботу о человеке. Американские эксплуататоры нашли возможным позаботиться, чтоб к
услугам мексиканских сборщиков овощей были удобства,
без которых не мыслит жизни цивилизованный человек. В
России же власть рабочих и крестьян даже не догадывается,
что и русским людям не мешало бы пользоваться в поле такими удобствами. Там вам не поверят, поднимут на смех как
неумного врунишку, если вы станете рассказывать русскому
крестьянину, что в Америке на поля привозят к работающим
людям уборные. Я, Майра, был журналистом и исколесил
Россию вдоль и поперек. Поверь мне, нигде, ни на одном
поле, я не видел подобное тому, что мы сейчас с тобой наблюдаем. Русские крестьяне и крестьянки бегают в поле на
межу, укрываются в кустах, чтоб справить свою нужду. Таких
уборных, какие мы сейчас видим, русский крестьянин чаще
всего не имеет и в собственном доме. Поэтому справить нужду по-русски до сих пор называют «сбегать до ветру». То
есть совершить этот неизбежный для любого человека процесс под открытым небом и чаще всего на ветру. Даже в лю-
тый сибирский мороз.

— Знаешь,— усмехнулась Майра,— мне пришла на ум не
совсем приятная фразочка, которой мы пользовались в
школе в Квинсе, когда уставали от долгой речи собеседника: «Ты кончил? Спусти воду». Позволь не поверить тому,
чем ты забивал мне мозги в твоей блистательной туалетной
филиппике. Единственный ее результат, пожалуй, что мне
самой понадобится воспользоваться туалетом. Скоро будет

бензоколонка. Сверни, пожалуйста. Тебе, я думаю, тоже не лишним будет заглянуть туда. О'кей?

После бензоколонки мы поменялись местами. Майра пересела к рулю. Мы долго ехали молча. Я не хотел разговаривать, обиженный ее выпадом. И она не находила нужным смягчить каким-нибудь словом свою дерзость.

Я смотрел на убегающие назад дома, поля, пальмы и кипарисы и думал о том, что лучше всего в дальнейшем не вступать с Майрой в политические дискуссии. Она упряма и самоуверенна. В голове ее бездна политического мусора и шелухи, которой отравилась в этой стране молодежь. Споры могут нас рассорить. А это ни к чему обоим.

— Заночуем в Сан-Франциско, — сказала Майра. — Ты бывал в Сан-Франциско?

— Нет.

— И я тоже. Только в аэропорту. Жаль, приедем — уже будет темно.

— А сколько еще времени до Сан-Франциско?

— Если не попадем в час пик, то три часа, не больше.

Я достал из ящика рядом с приборной доской дорожную карту и развернул ее на коленях.

— Что ты ищешь? — спросила она, скосив глаза.

— В этих краях, если не ошибаюсь, живет мой приятель. Тоже русский. Мы могли бы у него переночевать.

— Совсем недурно,— оживилась Майра.— Зачем сорить деньгами в мотелях? Где живет твой приятель, ты помнишь?

— Монтерей. Он писал, прямо на берегу океана.

— Монтерей! — воскликнула Майра. — Это совсем рядом! Свернуть влево, к океану. Адрес есть?

— Кажется, нет. Записал на бумажке, не помню где.

— А телефон?

— Вот телефон должен быть. У меня все телефоны в книжке, с которой не расстаюсь.

— Ты уверен, что твой приятель дома, никуда не уехал и сидит ждет, когда мы пожалуем?

— Ждет он нас навряд ли. Ввалимся как сюрприз. Но рад будет, это уж точно. Он мне недавно звонил в Лос-Анджелес. Воет от тоски.

— Один? Не женат?

— Старый холостяк.

— Очень старый?

— По крайней мере, старше меня.

— Староват. Но ведь нам с ним не в одну постель ложиться.

— А ляжешь, смею заверить, не пожалеешь.

— Ты-то как это знаешь?

— Женщины хорошо отзывались.

— В России?

— Полагаю, в Америке тоже.

— Считай, ты меня заинтриговал. Где его телефон? Сейчас свернем к бензоколонке. Попробуй дозвониться из автомата. Местный разговор. Один гривенник.

Телефон долго трезвонил безответно, и я уже собрался было разочарованно повесить трубку, как там что-то треснуло, и хриплый голос моего друга спросил по-русски:

— Кто?

Я назвался и спросил, чего он так долго не снимал трубку.

— Ты меня вырвал из объятий Морфея,— зевая, ответил он.

— Неплохо живешь — спишь днем.

— А чем еще прикажешь заниматься? Пришел с проклятой службы, тяпнул двести грамм и завалился. Ты где, еще в Лос-Анджелесе? — скучным голосом спросил он.

— Нет, ближе.

— Где? — встрепенулся голос, — Не ко мне ли в гости собрался?

— Что-то в этом роде.

— Вот здорово! Вот удружил! Я уж думал, не повеситься ли вечером с тоски. Придется отложить. Где ты? Конкретней.

— Совсем рядом. Звоню с бензоколонки. Диктуй, как до тебя добраться.

— Бумага есть? Пиши! — завопил он.— Ой, Олег, даже не верится!

— Но я не один...

— Тем лучше...

— Со мной женщина.

— Ну, совсем хорошо! Записывай!

И он, волнуясь и оттого сбивчиво и повторяясь, обрисовал мне кратчайший маршрут до его дома.

Майра, ознакомившись с маршрутом, сказала:

— Магазины еще открыты. Надо по пути чего-нибудь купить. Что пьет твой друг?

— Все! В том числе одеколон и лак для ногтей. Поэтому везти горячительные напитки, по крайней мере, непедаго-

гично. Полагаю, у него имеется приличный запас спиртного
А вот что касается еды, уверен — холодильник пуст. Захватим
что-нибудь пожевать — не промахнемся.

Пока мы искали магазин, пока делали покупки — платила
она, сказав, что в следующий раз расходы возьму на себя я,—
и пока мы добирались до моего друга по другой автостраде
через весь монтерейский полуостров, вдающийся узким языком в Тихий океан, я постарался вкратце обрисовать ей человека, чьим гостеприимным кровом мы предполагали воспользоваться этой ночью.

Я знал Антона по Москве, где мы много лет проработали в
редакции столичной газеты. Правда, в разных отделах. Он был
в привилегированном иностранном отделе. Часто ездил за
границу. Проводил там больше времени, чем в Москве. И, возвращаясь, поражал восторженных московских дамочек эле-
гантными костюмами и обувью — последним криком загра-
ничной моды,— еще неведомыми в провинциально-консерва-
тивной России. Он был высок и строен. Спортивно-подтянут.
Круглый год с его лица не сходил бронзовый загар, возобнов-
ляемый то на Кубе, то во Флориде, то на Французской Ривье-
ре, а в промежутках — на нашей кавказской Пицунде. И на
этом лице, как на американских рекламных этикетках зубной
пасты, слепила белозубая улыбка. Со временем он совсем потерял русский облик, и его легко было принять за элегантно-
го, с достатком англичанина или американца.

Когда-то он закончил военный институт иностранных
языков и безукоризненно владел двумя: английским и испан-
ским. Это и привело его на весьма ответственный пост постоянного корреспондента нашей газеты в Центральной Америке, аккредитованного в Гаване и оттуда совершавшего вылаз-
ки на острова Карибского архипелага и на континент — в Панаму, Никарагуа, Гватемалу, Колумбию, Венесуэлу. Во всех
этих странах тоже сидели наши корреспонденты, но все они
подчинялись ему и обо всем писали рапорт, в первую очередь,
в его бюро в Гаване. Я, конечно, догадывался, что он, как и
другие советские корреспонденты за границей, кроме журналистской осуществляет еще одну деятельность — разведыва-
тельную. Журналистский билет служит хорошей маскировкой
для шпионов. Но даже я не подозревал, насколько вторая, раз-
ведывательная, сторона их работы превалирует над первой
журналистской, превращенной в камуфляж. Долгое время

спустя, уже встретив его здесь, в Америке, где мы оба оказались беженцами, апатридами, я узнал от него, из первых рук, что не наша газета, а штаб Главного разведывательного управления Советской Армии был местом его действительной службы. Он имел звание майора и получал там жалованье, а наши газетные зарплата и гонорар шли на карманные расходы, вернее, на оплату счетов в московских ресторанах.

Он жил широко, тратил, не скупясь и не задумываясь. Женщин у него было без счету. Во всей нашей редакции только он разъезжал в шикарном «Мерседесе».

В Центральной Америке он был резидентом советской разведки и руководил густой сетью шпионов, в число которых входили не только аккредитованные в этих странах журналисты, но и множество туземных политических деятелей, по идейным соображениям или за деньги сотрудничавших с нами.

И вдруг, ко всеобщему удивлению, этот преуспевающий красавец, баловень судьбы попросил в Америке политическое убежище. То есть предал свою страну и, как офицер, изменил присяге. У нас в редакции эта новость вызвала шок. Сотрудники тихо перешептывались в своих кабинетах, кося на дверь, а те, кто был с ним на приятельской ноге, ходили как в воду опущенные, с горечью предвкушая тягостные допросы в КГБ и несомненное пятно в личном деле, которое обязательно обернется непреодолимым препятствием в дальнейшем продвижении по служебной лестнице.

Сколько мы ни ломали голову над причинами, побудившими его бежать, ничего не могли придумать. И сходились в одном — деньги. Очень большие деньги, которые ему щедро отвалили американцы за ценные сведения. Не журналистские, естественно, а секреты, известные лишь разведчикам.

О том, чем он занимался за границей после побега, в редакции было ясно каждому. И нам, не без тайной зависти, рисовалась роскошная жизнь, на которую он променял советское гражданство: личная яхта, гараж с шикарными автомобилями, собственный дом в тропической Флориде, пляжи Лазурного берега. И баснословный счет в каком-нибудь «Чейз Манхеттен бэнк».

Велико было мое разочарование, когда, очутившись в Америке, я разыскал Антона. Утекло с дюжину лет. Вместо блестящего красавца, светского льва, от которого на расстоянии несло успехом и удачей, передо мной был неопрятный костлявый старик с погасшими глазами. Си Ай Эй недолго повозилось с ним и, выжав то, что для них представляло интерес, попросту позабыло о нем. Он тыкался в разные места, лез с нравоучениями к американцам, укорял их в наивности и беспечности перед лицом советской угрозы. А таких не любят, и двери перед ним захлопывались. Он сатанел от обиды и бессилия и понемногу скатился в известное всем русским бедолагам укрытие — в горькое пьянство.

Нашлись добрые люди и, жалеючи его, пристроили в Монтерей, в американскую военную школу, преподавателем русского языка. На мизерное жалованье. И он тут держался, срываясь порой на пьяные дебоши. Каждый раз рискуя потерять и это место, кормившее его

— Это рок, — задумчиво сказала Майра. — Он не прощает изменников.

— Да какой он изменник? — не сдержался я.— Он по природе своей боец. И разочаровавшись в идее, которой служил верно и талантливо, пока не осознал, какому злу служит, перешел на другую сторону, чтоб дать бой этой идее.

— И ты такой же?

— А зачем, думаешь, я покинул Россию? Чтоб с тобой по американским дорогам раскатывать?

— Разве это так уж плохо?

— Никто не говорит, что плохо. Но есть и еще что-то, чем жив человек.

— Деньги? Карьера? Успех у женщин? Что ты ищешь?

— Покоя. Я страшно устал.

— Тогда ты не по адресу приехал. В Америке искать покоя? Здесь только знай, успевай поворачиваться. А то затопчут. И не успеешь оглянуться.

— Мне много не надо. Самую малость. Восстановить душевное равновесие. Понимаешь? Поладить с самим собой.

— Не знаю, кому это удавалось. Мне, например, нет.

— Я надеюсь.

Монтерей оказался чудесным уголком на Калифорнийском побережье. Здесь уже ощущался север, и вместо выжженных холмов, пальм и кактусов нас окружали вековые хвойные чащи. Как где-нибудь на Рижском взморье Могучие сосны росли не прямо к небу, а изогнув свои серые, корявые стволы, пряча, отводя вершины подальше от океана, от его злых зимних ветров, и так и застыли, как на моментальном снимке во время шторма. Было безветренно и солнечно, а при взгляде на эти сосны становилось зябко и даже солоновато на губах.

За деревьями пестрели большие деревянные крашеные дома с гаражами и по-южному яркими цветниками. Здесь еще юг спорил с севером, и то и дело за соснами мелькали веерные кроны пальм, но выглядели они случайными гостьями, забредшими далеко чужеземцами.

Мое сердце дрогнуло, когда я увидел, сразу даже не поверив своим глазам, родные русские березы. С девственно-белыми стволами. Кудрявыми прядями зеленых ветвей. Березы и пальмы. Эвкалипты и сосны.

Мы колесили по прорубленным в лесной чаще улицам Монтерея, очень напоминавшим мне родное Подмосковье, но намного ярче и богаче. Останавливали редких прохожих, спрашивали направление. Миновали и школу, где мой друг Антон вдалбливал американским солдатам правила русской грамматики. Школа располагалась среди сосен, в длинных бараках за сетчатой оградой, никем не охраняемая. Между бараками слонялись фигуры в военных мундирах. А вблизи океана, на вершине холма, стояла старинная пушка, явно в память какой-нибудь успешной битвы в не изобилующей военной славой истории Америки.

Тихий океан лизал обрывистые берега Монтерея. Вечный прибой откусывал от берега куски и, если не удавалось проглотить, оставлял черные обломки в кружевах пены. На этих камнях-островках грелись на солнышке, лоснясь черной кожей, неуклюжие раскормленные тюлени.

Дом Антона стоял почти у самой воды, огражденный от океана узкой грядой невысоких песчаных дюн, поросших редкой и жесткой травой. Тут начинался лес, поглотивший весь Монтерей. Крайние к океану и потому особенно скрюченные сосны росли во дворе его дома. А самого хозяина я увидел, еще не доехав, стоящим босыми ногами на сиденье открытого джипа и из-под ладони высматривавшим нас на похожей на аллею дороге.

Он был давно не стрижен. Клочковатая борода, черная с сединой, торчала в стороны. Выцветшая рубаха неопределенного цвета не заправлена в штаны, свободно болтавшиеся на исхудалом, костлявом теле. Вылитый русский босяк, этакий постаревший горьковский Челкаш, взобравшийся на американский военный джип.

По вспыхнувшим глазам Майры я понял, что он ей понравился с первого взгляда. И обрадовался. Это сулило приятный вечер, дружеский треп. В славной компании. Без конфликтов и неприязненных споров, от которых я, откровенно говоря, отчаянно устал.

И Майра пришлась Антону по душе.

Соскочив с джипа, он помог ей выйти из «Тойоты» и галантно поцеловал руку. Польщенная Майра зарделась. Глубокие, под густыми и торчащими, как у рыси, бровями, черные глаза его засверкали угольками. От него остро попахивало спиртным.

— Заходите, гости дорогие. Вот обрадовали старого хрена! — радостно суетился он, забегая вперед и распахивая перед нами двери дома.

Домик был небольшой и еще не совсем старый. Но заметно запущен. В нем пахло пылью. У камина кучей свалены пожелтевшие газеты. По углам и за креслами валялись пустые бутылки. В кухне громоздилась немытая посуда. Плита лоснилась пролитым жиром. На дверце холодильника застыли коричневые разводы.

— Я тут приберу. Наведу порядок, — бестолково носился по дому Антон.— Вы отдохните с дороги. Вот диван. А я ужин сварганю. Только слетаю в магазин.

— Никуда не надо ехать,— сказала Майра.— Мы с собой привезли.

— Тогда совсем хорошо! А выпить у меня найдется. Я человек с запасом. Го-го-го!

— Можно, я приготовлю ужин? — спросила Майра.

— Как-то не хочется утруждать такую красавицу,—больше для видимости замялся Антон и тут же уступил. — Ну, раз хотите уважить старика, милости просим. Я только чуть приберу на кухне. Неудобно все-таки. Как в свинарнике. Ей Богу.

— Не надо. Я сама,— отказалась от его услуг Майра.

— Как угодно, как угодно, милая. Не смею возражать. А спать у нас есть где. Каждому комната. Впрочем, не уверен, придется ли вздремнуть. Русское застолье до утра не кончается. И вы, дитя мое, под утро у нас совсем обрусеете. Особенно после смирновской водочки.

— Я водку не пью, — ответила Майра.

— Ну а винца? — застыл пораженный Антон.

— Вина можно.

— У меня всего имеется в избытке, — снова забегал Антон. — И водочки, и винца, и пивка. Какое предпочитаете пиво? Миллер? Курз? Или Бадвайзер? На выбор !

Майра, как могла, прибрала на кухне. Почистила плиту, отскребла холодильник, вымыла посуду и поставила в шкаф Скоро из кухни поползли дразнящие аппетитные запахи.

Мы с Антоном пристроились на диване и не успели толком расспросить друг друга о житье-бытье, как Майра уже попросила нас помочь ей накрыть стол

— Ах ты, моя хозяюшка! — умилился Антон — Как славно'

Ужинали мы долго и с удовольствием. На столе среди тарелок отсвечивала стеклянными боками полугаллонная бутыль смирновской водки рядом с темным пузатым кувшином калифорнийского бургундского. Еще какое-то вино в меньших бутылках.

Водку пил один Антон. Я и Майра потягивали вино Смирновской водки было больше литра, и по тому, как легко и жадно хлестал ее Антон, я понял, что он один за вечер выдует все полгаллона и опьянеет до безобразия. Я решил, что еще несколько тостов спустя отниму у него водку. А если он мне не подчинится, напущу на него Майру, перед которой он, старый кобель, явно благоговел.

Посуду после ужина не стали убирать. Охмелевшие и разомлевшие от еды, мы вылезли из-за стола и растянулись на ковре тут же в гостиной, перед темным, с серой золой под решетками камином.

— Как славно' — обнял нас, обхватил своими длинными руками Антон и колючей бородой, как веником, проехал по нашим лицам.— Ну до чего я рад! Свет в окошке! Луч прожектора во мраке ночи! Какое, к черту, одиночество? Я нежусь, как в родной и любимой семье!

Дальше потекли разговоры. Да все не о личном, а исключительно о высоких проблемах планетарного масштаба Словно нам никак нельзя прожить, не взвалив на свои плечи боль и терзания мира, не попробовав найти ответ на неразрешимые вопросы.

Майра на такое толковище попала впервые. И ей это пришлось по душе. Щеки зарделись, глаза просияли. И не только от вина... Она любовалась Антоном. Он был, действительно живописен.

В своей заношенной и мятой, как с помойки, одежонке

высокий, худой и все еще стройный, он расхаживал по ковру большими, крадущимися шагами, взмахивая, как птица, длинными руками и задирая к потолку спутанную, как пакля, бороду. Удивительно похожий на колдуна, на шамана, на Кощея Бессмертного из русской сказки.

Это не было разговором. Был монолог Антона. Бесконечный неисчерпаемый и жгуче увлекательный, вне зависимости от того, согласен ли ты с ним или категорически против того, что он провозглашает. Нам с Майрой только иногда удавалось вклиниться. Возразить. Уколоть провокационным вопросом. И на нас тут же обрушивался поток словоизвержения. Антон не был болтуном. Он говорил точно и сочно. Но не знал границ и не обременял себя заботой о регламенте. У него был глубокий, низкий голос. Бархатный. Жалкие остатки прежнего арсенала сердцееда. И еще клокотал темперамент, который он когда-то на службе приучил себя укрощать, а теперь, никакими дипломатическими условностями не сдерживаемый, распустил пышным павлиньим хвостом.

Антон с бокалом в руке остановился перед Майрой, нависнув над ней.

— Я буду говорить о том, что знаю лично, а не вычитал из газет или хитроумных книг. Факты из первых рук и анализ не постороннего человека, а собственный. И подопытным кроликом в нем был сам аналитик.

— Тогда анализ не будет достаточно объективным,— возразила Майра.— Слишком много личного примешается... А вы, как я вижу, натура эмоциональная...

— Не спешите, девушка, с выводами. Особенно насчет моей эмоциональности. Не по словам ее определяют и не по манере произносить слова. У нас, у разведчиков, есть термин. вулкан, извергающий вату. Слыхали о таком? Это внешняя, показная эмоциональность... за которой прощупывается холодный собачий нос. Чтоб определить степень моей эмоциональности, нужно со мной хорошенько вываляться в одной постели

— Как это понимать, Тони? — вскинула на него глаза Майра.— Как приглашение?

— Только с его согласия, — кивнул на меня Антон. — Я джентльмен.

— Он не феодал,— пожала плечами Майра.— А я не его вассал.

— Ладно, — отмахнулся Антон, и вино плеснуло через край бокала в его руке.— Проблему, кто с кем спит, решить не так сложно... При доброй воле, проявленной всеми заинтересованными сторонами. А вот ту проблему, что я хочу вам представить, даже моим проспиртованным мозгам не одолеть. Нет выхода! Не вижу! Куда ни кинусь — везде тупик!

Он умолк, собираясь с мыслями, и стоял, оттопырив нижнюю губу, сосредоточенно уставясь на бокал в своей руке.

— Ах да,— спохватился он.— В первую очередь, надо выпить.

И коротким рывком выплеснул в разинутую в бороде щель всю водку из бокала.

— Закуси,— протянул я ему на вилке кусок ветчины.

— Благодарствую,— пророкотал он своим глубоким голосом и театральным жестом взял у меня вилку, взял так, словно сделал мне одолжение. Но есть не стал. Забыл о ветчине. Под напором обуревавших его мыслей.

— Начну я, с вашего позволения, с такого сравнения. Если глаза — это зеркало души, то состояние разведки отражает крепость и устойчивость государственного организма. Не возражаете против такого сравнения? Отлично. Идем дальше.

В мире противостоят две разведки — Си Ай Эй, Центральное разведывательное агентство в Вашингтоне, вернее, под Вашингтоном, и ГРУ, Главное разведывательное управление, штаб которого размещается в Москве.

Ваш покорный слуга имел сомнительную честь прогуляться под сенью обеих разведок, и в Москве, и в Вашингтоне, и это, не принеся ему особой радости, а в итоге и никаких дивидендов, все же поставило в исключительную позицию. Он смог сделать то, что редко кому удавалось — сравнить обе разведки, пользуясь личными и потому наиболее достоверными наблюдениями.

К какому же выводу пришел я? Вам не терпится узнать мой ответ. И я не стану испытывать ваше терпение. Я пришел к печальному выводу. Превосходство советской разведки, ее качество и результативность настолько велики в сравнении с американской, что уж по одним этим показателям богоспасаемым Соединенным Штатам и думать не следует о каком-либо военном конфликте с СССР. Даже если оставить без внимания многократный перевес советской стороны в вооружении, что уж само по себе фатально.

Я не буду утруждать вас статистикой. Статистика чаще

всего врет. И не буду ссылаться на высказывания государственных мужей. Их разоблачения — обычно непристойный плод ущемленного самолюбия и провала корыстных амбиций. Хотя и в том и в другом можно, несомненно, наскрести крупицы правды.

Я приведу крохотный, микроскопический пример из личного опыта, и в нем вы, как в капле воды, увидите, в каком состоянии пребывает американская разведка. Ведь чтоб определить степень солености океана, не обязательно выпить весь океан, а достаточно слизнуть с пальца каплю океанской воды. Согласны со мной?

— Согласна,— сказала Майра.— Но прежде чем вы продолжите, съешьте, пожалуйста, ветчину, которая засыхает у вас на вилке.

— Ах, ветчину? — воскликнул Антон, устремив сосредоточенный взгляд на свою руку, в которой подрагивала вилка с куском ветчины. — И ее надо съесть? Я вас правильно понял? Что ж, я всегда был слаб и не мог отказать даме. Я съем эту ветчину, если вы настаиваете. Но, ради Бога, без нарушения приличий! Кто ж это закусывает, не выпив предварительно? Только дикарь, абсолютно нецивилизованный человек. Посему разрешите налить и... опорожнить.

Расставив для устойчивости ноги, он запрокинул голову и вылил себе в рот почти до краев наполненный бокал. Держа в другой руке на отлете вилку с ветчиной. И снова не закусил. Забыл.

Ни Майра, ни я не отважились снова напомнить ему. Я любовался Антоном. Алкоголь разогрел его. Большие, навыкате глаза сверкали, желтые крупные зубы щерились, борода и седая грива как-то сами по себе взъерошились и, казалось, встали дыбом. Он высился над нами, воздев обе руки, а тень, отбрасываемая лампой, стоявшей на полу, носилась по стене и потолку вслед за каждым его движением. Майра не сводила с него сияющих глаз. Этому в немалой степени способствовало и выпитое ею вино.

— Привожу свой пример, — сказал Антон с таким видом, словно удостаивал нас великой чести — Итак. По прибытии в Америку, на первых порах, когда из меня еще надеялись выдавить что-нибудь полезное, ко мне проявляли всяческие знаки внимания. Одним словом, тогда им еще не надоело играть в эту игру. Среди всяких прочих благ, коими я был короткое время осыпан, были и платные красотки, укрощавшие мою плоть. Оплачивало их, естественно, американское государство, и для меня оно олицетворялось в офицере Си Ай Эй в звании майора, соответствовавшем моему рангу в органах советской разведки. Майор опекает майора. Вот этот самый майор нянчился со мной, сопровождал меня и оплачивал из казенных сумм мои расходы. А в конце месяца давал мне счета для подписи. Сначала я подписывал не глядя. А как-то заглянул и глазам не поверил. Меня можно было обвести вокруг пальца в чем угодно: в стоимости ресторанных обедов, такси, гостиничных номеров. Но в одном сбить меня со счета никак нельзя было. В количестве женщин, с которыми я переспал под финансовым прикрытием моих опекунов. На женщину полагалось не больше ста долларов за ночь. Немалая сумма по тем временам — лет этак пятнадцать тому назад. Я точно помнил, что был в этот месяц с женщинами четыре ночи. А в счете стояло восемь. Мой майор удвоил сумму. На этой статье расходов я его поймал за руку. Вероятно, и по всем остальным статьям, в которых я его проверить не мог, он проделывал то же самое. Вне всякого сомнения. С какой стати он будет воровать только на женщинах? Короче говоря, этот голубчик попросту подворовывал, беззастенчиво запуская руку в государственный карман. Элементарный воришка. И где? В святая святых. Где каждый стократно проверен. Куда принимают с таким отбором. Его нисколько не смущало, как он, а соответственно и все Си Ай Эй, которое он представлял, выглядят в моих глазах, глазах бывшего противника, перешедшего на их сторону. По чисто идейным соображениям. Ему было наплевать на престиж. Он понятия не имел о чести. Если не общечеловеческой, то хотя бы офицерской. Он делал в этом чувствительнейшем аппарате свой бизнес, не гнушаясь и копеечным воровством. Оказалось, что разведкой — этой ювелирной работой, требующей ума, таланта и, несомненно, порядочности, в этой стране занимаются не лучшие, отборные кадры, а черт знает кто, отбросы, не удержавшиеся в частном бизнесе по недостатку способностей и полезшие сюда на твердое жалованье плюс безопасное воровство из государственного кармана.

Мне стало страшно за Америку. Я тогда впервые испугался за судьбы свободного мира. И мне стало безумно жаль себя, прыгнувшего с корабля-победителя на эту дырявую, тонущую баржу. Я понял, что мы глубоко в жопе.

— Да ты несешь чушь! — вскочил я с ковра. — Нарвался на одного жулика и уже обобщаешь, на всю страну переносишь! За деревьями леса не видишь! Сразу в панику! Тут же — конец Америки, гибель свободному миру. Стыдно слушать!

— Не стыди! — Антон положил мне костлявую руку на плечо. — И не прыгай ретиво. Садись. И слушай ушами. Ты тут без году неделя. Весь в розовых слюнях. Я прошел через это И чем выше была моя ставка на эту страну, чем больше надежд я на нее возлагал, тем страшнее было прозрение и тем болезненнее удар лбом о стену. Непрошибаемую стену тупого, надменного самодовольства, с каким эта огромная, неуклюжая страна идет ко дну.

Поэтому охолонь. И внемли. Возможно, избежишь повторения моих заблуждений, и это намного смягчит, самортизирует удар, который уже нацелен на твою доверчивую башку. Нас, русских, жизнь учит только таким путем — расшибая лоб до мозгов. И так и не может научить. Поэтому ты и прыгаешь, хорохоришься. Не желаешь трезво поглядеть фактам в их непривлекательное лицо. Садись! Кому говорят?

— Тебе твоя личная неудача затмила белый свет, — огрызнулся я.

— Садись, не мешай ему, — потянула меня за руку Майра, и я, все еще кипя, опустился на ковер рядом с ней и отвел глаза от обоих.

Антон зашагал перед нами от камина к столу и обратно, заложив длинные руки за спину и сцепив их костлявыми пальцами. Он заметно сутулился. Глаза полузакрыты. Губы шевелились, и с ними двигалась взъерошенная борода.

— Знаешь, на кого он похож? — шепнула мне Майра. — У вас в России, еще при царе, была такая личность... Я в кино видела. Он своей волей подавил царя и царицу. Простой крестьянин. С бородой, как у Антона. И с такими же жуткими глазами. Его звали, кажется, Распутин.

— Романтизируешь, — отмахнулся я. — Просто алкоголик... и одинокий, несчастный человек.

— Вы сбиваете меня с мысли, — поморщился Антон, снова остановившись и нависнув над нами. — Выпью еще и совсем потеряю нить... Я ведь хочу вам объяснить что-то очень важное. И не для меня одного. Для вас в первую очередь. Ибо вы моложе. Мне недолго тянуть. Но ваша агония затянется. И еще на вашем веку все здесь загремит, пойдет к чертовой матери. И вас унесет с собой в пропасть.

— Мы вам свои похороны не заказывали,— сказала Майра.— Продолжайте про разведку. Я понятия об этом не имею.

— Не уверен, много ли поймете, слушая меня, — проворчал Антон,— однако продолжаю. Не этот маленький факт с воришкой майором навел меня на печальные размышления о судьбах свободного мира. Я пристальней посмотрел вокруг себя и обнаружил тьму таких майоров. В разных званиях. Во всех кабинетах и всех этажах Си Ай Эй, куда я был вхож. Я увидел тупость, карьеризм, казнокрадство. Я не встретил ни одного настоящего разведчика, способного на равных вступить в схватку с противником, моими бывшими коллегами. Шулера и мазурики. Или же солдафоны. А им на той стороне, я-то знал, противостояли первоклассные мастера своего дела. Виртуозы. Неподкупные. Да, да. Неподкупные. Не потому, что уж так верны идее коммунизма. А по причине профессиональной этики, неведомой здешним джеймсам бондам. И еще потому, что знают — они оседлали тигра и свалиться с него,— значит, погибнуть.

Возвращаюсь к моему примеру. Представьте обратную картину. Американский разведчик, скажем, этот же самый воришка майор, перебежал на советскую сторону, и мне поручили его в Москве опекать. Мне бы и в голову не пришло сделать какую-нибудь махинацию, совершить нечистый шаг. Это абсолютно исключено. И все, кого я знал на той стороне, никогда бы не отважились на что-нибудь подобное. Вам ясно теперь, в чем различие? И весьма важное. От него во многом зависит успех или неуспех любой операции.

Посему неудивительно, что советские разведчики с помощью элементарного подкупа выуживают отсюда все, что им заблагорассудится. Помните скандал с украденной в Германии секретной американской ракетой? Ее средь бела дня увезли с военного склада и в легковом автомобиле, кажется, чуть ли не в «Фольксвагене», из окна которого торчало наружу хвостовое оперение ракеты, преспокойно провезли ее, голубушку, сотни миль по немецким автострадам, пока не добрались до своих. И заметьте, никто их не преследовал, как это делают в бравых детективных фильмах. Никаких погонь. Увеселительная прогулка. Никому и в голову не пришло остановить их, полюбопытствовать, что за странный предмет нахально торчит из окна машины.

Тут возникает еще одна проблема, которая принесет Америке неисчислимые беды. Беспечность. Открытость всего. Отсутствие бдительности. Вражеская разведка на территории этой страны, да и в Европе тоже, чувствует себя вольготно, катается как сыр в масле. Почти полная безнаказанность. А влипнешь — тут же обменяют на какого-нибудь американского чудака, специально ради этого арестованного в Москве.

Советские агенты творят тут, что хотят. Пример. Любого своего беглеца они, если захотят, найдут, извлекут из самой глубокой американской щели и расправятся, как Бог с черепахой.

Совсем недавно тут, в Калифорнии, одного такого же бедолагу, как я, нашли в мотеле зарезанным. А ведь ему и фамилию сменили, и лицо пластической операцией изменили. Не помогло. Горло перехватили бритвой от уха до уха. Знакомый почерк. И ничего не тронули — специально, чтоб не выглядело грабежом, все денежки и даже часы сложили кучкой на груди покойника. Словно фирменную печать оставили. И испарились. До следующего случая.

Я знаю несколько перебежчиков. Здесь, в Калифорнии, ошиваются. Чумеют от страха. Никто их не защитит. Каждый ждет, когда настанет его черед.

— Постойте, постойте,— замахала руками Майра,— вы уклоняетесь от главного. Я внимательно слушала, как вы отпеваете Америку, и мне в голову пришла вот какая мысль: если Америка уж такая слабенькая, такая несчастная, чего ж это ее никто в мире не пожалеет, не прольет по ней соболезнующей слезы? Ничего подобного мы не наблюдаем. А совсем напротив. Эту страну люто ненавидят на всем земном шаре. И не только враги. Но и союзники. Те, кто еще вчера лизали ей пятки. Как могла вызвать к себе такую неприязнь умирающая, хилая Америка?

— Как? — вскинул мохнатые брови Антон.— Вам это неясно? Ну-с, матушка, мне кажется, последняя кухарка давно разобралась в этом вопросе. Кто любит богатых? Видали ли вы благодарного нищего, получившего милостыню? На словах он признателен, а в душе проникается ненавистью к благодетелю. Америка широко и щедро подавала всему миру, спасала от голода целые народы. Порой грубовато, неуклюже, без изящных манер, что свойственно любой молодой, быстро наливаюшейся силой нации. Не до красивых манер. Накормить, спасти — вот что главное. А накормленные и спасенные, оклемавшись маленько, уже не любят вспоминать, в каком они дерьме только что тонули, и к тому, кто им это напоминает, проникаются вначале раздражением, потом злобой.

А венец всему — зависть. Зависть бедного к богатому, слабого к сильному, увядающего, немощного к молодому, с румянцем на всю щеку.

Французов дважды спасала Америка. В обе мировые войны. За шиворот вытаскивала из поражения Старую Францию, до сих пор не забывшую своего величия времен Наполеона Бонапарта, а теперь средненькое государство, которое тщится выглядеть великой державой, и это так же смешно и грустно, как зрелище красящейся и молодящейся старухи. Никто в Европе не относится к американцам с таким презрением, как вот эти самые французы.

Нелепость ситуации в том, что Америку продолжают не любить за ее мощь и богатство и сейчас, когда она все это теряет с катастрофической скоростью. Но хулители и недоброжелатели не хотят этого видеть. Ибо злоба застилает глаза.

Но это вее было бы полбеды. Американцы сами невзлюбили себя. Те самые американцы, еще поколение тому назад слывшие во всем мире народом самовлюбленным и кичливым. Нет этого больше. На смену пришло самооплевывание, чуть ли не стыд за принадлежность к этой стране. Я слушал в Германии интервью по телевидению с американскими солдатами из войск, размещенных в Европе. Так сказать, авангард Западного оборонительного союза, первая линия фронта с коммунизмом.

Я ушам своим не верил. Что несли эти молодые бесстыжие мальчишки в американской военной форме? Ну, свобода слова. Нет цензуры. Демократия. И я за это всей душой. Но при этом мне стало до жути боязно за ту же бедную демократию. Эти мальчики не станут ее защищать. Они не хотят умирать. И не стыдятся говорить такое, облаченные в форму защитников отечества. А черные солдаты — их было больше белых, и у меня сложилось мнение, что вся армия этой страны напоминает больше африканскую армию, — не стыдясь, скалились с экрана, заявляя, что за деньги, которые им платят белые, они не подставят свои головы под удар.

Я чуть не обалдел. Я был готов выть, как волк на луну. Но

добро бы одни черные так бесцеремонно оплевывали страну, давшую им жизненный уровень выше, чем у белых европейцев. А остальная, светлокожая Америка? Эти прыщавые юнцы и по-слоновьи толстые, несчастные девахи, затевающие митинги и демонстрации протеста по любому поводу, лишь бы это ущемляло и разоблачало их отечество.

По Америке, как саранча, бродит, дымя марихуаной и расшвыривая пустые банки из-под пива, немытое и нечесаное поколение, обожравшееся до тошноты, растерявшее идеалы отцов и дедов и не нашедшее ничего взамен. Кроме отрицания и разрушения дома, в котором живут. И единственное, пожалуй, что еще вызывает их ленивый интерес: где найти дырку, чтоб воткнуть свой вялый член. Эти не прикроют своей грудью Америку. Зазвучи набат, и некого будет собрать под знамена. Дезертируют, разбегутся. Как тараканы по щелям. А черные солдаты, за деньги пошедшие служить, благополучно сдадутся в плен.

Противник же, коммунисты, поставит под ружье любое число молодых солдат. И не только потому, что держит народ в страхе и силой заставит любого пойти, куда ему укажут. Еще и потому, что умелая пропаганда усиленно потчует молодые умы сладкой идеей служения своему народу, ради блага которого и смерть красна. Там еще не выветрился идеал, без которого молодежи становится тоскливо жить. Как это случилось в Америке. И это еще одна из причин, почему Запад обречен. Вернее, сам себя обрек.

— Да-а, — угрюмо протянула Майра.— Ваши бы речи да американцам в уши. Любопытно, какой бы это дало эффект?

— А никакого, — усмехнулся Антон. — Либералы грудью закроют от меня микрофоны. Попробовал сунуться на радио, а меня оттуда ревнители свободы слова в три шеи погнали. Да и в газетах указали на порог. Америка залепила себе уши и ничего не хочет слышать. Да ладно, Бог с ней. Соловья баснями не кормят. Плохой я хозяин, болтаю, болтаю, а у гостей пустые стаканы. Давайте нальем и выпьем.

— За что? — спросила Майра, подставляя свой бокал под темную струю вина из наклоненной Антоном бутылки.

— Ни за что,— ответил Антон.— Нет, вру! Есть за что! За опьянение! Чтоб уснула мысль. Не тревожила душу. Забылась в сладком сне.

Выпив и вытерев ладонью бороду, он подошел к стереоустановке, поблескивавшей в углу на комоде, повертел рукоятки. Радиоприемник замигал зелеными огоньками, послышался треск и обрывки слов и музыки.

— Сейчас угощу вас русской песней. Люблю по ночам шарить в эфире. В Тихом океане советские моряки рыбу промышляют. Таков, по крайней мере, их официальный статус. А на деле разведкой занимаются, сукины дети, подслушивают. На этих кораблях электронной аппаратуры больше, чем рыбы. И вот, чтоб моряки не скучали, родина поет им песни. Русские песни. Сейчас поймаем.

Из шороха и шумов, действительно, пробилась русская песня. Знакомая. И до чертиков приевшаяся дома, в Москве. А тут, на другой стороне океана, под рокот его волн и коровьи крики тюленей эти не Бог весть какие слова, пропетые сочно и чисто по-русски, кольнули в сердце и вызвали прилив влаги к глазам.

«Я в весеннем лесу.
   Пил березовый сок».

Я вдруг почувствовал, что вот-вот зареву. Подсевший к нам на ковер Антон обнял костлявыми руками колени и раскачивался в ритм песне, и я видел, как задрожали у него губы, и он прикусил их, силясь сдержать эту дрожь.

«С ненаглядной певуньей
   В стогу ночевал».

Майра переводила встревоженный взгляд с меня на Антона и снова на меня.

— Я где-то читала, — прошептала она, — что никто, кроме русских, так не тоскует по родине, покинув ее.

— Потому, милая, что никому не возбраняется вернуться домой, если надоест на чужбине. А нам нет. Мы отрезанный ломоть. Мы подкидыши в чужом и неласковом мире.

Я отвернулся от них и незаметно плечом вытер глаза.

— Хорошая песня, — сказала Майра. — Я не знаю слов, но она меня волнует. Возможно, передалось ваше волнение. И язык какой красивый! Музыкальный.

— Ничего. Неплохой язык, — согласился Антон. — Жаловаться не приходится.

— У вас там кто-то остался? — спросила Майра.

— Остался, — односложно ответил Антон, и она не отважилась его дальше расспрашивать.

— Человек, как дерево, — задумчиво сказал Антон. — Дерево пересаживают на новое место с комком родной земли на корнях. Иначе не привьется, зачахнет. Нас оторвало не только без земли, всухую, но и обломав корневища. А они, дитя мое, имеют такое свойство... кровоточат.

Я смотрел на Антона и думал о том, как, действительно трудно, приживаются наши люди в чужих краях. Мне доводилось встречать эмигрантов первой волны. Белую эмиграцию. Тех, кто почти три четверти века назад, после революции, бежали из России. Скитались по разным странам как неприкаянные. Турция, Югославия, Франция, и, наконец, под старость, осели в далекой Америке. Те, кто дотянули до наших дней, остались такими же русскими, какими их вышвырнули коммунисты с родины. Попадались и такие, что, кроме русского, так никакого языка не освоили.

— Коммунизм непобедим, — вздохнул Антон. — Он обречен на победу.

— Почему? — воскликнула Майра. — Я с вами абсолютно согласна. Но мне интересно узнать, как вы к этому выводу пришли. Именно вы! С вашей биографией! С вашей изломанной судьбой. Так почему?

— Почему? — глядя на нее, усмехнулся Антон. — Да потому, что коммунизм аморален. Тотально, абсолютно аморален. И поэтому любой, у кого хоть крупица морали застряла в душе, не может состязаться с коммунизмом на равных. Самые элементарные нормы морали сковывают ему руки, сдерживают пробуждающегося зверя, а противник и в ус не дует, знай машет дубиной, круша подряд все, что подвернется под руку. Повторяю, все подряд! Не делая исключений. Коммунизм не спорит с оппонентом. Он его уничтожает. Физически. Стреляет. Вешает. Морит голодом. Никаких дискуссий! Никакого права! Только грубая сила! И демагогия. На которую такие, милочка, как вы, клюют, захлебываясь от наслаждения. Расстилая ему, коммунизму, красный ковер под копыта.

— Вот в этом я с вами категорически не согласна! — запальчиво крикнула Майра.

— Естественно, — с печалью в глазах улыбнулся Антон. — Вы согласны только с тем, что устраивает вас. Что не нарушает стройности ваших отживших ветхих теорий. Все вы, левые, ультралевые, квазилевые, розовые, красные, как мелкие рыбки-лоцманы, расчищаете, прокладываете дорогу чудовищу, которое, утвердившись, первым делом сразу же ликвидирует вас, именно вас. Съест с потрохами. И перед тем, как отправить вас себе в пасть, обложит, как гарниром, ярлыками: оппортунисты, двурушники, социал-предатели.

Вы, дитя, молоды и доживете до его полного торжества. В этом я вам могу дать гарантию. Вам еще доведется поплясать на его зубах прежде, чем быть проглоченной. Мне нечего впадать в панику. Вам плясать, а не мне. Я исхитрюсь откинуть копыта до этого

Вот что меня гневает, что смущает мою душу, это позиция абсолютного непротивления злу, занятая Западом перед лицом неудержимо накатывающего коммунизма. Лишь слабое вяканье, детский лепет, наподобие, как, мол, так можно? Позвольте! Где ваша совесть? Уважайте договора! — Суверенитет других государств?

А они, коммунисты, даже и не опрадываются. Им не к чему в спор вступать. Была нужда! По принципу московских блатных: я с тобой лаяться не стану, я тебя в рот ебал!

Прошу прощения у нашей гостьи. Смягчить это, на мой взгляд, гениальное выражение, адаптировать его для нежного женского уха, значит, испортить, погубить, лишить первозданной прелести и точности.

Вот так-то, милая. Идет девятый вал коммунизма. Мир постепенно погружается во мрак, перед которым бледнеет средневековье. А мы, на оставшемся еще на свету последнем куске планеты, как кролики, завороженно глядим в пасть удаву и нервно подрагиваем хвостиками.

Иран! Блестящий, изумительный пример нашего бессилия! Какой-то темный мулла захватил эту стратегически важную и уж совсем бесценную по запасам нефти страну, на наших глазах, при нашем прямом попустительстве легко свернул шею верному союзнику Америки — шаху и превратил недавно дружественный народ в кипящий котел ненависти к свободному Западу, к Америке, в первую очередь.

Чего стоит захват американского посольства в Тегеране! Год издевательств и глумления над американскими заложниками! Попрание всех международных законов, не говоря уж об элементарных нормах приличия! Америке плюнули в лицо, помочились на голову, окунули в дерьмо по уши — и самая сильная в мире страна, самая богатая и лучше всех вооруженная, пустила пузыри, заскулила, забила лапами, как прищем-

ленный дверью щенок. А мир в недоумении и ужасе следил за
этим невиданным доселе унижением гиганта.

— Что Америка могла сделать? — поморщился я. — Сбросить атомную бомбу на Тегеран? Погубить миллионы людей
ради поддержания своего престижа?

— Престиж, да еще государственный, слишком деликатная штука, чтоб его ронять. Уронив, уж невозможно поднять.
А вот представь себе на минуту такую картину. Не американское, а советское посольство захвачено в Тегеране. Как бы поступила Москва?

— Ее поступки не пример, — сказал я.

— Напрасно, дорогой мой, так считаешь. Она побеждает,
ибо ее поведение уникально и неподражаемо. Она огнем и
мечом на глазах у обалдевшего и слабо вякающего мира покоряет Афганистан. Выжигая с вертолетов деревню за деревней, угоняя за рубеж миллионы беженцев. И не остановится
перед тем, чтобы полностью обезлюдить эту страну. Но никогда оттуда не уйдет. Уж поверьте мне! Не в пример Америке,
которая с позором еле унесла ноги из Вьетнама и отдала под
власть коммунистов Юго-Восточную Азию. Как до того уступила коммунистам без боя Анголу и Мозамбик в Африке и
готова отдать свой бастион на самой южной оконечности
этого континента.

Америка беззастенчиво предает своих последних друзей и
союзников. Тайвань — Китаю, Израиль — арабам. Как когда-то отдала всю Восточную Европу Сталину.

Не хочу быть пророком. Гнусное занятие в наши времена.
Но безо всякой приблизительности, с математической точностью могу предсказать очередной шаг коммунистов на пути к
нашей глотке. Это даже не Центральная Америка — Никарагуа, Сальвадор, Гватемала. Здесь, несомненно, роется подкоп
в подбрюшье дяди Сэма. Успешно роется. Глубокая яма, в которой немало поковырял лопатой и ваш покорный слуга.

Но направление главного удара — в ином месте планеты.
Персидский залив! Нефть! Иран уже дозревает, чтоб упасть в
подставленные ладони коммунистов. На очереди Саудовская
Аравия и нефтяные княжества. Коммунисты туда не вторгнутся. Зачем им шум? К чему проливать свою кровь. Один-два военных переворота. И дело сделано. Удар изнутри. Тщеславным
кулаком молодых арабских офицеров, которым не терпится
отнять у старых шейхов миллиарды нефтедолларов. А офице-

ров этих науськивают их авантюрные братья по крови и вере, прошедшие выучку в Москве, в достославном университете имени Лумумбы, где — а это не составляет секрета, — как в оранжерее, взращивается пятая колонна для всех малоразвитых стран.

Я каждое утро включаю радио в предвкушении этих событий. Я жду буквально со дня на день. Даже с некоторым злорадством. Потому что не нужно быть большим провидцем, чтоб их предугадать.

И вот тогда-то безо всякой атомной войны Запад рухнет на колени. Перекрыв мировую нефть и держа руку на кране, коммунисты продиктуют деморализованным остаткам свободного мира свою волю. И Запад ей подчинится. Ибо спасенья не будет. По принципу: лучше стать красным, чем мертвым. Лучше жить на коленях, чем умереть стоя. Лучше быть живым рабом, чем трупом свободного человека. Живой осел лучше мертвого льва. Да мало ли оправданий найдут кролики, чтоб объяснить свою капитуляцию и, в конечном итоге, гибель.

— Все, что говоришь, — возразил я, — лишь на первый взгляд выглядит верным и убедительным...

— А ты опровергни, докажи обратное, — резко обернулся ко мне Антон.

— Мне лень, — отмахнулся я. — Спать хочу.

— Ну и спи. Кто тебе мешает? Я с барышней поговорю. Она умница, умеет слушать. Не правда ли? Можно вам, Майра, задать вопрос? Вы любите негров?

— Что значит — люблю? — настороженно глянула она на него. — Какой смысл вы вкладываете в слово «люблю»? Люблю ли я спать с черными парнями?

— Нет, нет. Я не о том. Спать — ваше личное дело. Переспать с негром можно и оставаясь расистом. Из элементарного любопытства. Тщательно потом отмывшись в ванне. Я о другом. Ваше отношение к неграм? Положительное или отрицательное? Какие эмоции они у вас вызывают?

— Самые положительные, — вскинула голову Майра. — Среди черных у меня много товарищей.

— Не ответ, — мотнул головой Антон. — В Москве, я помню, самые отъявленные антисемиты, если их начинали уличать в этом грехе, непременно ссылались на то, что в их кругу, среди их близких друзей есть евреи. Я ведь вот что хочу узнать. Для вас приемлемо жить в окружении черных? Вы бы вышли замуж за негра?

— Да! — твердо сказала Майра. — Для меня в этом нет проблемы. Но Бог ты мой! Вы же расист! Вы, русский, коммунист...

— Бывший, — с улыбкой поправил Антон. — И полагаю, вы снова не проявили проницательности. Никакой я не расист. Мне негры сами по себе попросту безразличны. Мне не дает покоя совсем иное, но тоже связанное с ними. Отношение белой Америки к своим черным согражданам. Белые в своем мазохизме дошли до неприличия. Носятся со своим чувством вины перед черными, как с краденым арбузом. Виновато заглядывают им в глаза. Предупредительно, чуть ли не заискивающе улыбаются им. Сюсюкают с ними, как с младенцами. Осыпают подачками. Частными и государственными. И вконец развратили этот прежде спокойный и работящий народ. Негры стали люмпенами, живущими на милостыню. Наркоманами и ворами. Они стали грабить покорных, как овцы, белых. И убивать, не обременяя себя угрызениями совести. Они сделались бедствием для этой страны.

— Неверно! — закричала Майра. — Врете вы все! Или ничего не поняли в наших делах! Да! Белая Америка виновата перед черными. За то, что в цепях привезла их из Африки невольниками на хлопковые плантации. За то, что обращалась с ними хуже, чем со скотом. И их потом и кровью, на их костях построила свое благополучие. Благополучие для белых. Оставив черных и после формального освобождения от рабства на самом низу социальной лестницы. Без образования. Без средств. Без собственности. Лишь как резерв дешевой рабочей силы. Вы можете это опровергнуть? Так чего же удивляетесь, что в их среде столько наркоманов и уголовников? Отчаяние движет этой массой. Реванш за несколько веков угнетения и страданий.

— Стоп! — повелительно взмахнул рукой Антон, чтоб унять темпераментную речь Майры. — Вот оно верное слово. Реванш! Негры, получив свободу и равные с другими права, берут реванш! Но какой? Не в соревновании... при предоставленных им равных возможностях. А разбоем! Ненавистью!

— Потому что у них нет этих равных возможностей! Им родители ничего не оставили в наследство! Ни жирных счетов в банке, ни собственной земли, ни коттеджей. А лишь грязное, вонючее гетто — Гарлем. Как они могут соревноваться с белыми? Какое же это состязание на равных? Отсюда грабеж — как единственная форма справедливого перераспределения собственности.

— А каково ваше мнение, маэстро? — явно рассчитывая на поддержку, обратился Антон ко мне.

— Мое мнение не вполне компетентно,— сказал я.— Что я знаю об этой стране? То, что в газетах читаю, и то, что вижу своими глазами. И мой небогатый опыт упорно твердит мне, это — прекрасная страна, лучшая из всего, что создало человечество на Земле. Но и на солнце есть пятна. Одно из таких пятен — черная проблема. В одном я согласен с Антоном: черные — беда Америки. Но я не разделяю его опасений — белая Америка справится с ними, поставит на место.

— Теперь мне ясно, в чем и почему вы с Антоном проявляете такое единодушие, — вскочила с ковра Майра. — Вы оба фашисты. Самые ординарные. Без хитрого камуфляжа. Отличает вас лишь степень пессимизма. Антон оплакивает безвозвратно ушедшую Америку плантаторов и гангстеров, а вы, мой друг, упрямо хотите верить, что не все еще потеряно. В этом смысле дальновиднее ваш бывший коллега. Он воет от бессилия повернуть историю вспять, но не прячет голову в песок, а вы уподобляетесь страусу, и глядеть на вас без смеха невозможно. А вообще-то вы мне оба противны. Я бы с радостью ушла ночевать куда-нибудь, чтоб не делить кров с такими монстрами.

— Есть выход, — сказал Антон. — Выпить еще.

— Эй, эй, — встревожился я. — Тебе хватит. Да и Майре не пошло на пользу выпитое.

— Ты-то как знаешь? — вдруг накинулась Майра на меня. — На пользу мне или не на пользу? Почему за меня решаешь? По какому праву? Если я тебя по явной неразборчивости допустила до своего тела, это еще совершенно не значит, что тебе позволено совать нос в мою душу. Налейте мне, Тони! Плевать на него!

Он налил в ее бокал вина из бутылки, потом себе водки и обернулся ко мне.

— А тебе чего? Водки или вина?

— Идите вы оба к черту! — огрызнулся я. — Скоро станете блевать на брудершафт.

— Фуй! — укорил меня Антон. — Неэстетично, маэстро. Побойтесь Бога. Мы ведь не только пьем, но и закусываем. Ваш текст отнюдь не способствует нормальному пищеварению

— Прошу прощения.

Майра не удостоила меня взгляда.

— Продолжайте, Тони, — обратилась она к Антону. — Ведь вы еще не до конца изложили свои взгляды?

— Что ж, продолжу, — снова встал в позу пророка Антон, раскачивая рукой с пустым бокалом. — С вашего позволения. В своих взаимоотношениях с черными белая Америка сама себя поставила в неравное положение. Судите сами. Ни у кого не вызывают осуждения такие негритянские организации, как, скажем, «Сила черных» или «Черное — это прекрасно». Абсолютно расистские объединения, недвусмысленно утверждающие преимущество черной расы над белой. И это в порядке вещей. Чернокожие глашатаи таких, с позволения сказать, теорий беспрепятственно живописуют их с экранов телевизоров миллионам зрителей, срывают аплодисменты на многолюдных митингах. Недурно? Не правда ли? А теперь повернем все на 180 градусов. Предположим, я или вы, прелестная Майра, вздумали бы провозгласить похожие лозунги, типа «Сила белых» или «Белое — это прекрасно», и что бы, по-вашему, сделала с нами либеральная, прогрессивная Америка? Нас бы затоптали в грязь. Заклеймили всеми позорными кличками. К телевидению на выстрел бы не подпустили. И даже наши недавние знакомые стали бы сторониться нас, как прокаженных. И весь этот вой подняли бы не черные, а белые. Исключительно они. Демонстрируя всем и себе, в первую очередь, свою жуткую прогрессивность. Которая куда больше смахивает на уничижительную эйфорию.

А теперь другая сторона проблемы. Как ни крути, в какие перья ни рядись, белые не любят черных. А в последнее время и откровенно побаиваются. В стаде моих слушателей в этой школе, где я имею честь преподавать, подавляющее большинство белые балбесы из разных штатов и разных сословий. Так сказать, представлена вся Америка — и географически и социально. И, как и подобает в наши дни, они все прогрессивны настолько, что презирать свою страну среди этих будущих защитников отечества стало так же модно, как среди нечесанных хиппи. Так вот, я провел над ними любопытное наблюдение. Проследил, как они реагируют на передаваемые по телевизору боксерские матчи, когда на ринге обмениваются ударами черный и белый спортсмены. Как правило, все белые болеют за белого и желают ему победы. Даже в международных матчах, где на карту поставлен национальный престиж, американский белый желает победы не своему черному соотечественнику, а его белому противнику из какой-нибудь захудалой европейской страны.

Так что вся эта прогрессивность, вся эта истерическая любовь белых к своим страждущим черным братьям есть не что иное, как показуха, модное поветрие, комплексный вой мятущихся, потерявших ориентиры душ. Это временное поветрие. Но чреватое тяжелыми последствиями, ибо, с одной стороны, демобилизовало, разоружило белых, а с другой — взрастило, вскормило лютого врага, распоясавшегося в своей безнаказанности до крайнего предела. Когда же наступит похмелье после прогрессивного загула, исправить все просто так, уговорами да увещеваниями, не удастся. Прольется кровь. И обильная. Какой изнеженная Америка еще не знала.

Он умолк. И никто не произнес ни слова. Повисла гнетущая тишина, подчеркнутая приглушенным ворчанием океана за стенами дома.

— Вы меня напугали, — тихо протянула Майра. — Я с вами ни в чем не согласна... Но мне страшно.

— Ну, тогда я вас постараюсь рассмешить, — осклабился Антон, наливая водки в свой бокал. — Вот выпью... и рассмешу.

Он выпил, вытер рот с бородой тыльной стороной руки и, снова не закусив, сказал:

— Помните, несколько лет тому назад в Нью-Йорке случилось событие, окрещенное газетами таким нейтральным английским словечком «блэкаут». В многомиллионном городе вдруг выключилась намертво электрическая сеть. Весь Нью-Йорк погрузился в непроглядную тьму на много часов, пока искали причину аварии и старались ее устранить. Всем известно, что произошло в богоспасаемом прогрессивном городе Нью-Йорке. Оплаканный и заласканный либералами всех мастей черный Гарлем вышел на погруженные во тьму улицы и деловито стал вышибать витрины магазинов и тащить оттуда все, что попадало под руку. Начался форменный погром. Черный Нью-Йорк, как по сигналу, вцепился в глотку белому Нью-Йорку. И нью-йоркской полиции, чрезмерно кастрированной либерализмом, пришлось схватить и бросить за решетку три тысячи «несчастненьких» бандитов и таким путем предотвратить назревавшее кровопролитие. Ущерб, нанесенный городу в одну ночь, достиг чуть ли не миллиарда долларов. Эту сумму пострадавшим от погрома никто не возместил. Ни негры, орудовавшие дубинками, ни забившиеся от страха под кровати либералы. Вот она, дань моде — миллиард долларов. И ночь животного страха.

Но не об этом хотел я вам поведать и насмешить. Это присказка. И ничего в ней смешного не наблюдается. Но юмор, на мой взгляд, все же был.

Мы тут, когда обсуждали нью-йоркские страсти-мордасти, высказывали предположения по части технических последствий «блэкаута». Сколько людей застряло в лифтах между этажами, как потекли, разморозившись, продукты в холодильниках. Какая духота объяла обитателей квартир с замершими кондиционерами. И какой многоголосый вопль издали одновременно тысячи нью-йоркских женщин, в ляжках которых замерли электрические вибраторы в самый сладкий миг, накануне оргазма. Сотни тысяч неудовлетворенных и посему разъяренных тигриц! Вот кто мог разнести город вдребезги! Похлеще черного Гарлема! Картина, достойная пера современного Апулея!

— Вы жуткий тип! — не без кокетства отмахнулась от него Майра. — Чем уж эти жалкие вибраторы вам стали поперек горла? Уверяю вас, не от хорошей жизни женщины прибегают к их помощи.

— Вот! Вот! — завопил Антон, тыча указательным пальцем чуть ли не в лицо ей. — Не от хорошей жизни, говорите? Но как же вы умудрились самый высокий в мире жизненный стандарт довести до такого нравственного состояния, чтоб свою импотентность объяснять и оправдывать нехорошей жизнью?

В России, на моей несчастной и в то же время прекрасной родине, злой гений коммунизма завалил страну самыми сложными баллистическими ракетами с ядерными боеголовками, затопил ее по макушку водкой, но не может обеспечить население элементарной электробритвой или холодильником, не говоря уже о хлебе или мясе; русские женщины понятия не имеют о вибраторе. И не только потому, что промышленность еще не освоила этот простой, как амеба, электроприбор. И даже не потому, что механический онанизм противоречит социалистической нравственности.

Русским женщинам, сексуальней которых нет в мире — и я это понял, к сожалению, поздно, когда навсегда покинул

Россию, — вот этим самым женщинам, работающим как лошади и простаивающим часами в очередях в полупустых магазинах, чтобы достать хоть что-нибудь поприличней и натянуть это на свое тело, им вибратор попросту не нужен. И уверяю вас, не потому, что головы их отягощены другими заботами.

Они, в отличие от американок, еще не износились сексуально. Их женское естество еще не притупилось и сохраняет пленительную свежесть первозданности. Их мозг, их нервная система не подверглись анестезии порнографической литературой и фильмами, и посему они любят мужчину еще по-первобытному, так сказать, примитивно, с болью, страданиями, отдаваясь до конца, самозабвенно и испытывая при этом несказанную радость и наслаждение.

К чему им вибратор? Да одна мысль о нем оскорбила бы их женственность. Я никогда не слышал от русской женщины в постели словоблудных разговоров об оргазме, она никогда не выражает своих опасений, достигнет ли она его, желанного, или нет. Потому что оргазм для нормальной, здоровой женщины естествен, как дыхание. Он наступает сам, без понуканий и заклинаний.

Женщины, которых я знал в моей молодости, могли кончить, танцуя, задолго до постели, поникнув в нежной истоме на моем плече.

— Он не врет? — резко повернулась ко мне Майра. — И вы знали таких женщин в России?

Мне ничего не оставалось, как кивнуть.

— Не верю обоим. Ностальгические сказки. Круговая порука самцов-националистов.

— Прелестно, дитя мое! — в восторге воздел руки к потолку Антон. — Самец-националист! Вы, ангел, нашли изумительное определение. Его можно вставить в словарь современной абракадабры вслед за не менее чудным словечком — национал-социалист.

— Я не понимаю, что тебя обидело? — с невинным видом спросил я Майру. — Антон противопоставил русских женщин разлагающейся, по твоему же убеждению, Америке и отдал свое предпочтение первым. Я был уверен, что это обрадует тебя.

— Речь сейчас идет не о политических взглядах, — резко сказала Майра. — А о сексе. И о женщинах. Я — американка и женщина и не позволю вам вешать всех собак на моих соотечественниц. Уж их-то, американских женщин, я знаю лучше, чем вы.

— Не уверен, — замотал головой Антон. — Только, пожалуй, если вы... лесбиянка.

— Допустим, — без паузы выпалила Майра.

— О! — Антон комично скривил губы в гримасе удивления. — Это некоторым образом меняет дело, но не настолько, чтоб отдать вам в руки полный приоритет в данном вопросе. Я — не гомосексуалист и поэтому имею какое-то представление об американских женщинах. Прожив в этой стране почти столько лет, сколько вам, дитя мое, от роду. Ну немного меньше Плюс-минус десять лет дела не меняет. Я, прелесть моя, ни в коем случае не хочу оскорбить американских женщин. Тем более, зная их чрезмерную чувствительность в этом вопросе. Наоборот. Я хочу выразить мое глубокое соболезнование им. Я ношу по ним, беднягам, траур.

— Только без клоунады, — нахмурилась Майра.

— Я не паясничаю, — добродушно возразил Антон. — Я плачу. Скупыми мужскими слезами. Возможно, от моей слезы несет алкоголем, но это искренняя слеза. Поверьте мне.

Американские женщины стали жертвами упадка Римской империи — сиречь Америки. И они, как ничто иное, иллюстрируют этот крах массовым неврозом, потерей натурального вкуса, жадной, безотчетной погоней за наслаждениями, обманчивыми, пустыми и выпотрошенными, от которых ни радости, ни удовлетворения.

Когда-нибудь, если на руинах этой империи возникнет что-нибудь живое, в тамошнем историческом музее, в отделе нашего с вами времени, будет выставлен, как главный экспонат, символ крушения американского образа жизни — маленький электрический вибратор. Поверьте мне. Я не преувеличиваю. Так и будет.

В современной Америке сформировалось поколение психопаток и онанисток, женщин, обворовавших самих себя в своем стремлении уйти из-под власти мужчин. Ушли. С презрением отвергли мужчин. Горячему трепету живого, полнокровного члена предпочли мертвый, холодный пластик, страстному дурману шепота мужских губ — бездушное жужжание электрического двигателя. И я их в какой-то мере понимаю Американские мужчины, выпотрошенные погоней за деньгами, несомненно, толкнули своих женщин к вибратору А уж вибратор, в свою очередь, опустошил их, наложил привкус синтетики на такой нежный и естественный акт, как совокупление. В целом же произошла необратимая деградация всего общества.

Он склонился к Майре и ласково заглянул ей в глаза:

— Ну что, дитя мое?. Нагнал на вас тоску старый и пьяный дурак? Возможно, я и сгустил краски. Но в целом, поверьте мне, это сущая правда.

— Тошно мне, — сказала Майра. — Хочется на воздух.

— Уж этого-то добра у нас навалом. Милости просим! Природа почти в первозданном виде. Пошли к океану!

— Поздно, — возразил я.

— Ложитесь спать, — пожала плечами Майра. — Мы пойдем с Тони.

— Он ревнив. Я его знаю, — погрозил мне пальцем Антон. — Пойдет за нами как миленький. И правильно сделает. А то ведь умыкну девицу, невзирая на дружбу. Будем купаться, друзья мои! А? При луне! В Тихом океане. Жить так жить!

— Я не полезу в воду, — сказала Майра. — У меня нет с собой купального костюма.

— На кой черт вам купальник? — взревел Антон. — Нагишом! В натуральном виде! Что может быть прекрасней!

— Красота-то какая! — вырвалось у Майры, когда мы вышли вслед за Антоном из дома. И я замер при виде открывшегося зрелища.

Над океаном висела полная луна. Все вокруг было мягко освещено ее неживым, как бы искусственным светом, что придавало ландшафту сходство с театральной декорацией. Хвойный лес с корявыми гнутыми стволами и срезанными сверху и обращенными в сторону материка вершинами походил на собственную фотографию во время шторма, застыв будто навечно. Не было ни ветерка. Песчаные дюны золотились в лунном сиянии. За ними чернели обломки разрушенных прибоем скал. В них и сейчас с шумом пенился океан, окаймляя линию берега белой кружевной оторочкой. Дальше была холодная темень, и зыбкая лунная дорожка убегала к горизонту и таяла там. Вздохи океана прорезали скрипучие крики невидимых тюленей, как и мы, полуночников.

Мы разулись и оставили обувь у порога. Песок был сухой и холодный. Ноги по щиколотку вязли в нем. Антон шел первым, мы за ним. Сзади нас светились лишь окна в доме Антона: мы не выключили свет. В остальных домах среди старых изогнутых сосен было темно — Монтерей спал.

— В каком прелестном месте вы живете! — воскликнула Майра. — Умеете устраиваться.

— Умею, — буркнул, не оборачиваясь, Антон. — Шесть лет назад, когда я здесь поселился, этот дом можно было купить за гроши. А я, дурья голова, не купил, а взял в аренду. Теперь его цена втрое подскочила, я плачу хозяевам половину того, что получаю. Будь я умнее, мог бы эти денежки спокойно пропивать.

— Вы и так себя не обижаете, — уколола его Майра.

— Эх, девушка, разве я пью? Только вот за компанию. Много ли выпьешь один... в пустом доме?

— Кто вам мешает жениться?

— А кто за меня пойдет? Вот вы... разве согласитесь?

— Я? При чем тут я? Сомневаюсь, подошла ли бы я вам.

— Почему нет? Пьете вы легко. А в браке что важно? Родство душ. Так сказать, не просто жена, а компаньон, — расхохотался Антон, и тюлени ответили ему скрипучими криками, словно приветствуя своего давнего соседа.

Мы уже добрались до камней, и вода шумела, взбивая пену, под нашими ногами. Брызги обжигали холодом.

Отсюда можно было разглядеть в воде черные маслянистые тела тюленей — морских львов. Они лоснились жирным отблеском, играя в черной воде и издавая радостные крики, как расшалившиеся дети. Один лежал в воде, как в постели, на спине и похлопывал себя ластами по груди, точно прилегший отдохнуть человек, довольный собой и всем миром. Тюлени гомонили наперебой.

— Вот они, мои собеседники, — воскликнул Антон. — Что ни скажешь, принимают к сведению... без спора. Погодите, ребятишки, сейчас я к вам нырну. Потолкуем по душам.

— Простудитесь, Тони, — попробовала остановить его Майра.

— Я простужусь? Плохо вы знаете русских людей. Мы — северяне. Привычны к холоду. Это вы тут все неженки. Даже днем, под горячим солнцем, мои балбесы — солдаты не отваживаются сунуть ногу в Тихий океан. Вон там, на той стороне океана, — Россия-матушка. Моя холодная родина омывается той же водой. Эге-ге-ге-гей! — закричал он, уже раздевшись догола и сложив у рта руки рупором. Его длинная, костлявая спина белела под луной. — Эй, Русь! Слышишь меня? Это я! Твой блудный сын! Рыдаю в тоске на чужом берегу!

Он воздел руки над головой и, задрав бороду к луне, двинулся к пенной воде, зябко белея долговязым телом. С плеском ухнул, скрылся в пене. Потом его голова выскочила, как мяч, на лунной дорожке и, скользнув в сторону, слилась с темной водой.

Тюлени загалдели пуще прежнего. Должно быть, обсуждая между собой появление незваного гостя. Мы с Майрой сидели на холодном камне, потирая руками зябнувшие ноги, и смотрели на темный океан, туда, где растворилась, исчезла лохматая голова нашего друга.

— Есть такая русская поговорка, — сказал я. — Пьяному море по колено.

— Он может утонуть.

— Вполне.

Майра искоса глянула на меня.

— Тебя это не тревожит?

— Не знаю. Я уже свое отволновался. Теперь отдыхаю.

— И даже я?

— Ты, пожалуй, меня еще волнуешь. Единственная. — И я обнял ее за плечи.

— Не верю я тебе, — поежилась она. — Пустые слова. Лучше уж молчать.

— Словами мне тебе ничего не доказать. Вот вернемся в дом и ляжем в постель. Там и убедишься.

— В чем?

— Ну, хотя бы в том, что живое тело предпочтительнее вибратора.

— У меня на этот счет никогда не было двух мнений. Только живое мясо.

— Умница! За то и ценим.

— Долго ли? До Нью-Йорка? Пока не встретишь своих, русских. Их в Нью-Йорке полно.

— Никого я, Майра, не встречу. Никто меня не ждет.

— Ты же такой общительный.

— Возможно, и по этой причине. Из-за излишней общительности. Не здесь, а в Москве.

— Ох, какая печаль в твоих глазах! Тебе больно вспоминать?

— Я скоро умру, Майра.

— Совсем раскис. Вот не ожидала.

— Моя смерть сидит во мне. И ждет своего часа

— Ну и открытие! Каждый носит в себе свою смерть. Мы рождаемся, уже приговоренными к смерти.

— Но моя смерть вещественная, ее можно увидеть на рентгене.

— Что у тебя? Рак?

— Нет, кусок железа. Сидит в сердце. Тихо сидит. Как потухший вулкан. Пока не оживет, не зашевелится. Тогда — конец. Удалить его из сердца хирурги не решились. Вот и торчит занозой с самой войны.

Я посмотрел в ее глаза, выражавшие искреннее сочувствие, и улыбнулся, чтоб рассеять ее грусть.

— Заодно я тебе и выдал свой секрет, упомянув войну. Ты можешь определить, как я стар.

— Ты славный, ты хороший, — она ласково потерлась носом о мою щеку. — Ты долго проживешь.

— Твоими молитвами.

— Я молиться не умею. А жаль. Я бы, действительно, попросила бы Бога за тебя.

Она притянула мою голову к себе, запустила пальцы в мои волосы, и мы какое-то время сидели молча и смотрели на океан и на луну, повисшую над ним.

— Скажи, Олег, — тихо спросила Майра, — ты разделяешь мнение Тони об американских женщинах?

— Мне трудно судить. Опыт ограничен. Если уж всерьез то ты у меня первая американка.

— И никто до меня?

— Это не в счет.

— Приятно слышать. Ты, возможно, удивишься, если я скажу, что в основном согласна с Тони. К великому моему сожалению, он прав. Вибратор и в самом деле стал зловещим символом распада американского общества. И скоро это поймут не только Тони и я. Но уже будет поздно. Как ты считаешь?

— Поздно не бывает в этом деле. Природа умна и практична. Что-нибудь придумает. Убережет мир и на сей раз.

— А вот Тони ни во что не верит. Как можно так жить?

— Он пьян. И немного фразер. Наговорил лишнего

— Он беспринципен. И в трезвом виде такой же? Прокли нает Америку, а свои знания отдает солдатам Обожает Россию, а учит ее врагов русскому языку, чтоб им удобнее было расправиться с ней.

— Человеку надо есть. Слава Богу, он не попрошайничает, а своим трудом добывает кусок хлеба.

— Я бы предпочла кормиться милостыней.

— Ты бы? Не знаю, как бы ты запела, если бы пришлось стоять с протянутой рукой... Но не об этом речь. Антон любит Россию. Болезненно любит. Но не любит коммунистов. Он работает против них, а не против России.

— Когда наученные им молодчики будут стрелять в коммунистов, умирать-то будут русские.

— Не без этого. На то и война. Не игра в бирюльки. Но я не предполагаю войны в обозримом будущем. Непрочный мир продержится долго. На наш век хватит. Знаешь, как мне видится нынешнее взаимоотношение сил? С позиции слабости. Мир сохраняется не потому, что сверхдержавы так уж крепки, а, наоборот, из-за их слабости. Стоят три колосса, три гиганта — Россия, Америка и Китай, стоят на глиняных ногах. У каждого своя слабость, свой изъян. Вот они и стоят, привалившись друг к другу, чтобы не упасть. Только так и умудряются выстоять. А разъедини их, закачаются и рухнут.

— О чем это вы спорите? — над моим ухом спросил Антон. Мы и не заметили, как он выбрался из воды и совсем голый, не прикрывшись и рукой, неслышно подобрался к нам по камням и отряхнулся всем телом, рассеивая брызги, как это делает собака, вылезши на сушу. Майра повернулась к нему спиной

— Небось мне косточки перемываете? — оскалил он длинные желтые зубы, дрожа от холода.

— Угадал. Вот она никак не возьмет в толк, как ты умудряешься и ненавидеть Америку, и готовить к войне ее солдат.

— Чушь! — запрыгал он на одной ноге, стараясь другой угодить в штанину. — Во-первых, абсолютно неверно, что я ненавижу Америку. Я ее жалею. И оплакиваю. А что касается моей работы, то ведь это чистейшей воды блеф. Все стадо моих учеников — совершеннейшие симулянты, за казенный счет прохлаждаются на моих уроках, вместо того чтоб учиться какому-нибудь военному ремеслу. Никаких знаний им не нужно. От их медных лбов все отскакивает, как от стенки горох. Я это вижу и тоже забавляюсь, несу на уроках всякий вздор, болтаю, что на ум взбредет И мне за это платят вполне прилично. Хватит, чтоб спиться окончательно. Так что все логично, все вполне объяснимо. И я, и мои солдаты-ученики — еще одна стайка жучков-короедов, впившихся в благодушное тело Америки и понемногу выпивающих из нее соки. А теперь, мадемуазель, можете повернуться. Я прикрыл срам. Бежим домой. Затопим камин. Я совсем продрог.

Камин растопили старыми газетами. Но дров в доме не оказалось. Антон извинился, признав, что он впервые за все лето разжигает огонь в камине и потому не запасся дровами. Их на берегу сколько угодно. Плавник, выброшенный океаном и иссохший под солнцем и ветрами. Но теперь пойти его собирать лень. Да и нужно рубить на мелкие куски. Потеря времени. А душа жаждет выпить. Антон продрог, купаясь, и хмель заметно выветрился из его мокрой, нечесаной головы.

Он нашел решение проблемы. Мы не успели его остановить. Одним ударом об пол он расколол на мелкие обломки стул с гнутыми ножками, сгреб с ковра в кучу и высыпал в еще тлевший камин.

— Распутин! — пришла в восторг Майра.

Огонь занялся с новой силой — ярко вспыхнула красная материя обивки стула.

— Хватит до утра. Есть еще пять стульев, — успокоил нас Антон и захлопотал насчет выпивки. И в этом деле возникло непредвиденное затруднение. В полугаллонной бутыли водки оставалось на самом дне. Он порылся в холодильнике, лазил в кухонный шкаф над плитой. Даже палкой пошарил под диваном. Ничего не нашел.

Но это не обескуражило Антона.

— Голь на выдумки хитра, — выразительно постучал он себя по лбу. — Тем более русская. Вся жизнь которой — поиски выхода из безвыходного положения.

Он бережно слил остатки водки в большую керамическую кружку, вынул из холодильника банку с пивом, со скрежетом вырвал в ней кольцо и направил коричневую струю туда же, к водке.

— У нас в России это называется «ерш». Есть такая рыба, ерш, — пояснил он Майре. — В студенческие годы, когда в карманах ветер свистел, а выпить отчаянно хотелось, мы смешивали сто граммов водки с большой кружкой пива и этой гремучей смесью упивались втроем. Валились с копыт коллективно. Молодо-зелено. Теперь для меня такая доза — комариный укус.

Он, не отрываясь, на одном дыхании выцедил все из кружки, перевернул ее кверху дном и понес к столу, но промазал и уронил на пол. На наших глазах он быстро впадал в состояние глубокого опьянения. Глаза помутнели, язык стал заплетаться. Он уже еле стоял на ногах.

Я подхватил его под мышки и поволок в спальню. Там он рухнул на неубранную смятую постель, не сняв сырой одежды, и тут же издал свистящий храп. Я не стал его раздевать. Лишь стащил обувь с ног и накрыл до шеи одеялом.

На голой стене над деревянным изголовьем кровати сиротливо висела одна-единственная фотография в картонной рамке — портрет молодой и красивой женщины с большими, удивленными глазами. Лицо это показалось мне знакомым. И я вспомнил эту женщину, когда прочитал косую надпись по-русски в нижнем углу портрета. «Антоше от Лены с любовью. Москва. 1961 г.»

Боже, как давно это было! Конечно, я видел ее, эту Лену. Щеголеватый, изящный Антон в один из своих заездов в Москву из-за границы несколько раз появлялся с ней в редакции. И наши жеребцы, холостые и женатые, пялились на нее во все глаза, не в силах скрыть зависть к своему удачливому коллеге.

Это лицо и в особенности имя напомнили мне золотое время, когда я был влюблен без ума и счастлив, как никогда в жизни. Каких-то десять дней. Но они стоили целых лет. И мною вдруг овладела жуткая обида. Даже защипало в глазах. И струхнув, что еще чего доброго зареву и Майра это определит по моим мокрым глазам, быстро покинул спальню.

Мои опасения, что Майра что-нибудь заметит, оказались напрасными. Она сладко и безмятежно спала, растянувшись на ковре прямо перед камином, разомлев от тепла, исходившего от догоравших обломков стула. Одна ладонь под щекой, другая рука обхватила грудь. Босые ноги с налипшим песком свободно раскинуты, обнажившись выше колен. Я только поправил на ней юбку и, прихватив с дивана вялую подушечку, осторожно подсунул ее под голову. Решил не тревожить ее Пусть спит, пока сама не проснется, тогда ее будет ждать согретое место рядом со мной.

Я развернул диван и приготовил двуспальную постель, достав из шкафа белье и подушки. Потом выключил свет и тоже уснул под мерный рокот океана и хриплую перекличку морских львов.

Еще не проснувшись окончательно, лежа с закрытыми глазами в уже залитой утренним светом гостиной, я сначала слухом ощутил рядом ровное дыхание, потом рукой теплое, мягкое тело. Майра спала со мной под одной простыней, совсем голой. Должно быть, очнулась на ковре среди ночи, когда погас камин, и, быстренько раздевшись, осторожно забралась ко мне. Я открыл глаза и залюбовался ее прикрытым веком с проступающими голубыми прожилками, воткнувшимся в подушку острым носом с резко очерченной ноздрей, расслабленными мягкими губами открытого во сне рта. Мною овладело острое желание. Мне захотелось овладеть ею вот такой, без блудливой ухмылки, а невинно, по-детски почмокивающей губами. Сонной, теплой.

Оглянувшись на дверь спальни и убедившись, что она закрыта, я обнял Майру, мягким движением повернул ее на спину. Она податливо и безвольно уступала моему нажиму. Под простыней мои трепещущие от давно не испытываемого возбуждения пальцы скользнули по ее выпуклому, гладкому животу, коснулись волос, спустились ниже по их мягкой кудрявости. Она не открывала глаз и продолжала дышать ровно, как во сне. Но ноги сами стали раздвигаться ленивыми, медленными движениями. Я встал между ними на колени, взгорбив над головой простыню, и рассеянный свет, проникавший сквозь неплотную ткань, ложился на ее лицо, делая его еще невинней и желанней.

Это было сказочным наслаждением. Мне чудилось, что она, так и не открыв глаз, всосала меня всего в себя, без остатка. А я был возбужден до предела, и мне казалось, что еще один нажим и я выверну ее наизнанку, пригвозжу намертво к матрацу. Она сладко стонала, кусая губы, и я, чего давно за собой не припомню, тоже издавал нечленораздельные звуки чуть ли не выл от невыносимой сладости Мы кончили вместе, и я, совершенно выдохшийся и до звона пустой, рухнул на ее опавшее, но все еще тугое, гладкое тело и замер недвижим между ее поднятых колен. Простыня сбилась в сторону. Мы были обнажены и освещены хлынувшим в окна солнцем

— Браво! Брависсимо! Зрелище, достойное богов!

В дверях спальни стоял, упираясь нечесаной головой в притолоку, Антон и, скалясь из гущи бороды, наотмашь хлопал ладонями, изображая аплодисменты

Единственное, что я мог сделать, это потянуть на нас обоих простыню.

— Дети мои, это было прекрасно! Вы — пара! Атланты! Кентавры! Будь я скульптор, я бы изваял вас в мраморе. Нет, в граните!

— Уймитесь, словоблуд, — зло оборвала его Майра, выбираясь из-под простыни, и, не прикрывая наготы, прошлась по ковру в поисках своей раскиданной одежды, демонстративно не обращая внимания на Антона, точно его не было в комнате.

— Сейчас покормлю вас, ребятки, — засуетился Антон, явно смущенный реакцией Майры. — Надо ведь еще и опохмелиться. А то как же выходит: пили, пили всю ночь, а назавтра забыли похмелиться. Непорядок. Так в приличных домах не поступают.

— Мы уезжаем, — сказала Майра. — Олег, сегодня ты за рулем.

Потом Майра все же смягчилась и согласилась перекусить перед дорогой. От услуг Антона она с непонятной брезгливостью отказалась и сама занялась плитой. Антон стал суетливо таскать из холодильника что под руку попадется, уронил на пол и разбил неполную дюжину яиц в картонной упаковке.

— Уйдите! Вы мне мешаете! — прогнала его Майра.

— Ухожу. Исчезаю. Вы — женщина, и вам карты в руки. А я только прихвачу с собой недопитое вами вино. Можно? Душа изнемогает. И испаряюсь!

Он зажал под мышкой бутыль с вином, сгреб два стакана и, кивнув мне, вышел из дома.

Было прохладно и солнечно. Океан ворчал у береговых камней и искрился, сиял покойной гладью до самого горизонта, терявшегося в легкой дымке. Океан оправдывал свое название — Тихий. На черных камнях, лоснясь черными жирными телами, грелись тюлени...

Мы выпили по стакану вина, и Антон долго и не скрывая иронии во взгляде, смотрел на меня.

— А вы болтушка, доктор

— На чем ты меня уличил, профессор?

— Наболтал девице невесть что о моих мужских достоинствах... и мне пришлось стараться изо всех сил, чтоб не уронить твой престиж в ее глазах.

— Ты хочешь сказать... она ночью к тебе пришла?

— Совершенно справедливо, мой друг. Именно об этом

я и хотел поставить тебя в известность. Во избежание недоразумений.

— И ты...

— Да. Я джентльмен до мозга костей и отказывать даме не в моих правилах.

— Ну и блядища! — ахнул я.

— Нисколько, — замотал головой Антон. — Типичная американка.

— Она-то тебе хоть понравилась? — сам не знаю почему, поинтересовался я.

— А вот в такие подробности джентльмен не вдается... даже с самым близким другом.

Я вернулся в дом мрачный, как туча, и жевал завтрак, не поднимая глаз от тарелки. Мы завтракали вдвоем с Майрой. Антон не стал есть. И, сказав, что обернется в десять минут, умчался на большой скорости за водкой на своем старом, потрепанном джипе.

— Хорошо бы уехать, пока он не вернулся, — подняла на меня глаза Майра.

— Чем он тебе не угодил? — мрачно спросил я.

— Надоел. Насытилась впечатлениями. С избытком.

Я не ответил.

Тягостное молчание длилось с минуту, если не больше. Первой не выдержала Майра.

— Чем-то недовольны, сэр?

— Нет. Абсолютно всем доволен. Пребываю в телячьем восторге.

— Что означает этот тон? Как это расценить?

— А как расценить ваше поведение...мадам. мадемуазель... как вас называть? Одного мужчины вам мало. Предпочитаете спать с двумя одновременно

— Вы не обидитесь, если я вам скажу, что предпочитаю? Провести ночь с одним, но настоящим мужчиной А ваш друг Тони, кроме того, что импотент, еще и болтлив, как баба

— Так уж и импотент, — обиделся я за Антона.

— Не знаю, как это еще назвать, но все его попытки проявить себя мужчиной завершились конфузом.

— От чрезмерного употребления алкоголя.

— Я думаю, от старости. Износился ваш друг Единственное, что еще умеет, проповедовать свои несвежие теории. А вообще занятная фигура. Но предпочтение я отдаю вам. Вы мне нравитесь. Я вас почти люблю. За это стоит великодушно простить мой грех... Тем более, до греха-то и не дошло. И вам обещаю абсолютную верность на всем пути до Нью-Йорка

— А дальше?

— Не будем загадывать. Надо еще добраться до Нью-Йорка. Там и будем решать

Мы погрузили в «Тойоту» вещи и уже сели в машину, как из-за кривых сосен вынырнул на жуткой скорости джип и, сделав крутой вираж, застыл как вкопанный перед нашим радиатором.

— Что же вы! — вскочил ногами на сиденье джипа разлохмаченный Антон и потряс над головой пузатым полугаллоном водки. — Куда спешите? Зря, что ли, я старался?

— Уезжаем, уезжаем, — замахал я рукой, не вылезая из машины. — Тебя дожидались. Попрощаться.

Антон спрыгнул с джипа и, босой, всклокоченный, зашагал к нам, неся за гнутую стеклянную ручку посудину с водкой

— А это зачем я добыл ни свет ни заря? —,печально спросил он. — Ну, хоть на дорожку... Посошок. Тяпнем по глотку.

Он отвинтил крышку с бутылки и швырнул ее в песок.

— За ваше здоровье, дорогие, — сказал он дрогнувшим голосом. — Пусть вам будет хорошо.

Подняв тяжелую бутыль, он губами припал к ее горлу, и поросший бородой кадык, хлюпая, заходил на его худой, жилистой шее. Наглотавшись водки, пока не задохнулся, он оторвался от бутылки, вытер ладонью рот и протянул мне

— Я за рулем, — отказался я.

— А вы? — глянул он на Майру жалкими глазами побитого пса.

Майра отрицательно мотнула головой

— Не держите обиды на меня. Если что не так, прошу прощения.

Майра выдавила улыбку.

— Я, детка, конченый человек Жить мне осталось, пока в Москве не решат. За мной следом ходит приговор военного трибунала.. вынесенный заочно Смертная казнь через расстрел. Как военнослужащему, изменившему присяге. И приведут этот приговор в исполнение, когда им вздумается Никуда мне от них не укрыться Вот если только удастся обмануть — умереть своей смертью Но они и на том свете не оставят в покое Не прощают даже мертвым. Найдут могилу, разроют и собакам раскидают на съедение.

Так что счастливо вам ехать, и, ради Христа, не гневайтесь на старого человека. В другой раз доведется завернуть в Монтерей, спросите, где Тони? А вам ответят : нету его. Приказал долго жить.

Мы отъехали в гробовом молчании. В зеркало я видел все уменьшающуюся долговязую, сутулую фигуру Антона. Он махал нам на прощанье чем-то нестерпимо поблескивавшим на солнце. Это был полугаллон с водкой в его руке.

Я услышал всхлип и оглянулся на Майру. По ее щеке ползла слеза.

— Мне жалко... — ее плечи вздрогнули от сдерживаемого плача.

— Кого? Его?

— Всех жалко, — кончиком языка слизала она со щеки слезу. — Все несчастное человечество.

Она коснулась ладонью моего бедра, а голову склонила мне на плечо, как бы ища утешения, защиты. И я окончательно оттаял, растрогался.

— Ничего, ничего, — зашептал я ей в ухо, как иногда утешал свою маленькую дочку. — Все будет хорошо. Уверяю тебя. Мир прекрасен и удивителен. Наперекор всему. Смотри, мимо каких красот мы проезжаем! Райские места! Того и гляди из-за дерева выйдут Адам с Евой.

— В таком виде нас сегодня утром застал твой друг, — сквозь слезы улыбнулась Майра.

— Выглянут из-за дерева Адам с Евой, помашут нам фиговыми листочками и скажут «Хай», — продолжал я медоточивым голосом, каким рассказывал сказки своей дочке в Москве

— А чем же они прикроют свой стыд, если станут махать фиговыми листочками? — в тон мне спросила Майра, потирая щеку о мое плечо и заглядывая мне в лицо

— А у них запасные есть. Наши праотцы были запасливыми людьми.

— Мне хочется написать ему письмо.

— Кому? Адаму?

— Твоему другу. Тони.

— Почему бы нет? Напиши. Обрадуешь

— И опустим в первый же почтовый ящик.

Майра тут же написала письмо, примостив блокнот на коленях, языком заклеила конверт и прилепила марку.

Я притормозил возле синего почтового ящика у края дороги. Майра выскочила из машины и опустила письмо. Огляделась с прояснившимся лицом и сказала мне:

— Повернем влево. Видишь указатель? Там рыбачья гавань. Хочется чего-нибудь вкусного.

Старая рыбачья гавань на берегу Монтерейского залива уже давно не соответствовала своему названию, превратившись в аттракцион для туристов. Как и столетней древности корпуса консервных фабрик, описанных жителем этих мест Джоном Стейнбеком в романе «Консервный ряд». В них размещались теперь магазины, ресторанчики и даже карусель.

От рыбачьей гавани остались темные деревянные пирсы, к которым иногда приставали суда с уловом сардин. По изрядно прогнившим толстым доскам гуляла праздная публика, явно заезжая — стада автомобилей дожидались хозяев на стоянках у берега. По краям пирсов громоздились, как скворечники, магазины и лавчонки с местными сувенирами. Но туристов привлекали сюда, в первую очередь, свежая рыба и другие дары моря, многочисленные блюда из которых можно было отведать тут же у прилавков.

Майра и я поели всласть маринованного осьминога, копченых сардинок, жареного морского ерша, запивая пивом из банок. Острые пряные запахи и морской соленый воздух разжигали аппетит. Наевшись до отвала, мы побродили, взявшись за руки, среди туристов, рассматривая сувениры. Потом кормили кусками рыбы тюленей, повадившихся к пирсу за лакомствами и настойчивыми криками требующих у свесившихся через перила туристов подачек. Разрубленную рыбу для кормления тюленей продавали тут же на пирсе.

Майра с увлечением швыряла вниз кусок за куском. Раскормленные тюлени, напоминавшие черных свиней, довольно ловко выпрыгивали из воды, чтоб в воздухе перехватить кусок, толкались и дрались из-за добычи. А над ними с воплями носились горластые, прожорливые чайки, норовя из-под тюленьего носа вырвать и себе пропитание. Насытившиеся тюлени с добродушным похрюкиванием отваливали в сторонку и на потеху публике нежились в воде на спине, похлопывая себя ластами по набитому пузу.

Рыбачья гавань привела нас обоих в отличное расположение духа, как-то смягчила, умиротворила. Майра, словно влюбленная девчонка, не выпускала моей руки из своей и несколько раз повторяла, что она уже не помнит, когда ей было так хорошо, как теперь.

У пирса, на каменистом берегу, где колыхалась зеленая плесень на мелководье, стояла бронзовая фигура женщины с крестом в поднятой руке, обращенным к морю. У ног женщины на верхней плите гранитного постамента лежали ржавый сломанный якорь и наполовину затянутый в донный ил человеческий череп. Тоже отлитые из темной бронзы.

— Святая Розалия, — прочли мы с Майрой на граните. А медная доска пояснила нам, что статую святой Розалии — покровительницы моряков — воздвигли потомки выходцев из Сицилии, некогда обосновавшихся в Монтерее и построивших эту гавань.

У святой Розалии было грубоватое, суровое лицо крестьянки. Такими в Сицилии, вероятно, были жены моряков, в вечном беспокойстве дожидавшиеся своих мужей с моря.

— А ведь что-то в этом есть — глядеть с надеждой в море и ждать возвращения любимого, кормильца, — сказала Майра, щурясь на святую Розалию.— Что-то простое, бесхитростное и великое. Как море. Как жизнь. Нормальные немудреные чувства. Без нынешних комплексов, пустой озабоченности и неврастении. Нарожать кучу детей, которые, выросши, тоже уйдут в море, и ждать, всю жизнь ждать их домой и каждый раз радоваться их счастливому возвращению. И горевать, если море не вернет их. Нормальные радости и страдания. Замкнутый круг своих жизненных интересов. Без радио и телевидения. Без газет. На кой черт мне знать и волноваться, что кому-то худо в Африке, кого-то убивают во Вьетнаме, кто-то дохнет с голоду за тридевять земель. Я завидую тебе, святая Розалия! Твоя жизнь была полнее моей. Ты со мной согласен? — обернулась она ко мне.

Я привлек ее к себе, и она уткнулась мне в грудь, как маленькая девочка. Под моей ладонью шевелились ее лопатки, трогательно-беззащитные, и я почувствовал прилив жгучей нежности к ней.

Монтерей мы покинули окончательно примиренными. И оба не скрывали своей радости по этому поводу. Мы в равной степени изголодались по доброму к себе отношению, по теп-

лому взгляду, ласковому касанию. И боялись неосторожным
словом вспугнуть нарождавшееся чувство.

Калифорнийские дороги, такие же многорядные, как и везде в Америке, отличаются тем, что разделительная полоса —
сплошные заросли цветущих олеандров, и кажется, что мчишь-
ся по оранжерее из красных, розовых, желтых и белых цветов.

Семнадцатая автострада понесла нас в направлении Сан-
Франциско. В отличие от сто первой, по ней было дозволено
движение тяжелых грузовиков. Мы обгоняли серебристые цистерны, длинные, с прицепами кузова, из-за решетчатых боков
которых пучили глаза черно-белые коровы, огромные, в ярких
рекламных надписях холодильники на колесах. А по другой
стороне неслись нам навстречу такие же серебристые мамонты
в многоцветном окружении легковых автомобилей. Кипение
жизни на дорогах казалось мне пульсом полнокровных артерий
страны, и этот пульс выдавал отменное здоровье организма.

Не только на дорогах, но и в небе Америки бьется мощный
пульс. Когда я на самолете подлетал к Лос-Анджелесу, меня
поразила густота движения в воздухе. Десятки авиалайнеров
плыли над нами и под нами. А еще ниже стаей птиц заполони-
ли небо маленькие частные самолеты.

И вот я их вижу на земле. Справа от меня замелькали бесконечными рядами легкие, как стрекозы, частные самолеты
на придорожном аэродроме. Их сотни. Разных типов и размеров. Яркой, праздничной окраски. Потом пошли заводские
корпуса, отсвечивая сталью и стеклом. На первый взгляд совершенно безлюдные, и только тысячи замерших перед ними
автомобилей напоминали, что их владельцы работают за стенами цехов.

Миновали Оклэнд с грузовыми кораблями у причалов в
заливе и влетели в многорядном потоке автомашин на длинный, больше трех миль, железный мост — Бэй бридж. С обеих
сторон моста разворачивалась перед нами панорама глубоко
въевшегося в материк залива, на чьих живописных берегах
один впритык к другому уютно устроились города с общим населением, куда большим, нежели в Сан-Франциско. Вокруг
залива расположилась электронная промышленность Америки. Тут два крупнейших университета — Беркли и Стэнфорд.
Названия многих городов сохранили испанский акцент — Сан
Леандро, Сан Матео, Сан Хозе, Санта Роза, Санта Клара
Сплошные святые, но, чтоб не возникало сомнения, что это

территория Соединенных Штатов, они перемежаются чисто английскими именами — Фримонт, Хэйвард,,Оклэнд.

Гудит под колесами мост, неся на своем горбу тысячи автомобилей. На обоих этажах. Посреди залива он с ходу врезается в маленький холм — островок с чудесным названием Остров Сокровищ, ныряет в туннель и выносится к другому берегу висячими, на толстых тросах, стальными фермами. Оставляет справа в заливе каменистый Алькатраз — знаменитую тюрьму, окруженную со всех сторон водой и теперь уже свободную от каторжников и превращенную в музей, куда на катерах доставляют жаждущих острых ощущений туристов.

С каждым пролетом бесконечного моста на нас наезжает, приближается небоскребами город Сан-Франциско, до удивления похожий отсюда на панораму Манхэттена в конечной цели нашего с Майрой путешествия — в Нью-Йорке. До которого еще тысячи и тысячи миль. Весь американский континент, пересеченный поперек. От берега к берегу. От Тихого океана до океана Атлантического.

ОНА

Я — лесбиянка. И прошу не вскидывать брови и не делать удивленных глаз. Ибо я не совсем уж и лесбиянка. И еще точнее будет — меньше всего лесбиянка. Так, процентов на пять, а то и на три. Спать по-настоящему, до забвения самой себя, почти до потери сознания я предпочитаю с мужчинами. Этими грубыми и самоуверенными животными, выносить которых днем — сплошная мука, но зато ночь приносит полную компенсацию.

Это одна из причин, по которой я и не стремлюсь определиться замуж и предпочитаю ни к чему не обязывающие связи с мужчинами, когда встречаемся большей частью по ночам, берем друг от друга, сколько можем выжать, а днем свободны от всякого контроля. Я принадлежу сама себе, никому не должна давать отчета и, положа руку на сердце, не всегда могу восстановить в памяти лицо ночного партнера. Но я — женщина, и одних оргазмов, сколько бы их ни сотрясало меня за ночь, мне мало. По натуре своей я — ласковый теленок, и потому, что в детстве меня теплом обошли, я теперь испытываю острую и никак не утолимую потребность в нежном ко мне отношении. А этого мужчины, как бы ни старались, дать не могут. Довести до изнеможения, выпотрошить за ночь так, что глаза на лоб лезут, — это они еще умеют. Не все, понятно. А самые сильные из них. Жеребцы. Но напоить лаской и негой мою иссохшую от жажды душу, тронуть, растопить мое сердце, вызвать из глаз моих слезы умиления они не в состоянии.

Только этим я объясняю покорность, с которой уступила мягким, осторожным домоганиям моей подруги Мелиссы. Уступила вначале со страхом и сосущим чувством, что совершаю нечто противоестественное и постыдное, но не уклонилась, не отстранила ее, подгоняемая присущим мне любопытством.

А потом мне это понравилось. Я уже сама с нетерпением ожидала ночи, когда Мелисса, долго и возбуждающе шурша одеждой, разденется донага в своей комнате и, неслышно ступая по ковру, подойдет к моей кровати. Ее трогательные ласки, ее нежность, ее шелестящий, теплый шепот затопили вакуум, пустоту в моей душе, так долго ждавшей, чтоб наполниться до краев.

Для Мелиссы лесбиянство было главным в сексуальной жизни. Мужчинам она уступала неохотно, по необходимости. Нужно ведь иметь кого-нибудь, кто заберет тебя вечерами из дому. В дискотеку. В ресторан. А за это тот, кто вывозит, требует недвусмысленной платы — телом. Мелисса обладала роскошным телом. Не только по мужским понятиям. Но и вызывавшим мой восторг. Белым, молочным. Больших и очень пропорциональных размеров. Один из ее поклонников, подержавший это тело в руках, назвал Мелиссу «молочной коровкой». У нее была мягкая, женственная фигура фермерской дочки, вскормленной натуральной пищей и не отравленной спертым воздухом городов. Некрашеная блондинка цвета зрелой пшеницы, с бесхитростным взглядом глуповатых серых глаз, она привлекала жадные взоры мужчин везде, где появлялась. Я потом поняла, что мужчины отворачивались от своих дам и бросались, едва завидев, на Мелиссу не только из-за ее сексуальной привлекательности, но и безошибочно учуяв в ее покорном взгляде уступчивость, неумение воспротивиться, отказать настойчивым домоганиям.

А была Мелисса совершенно холодной, фригидной женщиной, какими часто оказываются в постели такие аппетитные на вид сдобные блондинки. Мужчинам она уступала безо всякой радости, не испытывая от этого никакого удовлетворения, а лишь брезгливость, как она мне сама признавалась.

Только с женщиной, взвинтив себя до предела продолжительными ласками, она достигала оргазма. Не бурного, вулканического, все затмевающего, как у меня, а тихого и со стороны неприметного, в полном соответствии с ее невспыльчивым, покладистым характером.

Будь я мужчиной, я бы скончалась от тоски, очутившись в постели с Мелиссой. Но мне, женщине, с моей потребностью в ласке, Мелисса была подарком судьбы. Она давала то, что мужчины недодавали, — теплоту. Я бы даже назвала эту теплоту материнской. А ведь именно ею я была жестоко обделена с тех пор, как себя помню.

Я легко возбудима, и мне не много нужно, чтоб потерять голову, обрушиться в гремящий водопад оргазма. Иное дело — Мелисса. Никакие ласки, сколько бы я ни ухитрялась, не способны были довести ее до кипения. Она безнадежно застревала где-то на полпути к сладкому финалу.

И тогда приходил на помощь вибратор. Зажатый между ее мягкими, вкусными бедрами, он усыпляюще гудел в ее нутре. И она, закрыв глаза, отдавалась электрической машине и, сладко, как ребенок, посапывая, долго, не ограниченная временем, добирала то, что не могло принести естество.

Я тоже попробовала вибратор. Хотя мне он и ни к чему. Из того же любопытства, которое когда-нибудь меня погубит. Удивительное ощущение. Абсолютный онанизм, совершаемый бездушной машиной. Кончить никак невозможно, пока не представишь, закрыв глаза, склоненное над тобой знакомое мужское лицо. Мелисса в этом смысле была однолюбкой. Она всегда вызывала облик одного и того же актера — Джона Траволты. Я под гудение вибратора воображала на себе тяжесть тела то Роберта Редфорда, то Пола Ньюмена. Кстати сказать, даже и в этом сказывалась разница наших натур, темпераментов и вкусов.

От вибратора, попробовав разок-другой, я категорически отказалась. Вызвав удивление Мелиссы. И я никак не могла ей втолковать, что, привыкнув к этой машине, приноровив свой темперамент к ее бездушному ритму, я стану сексуальным инвалидом. Никакой мужчина после этого не сможет меня удовлетворить. Что в сравнении с вибратором, подключенным в электрическую сеть с напряжением 110 вольт, жалкий мужской член? Как бы он ни лез из кожи вон, не в состоянии соперничать с неограниченно долго и безотказно действующим автоматом

Мелисса, соглашаясь, кивала и притом, как попугай, повторяла, что вибратор ей милее уж хотя бы потому, что не нахамит, не ущемит ее женской стыдливости, не повернется, насытившись, равнодушной спиной. И ее нисколько не страшит эта привычка. Слава Богу, на ее век в Америке хватит электричества, даже невзирая на мировой энергетический кризис.

Меня поражало, что такая здоровая, что называется, кровь с молоком, фермерская дочь могла стать лесбиянкой. Я знала о ее семье и по ее рассказам, и по большому, в красном бархатном переплете альбому с фотографиями. Со снимков на меня смотрели типичные американские фермеры, так сказать, соль земли этой страны. У них в Индиане было много земли. Перешедшей в наследство по линии матери от предков, семь поколений назад переселившихся за океан из Европы. Ферму ее родителей по нынешним ценам можно продать за несколько миллионов. Мелисса в шутку называла себя миллионерской дочкой, хотя, я тому свидетель, никогда не имела лишнего цента и, чтоб как-нибудь продержаться, не брезговала никакой работой.

В ней сочетались ирландские, шотландские и скандинавские крови. Тот коктейль, на котором настояно ядро Америки — ВАСПы. Консервативные, в меру богобоязненные, трудолюбивые и изо всех сил до наших дней тяготеющие к традициям, унаследованным от предков-землепроходцев. Ее отец, белоголовый от серебряной седины, с неулыбчивым, бурым от солнца и ветра лицом, выглядел на снимках простым, немудрящим крестьянином. И мать ему под стать. Мелисса без удивления, а как нормальное, само собой разумеющееся рассказывала, что отец, человек упрямый и малоразговорчивый, умудрялся годами не обмолвиться ни словом с матерью. Молчал, словно немой. Так, молча, обедали, делали всякие дела по дому. На детей, когда доводили, огрызнется. И снова — молчок. Потом вдруг, без видимой причины, удостаивал мать беседы. А какое-то время спустя снова замолкал. На годы.

— Спали в одной кровати и молчали, — говорила Мелисса. — Я думаю, он взбирался-то на нее за всю жизнь четыре раза. Не больше. По числу детей. Осеменит, как бык корову, и больше не замечает.

Мелисса рано покинула Индиану, и связи с отчим домом ограничивались редкими поздравительными открытками по

WASP — белый, англосакс, протестант. (Прим. авт.)

церковным праздникам. Денег из дому ей не присылали. Она
и не просила. Даже когда нужда доводила до отчаяния. После
смерти родителей она имела перспективу сразу разбогатеть —
ее доля в наследстве достигнет тогда не меньше миллиона

И вот в такой пуританской семье дочь стала лесбиянкой,
один из сыновей, брат Мелиссы, сидит в тюрьме за наркоти-
ки. Славная иллюстрация к социальной характеристике про-
цветающей доброй старой Америки. Ее дубоватый, пышущий
старомодным здоровьем организм, казалось бы, окаменевший
в этом состоянии, с удивительной быстротой, в одно поколение, затрещал по швам и поддался разрушительной коррозии
современности. Разве не пример тому Мелисса Пауэлл и ее не-
задачливый брат?

Моя семья не чета этой. Мы и американцы-то свежей
формации. Всего третье поколение. Моя родня еще не успела
пресытиться благополучием, еще жрет взахлеб из полного корыта американского образа жизни, чавкая и хрюкая и расталъ-
кивая окрепшими плечами жрущих рядом. Мой отец намного богаче дедушки. Тот всю жизнь не разгибался над швейной
машиной. Был объектом эксплуатации. А отец сам эксплуа-
тирует других, хотя при этом работает как каторжный. Он
владеет двумя магазинами в Нью-Йорке. Его дети, кроме меня, ушли еще дальше. Обе мои старшие сестры после колледжа удачно выскочили замуж. За себе подобных. Одна — за адвоката, другая — за врача. Живут в собственных домах на
Лонг-Айленде и при годовом доходе не меньше ста тысяч долларов благополучно размножаются, выводя на свет четвертое
поколение уже совершенно обезличенных янки, и всю силу
своего не Бог весть какого ума употребляют на поиски диет,
чтоб укротить упрямо ползущие тела и иметь стандартный
вид стопроцентных американок.

Судьба свела меня с Мелиссой в далеко не самый лучший
момент моей жизни. Я добралась до Лос-Анджелеса с весьма
скромными средствами и, не располагая здесь близкими
друзьями, остановилась в дешевой гостиничке, чтоб иметь
хоть какую-нибудь крышу над головой, пока подыщу работу.
Отель этот, как и многие ему подобные заведения, не отличался пуританской репутацией И определила я это, по своей неопытности, лишь поселившись. Здесь сдавали душные, об-
шарпанные комнатки на час на два, и черные девицы и их ко-
ротконогие, оливкового цвета мексиканские конкурентки

приводили сюда с улицы мужчин, часто перегруженных алкоголем и одурманенных наркотиками. Через тонкие перегородки я слышала вопли, ругательства, плач. Мужчины явно не проявляли признаков джентльменства. На ночь я не только запиралась, но и придвигала кровать к двери, забаррикадировавшись таким образом на случай попытки вломиться ко мне.

По счастливому совпадению и Мелисса, в то время тоже стесненная в средствах, снимала комнату в этом отеле. Мы скоро выделили друг друга среди остальных постояльцев, по облику определив, что мы здесь белые вороны, случайно залетевшие в грязный притон. Совместный завтрак, за которым мы проговорили без умолку, рассказывая о себе, еще больше сблизил нас. Мелисса тут же вызвалась помочь мне с работой.

Она уже работала несколько дней на новом месте и была уверена, что меня туда тоже примут. Внешность вполне подходящая. И чтоб рассеять мои сомнения, тут же объяснила характер работы. Называется это «Поющая телеграмма». Мелисса привозит по адресу телеграмму. Обычно поздравительную. И чаще всего приуроченную к моменту, когда в доме праздничный ужин и полно гостей. Вручая телеграмму адресату, она поет в его честь песенку, а если ситуация требует, еще и исполняет в придачу какой-нибудь незамысловатый танец. Под аккомпанемент, записанный на кассете магнитофона, уложенного в ее сумку. Кроме довольно пристойной оплаты она еще и экономит на ужине. Обычно ее приглашают к столу, и она рискует потерять фигуру, потому что на таких ужинах полно вкусных вещей, а она лакомка, и сам факт, что все это бесплатно, еще пуще разжигает аппетит.

Я недурно пела и умела танцевать вполне сносно. Естественно, любительски. Не для представления. Но Мелисса меня заверила, что никакого представления не требуется. Петь и танцевать надо по-домашнему, как если бы пришла в гости к своей тете. А главное, иметь привлекательный, но не вульгарный вид. Тогда обеспечен успех. Развезешь за вечер три-четыре телеграммы и наутро завтракать не можешь. А если соблюдать диету, то можно полностью экономить на еде. От вечера до вечера.

Предыдущая ее служба была еще проще. Вообще ни с кем не общаешься. Только по телефону. Лежишь на диване и шепчешь в трубку. Восемь часов. По сменам. Неделю — днем, неделю — ночью. Это была очень хитрая контора, весьма преуспевавшая. Не помню, как она себя именовала, но занималась чем-то вроде сексуальных услуг по телефону. Одинокие, воющие от тоски люди звонили сюда, и мягкий женский голос начинал им нашёптывать ласковые слова, создавая иллюзию, что это все в постели, и исподволь разжигая страсть, пока клиент не удовлетворится. Это был онанизм с помощью телефона. И я удивилась что таким способом пользуются многие, и телефоны в конторе звонят без конца. Брали на работу не по внешности, а по голосовым данным. По умению голосовыми модуляциями возбудить заочно. У Мелиссы был именно такой голос. Я в этом убедилась потом, когда мы вместе сняли квартиру и она соблазнила меня.

Мелисса привела меня в офис «Поющих телеграмм», и я там понравилась. Но обязательным условием приема на работу было владение приличным автомобилем. Транспорта служба не предоставляла. А у меня машины не было.

У Мелиссы был «Шевроле». И мы с ней поездили по Лос-Анджелесу, присматривая недорогой, конечно, подержанный, автомобиль для меня. Поиски не увенчались успехом. Денег у меня было в обрез. Мелисса тоже не располагала лишними, чтобы дать мне взаймы. А обещанное мне место не могло долго оставаться вакантным. Претенденток на него — хоть отбавляй, и автомобиль для них не препона. Они в основном были местные, и у каждой, естественно, имелась машина. А я прилетела из Нью-Йорка почти без денег, и, чтобы обзавестись собственным транспортом, мне нужно было прежде заработать хоть немного, чтоб уплатить за него аванс. Но заработать я могла, лишь имея автомобиль. И получался замкнутый круг, вырвать меня из которого была бессильна даже добрая Мелисса.

Чтоб не терять времени зря и дать мне первоначальный навык, она предложила мне прокатиться с ней разок-другой по адресам и самой попробовать вместо нее вручить телеграмму и спеть при этом. Она же будет дожидаться меня в своем «Шевроле».

Я отнесла телеграммы в два дома, спела, жутко смущаясь и вызывая жалость и сочувствие у слушавших, а когда предложили что-нибудь выпить и съесть, отказалась под предлогом, что сыта и у меня мало времени, работы, мол, невпроворот. В автомобиль к Мелиссе я возвратилась подавленная, и она принялась утешать меня, уверяя, что все — дело привычки и стоит войти во вкус, как меня это даже будет веселить, как вот ее. Я кивала, соглашаясь. Ибо иного выхода не предвиделось.

Итак, мне был нужен автомобиль. Не какая-нибудь допотопная развалина, которую можно было купить за сотню-другую долларов, а что-нибудь приличное, в чем не стыдно подкатить в качестве поющей телеграммы даже к роскошному особняку в районе Бельэйр. От того, раздобуду ли я автомобиль, зависела моя работа, а следовательно, и жизнь. Других возможностей прокормиться я не видела, а выход на панель, чтоб не умереть с голоду, у меня после некоторого опыта не вызывал энтузиазма.

Не помню, что занесло меня в тот день к отелю «Хилтон» в Беверли Хиллс. Должно быть, судьба. Которую, по здравом размышлении, я нахожу весьма милостивой ко мне. Стоит жизни чуть шлепнуть меня, а мне по сему случаю впасть в отчаяние, как тут же непременно появляется некто, якобы посланный небом, и выручает меня. Безвозмездно. Даже не требуя благодарности.

Так бывало много раз на моем не таком уж долгом веку. Ближайший пример — Мелисса. Правда, ее покровительство не распространялось так далеко, чтоб облагодетельствовать меня приличным автомобилем.

Моя везучая судьба, поразмыслив, учла это обстоятельство и подсунула мне другой шанс.

У главного входа в «Хилтон» я буквально наткнулась на дядю Сэма. Не того Дядю Сэма — символ Америки, которого изображают с козлиной бородкой и непременно в цилиндре цвета национального флага, а бритого, с непокрытой лысой головой, старенького дядю моей матери по имени Сэм — фигуру таинственную и боготворимую в нашей семье. Дядя Сэм сказочно богат. Никто из наших точно не знает размеров его состояния, но оно, без всяких преувеличений, по некоторым признакам определяется восемью нулями. Он вдов и бездетен, и, когда моя мама пытается предугадать, кто унаследует все это, она тут же покрывается пятнами и разражается нервной икотой.

Дядя Сэм не жалует своих родственников и держит их на почтительном расстоянии, даже не проявляя интереса, кто умер, кто еще жив и как добывают себе хлеб насущный. На моей памяти он раз или два навестил нас в Квинсе, никого ничем не облагодетельствовав. Лишь меня, почему-то отличив от других детей, сажал на колени, трепал по голове

Где обитает дядя Сэм, никто точно сказать не мог. Он владел домами и в Нью-Йорке, и во Флориде, и в Калифорнии, и даже в Европе. Ни с кем из наших не переписывался. Адреса его были нам не известны. Телефоны его, естественно, не значились в телефонных книгах.

И надо же столкнуться с ним лицом к лицу, когда он, сопровождаемый отдельными служителями в униформе, катящими на колесах его тяжелые чемоданы, вышел из «Хилтона», чтоб сесть в свой громадный, как танк, черный «Линкольн-Континенталь». И не я его, а он меня узнал, удивленно вперив в меня свои склеротичные, полуслепые от катаракты глаза. Он даже имя мое вспомнил и осведомился, по какому случаю я очутилась в Лос-Анджелесе. Я торопливо и вкратце, чтоб не злоупотреблять его временем, изложила ему, что перебралась сюда жить и устраиваюсь на прилично оплачиваемую работу. Он спросил, что я делаю в настоящий момент в этом месте и как я располагаю своим временем; и я чистосердечно созналась, что ничего не делаю, просто гуляю и временем своим располагаю по своему усмотрению. Тогда он потрепал меня, как в детстве, по голове и предложил сесть в машину и поехать к нему, раз у меня нет других срочных дел. И хитро при этом посмотрел на меня и даже погрозил пальцем, намекая на амурные дела, которые, он не сомневался, одолевают мою легкомысленную голову.

Открытую дверцу почтительно поддерживал огромный черный малый со свирепым лицом и избытком мускулатуры — на нем чуть не лопался строгий черный костюм.

— Это Джордж, — представил мне дядя Сэм черного гиганта. — Мой шофер и телохранитель. — И, мелко рассмеявшись, спросил: — Можно такому малому доверить свою жизнь?

Я сказала, что вполне можно, и Джордж, закрывший за мной дверцу, осклабился белозубой улыбкой из-под толстых, вывернутых губ.

Машина неслышно отплыла от подъезда «Хилтона». Внутри ее было просторно и роскошно, точь-в-точь как в автомобилях миллионеров, виденных мною в кинофильмах. Мы тонули в мягком сиденье, а перед нами был откидной стол и еще сиденья напротив, которые убирались, и тогда хоть прогуливайся, как в салоне. Матово посвечивал экран телевизора, и желтел слоновой костью телефон. Был тут и бар с бутылками и бокалами.

Джордж отделен от нас толстым стеклом и, когда дядя Сэм хотел ему что-то сказать, нажатием кнопки приспускал это стекло. Сейчас он сидел за стеклом курчавым затылком к нам, развернув каменные плечи.

Дядя спросил, не хочу ли я что-нибудь съесть и, не дожидаясь ответа, вынул из холодильника сэндвич и банку апельсинового сока. Пока я ела, он смотрел на меня, моргая, и приговаривал:

— Ешь, ешь. Пока молодая. Пока не нужно соблюдать диету. Мне почти все запрещено врачами. Кроме свежего воздуха. Но чтоб питаться воздухом, человеку не обязательно иметь миллионы.

И смеялся, не сводя с меня своих подслеповатых глаз. На его лице и на голом темени проступали, как верный признак увядания, коричневые пятна, которые французы называют «кладбищенскими цветочками». Было ему, если я не ошибалась, под восемьдесят. Не толст, но рыхл, словно тело стало пористым. И под подбородком мешочком висела лишняя кожа, как зоб у пеликана.

Машина была герметически закрыта, беззвучно охлаждал воздух кондиционер, и никакие шумы со стороны не проникали. Начинался февраль, а в Лос-Анджелесе никаких признаков зимы. Зеленые деревья, распустившиеся розы на лужайках перед домами. Только что не купались в океане. Но загорать в ясные дни на пляжи приваливало много народу. Часто город окутывал туман, и тогда становилось трудно дышать и першило в горле.

Из Лос-Анджелеса мы уносились по десятой автостраде в направлении Сан Бернадино. Дядя, как и подобает джентльмену, занимал меня беседой. В основном похваливая меня, как ребенка, и называя красавицей. При этом я видела, что он не шутит, а действительно считает меня весьма привлекательной и искренне радуется тому, что в его роду произрастают такие особы, как я.

— Моя мать была писаной красавицей, — сообщил он мне, — на нее на улице оглядывались не только мужчины, но и женщины. Я, ты понимаешь, пошел не в нее. Отцова линия сказалась. Но вот в тебе, мое солнышко, я узнаю свою мать.

— Вот почему вы меня одну из всей нашей родни удостаиваете вниманием? Я вам напоминаю маму.

— Ничего в этом обидного нет. Повторяю, она была красавицей. Но характером мягче тебя.

— Когда вы успели узнать мои характер?

— А много ли надо, умеючи? Ты колюча и упряма. Даже когда молчишь. Глаза выдают. Но я ничего плохого в этом не нахожу. В жизни надо уметь кусаться.

Мы обогнули Сан Бернадино южнее и теперь неслись к Палм Спрингсу по выжженной пустыне с редкими сухими кустарниками. На юге громоздились невысокие бурые горы, и я спросила, как они называются. Дядя опустил стекло и передал мой вопрос Джорджу. Тот, не оборачиваясь, изрек:

— Сан Хасинто.

— У нас на вершинах гор лежит снег, — сказал дядя. — Живем внизу, как на горячей сковородке, и любуемся снежными вершинами. Сухо и тепло. Я не знаю лучше места зимой.

Дядя сказал, что соседями у него сплошные знаменитости, и скучным голосом стал перечислять: Боб Хоуп, Фрэнк Синатра, Уолтер Анненберг, Спиро Агню...

На этом имени я его перебила, сказав, что бывший вице-президент Америки — жулик, как и его бывший босс — президент Ричард Никсон.

— Ричард Никсон тоже до недавнего времени обитал рядом, в Сан Клементе, — добавил дядя Сэм.

— Не знаю, пристойно ли гордиться соседством с жуликами? — укорила я его.

— С чего ты взяла, что я горжусь? — мягко улыбнулся он мне. — Я тебе перечисляю моих соседей. Только и всего. А горжусь ли я этим? Возможно, они похваляются в своем кругу соседством со мной. Кто знает? А насчет жуликов... То кто теперь не жулик? Ты мне можешь указать? Каждый, кто сколотил себе приличное состояние, если не впрямую, то косвенно непременно кого-нибудь обделил, а то и обобрал. Пожалуй, Хозе, мой садовник-мексиканец, не жулик... У него ничего нет. Даже легальных документов. Но и он норовит что-нибудь украсть. По мелочам. Кто на это обращает внимание? Это норма.

— Я не жулик, — запальчиво сказала я.

— Верно, — согласился он и прикрыл набрякшими веками глаза, как бы давая мне понять, что устал от бессмысленного спора со мной, и так как уши заткнуть не может, то хоть насладится тем, что не видит меня — Верю. Хотя бы уж потому, что не смогла скопить денег на автомобиль. А что в этом хорошего? Честно гонять пешком, отбивая пятки?

— Уж, по крайней мере, пристойней, нежели ехать, развалившись на мягком сиденье нечестным путем добытого автомобиля.

— Ты имеешь в виду нас с тобой?

— О присутствующих не говорят.

— Кого же ты имеешь в виду?

— Нельзя считать нормальным общество, где один получает ни за что, за улыбку фальшивыми зубами с экрана, миллион, а другой работает, не разгибаясь, и ходит без зубов, потому что не может уплатить дантисту. Вся эта голливудская шантрапа, крашеные шлюхи, которым место в захудалом борделе, уж не знают, на что потратить сыплющиеся на них миллионы. Строят дома, как дворцы. Меняют автомобили чаще, чем трусики... А молодая девушка из колледжа, не дура и трудолюбивая, должна делить дешевую квартиру с подругой и вывихнуть себе мозги в поисках денег на самый захудалый автомобиль, без которого в этом городе не ступить ни шагу.

— В каком городе?

— В том же Лос-Анджелесе.

— Понимаю. Понимаю. А какой автомобиль ищет девица, описанная тобой?

— Какой? Обыкновенный. Не «Роллс-Ройс». Нормальную машину, не изношенную. Чтоб не ломалась на каждом шагу. И не причиняла лишних хлопот, которых и без нее достаточно.

— Ну и темперамент! — похвалил он меня. — Не завидую твоему будущему мужу. А впрочем, ему, негоднику, вполне можно позавидовать. А то ведь погляжу на нынешнюю молодежь, ни рыба ни мясо. Ты же бунтарь по натуре. Что я, не вижу? Мечтаешь переделать Америку. Прежние поколения тоже мечтали. А она стоит, как стояла. И все богатеет. А возможно, и беднеет. Я, честно признаюсь, не слежу, потерял интерес. Ты же молодая, тебе до всего дело. Красивой женщине многое прощается. Даже политический радикализм.

Меня раздражало, что он явно посмеивался над моей горячностью, дурачился, как с малым ребенком, и не принимал меня всерьез. Но я сдерживала себя. И потому, что он старше. И еще по одной причине. Я не корыстна. Легко отдаю свое. И не зарюсь на чужое. Но дядя Сэм — другое дело. Я пребывала в очень стесненном положении. И он, только он, мог меня выручнть. И сделать это легко, походя. Не унизив при этом. Я была Золушкой, едущей на бал в королевский дворец. И в глубине души надеялась вернуться оттуда если не принцессой, то уж, по крайней мере, сбросив со своих плеч бремя материальных забот. Дядя Сэм не отпустит меня с пустыми руками. И в предвидении этого я была готова простить ему подтрунивание надо мной.

Он по телефону распорядился приготовить обед на две персоны и проследить, чтобы вода в бассейне была хорошо подогрета. Я сказала, что не захватила с собой купальника, и он, рассмеявшись, сказал, что с моей фигурой можно купаться и нагишом. Тем более что никто из прислуги не будет подглядывать, она достаточно вышколена, а он сам не прочь бы полюбоваться, да настолько слеп, что вряд ли что-нибудь разглядит.

В Палм Спрингс мы въехали по длинной, вытянувшейся на многие мили среди ярких, как игрушки, домиков улице, именуемой Палм Кэньон, хоть ничто на ней не напоминало каньона, ущелья. Ровная асфальтовая улица курортного городка, построенного на выжженном песке пустыни и обильно орошаемого фонтанами-поливалками, вокруг которых зеленеет подстриженная трава, шелестят лапчатыми листьями пальмы и растут, как на дрожжах, сочные колючие кактусы. Справа все тянулись горы Сан Хасинто, намного выше прежнего громоздясь к небу сахарными головками. Металлические мачты подъемника убегали вверх по бурым склонам, унося к снегу подвесные красные трамваи, переполненные лыжниками в теплых свитерах и вязаных шапочках.

За окнами машины мелькали магазины и рестораны с яркими ярмарочными вывесками. Тротуары заполнены пестрой, по-летнему одетой курортной толпой. По асфальту проносились автомобили дорогих марок. Над Палм Спрингсом витал дух праздности, богатства и жажды развлечений.

Дядя Сэм обитал в Ранчо Мираж — самой фешенебельной части Палм Спрингса. Каждый дом здесь был непомерно велик и соперничал в богатстве с соседним. Участки большие, изумрудно-зеленые, как поля для гольфа, и повсюду кусты в цветах разноцветными пышными гирляндами окаймляют дома и дорожки под кипарисами и пальмами.

В доме было на удивление тихо. Ноги утопали в мягких коврах, задрапированные тканью стены поглощали звуки, прислуга была бессловесна.

Мы пообедали вдвоем. А до того, пока он принимал с дороги душ, я с наслаждением поплавала в теплой голубой воде бассейна под открытым голубым небом в начале февраля, и за верхушками кипарисов, ограждавших бассейн зеленой стеной, сверкали сахарной белизной заснеженные пики гор Сан Хасинто.

Прислуживал за столом немолодой, с лысиной лакей в белых нитяных перчатках, и дядя Сэм демократично представил ему меня, сообщив, кем я ему прихожусь. Лакей учтиво улыбался, и по его глазам было видно, что он не совсем верит дяде и подозревает его в шалостях не по возрасту.

В доме было много картин. Они висели во всех комнатах и даже в коридорах и на лестницах. Из-за чего дом немного смахивал на картинную галерею. По всему было видно, что картины здесь повешены не только для того, чтобы радовать глаз. Их здесь хранили, как ценность, точно в запасниках музея. Картины, вне всякого сомнения, были одной из форм капиталовложений, и вложений весьма значительных. Здесь были французы: Ренуар, Моне. И чудесный миниатюрный пейзаж Сезанна. Но самой приятной неожиданностью для меня были три работы Гогена. Таитянский период. Коричневые обнаженные фигуры таитянок с загадочными лицами каменных статуй на фоне золотого южного зноя. Дядя не оставил без внимания мой интерес к Гогену.

— Ты действительно любишь Гогена... или это дань моде? — насмешливо прищурился он на меня.

— О какой ты моде говоришь? — возмутилась я. — Я его обожаю! И знаешь, с каких пор? Когда мама меня впервые повела в Метрополитен. Мне тогда лет пять было... не больше. Мы ходили по залам. Я пялилась на стены с картинами. Мне было все интересно. Но вот меня что-то ослепило. Оранжевый свет хлынул на меня с полотна. Замерцал, заискрился, затопил все вокруг. Я даже зажмурилась, помню. И сердце мое забилось так сильно, и лицо мое застыло в таком восторге, что мама не на шутку испугалась, что я перевозбудилась и у меня подскочит температура, и поспешила увести меня из музея. Я действительно слегла. И поправилась лишь тогда, когда мама по совету доктора помчалась в Метрополитен и купила несколько репродукций с Гогена и повесила над моей кроваткой. С тех пор, засыпая, я говорила «спокойной ночи» шоколадным таитянским женщинам Гогена, а просыпаясь, желала им «доброго утра».

— А известно тебе, сколько стоит вот тот Гоген? — спросил он.

— Не знаю. Но уверена — очень дорого. Цены для меня — пустой звук. Торговать картинами я не собираюсь, а купить Гогена в подлиннике у меня никогда не будет средств. Я его люблю за то, что он есть... и приносит мне радость... и другим, думаю, тоже.

— До чего мне нравится то, что ты говоришь! — его улыбка утонула в расползшихся складках кожи. — Твои речи, я бы сказал, ласкают мое старческое ухо. Как ты себя такой сохранила, ума не приложу?

— Это плохо?

— Это чудесно! Глупыш! Я тебе завидую. Честное слово! Уж хотя бы потому, что мой восторг при взгляде на Гогена немного иного характера — я непременно вспоминаю, что в последний раз мне за вот эту штучку предложили полмиллиона. Наличными. И я, знаешь ли, отказался.

— Молодец! Правильно поступил.

— Собственно, куда мне спешить? Подожду. Деньги все падают, а такой вот Гоген будет расти и расти.

— Да не о том я! — рассердилась я. — Я сказала, что ты правильно поступил, не отдав картину и сохранив для себя эту прелесть. А ты снова о деньгах.

— Вот, вот, деточка, — засмеялся он и зашелся кашлем. — Именно за этот твой святой гнев ты мне и нравишься, и я искренне радуюсь, что ты на него способна.

Потом дядя Сэм отдыхал, а я снова лежала в бассейне неподвижно на спине и жмурилась на снег на горах, а когда надоедало, провожала взглядом пассажирский самолет, шедший на подъем с недальнего аэродрома.

Отдохнув, дядя вышел ко мне, уже сидевшей в гостиной, и поманил пальцем.

— Вот что, солнышко мое, хочешь посмотреть мою конюшню?

Уверенная, что иду смотреть лошадей, я последовала за ним. Мы вышли под навес, где стояли, лоснясь лаковыми боками, автомобили. Гараж он называл конюшней и получил несомненное удовольствие при виде того, какое впечатление произвели на меня его «лошадки». Возглавлял ряд черный и толстый «Роллс-Ройс», за ним, как скаковой конь, затаился серебристый «Мерседес», за «Мерседесом» отдыхал огромный

«Линкольн-Континенталь», на котором мы приехали из Лос-Анджелеса, уже отмытый и остывший.

— А как тебе нравится тот жеребеночек?

Я проследила за его взглядом и увидела в самом конце гаража маленькую машину нежной цыплячье-желтой окраски.

— Судя по цвету, это скорей цыпленок, — рассмеялась я.

— Верно заметила, — кивнул дядя. — Именно цыпленок. Послали дурака Хозе, моего садовника, купить для работы подходящую машину, а он выбрал вот этого цыпленка. Когда нам нужен пикап для работы. Но знаешь, я теперь рад, что мы не успели вернуть эту машинку. Мне кажется, это то, что тебе нужно.

— Мне? — ахнула я. — Вы мне отдадите ее?

— А почему бы нет? — пожал он плечами. — Тебе, ты сказала, нужен автомобиль, а я, как-никак, твой родственник... так сказать, голос крови.

— Вот эту машину мне? — снова спросила я.

— Я бы отдал тебе «Роллс-Ройс», но такой подарок разорит тебя дотла. Эта чертова машина жрет горючее, как самолет.

— Спасибо! Этот цыпленочек то, что мне нужно. Спасибо, дядя Сэм!

Я подошла к «моей» машине, погладила теплый лак на низкой крыше, провела ладонью по желтому крылу.

«Королла» было написано на боку, а на радиаторе «Тойота»

У меня дрогнуло сердце. Этот непритязательный, скромный автомобиль затронул какие-то струны в моей душе, и я сразу поняла, что полюбила «Короллу». В ней было что-то человеческое, доброе, трогательное рядом с надменными и чужими «Линкольном», «Мерседесом» и «Роллс-Ройсом». Она была в этом гараже такой же Золушкой, как и я во дворце дяди Сэма.

— Джордж! — позвал он. — Отвезешь нашу гостью куда следует и оформишь на нее вот этот автомобиль.

Утром я выехала из Палм Спрингса на собственном автомобиле. Совершенно новой «Тойоте Королле», пробежавшей всего неполных тысячу миль.

В моей сумочке лежал чек на тысячу долларов, подписанный дядей Сэмом собственноручно.

— Этот подарок уже не тебе, — сказал он. — А твоей лошадке. На бензин.

И уж когда я садилась в «Тойоту», спросил:

— А Гоген, говоришь, тебе понравился?

— Очень!

— Ну-ну... Мне нравится, что он тебе нравится.

На этом мы с ним попрощались, и я никак не могла понять, с какой стати он вспомнил в последнюю минуту о картинах Гогена, висевших у него в гостиной и вызвавших мой восторг. Да и недолго ломала голову над этим. Настроение у меня было праздничным. Все шло превосходно. В какие-то считанные дни завершились мое одиночество в чужом городе и печальная необходимость рыскать в поисках работы. Я обзавелась преданной подругой и хорошо оплачиваемой работой. Да еще и новеньким автомобилем нежного цыплячьего цвета, таким трогательным и сразу проникшим в мою душу, что я вела его по автостраде бережно, осторожно, как дитя, делающее первые шаги, чтоб, не дай Бог, грубые соседи не задели, не помяли ему бока, не исцарапали ровной, поблескивающей окраски.

Назад убегала, на сей раз с левой стороны, гряда голых коричневых скал Сан Хасинто, а вдоль дороги простиралась плоская пустыня, сухая и жаркая даже в зимние дни, и казалось, что всю воду, все соки из этой потрескавшейся от жажды земли высосал зеленый оазис — паук, игриво именуемый Палм Спрингс, где обитают люди, подобные моему дяде Сэму.

Его расположение ко мне имело свои пределы. Он не дал своего телефона и на прощанье не просил, как это водится в таких случаях, не забывать его и навестить еще раз. Позабавился и удалил с глаз долой. Так сказать, облагодетельствовал, но не из каких-либо родственных чувств, а так, удовлетворив свой каприз. И больше не желает утруждать себя знакомством. До следующего случая. До очередной своей блажи.

Мелисса была в восторге от подарка, поздравляла меня от всей души, говорила, что я родилась в сорочке и судьба сама идет мне навстречу. Основной повод, из-за которого так остро понадобился автомобиль, отпал как раз тогда, когда я приехала в Лос-Анджелес на новенькой «Тойоте». Мелисса успела расстаться с «Поющими телеграммами». Потому что подвернулась другая работа, лучше оплачиваемая. И что было важнейшим преимуществом, там нашлось место и для меня, и мы будем целыми днями вместе, в прохладном помещении, и не придется носиться по душным улицам Лос-Анджелеса и стучаться в чужие дома, наподобие нищих попрошаек. В таком свете уже видела Мелисса свою недавнюю деятельность и сейчас с такой же искренностью поносила ее, как только что расхваливала на все лады.

У меня словно тяжесть свалилась с плеч. До того не хотелось мне работать «поющей телеграммой». Это было совершенно против моей натуры. И не потому, что я сноб. Нет. Я готова мыть посуду, делать любую нечистую работу, даже таскать
тяжести наравне с мужчинами. Мелиссе этого не понять. Я
пробовала объяснить ей, но отказалась от этой затеи.

Уж сколько я себя ни уговаривала, что нельзя огульно вешать ярлык на целый народ или расу и даже на социальную
группу людей, это непорядочно, это одна из разновидностей
расизма, и тем не менее есть такая прослойка и существует она
во всех странах, отличаясь удивительным подобием, которую
я не только презираю, так сказать, биологически, как человек,
но и люто ненавижу социально. Это так называемый обслуживающий персонал. Профессиональные лакеи. Хорошо вышколенные холуи. Прислуживающие с ироничным, даже над-
менным, покровительственно-снисходительным видом. Но-
сяще свою ливрейную униформу с не меньшим достоинством, чем отставные генералы свою золоченую мишуру. Откровенно презирающие тех, кто стоит ниже их: посудомоек в ресторанах, уборщиц в отелях, мальчиков-посыльных, из чьей
среды они обычно сами происходят. И люто ненавидят, с трудом скрывая свои чувства за фальшивой улыбкой, тех, кого
обслуживают, ставя тарелки с едой перед их носом или распахивая двери перед ними.

Это целая индустрия. Индустрия обслуживания. И в некоторых странах по своей численности она превзошла индуст-
рию производства. То есть рабочий класс. А это значит, что там
лакеев больше, чем рабочих.

На мой взгляд, они — один из самых опасных элементов в
современном обществе. Это — взрывчатка, способная принести неисчислимый вред человечеству. Они — не революционеры. А, наоборот, чистейшей воды контрреволюционеры.
Завистливые, жадные, аморальные люди. Бесстыжие. Их кожа отвыкла приобретать красный оттенок смущения, так как
всю жизнь они стоят в напряженной стойке, готовые, как
дрессированные собачки, подхватить на лету небрежно бро-
шенную им монету. Это двуногие существа с постоянно попи-
раемым чувством собственного достоинства. У них нет спокойной уверенности пролетариев, как и нет тяжеловесной
фундаментальности «хозяев жизни», тех, кто наверху. Они —
между. Они — никакие. Они вышли из низов и ни за что не за-

хотят вернуться в исходное положение. Они, облизываясь, близко наблюдают сладкую жизнь высшего класса и готовы на все, чтоб прорваться повыше и пристроиться хоть бы с краешка у этого пирога для избранных. Это бурлящая алчным зловонием масса, только и ждущая, чтоб кто-нибудь возглавил ее и повел громить и грабить, без жалости душа и убивая всех, кто попадется на пути. Из их среды фашизм набирает свои кадры. Это они, с красными затылками мясников и тупыми рожами вышибал, грохотали сапогами по мостовым Германии в колоннах штурмовиков. Они первыми натянули на себя черные рубашки и пошли за своим дуче на Рим. Они рядятся в белые балахоны ку-клукс-клана у нас в Америке и пойдут кронть черепа, пусть только свистнут.

Когда захожу в кафе и за стойкой вижу бычью тушу его владельца, цедящего кофе в бумажный стаканчик, когда мне дверь в отеле открывает наглый тип в адмиральской ливрее, когда в ресторане мне подвигает стул молодчик в распираемой мышцами куртке официанта, я знаю — это мой враг. С ними я буду сражаться на баррикадах, когда затрещит, начнет рушиться одряхлевшее тело американского капитализма, и, подыхая, оно, это тело, призовет на помощь свою последнюю надежду — фашистов. И возможно, погибну, не увидев торжества социализма на этой земле, паду в бою от мохнатой руки вооруженного мясника. Официанта, швейцара, буфетчика.

Конечно, девочки из «Поющих телеграмм» не относились к этой зловещей категории. Они стояли еще ступенькой ниже. И могли вызвать только сочувствие. Жалкие шуты. На потеху чужим и равнодушным потребителям. Ниже их были только проститутки.

Мелисса раздобыла два хороших рабочих места, для себя и меня, самоотверженным путем. Переспала, подавив отвращение, с жирным немолодым «чикано», по имени Фернандо Гарсиа — владельцем весьма доходного бизнеса. У него было обширное по размерам, но запущенное и неприглядное кафе, куда солидная публика и носа не показывала, а заглядывала всякая мелочь перехватить чашку кофе, банку пива, пачку сигарет. Тут же у стойки бара. Редкие посетители садились к столу и заказывали что-нибудь горячее. Старик повар Карлос изнывал от скуки и большую часть дня стоял в своем грязном фартуке, опершись плечом о косяк двери, и провожал сонными глазками проходивших по тротуару женщин

Но кафе было лишь ширмой, прикрытием в доходном и далеко не чистоплотном бизнесе Фернандо Гарсиа. Слева и справа к кафе прилепились два небольших магазина с одинаковыми вывесками: «Продажа и скупка золота, платины, серебра и ювелирных изделий». Девяносто девять процентов прибыли поступало оттуда. Меня и Мелиссу Фернандо нанял продавщицами в эти магазинчики. Я — в правом, Мелисса — в левом. Работа несложная. Оплата неожиданно высокая — триста долларов в неделю. И обещание, правда, устное, еще и комиссионных. При большом обороте. Который, как полагал Фернандо, в какой-то степени будет зависеть от наших с Мелиссой улыбок.

Первая же неделя открыла мне глаза на многое. Это не был ювелирный магазин в обычном смысле этого слова. Сюда воры и грабители сбывали краденое. Браслеты, кольца, ожерелья. Чаще всего сорванные темной ночью с женских шей и рук. А порой снятые с мертвых, еще не остывших тел.

Нашей с Мелиссой обязанностью было оценить как можно дешевле принесенный под полой товар. Дать негру или мексиканцу, забежавшему к нам и то и дело оглядывающемуся на дверь, пока я оцениваю брошь или кольцо, десятую часть действительной стоимости и, не заполнив никаких квитанций, заплатить ему наличными. То, что мы в обход закона не выписывали квитанций и не требовали у явного грабителя удостоверения личности, устраивало наших клиентов. Им было важно получить хоть сколько-нибудь денег и быстрее уйти. Их торопливость была мне ясна. Боязнь, что полиция нагрянет по свежему следу, и намерение скорей купить бутылку виски и всласть нанюхаться кокаина. Это были пьяницы и наркоманы. Столько колоритных и сочных типов! Какой зверинец!

Попадались и такие, которые торговались, стараясь получить минимально приличную цену. На этот случай вступала в силу хитрая система, разработанная Фернандо. Я, например, предлагала упрямому малому уж совсем низкую цену. Он, рассердившись, отбирал назад золотой браслет или цепочку и уходил с ней. Я знала куда. В соседний магазин, к Мелиссе. Я звонила ей по телефону, пока он преодолевал триста футов, отделявшие тот магазин от моего, называла сумму, которую предложила, и советовала накинуть два-три доллара. На этот крючок он попадался и отдавал товар Мелиссе все равно за бесценок. Так же поступала и Мелисса, отправляя несговорчивых клиентов ко мне. Это напоминало игру, и мы с Мелиссой часто забавлялись так.

Фернандо загребал огромные деньги. Купленные за ничто у грабителей драгоценности он переправлял из Калифорнии на восточное побережье, где у него имелись такие же магазины, и там все сбывалось по высокой цене. А то, что там скупали у грабителей, присылалось к нам, и мы торговали этим товаром, не опасаясь нарваться на неприятности с полицией.

Опасность подстерегала нас иная. Наши клиенты, отчаянная публика, когда не удавался грабеж на улице, порой не могли устоять перед соблазном напасть на нас. Две девицы представлялись им удобным объектом для налета.

От клиента я была отделена толстым стеклом с прорезью внизу, через которую просовывались товар и деньги. Стекло считалось пуленепробиваемым. Но оно было невысоким, и среднего роста негр мог вполне направить на меня пистолет поверх стекла. Или же выстрелить снизу, через щель. Я была в магазине одна. И, по существу, беззащитна.

Но это была лишь видимость. На которую клюнули бедняги три раза. Один раз у меня. И дважды у Мелиссы. И каждый раз с одним и тем же исходом. Смертельным для них.

Еще в первый день работы в этом магазине, когда Фернандо вводил меня в курс дела, среди прочих инструкций мне было велено незаметно нажать ногой кнопку на полу, под моим стулом, если мне будет угрожать опасность. Воспользоваться этой кнопкой пришлось один раз. Вскоре после поступления сюда на работу. Нажимая на кнопку, я еще не знала, к чему это приведет, и лишь надеялась на чудо. Полагала, что Фернандо, получив мой сигнал, успеет прибежать из кафе в магазин до того, как в меня выстрелят. На деле все получилось совсем не так. И в дальнейшем дало мне абсолютную уверенность в своей безопасности, а также постоянный трепет перед Фернандо.

Произошло это так. В магазин вошел замызганный низкорослый мексиканец. Скуластый, большеротый, с изрядной долей индейских кровей. Направился к моей стойке, даже улыбнулся мне через стекло и полез в карман, как я полагала, за товаром. Но вместо браслета или броши он извлек револьвер и воткнул кончик его дула в щель под стеклом. Против моей груди. Похолодев до мурашек на коже, я непослушной ногой нащупала кнопку под стулом и надавила. Ничего не произошло. Ни звонка, ни сирены. Я уж решила, что система вышла из строя и моя жизнь в руках этого немытого мальчишки. Ему было на вид не больше шестнадцати лет. Он даже шмыгал носом. Был простужен. Среди наших клиентов немало его сверстников. Налетающих ватагой или в одиночку на старушек, срывая с дряблых шей или трясущихся рук все, что отливает золотым блеском. С наступлением темноты только сумасшедшая старушка отважится выйти на улицу в Лос-Анджелесе. Видать, такие сумасшедшие не переводятся, раз товар регулярно поступает к нам.

— Отдай все, что у тебя есть, — на пристойном английском сказал он и шевельнул пистолетом. — Поспеши. Мне некогда.

Под стойкой лежали купленная незадолго до этого серебряная табакерка и золотой крестик на золотой цепочке. Их не успел унести Фернандо, заглядывавший ко мне обычно после ухода клиента и все забиравший к себе, в кафе. Утром он унес два хороших браслета из золота и кольцо с бриллиантом в полтора карата. За все это я дала клиенту всего лишь 150 долларов. А Фернандо продаст по меньшей мере за две тысячи. Я достала табакерку и крестик, оттягивая время, показала их через стекло.

— Больше ничего нет.

— Не врешь?

— Честное слово. Можешь зайти посмотреть.

— Некогда мне. Поверю на слово. Давай.

И тут раздался щелчок. Не сильный. Голова мальчугана дернулась, словно его крепко хлопнули по затылку, и он упал к подножию стойки. После чего я услышала голос Фернандо откуда-то из-за стены:

— Не бойся. Он уже неопасен. Сиди на месте. Я сейчас зайду.

Потом я узнала всю хитроумную систему охраны от нападения, разработанную Фернандо. В смежных с магазинами стенах из кафе были пробиты отверстия, обычно замаскированные. Нажатие кнопки мною или Мелиссой извещало Фернандо, в каком магазине грабитель. Он поднимался по приставной лесенке под потолок кафе, бесшумно отодвигал заслонку с отверстия, вставляя свой кольт с надетым для глушения звука выстрела надульником и сверху вниз, никак не рискуя попасть в меня, всаживал пулю в голову бандиту. Тех двоих, что напали на Мелиссу, он уложил наповал. «Мой» еще был жив, когда стремительно вошел Фернандо и запер дверь, а также опустил на витрине жалюзи, полностью исключив возможность что-нибудь увидеть с улицы. Затем, приблизившись, опустился на одно колено. Я вышла из-за стойки и через плечо Фернандо, замирая от ужаса, взглянула на подстреленного мексиканца. Под его затылком на цементном полу растекалась лужицей алая кровь. Он хрипло дышал. На губах пузырилась розовая пена.

— Позвонить в полицию? — пересохшими губами прошептала я. — Его нужно в больницу. Иначе умрет.

— Тихо, — спокойно сказал, даже не взглянув на меня, Фернандо. — Он в любом случае умрет. И заслуженно! А полицию зачем тревожить? Не их дело. Если тебе страшно, пойди в кафе. Я сам им займусь.

И достал из кармана нож, из рукоятки которого со щелчком выскочило блестящее лезвие.

— Уходи, — повторил он. — Никому ни слова.

Я поспешила к выходу.

Какое-то время спустя Фернандо вернулся в кафе, где я сидела одна в углу за столиком перед нетронутым, остывшим кофе, и скучным будничным тоном велел мне вернуться в магазин.

— Там прибрали, — сказал он. — Абсолютно чисто.

— А где...он?

— Где ему и следует быть. В аду. А за то, что ты отныне не будешь задавать мне наивных вопросов, я добавлю к жалованью еще пятьдесят долларов в неделю. Держать язык за зубами тоже труд, и он достоин вознаграждения.

Я не уволилась.

Неправда, что деньги не пахнут. Все деньги чем-нибудь да пахнут.

Знакомство с Ди Джеем произошло случайно, но и в то же самое время эта встреча была предопределена всем моим прошлым. Однако сначала о нем самом.

Ди Джей — это его инициалы. Полное имя — Дэннис-Джеймс. Ди Джей ему куда больше подходит. Прилипло к нему, не оторвешь.

Звучит как название диковинной, экзотической птицы. Он и похож на сильную хищную птицу. На ястреба. Или даже на орла. Хоть такое сравнение и звучит высокопарно.

Сравнение с орлом у меня возникло сразу, как только я его увидела. Высокий и удивительно стройный атлет, какими бывают тренированные спортсмены. Он мне до жути напомнил всемирно известного кубинского боксера Теофилиуса Стевенсона. Так же крепок, гибок и красив. При черном цвете кожи черты лица у него были совершенно не негритянские, а породистого европейца. Но такой фигуры, такого тела у европейца не бывает. Короткий, прямой и тонкий нос. Не толстые, а сухие, плотно сжатые губы. Овал лица мужественный, со слегка выступающими скулами и твердым, волевым подбородком. Глаза черные, горячие, с незатухающим огоньком, ярко вспыхивающим, когда он приходит в возбуждение. Как и кубинца Теофилиуса Стевенсона, его сразу выдавала отличная смесь кровей. Негритянских, европейских и еще каких-то. Явный креол. И в результате — великолепный образец человеческой породы. Чего не скажешь о мексиканцах и пуэрториканцах, которыми кишит Америка.

Он стоял перед Фернандо, моим хозяином. Их разделяла стойка бара, и, глядя на обоих в профиль, я невольно сравнивала их с принюхивающимися псами — подтянутым, как пружина, доберман-пинчером и одутловатой и вялой дворнягой.

На Ди Джее — в облипку потертые джинсы и такая же курточка, чуть ли не издающая треск на широких плечах. Он не спеша потягивал пиво из банки и вполголоса переговаривался через стойку с Фернандо.

Фернандо выходил к посетителям в редких случаях. Когда это был его друг или нужный клиент. С Ди Джеем он разговаривал почтительно, даже немного заискивающе, невзирая на то, что был старше его лет на двадцать, не меньше.

Я заглянула в кафе, чтоб что-нибудь испить. Был знойный день, и весь запас напитков, который я держала у себя, успела опустошить до полудня. Я спросила у Фернандо клаб-соды. Ди Джей мельком взглянул на меня и обменялся взглядами с Фернандо. Тот, стесненный короткой дистанцией до моих ушей, ответил лишь пожатием жирных плеч, обтянутых несвежей бежевой майкой.

— А пива не хотите? — спросил меня Ди Джей, открыв такой белизны ровные, крупные зубы, что я, обычно не реагирующая на подобные «подъезды», сама не знаю почему улыбнулась ему во весь рот, явно приглашая продолжать в таком же духе. И он не замедлил воспользоваться этим. Подсел ко мне, заказав у Фернандо еще пива для меня, и учтиво спросил, нет ли у меня желания перекусить, ибо время было как раз для ланча. Фернандо пучил на нас свои хитрющие рачьи глаза, явно заинтригованный разыгрывающимся перед ним спектаклем, оба действующих лица в котором были ему знакомы в отдельности намного раньше, чем встретились тут, в его кафе.

Есть мне, откровенно говоря, еще не хотелось, но приглашение на ланч приняла. Фернандо засуетился, запыхтел, закричал повару, не отходя от стойки, потому что боялся упустить важный момент в начинающемся романе, чтоб тот приготовил самое вкусное, на что способен. Но Ди Джей остудил его пыл, сказав, что мы поедем на ланч в какой-нибудь ресторан, по моему выбору, и я кивнула в знак согласия, заметно огорчив Фернандо, как ребенка, у которого из-под носа увели занимательную игрушку.

Перед самым кафе стоял у тротуара, прижавшись к асфальту обтекаемым корпусом, великолепный белый «Корветт», который я заметила, еще когда входила сюда.

— На какой поедем? — спросила я Ди Джея. — На моей или вашей?

— Сегодня на моей.

— Вы полагаете, у нас еще будет завтра?

— А вы в этом сомневаетесь? — удивился он. — Вы прошли. Вот моя машина.

Кивком головы он вернул меня назад, к белому «Корветту». Не выдав удивления, я села, низко пригнувшись, рядом с ним и, когда дверца захлопнулась, не устояла, и сам собой сорвался с моих губ оскорбительный вопрос:

— Это ваша?

— Нет, — ничем не проявил он своих чувств. — Украденная.

Я это, естественно, приняла за шутку, и довольно примитивную, и потому в подобном же тоне заметила:

— Надеюсь, не в Лос-Анджелесе?

— Конечно, нет. Во Флориде.

Он повернул ко мне свою скульптурную, точеную голову, и по спокойному выражению глаз я поняла, что он нисколько не шутит.

— Повода для беспокойства никакого, — добавил он. — Машина перекрашена, и документы не отличить от настоящих.

— Вы со всеми так откровенны?

— Только с вами.

— Чем я заслужила такую честь?

— Вы мне нравитесь и будете со мной.

— А не поспешно ли такое заключение?

— Нет. Я решаю сразу. И не меняю решения.

— Кто же вы такой, позвольте полюбопытствовать?

— Революционер.

— Как это понимать?

— В прямом смысле этого слова.

— Довольно редкая в Соединенных Штатах профессия, — попыталась я отшутиться.

— А я не американец.

— Кто же вы, загадочный незнакомец?

— Креол. Есть такой народ на островах Карибского моря — коктейль из причудливой смеси кровей.

— Удачный коктейль, — улыбнулась я ему.

— Не жалуемся.

— Вы — кубинец? — догадалась я.

— Нет. Южнее. С острова Тобаго. Есть такое маленькое независимое государство, расположенное на двух островах — Тобаго и Тринидад. Моя страна так и называется — Тринидад и Тобаго. Мы представлены в Организации Объединенных Наций. Наравне с вашей страной. Один голос имеет США и один голос Тринидад и Тобаго. А что касается Кубы, то там я бывал неподолгу.

— И Фиделя Кастро видели?

— Видал.

— Красивый мужчина.

— Женщинам виднее.

— А боксера кубинского, чемпиона мира Теофилуса Стевенсона, знаете?

— Знаю.

— Вам не говорили, что вы очень на него похожи?

— Говорили. Он сам.

— Вы меня жутко заинтриговали! — воскликнула я. — Я не могу себя назвать революционером, но социалистические идеалы мне близки.

— Я не сомневался в этом.

— Почему?

— Хороший человек не может быть реакционером.

— Ого! Какая категоричность! Но как вы определяете, кто хороший человек?

— По глазам. В них я читаю, как в книге.

Уверенность и категоричность, какие сквозили в его ответах, окончательно добили меня, и я уже чувствовала, что влюбляюсь по уши и спасения нет и не нужно.

И он это заметил и тоном привыкшего одерживать победы красивого самца представился. Тогда я и узнала, что зовут его Дэннис-Джеймс, но он предпочитает короче: Ди Джей. Я охотно согласилась, что и мне нравится Ди Джей, и тогда он резюмировал:

— Едем на ланч. А то недолго уморить вас голодом.

Это были удивительные ночи. Первое время мы почти не смыкали глаз. Ди Джей был прекрасным любовником. Не знающим устали. Я прежде него выбивалась из сил и просила пощады. В паузах между ласками мы разговаривали. Я большей частью слушала горячие речи моего Ди Джея. Он и в разговоре был неутомим.

Конечно, говорили о революции, которая идет с юга на север по американскому континенту. Это была его идея-фикс, и попытка свернуть его на другую тему действовала на него угнетающе, и он при первой же возможности возвращался к прежнему разговору и тут же оживал и начинал фонтанировать красноречием.

Мне не докучали его речи. Его горячие слова западали в душу. Я ведь тоже грезила о революции и прочитала, учась в колледже, пропасть марксистской литературы и бегала на собрания и диспуты левых всех оттенков — от бескомпромиссных, неуживчивых троцкистов до благодушных, скучающих либералов — и была достаточно подкована теоретически. Ди Джей был практиком революции. Он побывал в горячих делах, но распространялся об этом неохотно. Возможно, оттого, что не до конца доверял мне.

— Ты убивал? — спросила я его как-то. — Своими руками?

Он ответил уклончиво и немного рисуясь:

— Революцию не делают в белых перчатках.

Мол, ясно без слов и не нуждается в комментариях.

Он был максималист. Оправдывал террор. И ни на йоту не сомневался, что все средства хороши, даже самые на первый взгляд нечистоплотные, для достижения заветной цели — победы революции. Я не была такой радикальной. Меня пугали его жестокость и абсолютная глухота к общепринятой морали

— Если б на моем пути встала родная мать, — со сверкающими глазами шептал он мне в постели, — у меня бы не дрог

нула рука ликвидировать ее! Мы никого не можем щадить! Наши враги нас тоже не пощадят!

Мне нравилось гладить его тело, улавливать ладонью игру
мускулов под тугой, глянцевитой кожей. Мускулатура его была
настолько четко и выпукло очерчена, что напоминала иллюст-
рацию к анатомическому атласу. В статуях античных мастеров
я видела подобные мужские тела. На его тугой и длинной шее
висел на тоненькой золотой цепочке маленький крестик.

— Ты католик? — спросила я.

— Тебя всякие глупости интересуют, — недовольно огрызнулся он.

— Марксизм не признает религии, а ты, марксист, носишь
крест на шее.

— Если революции понадобится, я дохлую кошку нацеплю
себе на грудь. Понятно?

— Не очень.

— Пойми, глупенькая. Латинская Америка — это като-
лики. Народ темный. Бог у них стоит на первом месте. Работать с такими без креста на шее — пустое занятие. Они поверят лишь своему и пойдут за тем, кто верит в их Бога. Теперь
поняла?

— Кажется.

— Ты со мной не согласна?

— Н-нет.

— Ты — либеральная барышня. Такие революцию не делают. Они лишь примазываются к ней, когда делят лавры. А чер-
ную работу, в грязи и крови, совершают другие.

— Кто? Убийцы? Палачи?

— Если я еще раз услышу такие слова...

— Убьешь меня?

Свирепость с его лица сгоняла детская улыбка.

— Задушу... в объятиях.

Я не соглашалась с крайностями, но основа, сердцевина
его позиции была мне по душе. В Ди Джее сочетались роман-
тик революции и трезвый без сантиментов боец.

— Чувства надо оставлять в постели, — поучал он меня. —
Когда идешь в бой, выполняй приказ, не размышляя. Иначе
дрогнет рука, когда наведешь винтовку врагу в лоб. Враг тоже человек. У него есть мать, которая будет безутешна. Возможно, есть дети, кому уготована сиротская судьба. Стоит
это впустить в душу, и ты уже не боец. Ты — дезертир. Выст-

релишь с опозданием, а враг в это время уложит твое... рища по борьбе.

Очень любопытно рассуждал он о ближайших перспективах.

— Знаешь, кто наш союзник? Нефть! Черное золото, как ее называют. Нефтяной кризис уже расшатал финансы капиталистического мира. Растут цены. Падает производство. Усиливается безработица. И что поднимается? Недовольство. Среди кого? Беднейших слоев. Кто беднейшие слои? Негры. Мексиканцы. Пуэрториканцы. Знаешь, сколько цветного взрывчатого материала в твоей Америке? Больше двадцати процентов! Одна пятая населения! Цветные плодятся быстрее белых. Через одно поколение половина Соединенных Штатов будет окрашена в любой цвет, кроме белого. И тогда уж ничто не спасет.

Кроме того, мы уже сейчас можем экономически душить своего врага. И снова нефтью. У вас ее запасы иссякают. А у нас открыты несметные богатства. Венесуэла и Мексика могут затопить вас нефтью. И по той цене, которую мы установим. А на эти деньги мы купим оружие, чтоб окончательно вас добить.

— Почему ты все говоришь «вас»? Ты меня относишь к той Америке, с которой борешься?

— Прости. Погорячился. Ты — наша... И не наша. Ты не знала голода. Тебя не притесняли. Ты не поймешь. Но и таких мы принимаем в наш строй. Как союзника. А в борьбе, на реальном деле ты закалишься и станешь настоящим, а не книжным революционером.

— А если меня убьют? Тебе не будет жаль?

— Будет. Даже заплачу. Ты мне очень нравишься.

— Почему ты никак не произнесешь слово «люблю»? Стесняешься? Мужская гордость не позволяет?

— Это слишком дорогое слово. Зачем его трепать?

— Значит, меня ты не любишь? Я тебе лишь нравлюсь.

— Любовь не словами доказывают, а делом.

— Ну, докажи делом.

— Разве еще не доказал? А то, что все время с тобой? Забыл о товарищах. Они меня ищут и не могут найти. Скоро назовут дезертиром. И думаешь, они не будут правы?

Тут наступал мой черед обнимать его и целовать. Прижимаясь к нему, я испытывала ощущение, словно прикасалась к гладкой и гибкой черной пантере. В темноте сверкали его си-

это впустить в душу, и ты уже не боец. Ты — дезертир. Выстрелишь с опозданием, а враг в это время уложит твоего товарища по борьбе.

Очень любопытно рассуждал он о ближайших перспективах.

— Знаешь, кто наш союзник? Нефть! Черное золото, как ее называют. Нефтяной кризис уже расшатал финансы капиталистического мира. Растут цены. Падает производство Усиливается безработица. И что поднимается? Недовольство. Среди кого? Беднейших слоев. Кто беднейшие слои? Негры. Мексиканцы. Пуэрториканцы. Знаешь, сколько цветного взрывчатого материала в твоей Америке? Больше двадцати процентов! Одна пятая населения! Цветные плодятся быстрее белых. Через одно поколение половина Соединенных Штатов будет окрашена в любой цвет, кроме белого. И тогда уж ничто не спасет.

Кроме того, мы уже сейчас можем экономически душить своего врага. И снова нефтью. У вас ее запасы иссякают. А у нас открыты несметные богатства. Венесуэла и Мексика могут затопить вас нефтью. И по той цене, которую мы установим. А на эти деньги мы купим оружие, чтоб окончательно вас добить.

— Почему ты все говоришь «вас»? Ты меня относишь к той Америке, с которой борешься?

— Прости. Погорячился. Ты — наша... И не наша. Ты не знала голода. Тебя не притесняли. Ты не поймешь. Но и таких мы принимаем в наш строй. Как союзника. А в борьбе, на реальном деле ты закалишься и станешь настоящим, а не книжным революционером.

— А если меня убьют? Тебе не будет жаль?

— Будет. Даже заплачу. Ты мне очень нравишься.

— Почему ты никак не произнесешь слово «люблю»? Стесняешься? Мужская гордость не позволяет?

— Это слишком дорогое слово. Зачем его трепать?

— Значит, меня ты не любишь? Я тебе лишь нравлюсь.

— Любовь не словами доказывают, а делом.

— Ну, докажи делом.

— Разве еще не доказал? А то, что все время с тобой? Забыл о товарищах. Они меня ищут и не могут найти. Скоро назовут дезертиром. И думаешь, они не будут правы?

Тут наступал мой черед обнимать его и целовать. Прижимаясь к нему, я испытывала ощущение, словно прикасалась к гладкой и гибкой черной пантере. В темноте сверкали его синеватые белки. Мне было сладко и жутко. Чувство ни с чем не сравнимое.

— А после революции, — спросила я его, — не будет бедных, все станут богатыми?

— Все станут равными.

— Равными в чем? В богатстве? Или в нищете? В Китае все бедны. Что ж в этом хорошего?

— Зато нет эксплуататоров. Все ходят пешком.

— И никто не имеет своего автомобиля? А правительство?

— Правительство, конечно.

— Как же ты станешь жить после революции? Теперь ты разъезжаешь на дорогом «Корветте». Не каждый американец может себе такой позволить.

— Хочешь, я тебе поклянусь. В первый же день нашей победы я публично сожгу свой автомобиль.

— Почему тебе сейчас этого не сделать?

— Пока он нужен для дела революции.

— Обязательно серебристый «Корветт»? Автомобиль победнее не подходит?

— У тебя логика провокатора. ...Знаешь, где рождаются ураганы? — спросил Ди Джей.

Я качнула головой, признавая свою полную неосведомленность в этом вопросе.

— Что же ты знаешь? Как подводить глаза и когда принимать противозачаточные таблетки? А еще в колледже училась. У нас на Тобаго каждый малыш тебе ответит.

— Признаю свое невежество, — улыбкой стараюсь я вызвать улыбку на его каменном, скульптурном лице. — Повинную голову меч не сечет.

— Чем вы там в Нью-Йорке занимаетесь? Чем ваша голова забита в самом большом городе мира? На наших маленьких островах...

— Знаю, знаю, — опережаю я его. — На ваших маленьких островах люди любознательней и умнее, честнее и прогрессивнее. Знаю и не спорю. Признаю полное превосходство жителей маленьких островов. Но ведь ты не оставишь меня прозябать в неведении и расскажешь, где рождается ураган?

— А ты не подсмеиваешься? Тебе действительно хочется знать?

— Ну чем тебе поклясться? Именем Че Гевары?

— Замолчи! — сверкнул он глазами и своей жесткой ладонью зажал мне рот. — Не оскверняй святое имя! Не смей трогать его всуе! Ты меня поняла?

Движением ресниц я показала ему, что все поняла, и поцеловала его сухую ладонь. Это смягчило его.

— Ладно. Слушай. Но слушай серьезно. Мне не по нраву улыбочки, когда я говорю о важном.

— Ураганы — это так важно?

— Слушай. Поймешь и другим расскажешь, таким же темным, как ты. Ураганы рождаются на моей родине. Ясно? В Карибском море. Между Кубой и Гаити, Ямайкой и Бермудами. Колыбель ураганов окружена маленькими островами.

— Тобаго, — сказала я.

— Верно, — удовлетворенно кивнул он. — А еще какие знаешь?

— Сан Томас... Сан Круа... — напрягая память, стала я перечислять, но он перебил:

— Не то! Это — американская колония. Вирджинские острова. Ты еще Пуэрто-Рико забыла. Мартинику и Гваделупу, которые томятся под французской пятой.

— Я не забыла. Ты мне не дал сказать.

— Тебя спрашивают про свободные острова. Независимые государства. Как мой Тобаго. Запоминай, Тобаго... Тринидад и Тобаго — одно государство. Барбадос. Гренада.

— Кюрасао, — припомнила я.

— Кюрасао — колония. Голландская. Ничего ты не знаешь. Слушай и запоминай. Наши острова охватили Карибское море дугой от вашей Флориды до Венесуэлы, как ожерелье из драгоценных камней. Среди этих тропических островов в синих водах Карибского моря берет начало теплое течение Гольфстрим и уходит к Европе, смягчая ее климат. Над этими водами сталкиваются холодные и теплые потоки воздуха, и начинается битва. Тепла и холода. Вот откуда и рождаются ураганы. И уходят на север. К твоей родине. Начинают гулять по штатам, круша и сметая все на своем пути. Достается Флориде, еще больше Луизиане. Потом Техасу, Миссисипи, Оклахоме, Арканзасу. И дальше! И дальше! И дальше! Дрожит, содрогается континент. Рушатся, как карточные домики, ваши небоскребы. А хваленые американские автомобили забрасывает на вершины деревьев. Ты со мной согласна?

— Да, впрочем, не во всем. Ты пережимаешь. Сгущаешь краски. Но я делаю скидку на твой бурный темперамент.

— Не делай мне скидок! Я не нуждаюсь в твоем снисхождении! Слушай дальше. И если еще раз увижу, что скалишь зубы, я не поручусь за себя... и тебе придется вставить искусственные зубы. Если поняла и осознала, идем дальше.

Я склонила голову в знак полного согласия.

— Карибское море — котел с кипятком, соленым и крутым. И облака над ним, как пар, что клубится над бурлящим котлом. Громы гремят оглушительно, раскалывая небо, а молнии так сверкают над Карибами, что кажется — вспыхнул земной шар. Ты видала тропическую грозу? Это — гнев! Это — набат!

У нас в душных тропиках рождаются не только ураганы, несущие разрушение и смерть твоей стране. От нас на вас движется революция. Куба, Никарагуа, Сальвадор — только начало. Перегрелся пар народного гнева, истощилось терпение. Униженные и оскорбленные, вами обобранные до нитки, разгибаются и встают во весь рост. Под вашим брюхом уже пылает костер, нарождается ураган социальной революции, и твоей стране — твердыне капитала — не устоять перед его напором.

— Ты женишься на мне? — перебила я его высокопарную речь и спустила из облаков на землю.

— Семья — излишняя роскошь для революционера.

— После революции. Женишься?

— Если доживу. И ты меня не разлюбишь.

— Насколько я знаю, коммунисты — пуритане и такой образ жизни, какой мы с тобой ведем, осуждают. Они — за семью. Против любовных связей. Считают это развратом.

— Я — не коммунист.

— Кто ты?

— Марксист. Мы возвращаем марксизм к его первоначальному виду. Карл Маркс любил женщин и не стыдился этого. Но ты меня перебила. Я потерял нить.

— Ты говорил об ураганах.

— Верно. Знаешь, как они рождаются?

— Ты уже объяснил. И весьма популярно.

— На каком месте я остановился?

— Могу напомнить. Ты уж совсем собрался меня поцеловать, даже приблизил свои губы...

— Врешь! Но удачно. Я всегда хочу тебя целовать. Где твои губы?

Моя память с особой остротой запечатлела наши ночные купанья в океане. На моей желтенькой «Тойоте» мы уносились из душного, ядовитого Лос-Анджелеса на юг, в сторону Сан Диего. Ди Джей заезжал за мной к закрытию магазина, ставил свою машину на место, освобожденное «Тойотой», и пересаживался ко мне. Ужинали мы перед дорогой у Фернандо, и он с нас денег не брал. Больше из уважения к Ди Джею, чем ко мне, своей служащей. В нашем контракте не было пункта, что он обязуется меня кормить бесплатно. Но я не помню случая, чтоб он взял с меня плату, когда я иногда забегала к нему чего-нибудь перехватить. Фернандо не был мелочным, и копеечная щедрость тешила его самолюбие.

Ди Джей садился за руль. Он, как и, должно быть, подобает такого типа самцу, не мог себе позволить роль пассажира в автомобиле, управляемом женщиной. Тут сказывалось и латиноамериканское происхождение, и несомненный комплекс, возникающий у малообразованного цветного мужчины в его отношениях с интеллигентной белой женщиной. Он управляет машиной. Он везет с собой женщину. И он ею будет обладать. Бороться с этим не имело смысла. Ди Джея надо было принимать таким, какой есть. Слегка сглаживая острые углы. Или отказаться от него. Послать его к черту со всеми его латинскими замашками и комплексами.

Я была именно той женщиной, какая ему была нужна. Белой американкой, которую он властно подчинил себе и сделал чуть ли не рабыней. Я была послушна и покорна. Я боготворила его, и он легко читал это в моем взгляде.

А меня это нисколько не тяготило. С немалым удивлением я вдруг обнаружила, что все эти феминистские штучки, вся шумиха об освобождении женщин из-под мужского ига оказались хрупкой скорлупой, в которую я себя затолкала, и она тут же осыпалась прахом, как только передо мной возник настоящий мужчина, мой кумир, мой повелитель, мускулистая статуя древнего бога с чудным именем Ди Джей.

Пляж мы выбирали подальше от Лос-Анджелеса. Лонг бич. Или еще южнее. Лагуна бич. Пока мы туда добирались, а это сорок — шестьдесят миль, наступала ночь, в небе высыпали звезды, и над океаном вставала луна. Пляж к этому време-

ни обычно пустел. Только мы да «Тойота» у кромки песка жму-
рится от лунного сияния, отражаемого водой.

Мы раздевались донага. На этом настояла я, и Ди Джей
после некоторого колебания уступил мне. В лунном свете его
мощный атлетический торс, длинные, в бугорках мышц ноги
и чеканный профиль до немого восторга напоминали бронзо-
вую статую античных времен. Как известная фигура дискобо-
ла. В нем была мощь силача Геракла, но смягченная гибкостью
нежного Аполлона. Сила и ловкость. Грация пантеры. Шоко-
ладно-оливковая гладкая кожа, туго натянутая на мускулы,
матово мерцала под луной.

Не знаю, какой я представала перед ним в обнаженном виде, он не делал оценки вслух, но по его глазам я читала, что ему
приятно на меня смотреть.

Взявшись за руки, мы не спеша входили в океан. И он с
дружелюбным ворчанием принимал нас в свою теплую темень.

«Тойоту» мы оставляли с включенными фарами, чтоб, уп-
лыв далеко, не потерять ее из виду. Ди Джей был отличным
пловцом. Он, можно сказать, родился в море. На его родном
острове — сделал лишний шаг, и ты уже в воде. Я училась плавать в бассейне, под наблюдением инструктора, знала все стили, но никак не приноравливалась быстро передвигаться в воде. Проплыв полмили, я уставала и непременно ложилась на
спину отдохнуть, любуясь россыпями звезд над собою. Ди
Джей, намного меня опережавший, возвращался и плыл медленно вокруг меня, как бы охраняя, ограждая от опасности. А
опасность, и немалая, нас подстерегала в ночном океане. В газетах писали об акулах, подходивших близко к берегу и порой
нападавших на людей. В особенности на пловцов-одиночек.

Талию Ди Джея стягивал кожаный пояс, на котором висел
нож. Ди Джей уверял меня, что акула не выдерживает атаки, а
однажды у себя в Карибском море ему удалось убить ножом
барракуду в шесть футов длиной. Это звучало фантастикой. Но
я ему верила. И не испытывала никакого страха в воде, зная,
что неподалеку, как дельфин, резвится в океане Ди Джей.

Возвращались мы на два струящихся снопика света. Наша
«Тойота», как маяк, своими фарами выводила нас на песчаный
берег, давала нам мохнатую простыню вытереться и одеяло,
которое мы стелили перед ней и бросались в объятия друг другу. И наша пуританка «Тойота», тихо радуясь за нас, деликатно
гасила фары.

Но вот как-то в воскресенье, мы еще нежились в постели, и Ди Джей перелистывал газету, а я заглядывала в нее через его руку, вдруг узнала на газетной фотографии дядю Сэма. Он был в вечернем костюме и, галантно склонившись, целовал руку молодой женщине с глубоким декольте.

— Мой дядя! — воскликнула я.

— Этот? — удивился Ди Джей. — А ты говорила — старый! Смотри, как ручки лижет дамам.

Из текста под фотографией явствовало, что дядя Сэм присутствовал вчера в отеле «Хилтон» на благотворительном балу в пользу калифорнийского балета и внес на поддержание искусства чек в двести тысяч долларов.

— На поддержание искусства, — не сдержал гнева Ди Джей, — чтоб балерины могли перед их носом ножками дрыгать. А миллионы детей умирают от недоедания. Слушай, твой дядя сам идет к нам в руки. Он в Лос-Анджелесе! И, возможно, еще не улетел. Бал был ночью. Небось отсыпается.

— Где? — спросила я.

— В том же отеле... где был бал. Не поедет же он жариться в пекло в свой Палм Спрингс. В это время года там только прислуга сидит.

— Вполне возможно, — согласилась я.

— Позвони ему.

— Зачем?

— Проверим, где он?

— Ну и дальше?

— В гости поедешь, проведаешь старика.

— Если пригласит.

— Чем черт не шутит. Позвони.

— Хорошо. Допустим, я его застану и он меня пригласит. Ну и что?

— А ты посмотришь, что к чему, сколько собирается здесь пробыть.

— Еще лучше, если я его свяжу и доставлю тебе тепленьким.

— Ну, это уж слишком большой подарок, которого я от тебя не ожидаю. Просто сходи на разведку. А дальше — посмотрим.

Я позвонила в «Хилтон», представилась его внучкой, и после некоторого колебания и перешептывания меня соединили с дядей Сэмом. Мне повезло — он был в хорошем настроении. Должно быть, целование ручек балеринам оживило старика.

— Майра! Дорогая! Где ты?

— Дома. Увидела в газете... и позвонила.

— Чем ты занята?

— Я еще не встала. Лежу в постели и читаю газету.

— Еще не завтракала? Тогда немедленно собирайся и марш ко мне! Вместе позавтракаем. Никаких возражений не принимаю! Жду! — И повесил трубку.

Ди Джей пришел в сильное возбуждение. Таким я его никогда не видела. Он выскочил из постели и стал поспешно одеваться. Не умывшись и не почистив зубы.

— Быстрее! Не заставляй старика ждать! — торопил он меня, сверкая глазами. — Господи! Кажется, фортуна нам улыбнулась!

Мы выехали на моей «Тойоте» к отелю «Хилтон».

— Я тебя подожду в машине, — тяжело дыша, словно он долго бежал, говорил Ди Джей. — Иди к нему. Будь мила, любезна... Ну, ты это умеешь, и вообще, сейчас ты выполняешь мои команды и не смеешь возражать. Ты на боевом задании. О наших отношениях забудь... Действуй!

— Что я должна делать?

— Узнай его планы. Когда он бывает один? А дальше я займусь им.

— Но... ты даешь мне слово, что с его головы ни один волос не упадет? Понимаешь, что я имею в виду?

— Конечно. И можешь не сомневаться. Его жизнь в абсолютной безопасности. Он достаточно благоразумен, чтоб нам не мешать. Пойми, Майра, если мы добудем денег, к борющимся партизанам, в джунгли Латинской Америки, придут новые партии оружия, нужного позарез, и, когда революция победит, освобожденные народы скажут спасибо и тебе.

Пока зеркальный лифт нес меня наверх, я стояла среди распаренных, с улицы людей и мелко подрагивала, как от озноба. У меня буквально подкашивались ноги.

По бесшумным коврам я дошла до белых дверей и постучала. Дядя встретил меня в халате.

— А, красавица! — заключил он меня в объятия. — Заходи, дорогая! Ты еще похорошела с тех пор. Небось голодна? Сейчас все будет! Я закажу сюда завтрак. Посмотри меню и выбери. Эх, поем я сегодня без ограничений! Что ты, то и я. Ну ее к черту, диету! Верно? Дольше положенного срока все равно не проживешь.

— А вы один? — спросила я.

— С кем предполагала меня застать? А? Ты, милая, не принимаешь в расчет мой возраст.

— Я имела в виду Джорджа... вашего телохранителя.

— И его запомнила? Ну и память. Вот что значит молодой мозг! Без склероза. Джорджа я отпустил. Он мне не понадобится до полудня. Имею я право на отдых... от дел? Вот проведу день в твоем обществе. Кто меня за это может осудить?

И тогда я сказала то, что мне пришло внезапно на ум. Сказала спокойно, с улыбкой.

— У меня идея! И думаю, вы мне не откажете.

— Говори! Заранее я никогда ничего не обещаю, но выслушать твою идею готов.

— Не заказывайте завтрак. Позавтракаем у меня. Я вам приготовлю. Вы же не были у меня? Не видели, как я живу. Вот мое предложение: едем завтракать ко мне.

— А, знаешь, недурно! — воскликнул дядя. — Мне опротивела ресторанная пища. Любопытно, что твои ручки могут приготовить? Принимаю приглашение. Едем к тебе! К сожалению, я Джорджа отпустил. Но не беда! Закажем лимузин.

— Зачем? Я приехала на «Тойоте»! Помните?

— Как же! Как же! Это желтая машина, которую дурак Хозе купил вместо пикапа? Ну как? Ты ею довольна?

— Очень! Прелестная машина. Мы с ней как подружки.

— Здорово сказано! — изумился дядя. — Мы с ней как подружки. А я вот ни об одном из своих автомобилей так сказать не могу. Они мне служат. И все! Но чтоб дружить? Надо обладать твоим восторженным воображением! Да, кстати, в твоей подружке кондиционер в порядке? Не переношу жары.

Он не помнил, да и не знал, что в «Тойоте» не установлено охлаждающее устройство. Но я солгала, сказав, что все в порядке, он будет ехать в прохладе, с полным комфортом.

Пока он одевался в спальне, я быстро прикидывала, что предпринять дальше. Сама удивилась тому, что нисколько не испугана. Почувствовала себя конспиратором на важном боевом задании. Все напоминало какую-то увлекательную, до замирания сердца, игру. Важно было не совершить неверный ход, не оставить улик против себя. Пока все шло легко и без препятствий. Даже слишком легко. Внезапный приезд дяди Сэма в Лос-Анджелес, газета с его фотографией. А главное, я застала его одного, без охраны.

Меня никто не видел. Сейчас важно выйти из отеля никем не замеченной. Разумеется, вместе с ним.

Он вышел ко мне одетым как щеголь, в светлом костюме и голубоватом галстуке и надел на лысую голову такую же голубоватую панаму из тонкой прозрачной ткани. От него исходил аромат хороших духов. Он взял в углу тросточку с толстым костяным набалдашником и, картинно опершись на нее, изрек:

— Я к вашим услугам.

— Только, ради Бога, не задерживайтесь, если встретите знакомых, — попросила я. — Вас тут все знают.

— А мы от них удерем, — залучился морщинками дядя Сэм. — Выйдем не с главного хода, согласна?

И попал в точку, сам не ведая того, когда игриво добавил:

— Конспирация!

Безо всяких помех и, я уверена, никем не замеченные, мы выбрались из прохладной гостиницы и очутились на прожаренной солнцем улице. Я поискала глазами свою «Тойоту». Она желтела на той стороне.

У Ди Джея был цепкий глаз охотника. Он нас обнаружил еще до того, как мы пересекли улицу, поспешно выскочил из машины и, открыв вторую дверцу, забрался на заднее сиденье, где, как я и предположила, залег.

Дядя Сэм сел в машину впереди, ничего не заподозрив, и, как только мы отъехали от тротуара, за его головой возникло темное лицо Ди Джея.

— Не шевелитесь! Вы в наших руках!

Дядя в зеркале метнул на Ди Джея насмешливый взгляд:

— Это что? Такая игра?

И с некоторым недоумением покосился на меня.

Я сидела за рулем, окаменев.

— Считайте так, — ответил Ди Джей. — Но чтоб выйти невредимым из этой игры, вам придется заплатить.

— Сколько?

— Миллион.

— Центов? — хмыкнул дядя Сэм.

— Долларов! И, конечно, наличными.

— У вас недурной аппетит, молодые люди. Но не надеялись же вы, что я ношу с собой наличными такую сумму.

— Для того существует телефон. Позвоните кому следует, и вам доставят, сколько вы потребуете.

— Где телефон? — не вступая в пререкания, деловито осведомился дядя Сэм.

— Сейчас приедем, — сказал Ди Джей.

— Можно задать вопрос вашей юной напарнице?

— Можно.

— Скажи мне, солнышко, мы все же будем завтракать?

— Не беспокойтесь, — ответил за меня Ди Джей. — И завтрак будет, и другие удобства... если вы себя поведете, как подобает джентльмену.

— Можно еще один вопрос? На сей раз вам, молодой человек.

— Слушаю.

— Вы просто грабитель? Или же ваша... так сказать, деятельность прикрыта модными лозунгами?

— Я не грабитель. И не бандит. Если вас это утешит, могу сообщить, для каких целей будут истрачены ваши деньги.

— Сгораю от любопытства.

— Для революции.

— Больше вопросов нет. Премного благодарен.

Ди Джей велел мне остановиться и поменялся со мной местами. Он сел за руль. Я догадалась, что он так сделал, чтоб не давать мне вслух указаний, куда ехать. Дядя Сэм мог запомнить и навести потом полицию на след.

— В ваших интересах, — сказал ему Ди Джей, — не пытаться запомнить, какими улицами мы едем. Тогда вы станете опасным для нас. Поняли, что я имею в виду?

— Понял.

— Чтоб облегчить вам задачу, не мешало бы завязать глаза.

— Абсолютно излишне, — сказал дядя Сэм и снял очки. — Без них я почти слеп.

— Отлично, — согласился Ди Джей.

Меня поразило, что дядя Сэм не выказывал никаких признаков страха. Или хотя бы беспокойства. Он был сдержан, корректен и разговаривал с Ди Джеем, как с равным партнером в игре. Меня он старался не замечать. Чтоб не выразить своего презрения к той далеко не привлекательной роли, которую я исполняла в этой игре.

Одноэтажный плоский дом, к которому мы подъехали, ничем не отличался от соседних. В таких обычно обитают люди среднего достатка. Моя «Тойота» почти уткнулась в опущенные ворота гаража, и, словно кто-то ожидал нас внутри,

ворота тут же поехали вверх, открыв нам въезд в гараж. Мы
въехали, и ворота за нами опустились.

Я взяла дядю Сэма под руку и повела вслед за Ди Джеем в
дом. В гостиной, довольно пристойно обставленной, был хозяин дома, мне незнакомый, по виду мексиканского происхождения. Они с Ди Джеем заговорили по-испански.

Наш пленник попросил разрешения снять пиджак и раз-
вязал заодно и галстук, оставшись в рубашке, пересеченной
через плечи подтяжками. Затем тяжело опустился в кресло у
большого окна, за которым голубел, переливаясь солнечными
бликами, овальный бассейн.

— Она прекрасный боец! — похвалил меня мексиканцу Ди
Джей. — Даже не ожидал. Отныне я еще больше ее люблю.

Он обнял меня и стал горячо целовать. В щеки, в лоб, в
шею. Мексиканец деликатно отвернулся, но дядя Сэм, снова
водрузивший на нос очки, остановил нас:

— Молодые люди, не отвлекайтесь. У нас с вами есть дого-
вор, и поэтому дело — прежде всего. Надо связаться с моим адвокатом. Дайте сюда телефон.

Сказано это было Ди Джею, и он обиделся.

— Что значит дайте? — вспылил он. — Привыкли лакеев
иметь! Возьмите сами.

И он показал пальцем на красный телефонный аппарат,
стоявший у телевизора.

Дядя Сэм стал кряхтя подниматься, и я, пожалев, опередила его и поднесла телефон. Он поставил телефон на колени,
достал из пиджака записную книжку и, прежде чем набрать
номер, спросил Ди Джея:

— Миллион — окончательная цифра? Меньшая сумма вас
не устроит?

Ди Джей усмехнулся.

— Свою жизнь вы оцениваете меньше миллиона?

— Дорогой мой, — вздохнул старик. — За мою жизнь в
этом возрасте я бы и десяти центов не дал. И если я вам даю
миллион, то не для того, чтобы откупиться.

— Для чего же?

— Из сочувствия к вам. Должно быть, вам эти деньги
очень нужны.

— Верно, — кивнул Ди Джей. — Деньги позарез нам нужны. И чем больше, тем лучше. Оружие подорожало.

— Полагаю, вы не поднимете цифру за пределы миллиона?

— Нет. Миллион нас устроит. Остальное доберем у других.

— Справедливое распределение тягот революции, — улыбнулся дядя Сэм.

— Теперь уж вы отвлеклись, — напомнил ему Ди Джей. — Вы собирались звонить адвокату.

— Да, да, но сначала по другому номеру.

— Надеюсь, не в полицию?

— Мы же джентльмены, — дружелюбно укорил его дядя Сэм и набрал номер.

— Ларри? Это я, Сэм. О, давно уже встал. А ты все нежишься? Да, да. Было совсем недурно. И ты, старый мерин, рыскал глазами, как молодой жеребчик. Не отпирайся. Балерины всегда были твоей слабостью. Это не секрет даже для твоей жены. Нет, я не в гостинице. Долго рассказывать. Знаешь, по какому делу я тебе звоню? Мне понадобилась довольно большая сумма денег. Срочно. Непременно наличными. Нет, нет. Со мной все в порядке. Как-нибудь потом объясню и вместе посмеемся. Не балерины. Куда мне! Да они бы удовлетворились и чеком. Мне нужен наличными миллион. Сегодня банк закрыт. Но завтра вполне можешь раздобыть. Не задавай вопросов. Повторяю, со мной все в абсолютном порядке.

А теперь о деле. Ты уже давно положил глаз на моего Гогена. И предлагал полмиллиона за штуку. Ты не раздумал? Тогда все в порядке. Можешь взять две штуки и, пожалуйста, раздобудь наличными миллион. Что? Все три Гогена за миллион? Побойся Бога. Это же полтора миллиона. Полмиллиона штука. Я тебе и по этой цене не отдавал. А теперь обстоятельства меня вынуждают... Что? Ты раздумал? Именно теперь, когда я обратился к тебе? Пойми, мне позарез нужны эти деньги. Не задавай вопросов. Ладно, я согласен. Бери все три. Бог с тобой. Сейчас я договорюсь с моим адвокатом. У него ключи от сейфа, где хранятся картины. Значит, я могу на тебя положиться? Все! Жди следующего звонка и наш разговор храни в секрете. Даже жене ни слова. И тем более не вздумай впутывать в это дело полицию. Если ты мне добра желаешь.

Потом он поговорил со своим адвокатом. Следующий разговор состоится утром, после открытия банка.

— Ну-с, джентльмены, — заключил дядя Сэм, отодвинув от себя телефон, — как вы видите, я неплохой партнер. Со мной можно делать дело.

— Пока, — сказал Ди Джей. — Дальше посмотрим.

— Считайте, что деньги у вас в кармане. А теперь сделайте одолжение. Включите кондиционер. Здесь можно свариться.

— Кондиционер неисправен, — развел руками мексиканец, хозяин дома.

— Как же вы тут живете? — удивился дядя Сэм.

— Как видите, — угрюмо ответил мексиканец. — Я еще счастливчик, схватил удачу за хвост. А вообще-то наш брат, чикано, и мечтать не смеет о таком доме. Вас бы следовало к ним завести, а не ко мне. Вот там сладкая жизнь!

— Хоть какой-нибудь вентилятор, — простонал дядя Сэм.

— Идите во двор, — сказал Ди Джей. — Там продувает.

— А солнце? — чуть не взмолился дядя Сэм.

— Усадим под зонт.

Мы вывели его во двор и посадили в плетеное кресло, стоявшее под широким зонтом у бетонного края бассейна. За ним зеленел колючий кустарник, очень густой и ровно подстриженный, служивший забором, за которым начинался чужой двор.

— Последняя просьба, — пересиливая одышку, сказал дядя Сэм. — Нет ли у вас сигары?

Мексиканец покачал головой, а Ди Джей, усмехнувшись, заметил:

— Не много ли просьб для пленника?

— Моя просьба будет неплохо оплачена, — парировал дядя Сэм. — За одну сигару миллион долларов.

— Мы не курим. И вам бы советовал бросить.

— Зачем? Чтоб дольше вонять на этой земле? Я и так считаю, излишне задержался тут. Пойдите, молодой человек, и купите мне сигару.

— Здесь лакеев нет.

— Я бы сам сходил, если б вы меня пустили.

Ди Джей и мексиканец поговорили между собой вполголоса по-испански.

— Хорошо, — сказал Ди Джей. — Я куплю вам сигару.

— Две! — обрадовался дядя Сэм. — Еще лучше, три! Вот вам деньги.

— Не надо, — отвел его руку с деньгами Ди Джей. — Вы мой гость.

Ди Джей привез сигары и пакет с фруктами, после чего надолго уехал. Мексиканец ушел в дом и не показывал носа. Дядя Сэм блаженствовал в сигарном дыму под зонтом. А я, взяв в доме купальник хозяйки, поплескалась в бассейне и прилегла загорать у дядиных ног.

Он съел банан, выпил томатного сока и все продолжал дымить, щурясь через линзы очков в прозрачное голубенькое небо, где с ровными интервалами проходили с сиплым ревом пассажирские самолеты. Мы, по всей видимости, находились недалеко от аэропорта.

Он нисколько не унывал. По крайней мере, не показывал виду. И я в душе гордилась выдержкой и мужеством этого старого и хилого человека. Он разговаривал со мной так, словно ничего не случилось. Даже подшучивал.

— Представляешь, детка, какие мысли бродят в моей старой голове?

— Догадываюсь. Меня проклинаете.

— Нисколько. Твой поступок я могу понять и объяснить. Тобою движет не так разум, как чувство. Ты влюблена в этого креола. Я вижу. Я еще не совсем ослеп. Ради него ты все отдашь. А уж меня, старую развалину, подавно.

— Вы ничего не поняли. Верно, я его люблю. Но не ради любви я на это пошла. А ради идеи. Можете это понять? Революции нужны деньги. Много денег. Чтоб победить. У нас их нет. У вас слишком много. На тот свет с собой не заберете. Вот и поделитесь. Вам останется достаточно, чтоб без нужды дожить свой век. Зато сделаете доброе дело: поможете революции.

— Пусть будет так, — пожевал он губами. — Кто спорит? Деньги — вода. И весьма быстротекущая. А жизнь человеческая всего лишь прыжок — я извиняюсь за непарламентарное выражение — из пизды в могилу. И за этот миг надо успеть наделать массу глупостей. Не правда ли? Вот мы и спешим их совершить. Я уж натворил достаточно. Ты же норовишь наверстать. Так сказать тебе, какие мысли меня, старого дурака, одолевают?

— Я слушаю.

— Не тем я занимался всю жизнь. Понимаешь? Не достиг своей мечты.

— Какая у вас была мечта?

— Будешь смеяться. Не поверишь.

— Не буду смеяться. Я вам заранее верю.

— Еще с детства, солнышко мое, я хотел летать. С тех пор, как впервые увидел самолет. Представляешь? Порой до умопомрачения хотелось взмыть в небо, закувыркаться среди облаков. Один. Лишь послушная руке машина. Оторваться от земли. Забыть о ней. И хоть час быть вольной птицей. Боже, как я завидовал пилотам! А ведь к тому времени я уже заработал свой первый миллион. И мог себе кое-что позволить.

— Что же вам помешало?

— Человеческая глупость. То есть моя. Все откладывал. Успею. Некогда. Надо делать деньги. Пока они идут к тебе. Знаешь ведь, деньги идут к деньгам. И если сделал миллион, тут же рвешься делать другой. Остановиться невозможно. Ты уже раб денег. Они командуют тобой. Распределяют твое время. Устанавливают твердые правила, от которых уже не уклониться. А чтоб восстать, отказаться, нужно иметь много мужества. Каким обладают считанные люди. По крайней мере, не я.

На смену пропеллерным машинам пришли реактивные, и сердце мое заходилось от еще большей зависти к тем счастливчикам, кто буравил небо на скорости, обгоняющей звук. К тому времени я заработал столько и так помудрел, что решил отойти от активных дел и зажить для себя, для своего удовольствия. И, как ты понимаешь, с ликованием кинулся навстречу своей мечте.

Но есть рок. И он сыграл со мной злую шутку. И по возрасту, и по состоянию здоровья управлять самолетом мне было категорически запрещено. Только пассажиром. Это был крах. Честное слово, от него я не оправился до сих пор. Как услышу, даже еще не вижу, а только услышу в небе самолет, слезы застилают мне глаза. Я оплакиваю свою мечту. И себя. Потому что я сам себя обворовал. А ведь долго, полжизни, полагал, что обманываю других.

Я уловила звук высоко летящего самолета. В прозрачном небе тянулась белая струя от его двигателя, но самого самолета не было видно.

— Клянусь тебе, мне было бы куда радостней жить, не погрязши в бизнесе, а пойди я учиться на пилота. Когда был молодым. И потом на службу в авиакомпанию. Рядовым пилотом. На небольшое жалованье.

— Я вас понимаю, — вдруг взгрустнулось и мне. — Не каждый это поймет. Но я вас хорошо понимаю.

— Не все купишь за деньги, — вздохнул он. — Например, счастье. И еще много чего. Знаешь, кому, кроме летчиков, я завидовал всю жизнь? Высоким и красивым мужчинам. К ногам которых ложатся женщины, не прицениваясь и не колеблясь. К тем породистым самцам, кому не обязательно быть богатыми и умными, чтоб влюбить в себя красивую женщину. Ты себе представить не можешь, как я жестоко страдал всю жизнь оттого, что ни разу не стал объектом искренней, страстной любви. Я низкоросл и никогда не блистал красотой. Люди считают, что я не дурак. Но это не тот ум, что пленяет женщин. Не скажу, чтоб красивые женщины меня избегали. Со мной делили ложе немало красоток, и среди них такие, чьи имена гремели потом на всю Америку. И не без моей помощи. Но клянусь тебе, я не знаю случая, когда мной увлекались без меркантильного интереса. Мне продавались. Продавали свое тело. Приберегая душу, если таковая была, для других мужчин.

— Допускаю, что все это правда, — сказала я. — Вас ни разу не любили так, как бы вам хотелось. Но вы-то сами? Вы были влюблены в кого-нибудь?

Он задумчиво поскреб бритую, в складках щеку.

— Не помню. А если сказать правду, не был влюблен. Так, как ты имеешь в виду. По уши.

— Ни одна из встреченных вами женщин не вызвала?..

— Почему ни одна? Многие мне нравились. Еще как нравились! Но я не позволял себе. Держал в узде. Чувства опасно выпускать из-под контроля, милая. Ими легко злоупотребить. И ты становишься жертвой. Дойной коровой. Тобою будут помыкать. Вить из тебя веревки. А при моем состоянии это стало бы весьма доходным предприятием для хорошеньких кошечек. Нет, я не мог себе этого позволить.

— И не жалеете?

— В мои годы, когда делаешь ревизию прожитых лет, о многом приходится сожалеть. И ты когда-нибудь обнаружишь, что много чего упустила в жизни, если доживешь до такой старости.

— Сомневаетесь в моем долголетии?

— Компания, с которой ты связалась, никогда долго не обременяет собой землю. Какой бы ловкостью ни отличалась. Их век короток. Его обрывает пуля или нож. Самых неугомонных, вроде твоего парня, усмиряет электрический стул.

— А не кажется ли вам, что мгновенная смерть в расцвете сил лучше, чем долгая агония, мучительная и для себя, и для окружающих?

— Пожалуй, верно, — согласился он и с некоторым удивлением взглянул на меня, прикидывая, самой ли мне это пришло в голову или я чужие мысли ему излагаю. — Но ведь до электрического стула, прежде чем удобно усесться на нем, бесконечно долгое ожидание в камере смертников. Разве это не та же агония?

— Нет, не та. Во-первых, потому что тело не немощно, а крепко и сочно, переполнено жизнью и не верит в близкий конец. А во-вторых, умирать не просто так, потому что ты истощился, иссяк, весь вышел, а с сознанием, что погибаешь за дело, отдаешь жизнь за идею...

— В этом я не разбираюсь, — поморщился он. — Но мне вдруг подумалось, что все мы, все живое на земле, с момента рождения попадаем в камеру смертников и нам лишь остается со страхом ждать, когда придет палач. Разнимся мы лишь в сроках исполнения приговора. Бессмыслица жизни — в заведомом знании, что ты смертен, что ты обречен, как бы ни вертелся, как бы ни исхитрялся обмануть судьбу. Меня всегда преследовала мысль о смерти, о тщетности всех моих усилий, о суете сует, каковая и есть наше микробное мельтешение на земле. И это отравляло мне самые лучшие минуты. Я, по существу, никогда не был счастлив.

— Вы рассуждаете так, будто завтра умрете.

Он вскинул на меня глаза и улыбнулся.

— А ты уверена, что я заблуждаюсь?

Ночевали мы с ним вдвоем в спальне хозяев. Ди Джей и мексиканец расположились в гостиной. И кто-то еще, пришедший в темноте и мне не представленный, расхаживал всю ночь по двору. Наружная охрана.

Дядя Сэм лежал на двуспальной кровати. Я на полу, постелив одеяло.

Он долго вздыхал в темноте и ворочался и попросил, наконец, позволения закурить. Я позволила. Наполнив комнату пахучим едким дымом, он произнес слова, лишившие меня сна до самого утра. Сам же он после этого преспокойно уснул.

Вот что он сказал мне:

— Утром Гоген перейдет в другие руки, а деньги получит твой парень. У меня из-за Гогена сердце не болит. Фактически он мне уже не принадлежал. Совсем скоро во владение им должен был войти другой человек.

— Кто? — не выдержала я долгой паузы.

— Ты очень удивишься, солнышко, если я тебе его назову. И даже расстроишься. Потому что ты — поклонница Гогена. Не так ли?

— Да.

— После нашей последней встречи в Палм Спрингсе я расчувствовался и переписал завещание. Весь мой Гоген становился твоей собственностью, когда я уйду в мир иной. А этого долго ждать не придется. Так что, милая, если верно, что ты так увлечена идеей революции, то не я, а ты принесла ей большую жертву. Ты, по сути, отдала ей все свое состояние. И осталась ни с чем. Прости, если я тебя огорчил. Но ведь не я все это затеял.

Потом, вздохнув, участливо спросил:

— Ты хоть знаешь, на какую революцию пойдут эти деньги? В какой стране? И хорошо ли это будет для евреев? Не знаешь? Лучше бы мы с тобой подарили этот миллион государству Израиль. По крайней мере, нам бы сказали «спасибо».

Он умолк и вскоре захрапел.

Утром без каких-либо осложнений деньги, ровным счетом в миллион долларов, были доставлены в этот дом в черном чемодане. Когда их пересчитывали, разложив зеленоватые пачки на столе, я вдруг заплакала. Да так неудержимо, что меня пришлось отпаивать водой. Никто ничего не понял. Решили, что я переутомилась. Дядя Сэм еле сдерживал ухмылку.

Ди Джей велел мне ехать домой, дальше он вполне обойдется без меня.

— Что будет с дядей? — спросила я. — Кто его доставит обратно?

— Только не ты. Отныне твое дело — сторона. Я хочу уберечь тебя от малейшего подозрения. Все будет исполнено в наилучшем виде. Не беспокойся. Спи. Отсыпайся. Можешь на работу не выходить. Я условился с Фернандо.

На следующий день я проснулась рано и, не в силах справиться с охватившим меня беспокойством, помчалась к Фернандо. Он еще не открыл кафе для посетителей, но сам уже был на месте. Мы с ним оказались вдвоем в пустом зале со стульями, поставленными на ночь на столы. Фернандо даже не стал поднимать на окнах железные жалюзи, и в кафе стоял прохладный полумрак, прорезанный узкими полосками ярчайшего света из щелей.

— Привет тебе от Ди Джея, — сказал он, усаживаясь рядом со мной у стойки бара.

— Где он?

— Думаешь, я знаю? Конспирация. Полагаю, далеко от Калифорнии.

— Когда вернется?

— Не сказал. Только привет тебе передал. Сделать тебе кофе?

— Не хочу. Спасибо. Что еще сказал Ди Джей?

— Что еще? Да ничего такого, что было бы интересно для тебя.

— Кое-что интересно мне...

— А именно.

— Где мой дядя?

— Ах, вот что? Да, действительно, нехорошо получилось. Подвел нас твой дядя.

— Что он сделал?

— Умер.

— Неправда! — крикнула я. — Вы его убили!

— Умер своей смертью. От волнения, должно быть...

— Не верю! Вы! Вы его убили!

— Что ты? Что ты? Зачем его было трогать? Хороший такой, славный старик. С ним не пришлось возиться... никаких неприятностей... был очень кооперативен с нами. Кто же такого пальцем тронет? Уж совсем было собрались отвезти его в отель, глянули, а он, того... не дышит. Вот так, моя дорогая... Выражаю тебе мое соболезнование.

— Где он?

— Кто?

— Труп. Его же следует похоронить.

— А вот это уже лишнее. Дяде твоему все равно, а мы, живые, можем напороться на неприятности.

— Где вы его зарыли?

— Нигде. Мы его растворили. Кислотой. В ванне. Никакого следа не осталось. Как будто и не было никогда такого человека.

— Боже мой! — чуть не завыла я. — Что вы наделали?

— Почему вы? Все делали сообща. И ты в этом лицо не постороннее.

— Что я наделала! Бедный, бедный дядя.

— Успокойся. Возьми себя в руки. Твой дядя не бедный. Жил миллионером и умер тихо, без страданий. Ему можно только позавидовать. А перед смертью сделал благородное дело — помог революции.

Ди Джей сказал, а я его мнение уважаю, что твой дядя даже своей смертью помог революции. На одного свидетеля меньше. В таких делах число свидетелей должно быть сведено к минимуму. К самому жесткому минимуму. Ты меня поняла?

Он выразительно посмотрел на меня своими тусклыми рачьими глазами, и в мою душу стал вползать страх. Он, должно быть, заметил это и рассмеялся, ощерив под жидкими усиками редкие, несвежего цвета зубы.

— Ты не свидетель. Ты — участник. И вот тебе, так сказать, награда. Ди Джей велел передать.

Он сунул руку в задний карман штанов и извлек мятый конверт.

— Даю тебе отпуск. Отдохни. Ты заслужила. Тут тысяча долларов. Поезжай куда-нибудь... развейся.

— Когда вернется Ди Джей?

— Когда вернется, придет к тебе.

— Когда?

— Вот этого сказать не могу. Не знаю. Думаю, скоро. У нас тут дела предвидятся. И тебе занятие найдется.

Я встала и пошла, не попрощавшись. Он догнал меня с конвертом в руке.

— Возьми. Забыла. — И обняв за плечи, добавил: — Будешь развлекаться, не слишком шали. Ди Джей — ревнивый.

Конверт с деньгами жег мне руку. Я бросила его на заднее сиденье и уж больше весь день не прикасалась к нему.

Моя желтая «Тойота» металась по Лос-Анджелесу, как заблудившаяся собака. Мы сожгли полный бак горючего и после полудня заправились снова. Куда нас только не заносило! И в Инглвуд, и в Беверли Хиллс, и в Глендэл, и в Монтебелло, и в Хантингтон-парк и даже в аэропорт. Мы выезжали к океану и тут же уносились подальше к холмам, петляя в извилистых каньонах, застроенных по склонам нарядными домиками в окружении пальм и кипарисов.

О чем я думала? Какие мысли, путаясь, клубились в моей голове?

В первую очередь, жуткое чувство вины. Перед человеком, не сделавшим мне зла. Доверившимся мне. Слабым утешением было лишь то, что дядя Сэм и без моей помощи уже стоял двумя ногами в могиле и его дни на этом свете были сочтены

Но это не меняло дела и никак не снимало тяжести с моей души. Перед моими глазами все время возникало одно и то же видение, прогнать которое я была бессильна. Тело старика в одежде и ботинках расползается на части и тает, как лежалый снег, под действием кислоты. И вот уже в ванне нет человека, нет его одежды. Даже пуговиц нет. А лишь мутная, густая, как желе, жидкость. И она, булькая, с шумом стекает по трубам.

И еще мне виделось, как Ди Джей, сжав челюсти так, что под шоколадной кожей вздулись бугры, ударяет дядю по голове. Кулаком. Удара его кулака достаточно. И какое удивленное, даже обиженное выражение возникло на лице у дяди Сэма, прежде чем он окончательно потерял сознание. Он ведь верил, что его не тронут. И порукой в этом была я.

Лишь мельком проносилась мысль, что второй на очереди окажусь я. Как последний лишний свидетель. Но я снова возвращалась к бедному дяде Сэму. И меня терзало желание что-то сделать для него, чем-то оправдаться, как-то смягчить свою вину перед ним.

Глаза мои вдруг сфокусировались на фасаде синагоги, мимо которой несла меня «Тойота». Машинально перестроилась в крайний ряд и притормозила. Решение созрело окончательно, когда я уже шла, неся в руке конверт с деньгами, по пустынному в это время дня холлу синагоги, разглядывая надписи на древнееврейском языке, очертаниями букв напоминавшие мне могильные надгробья на кладбище в Квинсе, куда меня возили в детстве на чьи-то похороны. Я вспомнила, что родственники заказывают в синагоге поминальную молитву по своим покойникам. И даже вспомнила название этой молитвы — кадиш.

Синагогальный служка оказался молодым человеком с бледным, незагорелым лицом, по облику и одежде напоминавшим больше чиновника из государственного учреждения. Слушая меня, он почему-то грыз ногти. И пожалуй, это отличало его от чиновника и делало менее официальным.

— Как звать покойника?

— Сэм. Сэмюэл.

— Имя отца?

— Чьего отца?

— Его, конечно. Покойника.

— Не знаю.

— Кем вам приходится он?

— Кто?

— Покойник.

— Двоюродным дедушкой.

— Далекое родство. Когда он умер?

— Точно не могу сказать.

— А где умер... знаете?

— Нет. Мне позвонили... и сообщили. Я ничего не знаю. Разве нельзя просто так... без лишних формальностей заказать поминальную молитву? Я оплачу расходы. Тысячи долларов достаточно?

— О, даже много. Вы, я полагаю, хотите заказать несколько поминаний?

— Да, да. На все эти деньги. Используйте их по вашему усмотрению... На нужды синагоги.

Я вытащила из конверта десять зеленых стодолларовых бумажек и веером рассыпала на столе перед ним.

Крупные купюры привели его в смущение, и он по телефону позвал еще кого-то. Пришел высокий и полный мужчина в черной велюровой шляпе, сдержанно поздоровался со мной и, перебирая по одной купюре, каждую рассмотрел на свет. Точь-в-точь как в супермаркете, где недоверчиво принимают стодолларовые банкноты, опасаясь фальшивых денег.

Мне предложили расписаться, и я поставила не свою фамилию, а некоей миссис Маккормик, не сообразив, что она христианская. Но подпись вышла не совсем разборчивой и не вызвала никаких подозрений. Адрес я тоже указала не свой.

Уходя, я смяла в кулаке пустой конверт вместе с выданной мне квитанцией и бросила в урну для мусора. И почувствовала облегчение.

Снова желтая «Тойота» закружила по городу. Теперь мои мысли были сосредоточены на мне самой. Ди Джея я потеряла. Это не вызывало сомнения. Он совершил вероломство. Оказался на поверку заурядным бандитом. Его я вычеркивала из своего сердца. Но он, я полагаю, меня не забыл и будет искать. С какой целью? Ликвидировать лишнего свидетеля. Не обязательно он это сделает. Мало у него сообщников? Вроде того же Фернандо.

В Лос-Анджелесе оставаться опасно. Каждый лишний день может оказаться последним в моей жизни. А я не хочу умирать. Мне тут же привиделась ванна, наполненная кислотой, куда с плеском опускают мое безвольное тело, и от этого у меня сперло дыхание, словно меня душили, и я чуть не проехала на красный свет.

Надо уезжать. Куда? Как можно дальше от Калифорнии Сначала в Нью-Йорк. Там затеряться — не проблема. А оттуда, если все сойдет благополучно, за океан, в Европу. Куда меня тянет давно. С которой у меня ассоциируются неясные надежды на новый и крутой поворот в моей, доселе не задавшейся, жизни.

Добираться до Нью-Йорка в автомобиле долго и нудно. Но не бросить же мою «Тойоту» в Лос-Анджелесе? Как я буду передвигаться в Нью-Йорке? На такси я разорюсь. К тому же я привязалась к моей желтенькой подружке, и мне ее будет недоставать. Следовательно, на «Тойоте» — через весь континент. Через Скалистые горы, через прерии «кукурузного пояса». Денвер, Де Мойн, Чикаго, Питтсбург...

Хорошо бы иметь с собой рядом живое существо. Неназойливое. С кем можно обменяться словом. Кто не даст уснуть за рулем. И сменит, когда я устану. Найти бы такого попутчика.

Тогда и бензин пополам. Немаловажная экономия, если учесть, что денег у меня не густо.

Мне пришло на ум попытаться найти попутчика на автобусной станции. Туда заходят люди с ограниченными средствами, и, кто знает, может, мне снова улыбнется фортуна. Ведь, в принципе, я везучая.

Я вырвала из блокнота листок и написала, что ищу попутчика в Нью-Йорк. Не указав ни своего имени, ни адреса. Только номер телефона. В любом случае я решила уехать не позже чем завтра и постараться все совершить незаметно, чтоб ни Фернандо, ни даже Мелисса ничего не могли заподозрить.

ТОЙОТА

В этот мотель мы заехали затемно, свернув с автострады и разыскав его по указателям, которые привели нас точно к месту. Мотель как мотель. Одноэтажный, длинный, как солдатский барак. А вернее, как конюшня, рассчитанная на большое количество лошадей. Но с той разницей, что в этой конюшне ночуют не кони, а их седоки. Кони же остаются снаружи. Нас привязывать не надо. Мы поставлены на тормоза.

Перед каждым автомобилем, припаркованным на отделенной белыми линиями стоянке, — дверь в комнату его хозяев. С номером. А также окном, под которым выпирает решетка кондиционера.

Мои поселились в комнате под номером 68. Это не имеет никакого значения. Потому что, поселись они под номером 100 или 150, ничего бы не изменилось. Комната была та же. И мебель та же. И ни один предмет не был сдвинут со своего стандартного запроектированного места. Только я стояла бы чуть дальше, а возможно, с другой стороны корпуса. Но и там были бы те же двери и асфальт так же расчерчен белыми клетками, чтобы каждый автомобиль стоял точно на отведенном ему месте. Перед дверью хозяев.

Окно у моих неплотно зашторено, и там брезжит слабый свет. Снизу. Должно быть, смотрят телевизор. Лежа в постели. Им не душно. Кондиционер, мне слышно его постукивание, остужает воздух в комнате. Им хорошо. А я тут изнемогаю от духоты. Казалось бы, ночь на дворе. Впору бы воздуху остыть. Нет, влажно и жарко. Как в бане. Ветровое стекло и боковые запотели. А фары так затуманились, что порой мне приходится жмуриться, чтобы различить шифру 68 на дверях перед моим радиатором.

Не спится мне. Не спится и соседям. Слева, чуть не притерев мне бок, распластался широкозадый американец. Бежевый «Бьюик» не первой молодости и старомодно-неуклюжий. А справа, через один пустой квадрат, — серая машина. Тоже иностранка, как и я. И тоже экономичная малолитражка, компактная, строгая. Без излишней вычурности и претензий, как у моего соседа слева. Такую машину я вижу второй или третий раз. А стоять рядом приходится впервые. Это — «Лада», русская машина. Их стали продавать в Америке. И вот мы — соседи. Можно познакомиться.

На ночных стоянках мы, автомобили, любим пообщаться друг с другом, потолковать о том о сем, посудачить. В зависимости от характера, конечно. И национального происхождения. Вот шведы, к примеру, «Вольво» или «Сааб» не очень разговорчивы. Предпочитают других послушать. Даже если неинтересно.

Немцы спесивы. Я не говорю о «Мерседесе». Простые малолитражки, такие, как я, из этой нахальной семейки «фольксвагенов». Все эти «Поло», «Пассаты», «Сирокко», «Рэббиты». Слушают вполуха. Словно им все заранее известно, и их ничем не удивишь. А уж станут рассуждать — не пытайся спорить, дружно поднимут на смех, благо их всегда много, и будут презрительно фыркать. Уж на что захудалый «жучок» — родоначальник всей этой семейки, давно снятый с производства, но все еще бегающий по миру, в основном на запасных частях, — и тот задирает нос.

Но немцы хоть не крикливы. Рассуждают негромко, но веско. Так, по крайней мере, им кажется.

Зато итальянцы... Бог ты мой! Попадется тебе соседом какой-нибудь жёваный «Фиат», и считай, что ночь пропала. Не даст вздремнуть. Будет трепаться без остановки. И сам посмеется своему остроумию. А слушаешь ты его или нет — ему безразлично. Знай чешет, отводит душу. И голос обычно высокий, резкий. Ну точно ножом по стеклу или капоту провели.

Французы — элегантные собеседники. Не назойливые. Себе на уме. Не перебьет. Скажет словечко и ждет реакции. Ему важно знать, дошло до нас или нам надо все разжевать. А разжевывать французы не любят. Ну раз ты неотесанный провинциал, то тебе необязательно знать. Переглянутся друг с другом чуть заметно — и все. Если японская машина окажется рядом, ее удостоят взгляда. К нам, японцам, у них отношение уважительное. Мне один «Рено» однажды отвалил комплимент. Вы, сказал, японцы, — французы Азии. Не правда ли? Ну что ему ответить? Чтоб не задеть национальное самолюбие и свой престиж соблюсти? Я ответила так: а мы, мосье, в Японии называем вас, французов, японцами Европы. Не обиделся. Даже рассмеялся. Вместе посмеялись.

Об американцах... даже говорить неудобно. Можно неверно истолковать мои слова. Посчитать, что исхожу завистью к их необъятным габаритам, избытку хрома и всяческих других блесток, которые, как и лишний жир у человека, не свидетельствуют об отменном здоровье. Все эти «Форды», «Шевроле», «Кадиллаки», «Бьюики», «Олдсмобили», словно толстые тяжелые тещи, еле умещаются на своем отрезке парковки, норовят высунуть бока на чужую территорию. Станет такой рядом с тобой, тяжело отдуваясь с дороги — отмотал за день небось тысячу миль, — бросит свое надоевшее «хау ар ю?». Как, мол, поживаете? И, не дождавшись ответа, тут же доложит «аи эм файн!». Я, мол, в порядке! И немедля задремлет, прикрыв фары. Время, мол, деньги. Чего зря трепаться. Завтра предстоит дальняя дорога. Надо отдохнуть.

Наши японские машины, когда оказываются рядом на стоянке, любят потрепаться между собой на родном языке и лишь в исключительных случаях, когда между ними затешется иностранец, из приличия переходят на английский. В таких случаях разговор скоро иссякает, и каждый скучает в одиночестве, дожидаясь утра.

На сей раз я вообще земляков своих не обнаружила у мотеля. Возможно, из-за темноты — на стоянке почти все фонари были погашены. Это не совсем обычно. Чаще всего на этих стоянках каждый третий автомобиль — японец. Одну «Хонду» я, правда, приметила, проезжая вдоль всей линии задних бамперов, чтоб припарковаться перед дверью комнаты номер 68. Но то ли она в полудреме меня не заметила, то ли из свойственной нам, японцам, застенчивости не проявила никакой реакции и, только лишь когда я ушла далеко на другой конец стоянки, слегка подмигнула задней фарой. А может быть, это мне только показалось.

Итак, я стояла среди чужих. С одной стороны потел толстый американец, с другой — серая, как мышь, русская «Лада». Недурное расположение — впору провести конференцию сверхдержав по разоружению.

Американец уже спал. «Лада» — нет. И у меня сна ни в одном глазу. Неплохо бы поболтать, обменяться мнениями на сон грядущий. Кошусь на «Ладу». Улыбаюсь как можно дружелюбней. Не реагирует. Не вступает в разговор. С русскими всегда так. Мне уж говорили, у них инструкция такая: не вступать в разговоры с чужими во избежание провокации. Господи, что я могу ей сделать? Ну, выезжая, зацепить бортом, разбить заднюю фару. Так она же застрахована. На ближайшей станции технического обслуживания поставят все новенькое. Будет выглядеть лучше, чем была. И все бесплатно. Платит страховая компания.

Кроме того, машина-то лишь по происхождению русская. Так же, как и у меня, у нее американский номер. По гражданству мы, так сказать, американцы, и русские инструкции на нее уже не распространяются, кроме технических. Но, видать, не так легко отделаться от некоторых привычек. Отмалчиваться, держать язык за зубами — это у русских автомобилей в крови, продай их хоть на край света. От подобных привычек, что всасываются с молоком матери, долго не удается избавиться Я это знаю по себе Бегаю по американским дорогам, а поскреби меня — обнаружишь чистопородную японку. Со всеми нашими восточными штучками. Которые европейцу или американцу никогда не понять.

Мне остро захотелось расшевелить «Ладу», вызвать ее на разговор. Пусть не совсем откровенный, но все равно любопытный. О ее родине я мало знаю. А ведь эта страна граничит с моей далекой Японией. И ведет себя она вызывающе и загадочно. Никогда не знаешь, какой фортель выкинет завтра. А не зная, не будешь готов ответить. В наше-то время минимальная ошибка, непонимание могут привести к самым тяжким и неисправимым последствиям. Баллистическую ракету с водородной боеголовкой, выпустив, назад не повернешь.

Чтоб затеять разговор, важно хорошо его начать. Не вспугнуть нескромным вопросом собеседника, не заставить его, как улитку, уйти в себя. Тогда все завершится несколькими банальными фразами. Такой разговор лучше не начинать.

На нашей стоянке не все машины дрыхнут. Там, подальше, за «Ладой», стоят сплошные американцы, и они галдят, не стесняясь. У себя дома. Кого стесняться? До меня доносятся лишь обрывки. Чуть напрягшись, улавливаю, о чем речь. Конечно, нефтяной кризис, цены на горючее. О чем еще могут так горячиться эти янки? С их прожорливыми мощными моторами и с их привычкой носиться по дорогам на максимальной скорости.

Нам бы их заботы. В Америке, невзирая на все повышения, цены на бензин по-прежнему одни из самых низких в мире. А заставь их платить, сколько платят в Европе или на моей родине, тут же был бы бунт, революция. Они и слышать не хотят о снижении скорости хоть на десять миль в час. Или о том, чтоб в одной семье держать не три автомобиля, а два. Что вы! Это же нарушит привычный образ жизни. Американский образ жизни. Ущемит на йоту привычный комфорт, о котором на большей части планеты до сих пор и мечтать не отваживаются.

— Душно, — сказала я, скосив глаз на «Ладу».

Ее фара осталась недвижной.

— Может, под утро посвежеет, — снова запустила я крючок.

Снова ни словечка в ответ.

— И у вас в России так же душно бывает?

— Нет, — разомкнула челюсти «Лада» — У нас в СССР — самый лучший климат.

— Положим, в Японии климат также недурен.

— Не знаю. Я там не бывала.

— Ну, а как вам Америка? Нравится?

— Есть две Америки, — как по-писаному ответила «Лада». — Америка эксплуатируемых рабочих и бесправных негров и Америка капиталистов-монополистов.

— Я не о том, — усмехнулась я. — Мне любопытно, как вам, на свежий глаз, показалась жизнь в Америке? Что вам здесь понравилось?

«Лада» не сразу ответила. Повела фарами налево, направо, чтоб убедиться, что поблизости нет других русских машин.

— Техническое обслуживание, — сказала она вполголоса.

— Лучше, чем в России?

— Да.

— А еще что?

— Еще что? Запасных частей вдоволь. В СССР с этим делом беда.

— Ну а дороги?

— Дороги? — тихо рассмеялась «Лада». — Кто с Америкой в этом деле сравнится? У вас, что ли, в Японии дороги получше?

— Ну не лучше, но и не хуже.

— Правда? Ну и везет же вам. Дома — хорошие дороги, продали в Америку — и здесь хорошо. У нас в России еще не все на должном уровне.

— «У нас в России, у нас в России», — передразнил «Ладу» стоявший за ней «Фиат». — Какая ты русская? Ты же наша, итальянка. Со мной одних кровей. Фиатовских.

— Не смешите меня, — даже не рассердилась «Лада». — Я вас, молодой человек, знать не знаю. И слыхом не слыхала, чтоб меня с вами связывали хоть какие-нибудь родственные отношения.

— Секрет Полишинеля, — сказал «Фиат». — Весь мир знает, а она пребывает в счастливом неведении. Приятно это вам или неприятно, а мы «Ладам» кровная родня.

— Я — русская. И родилась на Волге.

— А как называется город, в котором родилась? — не унимался «Фиат».

— Тольятти.

— Ха-ха-ха, — зашелся от смеха «Фиат». — Знаешь, кто был Тольятти, чьим именем этот твой город окрестили? Пальмиро Тольятти был лидером итальянской коммунистической

партии, и когда моя фирма «Фиат» заключила контракт с
СССР на постройку автомобильного завода на реке Волге, то
новый город назвали именем Тольятти, а тебя, «Ладу», продали с потрохами русским, взяв за основу устаревшую модель
«Фиат-124».

— Еще раз повторяю, я — русская, — упрямо сказала
«Лада», — а все эти разговоры — отрыжка холодной войны.

— И песен итальянских не помнишь? — не унимался
«Фиат». — На твоей подлинной родине, в Турине, хоть это и
не Неаполь, а все равно поют славно.

— Я помню наши, русские, песни, — мечтательно произнесла «Лада».

— Спой, — попросила я.

— А можно? — спросила «Лада». — Никто не будет возражать?

— Плевали мы на них, — сказал «Фиат». — Пой!

— Волга, Волга, мать родная, — вполголоса запела «Лада». —
Волга — русская река.

Даже американцы перестали судачить о ценах на бензин и
прислушались.

У «Лады» был приятный мягкий голос, песня лилась плавно, и вся стоянка автомобилей заслушалась.

— Бельканто! — выразил мнение всех «Фиат», когда русская песня кончилась. — И все же ты, «Лада», итальянка. И
наши песни не могли выветриться из твоей памяти. Хочешь, я
тебе напою, а ты постарайся вспомнить.

— Мне нечего вспоминать.

— А все же... попробуй.

— О, соле мио, — затянул сладким голосом «Фиат», и на
наших глазах стала преображаться «Лада». Она вся как бы за-
светилась внутренним светом и взволнованно прошептала.

— Я помню. Я помню эту песню. О, соле мио. Боже мой,
словно голос матери услышала. Давай, дорогой, вместе споем... дуэтом.

— Ух ты, моя итальяночка! — вспыхнул «Фиат». — Давай,
подруга, вместе споем.

Над стоянкой поплыла сладкая неаполитанская песня. В
два голоса. Один — с чистым итальянским акцентом, другой
хоть и по-итальянски, но с русским произношением. И так
дружно слились, словно их никогда не разлучал никакой тор-
говый контракт.

ОНА

На улице был ветер, и в его вое ощущался пронизывающий холод, казалось, проникавший через каменные стены дома. Мокрые большие хлопья снега хлестали по окну, как плевки. А в самом доме было сухое электрическое тепло, устоявшиеся привычные запахи маминых духов, и обои на стенах были такими родными, способными укрыть, защитить, убаюкать. О каждом пятне на них я могла бы рассказать целую историю. Истории этих пятен — в сущности, вся моя жизнь. Детство. Отрочество. Юность.

Я покидала отчий дом. Вернее, отчий дом выбрасывал меня. Отрыгивал, сплевывал в январскую стужу и темень. Как чужеродное тело, колючий, неблагодарный комок плоти и крови, по недоразумению произведенный на свет божий, где у всех людей дети как дети, а это — черт знает что, гадкий утенок, выродок.

Я покидала собственный дом моих родителей в Форест Хиллс, Квинс, Нью-Йорк. Трехэтажный кирпичный особняк: пять спальных комнат, гараж на три автомобиля, доступный лишь верхней части среднего сословия — предмет папиной и маминой гордости, венец их паучьей, безрадостной драки за то, чтобы выжить и наскрести счет в банке.

Меня здесь еле терпели всю мою жизнь. Я была Золушкой. Любили моих сестер. Те были нормальные, те были понятные, те были до зубной боли скучные. Как папа и мама. Как обитатели соседних коттеджей, где все было одно и то же: стриженые газоны, будто сделанные из синтетической травы; на нижнем этаже одинаковые автоматически распахивающиеся ворота гаражей, выставивших свету самодовольные широкие зады дорогих автомобилей, под стать задам раскормленных, при бесконечных разговорах о диете, хозяек этих домов.

Чашу терпения переполнили мой необъяснимый уход от мужа и возвращение под отчий кров, что пришлепнуло печать неприличия на этот порядочный, строгих правил еврейский дом.

В девятнадцать лет я выскочила замуж, а в двадцать уже имела развод, пыталась жить сама, без чьей-нибудь помощи, моталась, как бездомный пес, по Нью-Йорку, ночуя то у подруг, то у случайных любовников, перебиваясь то мытьем посуды в кафе, то разноской писем на почте и даже проституцией. На этом поприще мне совсем не повезло, не заработала ни гроша. Потому что стеснялась просить деньги вперед, а вылезая из постели, мужчина никогда не заплатит. Ну и прекрасно А то бы я, возможно, и стала профессионалкой. Легкие денежки! А так — поняла, что это не про меня, плюнула, растерла ногой и вернулась, как блудная дочь, в трехэтажный дом в Форест Хиллс, к мужчине и женщине, которые, судя по метрической выписке, на свою беду произвели меня на свет.

И дом этот отверг меня. Легче пересадить и приживить сердце в другое тело, чем мне жить под одной крышей с этими чужими и безразличными людьми, которые всем, кто желает слушать, нудно жалуются, сколько седин я добавила к их волосам. Мама даже кокетничает этим. Ее пробивающаяся седина, мол, не от возраста, а от родительских треволнений, от вечного беспокойства за младшую дочь.

Дело ведь не в том, что мой брак был очень важен для них. Сначала они выдали старших дочерей. Удачно. Как положено у людей этого круга. За доктора и адвоката. Я вышла замуж за студента, будущего дантиста. И его папа был дантистом. Достойная партия. Хороший дом. Новые скучные знакомства. Ничто не предвещало беды.

Больше того, моя мама, а вслед за ней, с меньшим пылом, и папа получили после моей свадьбы приятный сюрприз и повод для нескрываемой гордости. Я вышла замуж невинной. Это в девятнадцать-то лет. В том почтенном возрасте, когда собаки уже подыхают.

Проболтался об этом своим родителям Тэд, мой муж, такой же девятнадцатилетний недотепа, как и я. И не гордость за неиспорченность невесты развязала его язык, а растерянность и страх. Он целый месяц пыхтел и потел и никак не мог справиться с таким плевым делом — порвать тонкую девичью пленку. Он искал совета у родителей, те помчались к моим. Моя мать взвилась на дыбы. От гордости. Подумать только! В этот развратный век ее дочь, ее сокровище, плод ее воспитания, смогла сохранить небесную чистоту. Одна во всем Форест Хиллсе! Во всем Квинсе! Во всем Нью-Йорке! Сохранить непорочность до девятнадцати лет — это всеамериканский рекорд!

Такая девочка заслуживает того, чтобы быть представленной Президенту Соединенных Штатов в Белом доме. Америка должна гордиться ею не меньше, чем астронавтом Армстронгом, первым ступившим на Луну.

Так говорила моя мама моему отцу, и щеки ее пылали. Единственный раз за всю свою жизнь я вызвала у нее чувство материнской гордости.

Мне смешно и горько. Настолько не знать свою дочь! Я сохранила невинность не из порядочности, а от брезгливости. Только выучившись читать, я глотала сексуальную литературу запоем, расширенными глазами впивалась в порнографические открытки, знала наизусть все эрогенные места на теле мужчины и женщины куда лучше, чем закон Джоуля — Ленца по физике и теоремы по геометрии. Я знала все сексуальные позы, видела сотни мужских членов, всех размеров и оттенков.

Сработала обратная реакция. Такие обширные ранние познания в сексе убили всякое любопытство, вызвали равнодушие и брезгливость. И самое страшное — надолго вымели из моей души потребность в любви и поэзии, сделали меня нравственной калекой.

А моя мама не находила себе места от гордости.

Я не могу вспомнить, почему я вышла замуж за Тэда. Почему я ушла от него — я знаю.

Тэд — неплохой парень. У меня к нему нет никаких претензий. В девятнадцать лет он выглядел очень привлекательным. Высокий, тонкий, с талией, как у девушки, и мужскими плечами. И лицо приятное. Не наглое. С детским румянцем на чистой, белой коже. Был в меру остроумен, неслишком болтлив. На меня смотрел с телячьим обожанием. И что окончательно покорило меня — был удивительно тактичен, словно он вырос не в доме дантиста во Флашинге, а в аристократической английской семье.

Пять недель в поту и с нервным тиком он лишал меня невинности и, к большому моему облегчению, сделал это, наконец, указательным пальцем — я уж думала, что вместо девичьей плевы у меня там бетонная стена. Воспоминание об этом осталось наиприятнейшее, как от хирургической операции без наркоза, совершенной далеко не тем инструментом, как полагалось, и без соблюдения правил стерильности.

А дальше начались кошмары. Тэд был неврастеник. Близость моего тела возбуждала его настолько, желание в нем нарастало с такой быстротой, что он доходил до оргазма, лишь коснувшись меня, а порой, даже не донеся до меня свой член, извергал гадкую слизь на мои бедра или живот.

Мой темперамент дремал, как в летаргическом сне. За год

совместной жизни я ни разу не ощутила признаков подступающего оргазма, а просто отдавала ему для потных упражнений свое тело, не испытывая ничего, кроме еле скрываемой брезгливости и желания оттолкнуть его и лечь спать одной.

Бедный Тэд! Его ущемленное мужское самолюбие скулило от унижения. Он стыдился меня. И с упрямством маньяка рвался к моему телу, чтобы убедить в своих способностях самца. И каждый раз сгорал на полпути или, в лучшем случае, сделав два-три движения.

Я не корила его. Не отталкивала. Мне было жаль его и хотелось помочь. А как? Этого я не знала, хотя объелась сексуальной литературой.

Я покорно несла свой крест, не испытывая особых тягот. Сексуальных потребностей, неудовлетворенного желания у меня не было. Я свыклась с мыслью, что так и должно быть, а вся литературная и научная дребедень об испепеляющей страсти, о мучительной сладости оргазма, о наивысшем, немыслимом наслаждении совокупления — пустой треп и рекламная приманка.

Тигр дремал во мне и ждал своего часа. Этот час наступил.

Мы с Тэдом таскались на вечеринки к знакомым. Там были женатые пары и те, кто предпочитали свободную любовь браку. Танцевали под стерео до ломоты в пояснице. Умеренно пили, курили марихуану. Тоже в меру. Чтоб не пристраститься. Тэд делал вид, что он веселится. Я не притворялась и порой откровенно скучала.

Все шло нормально. Везде было одно и то же.

Однажды на Лонг Айленде, в большом и очень богатом доме, где старики куда-то укатили, прислуга ушла в отпуск и молодежь большой компанией ныжилась изо всех сил, чтоб было весело, кто-то предложил попробовать славную игру, только ко входившую в моду обменяться партнерами по свободному выбору, при категорическом запрете отказываться от физической близости. Все были достаточно пьяны, и идея всех воодушевила. Я глянула на Тэда. Он аплодировал и кричал: «Браво!» На его щеках загорелся нервный румянец — симптом быстрого воспламенения.

Все заметались, засуетились, выискивая себе пару, стараясь отхватить что-нибудь получше. Меня поразило, что не мужчины, а женщины, девчонки проявляли наибольшую активность, жадно рыскали по толпе глазами и хватали за руку того самца, кто приглянулся, вцепившись в него двумя руками, отбиваясь когтями и каблуками от неуступчивых соперниц.

Тэда тоже кто-то подхватил. Я даже не видела кто. Помню, в душе злорадно усмехнулась: ну-ну, попробуй, голубушка, и ты, как брызжут семенем на живот и ляжки. Взвоешь, если ты, в отличие от меня, испытала, что такое настоящий секс.

Кто-то твердо взял меня сзади за локоть. Я скосила глаз — худой, с хрящеватым носом парень, с темными глазами итальянца и с большим кадыком на тонкой шее, смотрел на меня выжидающе.

— Конечно, — сказала я с наигранной развязностью, — куда пойдем?

Он смотрел на меня в упор. Как он полагал, очень страстно, уверенный, что гипнотизирует меня взглядом.

— Слушай, парень, — рассмеялась я. — Скажи, как тебя звать, и давай приступим к делу.

Я сбила с него наигранную мужскую спесь.

— Джо, — представился он.

— Прекрасно, — сказала я. — Веди. Но не в ту комнату, где мой муж кого-то трахает. Он ревнивый.

На всех этажах этого огромного дома шла повальная оргия. Ошалевшие от обрушившейся на них свободы мужчины и женщины — никто здесь не был старше двадцати пяти — рвали одежду друг с друга, становились в постыдные позы на глазах у других.

Мы с Джо — он тащил меня за руку — с визгом носились по лестницам, ногами распахивали двери комнат и везде натыкались на слипшиеся, дергающиеся в конвульсиях голые пары. Одни нас прогоняли, другие, наоборот, звали присоединиться к ним и устроить любовь вчетвером.

Мы нашли незанятую комнату. Она была явно нежилой. Сюда складывали ненужные вещи как в кладовую. Вдоль стен громоздились чемоданы, саквояжи, сумки и множество детских игрушек, старых, пользованных: мячи, куклы без ног или глаз, плюшевые медведи, слоны и старомодная деревянная, с мочальным хвостом, лошадка-качалка, какая была и в нашем доме, когда я была совсем маленькой. В комнате был диван. Широкий и пыльный. Это было то, что мы искали.

Мы раздевались при свете пыльной лампочки под эмалевым абажуром, разрисованным зверюшками. В этой комнате давным-давно была детская.

У Джо было тощее, смуглое, оливковое тело. Все ребра торчали наружу, и выпирали ключицы. Он был не старше меня.

На шее под кадыком висела тоненькая серебряная цепочка, и на ней болтался серебряный плоский крест.

Ну конечно, он же католик и носит нательный крест.

Когда я легла на мягко осевший подо мной диван и Джо молча, с тем же томно устремленным в мое лицо взглядом опустился на колени между моих раздвинутых и чуть поднятых ног, а руками уперся с обеих сторон моей головы, я первым почувствовала не прикосновение его тела, а крестик на цепочке, повисший над моим лицом и царапнувший мне нос.

Я еле сдержала смех. Крестик метался в ритм движениям Джо и бил меня по носу и по щекам. Не больно. Но отвлекал. Я даже не заметила, как член Джо вошел в меня. Хорошенькая ситуация. Еврейская девочка отдается католику, и он своим крестом царапает ее еврейский носик. Модерный обряд крещения и обращения в грешницы. Мой бедный папа будет икать в субботу в синагоге.

На нас смотрели широко распахнутыми глазами большие, в натуральный рост куклы с выдерганными ресницами и полуоторванными волосами. На меня смотрело мое детство. Мое невинное детство, не моргая, уставилось на выросшую дуру, впервые изменявшую своему мужу, с его ведома и без никакого желания с ее стороны. Просто так, чтоб не умереть от скуки.

Дальше началось нечто неизведанное. Все отвлекающие мысли сдуло как ветром. Мое тело стало напрягаться и податливо шевелиться навстречу ритмичным движениям Джо. Я даже перестала замечать болтающийся перед глазами крестик.

Боже! Во мне просыпалась женщина.

Что-то задрожало в животе. Сладкая истома потекла под кожей к груди и рукам, до самых ногтей. В носу защипало, как перед слезами.

Каждое движение Джо вызывало ответное движение во мне. У меня захватывало дыхание и отпускало. Я приподнялась на локтях. Потом обхватила руками его ягодицы и стала помогать ему, ладонями давя его тело, вжимая в меня до отказа.

Я стала задыхаться. Мы слиплись телами и забились, как в припадке. И я прикусила губу до боли.

Все во мне сладко натянулось до предела. Еще миг, еще одно движение Джо — и сердце захлебнется, лопнет. Я крикнула, как дикарка. И провалилась, размякнув телом, безжизненно раскинув руки и ноги.

Я лежала опустошенная, в голове звенело. Глаза мои были закрыты. По щекам текли слезы. Благодарные слезы за наслаждение, испытанное впервые.

Я стала женщиной. Через год после замужества.

Назавтра я ушла от Тэда.

Скандал. Вопли. Крики. Я осталась непреклонной.

А теперь покидаю отчий дом.

Я не могу жить с людьми, которые меня еле терпят, с которыми у меня никогда не будет общего языка. Они меня считают развратницей, сексуальным маньяком. Как это нельзя жить с Тэдом? Мальчик нервный. Ну и что? Это пройдет. Он поедет зимой в Вермонт, походит на лыжах, укрепит нервы.

Пусть ходит на лыжах всю жизнь. Я покрываюсь гусиной кожей при воспоминании, как он вымазывал гадкой слизью мой живот и бедра. Я не развратна. Но я женщина. Я — нормальная самка. И мне нужен нормальный самец, способный довести меня до оргазма и дать мне то наслаждение, без которого вся остальная жизнь — суета сует.

Кстати сказать, эти несколько месяцев в родительском доме я не спала с мужчинами и обошлась легко. Я не похотлива. Я не жадна до наслаждений. Но мне это нужно. Как кислород живому существу. И я от этого добровольно не откажусь.

Деньги на билет я взяла у деда. Я пошла к нему в Дом престарелых, и он, мудрейший из мудрых, выписал мне чек дрожащей рукой с коричневыми старческими пятнами на дряблой коже. Он дал мне денег на билет в оба конца.

— Вдруг я умру, — сказал он, — и тебе надо будет вернуться на похороны. Где возьмешь денег на билет? Поэтому я тебе даю в оба конца.

Он рассмеялся и стал кашлять. Я прижалась головой к его узкой, запавшей груди и слышала, как там что-то клокочет и хрипит, и мне захотелось взвыть в голос, потому что роднее деда у меня никого нет, и он скоро умрет.

За окном выла метель, и мне казалось, что при такой погоде самолеты не полетят и мне придется возвращаться из аэропорта в этот унылый, как гроб, дом. Я заказала такси по телефону и выглядывала в залепленное тающим снегом стекло, не показался ли желтый лимузин.

Родители игнорировали меня. Делали вид, что ничего не

произошло. Будто не их дочь сейчас уйдет из тепла в холодную слякоть, в неуютную темень, улетит неизвестно куда и будет жить неизвестно как.

Отец слушал радио, утонув в своем любимом глубоком кресле с кожаной обивкой. Он был в домашней куртке и ночных шлепанцах на босу ногу. Ему было уютно и совсем не грустно. Он иногда поглядывал на меня с любопытством, даже давал советы, например, поставить чемодан ближе к выходным дверям. Мать из кухни крикнула мне, чтоб я обязательно замотала шею шарфом. Ведь у меня гланды.

В вихрях снега затормозило у нашего дома желтое такси и просигналило. Я взяла чемодан. Отец встал с кресла, подошел ко мне, поцеловал в лоб, мать прибежала из кухни и испачкала мукой воротник моего пальто. Глаза у нее покраснели, но слез не было.

— Прощайте, — сказала я и поперхнулась.

— Шею, шею береги, — крикнула мама, когда я распахнула дверь, и в прихожую хлынул зябкий холод, и мокрые снежинки легли на ворсистый ковер.

Закрывая за собой дверь, я услышала голос отца, такой домашний и уютный:

— Ну, жена, ставь на стол, ужинать будем.

И тогда я взвыла. Тихим щенячьим воем. У закрытой двери родного дома. Под холодным ветром и колючими снежинками, секущими по щекам. Как щенок, вышвырнутый из тепла на холод.

Такси нетерпеливо прогудело.

Я сорвала с шеи шарф и повесила его на рукоятку двери. И пошла с распахнутым воротом к такси, наклонившись под тяжестью чемодана.

Шофер, немолодой негр в теплой непромокаемой куртке, взял у меня чемодан, положил в багажник, и, пока он это делал, я невольно оглянулась на дом, на окна, где в уютном теплом свете шевелились силуэты папы и мамы, в глубине у обеденного стола. Они даже не подошли к окну.

Я села в машину и с треском захлопнула дверцу. Давя снежную кашу, мы тронулись мимо одинаковых кирпичных домов, голых старых деревьев и верениц мертвых автомобилей у тротуаров, сверху залепленных шапками снега.

Людей не было. Тянулись бесконечные вереницы застывших автомобилей. Хлюпала грязь под колесами, «дворники» метались по ветровому стеклу, утирая крупные слезы, а они набегали вновь.

На Квинс-бульваре мы вползли в поток автомобилей и стали брызгать во все стороны грязью и получать сдачи от соседей.

В мутное небо уходили красные кирпичные дома на двадцать этажей, и везде светились окна, и за окнами была жизнь, и, возможно, в одном из тысячи были подлинные чувства и нормальное человеческое тепло.

Мы подрулили к аэропорту. Шофер подал мне чемодан, и я, не знаю почему, попросила его:

— Пройдите со мной в аэропорт. Я вам заплачу.

Он пожал плечами и понес чемодан к автоматически распахивающимся дверям. Я попросила его сдать мой чемодан в багаж, и он почему-то не возразил. У него было черное лицо и синие белки. А кожа на щеках и широком носу лоснилась под светом люстр.

Оформив билет, я рассчиталась с шофером и дала два доллара на чай. Кругом нас редкие пассажиры прощались с родными, целовались, кто-то всхлипывал.

Я была одна. Как собака. И уже пошла с сумкой к контролю, но, обернувшись, увидела, что шофер не ушел и смотрит мне вслед. Я побежала назад. Обхватила его голову в форменной фуражке обеими руками, присосалась губами к его толстым губам и слезами замочила его щеки.

Он не оттолкнул меня. Откинул шапочку с моих влажных волос и стал гладить рукой по ним нежно-нежно, и я услышала его мягкий голос:

— Беги, девочка. Опоздаешь на самолет.

ОН

Проселочная дорога петляла среди редкого, побитого снарядами, горелого леса. Черные обугленные стволы сосен нависали над нашими головами. Ноги облипли комьями вязкой грязи. Дорога была глинистой и раскисла от осенних дождей. Каждый шаг сопровождался чавканьем и всхлипыванием глины, не желавшей отпустить ногу.

Но настроение все равно было приподнятым. После долгого сидения взаперти, огражденным от мира колючей проволокой и часовыми, я наконец получил увольнительную до двенадцати ноль-ноль, то есть до полуночи, и сейчас топал по грязи вместе с моим сержантом Котовым до ближайшей железнодорожной станции на танцы. Меня будоражил острый запах прелой хвои и увядших грибов, ноздри щекотал хмельной аромат янтарной сосновой смолы, проступившей из древесных ран, выбитых железными осколками. И еще одно обстоятельство: меня, зеленого новобранца, только что прибывшего на фронт с маршевой ротой, взял с собой в компанию сержант Котов, бывалый вояка, с медалями и нашивками за ранения на выпуклой груди. У него были широкие плечи, длинные руки и несоразмерно короткие ноги. Словно природа по ошибке склепала две половины совершенно разных людей. Лицо широкое, крестьянское, со следами от оспы на выступающих скулах. Но он был не татарином, а чистокровным русским, из Подмосковья, а так как я был москвичом, то этого оказалось достаточно, чтоб сержант на правах земляка сразу взял меня под свое покровительство.

— Ты вот что, — глубоко дыша, наставлял он меня под ритмичное чавканье глины под ногами. — Забудь, кто я, кто ты. Придем на танцы, я — не сержант, ты — не рядовой. Мы — кореши, понял? Земляки-приятели. Женскому полу на одну ночь не чин важен, а душевность, подход. Поначалу. А дальше... я тебе не нянька... действуй по обстановке.

Мы прошли какое-то время молча, потом он спросил:

— Впервой к бабам?

Я не ответил. По вспыхнувшим щекам понял, что заливаюсь краской.

— Не тушуйся. Каждый начинал впервой. Только поменьше мудри. Понял? А как нам Суворов завещал... быстрота и натиск. Тебе небось восемнадцатый?

— Нет, — качнул я головой. — Семнадцатый...

— Еще нет семнадцати? — он даже остановился.

Я остановился тоже.

— Шестнадцать.

— Как же тебя, малолетку, взяли?

— Меня и не брали. Я доброволец. Отец пошел со мной и упросил.

— Сознательный у тебя отец, — протянул сержант. — Коммунист?

— Конечно, — кивнул я. — С революции.

— Сидел? Нет? — искренне удивился сержант. — Сталин

таких обязательно сажал... Повезло твоему батьке. Пошли, пошли. Чего стоишь? Мы в увольнительной — каждая минута на счету.

И когда глина снова зачавкала под ногами, сказал убежденно:

— Я в тебе не ошибся. Не зря дал рекомендацию в партию... Ты наш человек и достоин пойти в бои коммунистом. Ведь за что воюем? За коммунизм. Против фашизма. Значит, не быть в такой час коммунистом — вроде скрытого дезертирства. Вы, мол, как хотите, а я — в стороне. Нет, брат, мы с тобой не такие. За чужие спины не прячемся. Если и умрем, то... как коммунисты. Лицом к врагу. С именем Сталина, понимаешь, на устах...

Сержант говорил явно чужими, не своими словами, но искренне и даже взволнованно. Это мне нравилось и еще больше располагало к нему, такому опытному, бывалому, лет на пять старше меня, и верящему в те же идеалы что и я.

— Я не подведу, — горячо сказал я.

— Попробуй подвести, — криво усмехнулся он. — Сам первый в тебя пулю пущу. Мы отныне как бы одной веревкой повязаны. Оба — коммунисты. Понял? Я тебя рекомендовал — я за тебя в ответе. Опозоришься, покажешь слабинку — с кого первого спрашивать станут? С меня. И не пощадят, не поглядят на мои заслуги перед Родиной. Коленом под зад — и нет тебя. У нас, знаешь, как? Кто не с нами, тот против нас.

Ну чего, чего уставился? Это я тебе так... Зарубку на память. Не верил бы тебе, стал бы я поручаться за тебя? Я себе не враг. Мне еще красиво пожить хоцца. Понял? Голову б сберечь да вернуться с войны живым — уж развернусь. Хрен меня на трактор посадишь. Ванька Котов с партийным билетом в кармане других будет на трактор сажать. Хватит, покричали на нас, теперь наш черед покрикивать. Потому как власть у нас, у коммунистов. И тебе дорожка откроется похлеще моей. Ты грамотный.

— Вы уверены... меня примут?

— Не дрейфь. Аль не достоин? Происхождения какого? Пролетарского. Отец — старый коммунист. Чего больше? Патриот... раньше срока на фронт пошел. Такие для партии наилучший материал. Сам-то русский?

— Не похож? Конечно, русский.

— Нынче кто разберет? Кто русский, кто турок? Интернационал. Рожа-то у тебя не совсем русская.

— Не понимаю вас, — растерялся я. — Обыкновенное... Интеллигентное лицо...

— Вот, вот. Интеллигентное. Гнилая интеллигенция.

— Ну зачем вы так? — обиделся я. — Какая может быть гнилая интеллигенция в стране, строящей коммунизм?

— А знаешь, кто вашего брата так назвал? Сталин.

— Ничего подобного не слыхал.

— По молодости лет.

— Ошибаетесь. Не мог он так сказать.

— Ну, если не он, то Ленин... уж точно так сказал.

— Не верю. Ленин сам интеллигентного происхождения.

— Вот, вот. Потому и знал хорошо вашего брата... и не шибко доверял. Он не на гнилую интеллигенцию, на рабочий класс и трудовое крестьянство делал ставку. Понял? И не забудь, когда спрашивать станут.

— Я «Устав» знаю наизусть.

— Ну, тогда порядок. Держи хвост пистолетом. Тебя и спрашивать вряд ли что станут. На фронте, знаешь, как принимают в партию? Списком. Кучей... Как в братскую могилу.

Он рассмеялся и скосил на меня узкий глаз.

— Ну, это я так... для красного словца. Забудь. Будут спрашивать, поменьше мудри. Отвечай, как солдат, коротко и ясно. Мол, коммунист — самый передовой человек. И так далее. Ясно? Морально чист... как стеклышко... своим поведением подает пример остальным... А это значит... В атаку — в первых рядах. За дело Ленина — Сталина готов пролить свою кровь, а если понадобится — и жизнь отдать... не колеблясь. Понял? И все. Переключай мозги на другой объект. Времени у нас в обрез. Надо успеть отхватить от жизни. Знаешь, как в армии? Жри, пока не лопнешь... и еще столько. Про запас. А то, кто знает, будет ли завтра что жевать? Так же и с бабами. Я как дорвусь, меня потом ветром качает.

Танцевали в пустом пакгаузе возле железнодорожных путей. Вся станция сгорела, даже будки стрелочников, а плоские низкие складские помещения с дверьми-воротами, куда мог въехать грузовой автомобиль, уцелели и стояли пустые, продуваемые ветром. Прежние запахи — муки и дегтя вперемешку — все еще не выветрились из толстых стен.

За пакгаузом, как кладбище, протянулись улицы с деревьями, порой даже воротами и обломками оград, но без единого дома. Среди поросших бурьяном дворов, как могильные надгробия, на черных пепелищах сиротливо стояли задымленные кирпичные печи с непривычно высокими дымоходами без дыма, а также валялись в золе погнутые, покореженные железные спинки кроватей — все, что осталось от деревянного поселка с тех пор, как по нему дважды прокатилась война. Сначала на Восток, когда мы отступали, а потом на Запад, когда мы вернулись, прогнав немцев.

Мы — это русские. Советская армия. Но не я. Я попал в армию, когда этот населенный пункт уже был в тылу наступающих войск, и здесь, в огороженном среди леса лагере, пополнялись из маршевых рот потрепанные в боях части, прежде чем снова отправиться на передовые позиции. Для женщин сгоревшего поселка, где не было ни одного здорового мужчины, танцы в пакгаузе были единственной возможностью хоть на одну ночь, хоть на час-полтора погреться, понежиться в объятиях случайного кавалера — солдата, отпущенного в увольнительную, также изголодавшегося по женской ласке. На танцы пробирались по бездорожью и слякоти женщины и девки из окрестных деревень, преодолевая босиком многие километры и неся свою обувь в руках.

Электричества не было, и под балками коптили на проволоке керосиновые лампы, давая слабый и неровный свет, отчего было трудно различить лицо партнера по танцу. Но это никого не смущало: к чему разглядывать лицо, если видишься первый и последний раз. И завтра будешь танцевать с другим и у него искать утешения. Зачем зря память обременять? В полной темноте танцевать было бы еще лучше. Меньше стыда.

Играл местный безногий гармонист, держа на обрубленных бедрах немецкий трофейный аккордеон, отливавший кровавым перламутром. Играл, склонив кудрявую пьяную голову на растянутые меха, и торчавшие из-под мехов обрубки, обмотанные в концы штанин, подергивались в вальсовом ритме. Он играл печальный тягучий вальс «На сопках Манчжурии». Чуть ли не полувековой давности, времен русско-японской войны. На гармонисте был серый немецкий китель. Явно снятый с убитого солдата. В лесу вокруг нашего лагеря все еще валялись незарытыми полураздетые трупы. И мальчишки в деревнях щеголяли в немецких кителях, а женщины в юбках, перешитых из солдатских штанов. Немецкое обмундирование ценилось деревенскими жителями. В отличие от советского, оно было из хорошей шерсти, мягкое и теплое и носилось долго.

Такая юбка была на моей партнерше. Из толстого серо-зеленого сукна. Большая твердая грудь упиралась мне в шею. Ростом она была побольше меня. И старше. Как раз под стать моему сержанту. Но он остановил свой выбор на ее подруге, совсем молоденькой тоненькой девчонке. Не отходил от нее и больше ни с кем не танцевал. Чтоб не подводить его, я тоже сохранял верность своей партнерше. Танец за танцем. И все время молча. Она лишь в самом начале спросила, откуда я родом, и, узнав, что из Москвы, словно язык проглотила и только сдержанно сопела, неуклюже поворачиваясь в моих руках под тягучий стон аккордеона. Сколько ни пытаюсь припомнить, не могу восстановить в памяти ее лицо. А ведь это была моя первая женщина. Мы топтались в полутьме, стараясь попасть в такт музыке. То и дело мимо пакгауза с шипением и свистом громыхал невидимый маневровый паровоз, толкая товарные вагоны, и звуки аккордеона пропадали, но мы не останавливались и продолжали перебирать ногами.

Наконец танцы кончились — гармонист отказался дальше играть. Его об этом попросили наши солдаты. Срок увольнения близился к концу. А ведь им еще надо было проводить своих «дам» и кое-что успеть до полуночи. Парочки в обнимку или держась за руки, торопливо покидали пакгауз, а те женщины, на чью долю не досталось партнера, сбивались в неестественно оживленные стайки, громко и завистливо судачили, провожая глазами каждую пару, а потом тоже ушли в ночь и, как вызов своему одиночеству, выкрикивали озорные, похабные частушки.

Мы вышли вчетвером. Снаружи накрапывал мелкий дождик. Запасливый сержант отстегнул от ремней свернутую плащ-палатку и расправил ее над нашими головами. Нам пришлось сбиться потесней. «Дамы» в середине, мы с сержантом по бокам, поднятыми руками поддерживая брезентовые края. Наши «дамы» тут же разулись, сняли с уставших ног тесные туфли и понесли их в руках, шлепая босиком по хлипкой и холодной земле. Было совсем темно и ни огонька вокруг. Мы оступались и скользили и при этом почему-то громко смеялись, хотя, по сути, ничего смешного не было. Нам предстояли очень долгие и скучные проводы девиц до их деревни, отстоявшей от станции на добрых три километра с гаком. А после этого топать в кромешной тьме обратно столько же да еще не меньше километра до расположения батальона.

Присутствие женщин совсем близко, запахи, исходившие от их разгоряченных танцами тел, приятно и непривычно будоражили меня и слегка кружили голову. Я брел, прижимаясь к теплому женскому боку, не разбирая дороги и не задумываясь, куда и зачем мы идем. Я полностью полагался на своего сержанта. На его бывалость и сообразительность. И он скоро проявил эти качества.

Мы проходили мимо полуобвалившегося сарая, и он предложил забраться туда и пересидеть дождь.

— Пересидишь... — хмыкнула его «дама», по имени Тоня, — почему-то ее имя запомнил. — Дождь, если заладил, так уж до утра.

— Ну, отдохнем маленько, ближе познакомимся, — настаивал сержант.

— Знаем мы, как вы ближе знакомитесь, — не унималась Тоня. — Сразу норовите под юбку.

— Да за кого вы нас принимаете? — сделал вид, что обиделся, сержант. — Мы — гвардейцы. Ясно? Советские солдаты. Что ж, мы для того кровь проливали, вас от вражеской оккупации освобождали, чтоб обижать? Так, что ли?

— Ладно, ладно. Заладил, — миролюбиво сказала Тоня. — А потом проводишь? Одним нам, девчатам, боязно ходить.

— Что за вопрос? — притворно возмутился сержант. — Да за кого вы нас принимаете? Мы с ним — коммунисты. Ясно? Наше слово, как военная присяга. Священно и нерушимо.

Меня привело в восторг, как ловко и в то же время совсем примитивно мой сержант подчинил их своей воле. «Моя» не издала ни звука, когда Тоня с сержантом препирались, и так же молча последовала за ними в сарай, поманив меня кивком головы. Только раз нарушила молчание. Когда сержант озабоченно произнес, подвигаясь вслепую в темноте:

— Как бы на мину не наступить.

— Какая тут может быть мина? А? — всполошилась «моя»

— Не клацай от страха зубами, — рассмеялся сержант. — То я в шутку. Под миной я понимаю говно. Понятно? Человечье или коровье. Не имеет значения. Но вот если раздавим ногами, до задушевной ли беседы будет? Только если в противогазе...

«Моя» заржала. А Тоня, не без гордости за своего напарника, оценила юмор Вани Котова:

— Вот дает! Скажет так скажет. Хоть стой, хоть падай!

— Падай, — снисходительно сказал сержант. — Тут, кажись, соломка есть. Ну, сели?

Солома оказалась сухой, и сидеть на ней было мягко и удобно. Сели мы рядышком, еле различая друг друга в темноте. По ветхой крыше барабанил дождик, и холодные капли изредка зябко падали на наши головы, заставляя вздрагивать и вызывая нервные хохотки.

— Что, сержант, зазвал в сарай в молчанку играть? — отозвалась Тоня.

— Нет, девчата. Я вот сижу и думаю, отгадаете вы загадку? Или волос длинный, ум короткий?

— Ты наш волос не меряй, а валяй, говори свою загадку.

— Значит, так. В чем заключается вековая и неосуществимая мечта человечества? А?

Девчата настороженно притихли, а я никак не мог сообразить, куда гнет сержант. Наконец, Тоня неуверенно спросила:

— Коммунизм, что ли?

— Ишь ты, куда забираешь! — хмыкнул сержант. — Бери пониже. Разгадка простая.

— Какая?

— Не знаешь?

— Знала бы, не спрашивала.

— Ладно. Слушай разгадку. Ее только мужчины понимают. Но, может, и до тебя дойдет. Запомни. Вековая и неосуществимая мечта человечества — одной рукой ухватить бабу одновременно за грудь и... за это самое... причинное место

— Иди ты! — фыркнула Тоня.

— И только в единственном разе эта мечта осуществима, — невозмутимо продолжал сержант.

— Когда? — не выдержала «моя».

— На козе. Только у козы эти оба хозяйства рядышком. Вымя и это самое... Одной рукой запросто можно сгрести и то и другое. И больше ни в каком другом случае.

— Балаболка, — прыснула Тоня и, смеясь, запрокинулась на солому. Сержант, не медля, прильнул к ней.

— А мы что, лысые? — сказала «моя» и последовала их примеру: растянулась на соломе и меня потянула за рукав. Я послушно опустился на локоть. Она придвинула в темноте свое лицо к моему и задышала глубоко и часто.

Совсем близко от нас, на расстоянии вытянутой руки, возились на соломе сержант с Тоней. Это отвлекало меня от «моей», я не проявлял ожидаемой активности, приводя ее в недоумение, что выражалось в еще более глубоком сопении. Я же, напрягши слух, следил за соседней парой, одолеваемый больше стыдливым любопытством, чем вожделением.

А там события развивались далеко не так, как предполагал сержант. Тоня оказалась крепким орешком. Со своим кодексом морали, одной из заповедей которого была абсолютная неприступность при первой встрече. При втором, третьем свидании она, возможно, бы и уступила. Но лечь в первый же вечер с незнакомым мужчиной? Даже при остром мужском дефиците, вызванном войной. Ни за что.

Тоня никак не уступала сержанту. Не поддавалась ни уговорам, ни физическому нажиму.

Сержант допустил явный промах еще на танцах, остановив свой выбор на хорошенькой и молоденькой Тоне. Ему бы взять «мою», его сверстницу, изголодавшуюся по мужчине и явно не избалованную домогательствами сильного пола. И тогда бы все пошло без сучка и задоринки.

А я бы, возможно, склонил Тоню своей неопытностью и неагрессивностью. Не обязательно в первую встречу. Я понравился ей. Это я видел по взглядам, которые она стыдливо бросала на меня, когда мы сталкивались, танцуя в пакгаузе.

Обо всем этом я думал под недовольное сопение «моей» у самого моего уха. Я совсем забыл о ней. Мне мучительно хотелось, чтоб сержант потерпел поражение. Это было не по-товарищески. Но я ничего с собой не мог поделать. В Тоне для меня в тот момент сосредоточились вся женская добродетель и чистота, которые воспевались русской классической литературой. И мне казалось очень важным для меня самого, чтоб она вышла победителем из этого испытания.

Но я недооценил коварства Вани Котова. Не взяв Тоню ни приступом, ни измором, он пошел на обходной маневр. И такой точный психологически, что я был потрясен жестокой проницательностью сержанта. Он тронул самую слабую и больную струну в душе русской женщины. Ее сострадательность и готовность к самопожертвованию.

Оставив на какой-то момент Тоню в покое и выдержав напряженную молчаливую паузу, достаточную для того, чтоб она успокоилась и обмякла, сержант заговорил усталым и печальным голосом:

— Ладно, Тоня, будь по-твоему. Только мне от этого теперь покою не будет... ни днем, ни ночью... Пока не попаду на фронт.

— Почему... не будет? — поддалась на отравленную приманку Тоня.

— А, чего тебе говорить? — с горечью отмахнулся сержант. — Все равно не поймешь.

В его голосе было столько искренней тоски, что я напрягся до предела, снедаемый недобрым предчувствием.

Он снова выдержал паузу, накаляя любопытство Тони и вызывая у нее смутное чувство вины.

— А ты скажи, Вань... — без прежней бойкости попросила она.

— Понимаешь, я загадал, — заговорил сержант так, словно сдерживал, подавлял волнение. — Как встретил тебя на танцах... Так и загадал.

Снова пауза.

— Что загадал? — не выдержала Тоня.

— Ты веришь в судьбу? — вдруг спросил он.

— Ага.

— И в предсказания?

— И в предсказания.

— Вот и я верю. И потому загадал на тебя. Поставил свою жизнь на карту.

— Как?

— Ладно. Замнем. Чего говорить... когда все и так ясно.

— Нет, ты скажи, — все глубже залезала в расставленную сеть простодушная Тоня.

— Хорошо, скажу. Может, у тебя когда-нибудь... когда меня уже не будет... зашемит сердце.

— Не понимаю, — прошептала Тоня.

— Вот что, Тоня. Скажу тебе прямо. Чего стесняться? Судьба моя решена. Когда я увидел тебя, то загадал. Мол, будешь ты моей... уцелею, не возьмет меня вражья пуля... а не выйдет, значит, конец мне... не сносить головы.

И снова тишина. Даже «моя» перестала сопеть и затаилась.

— Ты в это... и вправду веришь? — прошептала Тоня, и в ее голосе послышались теплые, материнские нотки.

Сержант не ответил. Словно он от волнения не может совладать со своим голосом.

— Хорошо.

Это сказала Тоня. Сказала очень тихо, а мне показалось, что у меня загудели барабанные перепонки.

Я приподнялся и застыл, уставившись в темноту. И от напряжения стал различать, увидел сержанта и Тоню.

Она какими-то неживыми, механическими движениями подтянула подол платья к животу и стащила, сдвинула трусики. С одной ноги.

Я не заметил, когда сержант расстегнул свои галифе. Он уже был на Тоне. Уверенно раздвинул и приподнял ее безжизненно повисшие ноги. После чего мерно закачался на ней. Без единого звука. Только солома шуршала под ними.

Тоня лежала, отвернув лицо. В нашу сторону. С закрытыми глазами. С плотно сжатыми губами. Мне вдруг подумалось, что такое лицо, должно быть, было у Жанны Д'Арк, когда ее жгли на костре. На лице у Тони было выражение терпеливой муки, которую она покорно сносила по своей неизбывной доброте.

Я задохнулся. Вывела меня из этого состояния «моя». Требовательно притянула к себе и жарко, возбужденно зашептала:

— Ну, чего же мы теряемся? Давай и мы.

Все, что я делал потом, припоминаю с трудом. Вернее, я ничего не делал. Все проделала она, и за себя и за меня. В памяти почему-то сохранился один момент. Моя рука, подталкиваемая ею, легла на ее заголенные бедра, и ладонь ощутила холодок шелковой ткани трусиков. Я невольно удивился, откуда при такой нужде и разорении у девицы из глухой деревни шелковое белье. И словно угадав мои мысли, она объяснила жарким шепотом, что трусики сама сшила из ацетатного парашютного шелка — подобрала в поле немецкий парашют, весь шелк покроила и сшила себе белье.

— Не хуже, чем в городе, — не без гордости заключила она.

Это была первая женщина в моей жизни. И ничего не запомнил я, кроме гадливого чувства. Словно меня выпотрошили и вымазали всего липкой слизью моих потрохов. Как побитая собака одевался я в темноте, а рядом застегивал свои широкие галифе мой сержант, беспечно и победно насвистывая. Где-то позади него молча шевелилась Тоня, приводя себя в порядок.

По одному мы выбрались из сарая. Дождик перестал, и небо большей частью очистилось от облаков, обнажив ковшик созвездия Большой Медведицы. При неярком свете отчетливо видны были наши лица. Я не поднимал глаз на сержанта, а Тоня не глядела в мою сторону. Отворачивалась.

— Пойдемте, — лишь поторопила она нас. — Дорога не близкая.

— Идите, девушки, — осклабился сержант. — Скатертью дорожка.

— А вы? — ахнула Тоня. — Не проводите?

— Рад бы в рай, — благодушно развел руками сержант, — да грехи не пускают. Время, девочки, работает против нас. Мы люди казенные. Увольнительная кончается. Не будем через полчаса в части, загремим под арест. Так что прощайте. Не поминайте лихом. Приятно было познакомиться.

— Как мы одни-то пойдем? — заныла «моя». — Бог знает, кто в такой час нам дорогу перейдет.

— Собака ты, — простонала Тоня, с горьким укором глядя сержанту в лицо. — Меня обманул... ладно. Но Бога не проведешь.

— А ну вали отсюда, — рассердился сержант. — Богом меня стращать вздумала. Мы в твоего Бога не веруем. Мы — коммунисты. Ясно?

— Погодите, девочки, — внезапно сказал я. — Я пойду с вами.

— Да катитесь вы оба, — отмахнулась Тоня.

— Нет, нет, — заспешил я. — Я вас провожу... И все будет хорошо...

— Рядовой! — крикнул сержант. — А ну, марш назад! Я приказываю. Как старший по званию.

И я смалодушничал. Подчинился окрику.

Пока мы топали в расположение части, сержант все отругивался, бормоча под нос:

— Принцессы. Подумаешь. Провожатый им нужен. Много их немцы провожали. Небось сами, подстилки, ложились.. за корку хлеба. А теперь нос дерут... как порядочные.

Он покосился на меня:

— И ты хорош гусь. В рыцари полез. Товарища своего заложил. Я, честно говоря, даже пожалел, что тебе рекомендацию в партию дал.

— Прекрасно, — подхватил я. — Раз вы об этом сами заговорили, то я нисколько не обижусь, если заберете свою реко-

мендацию. Пожалуйста, возьмите ее. Не хочу ваших рекомен-
даций... Мне кто-нибудь... другой даст.

Сержант остановился и, уперев руки в бока, уставился на
меня своими узкими недобрыми глазами.

— Вот как заговорил? — протянул он, и тугие желваки
вздулись и заиграли под пористой кожей его широкой челюсти. — Дерьмо собачье. Тебе не только рекомендацию... Я с тобой срать на одном гектаре не сяду.

И с присвистом сплюнув мне под ноги, повернулся и зашагал по чавкающей глине.

Я долго стоял недвижим, давая ему отойти подальше, и,
когда его плечистый, коротконогий силуэт растворился в серой полутьме, медленно двинулся вслед, машинально прикидывая в уме, успею ли проскочить контрольно-пропускной
пункт до двенадцати ноль-ноль — времени истечения срока
увольнительной.

И все же в коммунисты меня приняли по рекомендации
сержанта. Он ее не забрал, а еще раз напомнить я не решился.
Да и сержант в эти дни исчез из лагеря — поехал встречать пополнение из глубокого уральского тыла, о котором прошел
слух, что с ним придется повозиться — народ темный, ненаде-
жный попался в этой группе, и для верности им навстречу послали бывалых сержантов, как конвой, чтоб вовремя перехватить, не дать натворить бед близ линии фронта.

Сержант оказался прав. В партию нас принимали скопом,
сразу человек сто. Ни о чем меня не спросили. Никакого теплого напутственного слова. Перечислили по списку и каждому
вручили партийный билет, отделавшись торопливым рукопо-
жатием и не всегда удосужившись заглянуть в лицо свежеис-
печенному коммунисту. Политрук Демченко, засидевшийся в
лейтенантах лысоватый желтолицый малярик, казенными серыми словами дал нам понять, что отныне с нас спрос двой-
ной: и как с солдат, и как с коммунистов — и закончил совсем
похоронным напутствием: какая, мол, высокая честь умереть
коммунистом. Так и сказал: умереть, а не жить. Ему и в голову
не приходила мысль, что кто-нибудь из нас умудрится уцелеть.

И уже тогда я ощутил смутное беспокойство, пряча в нагрудный карман гимнастерки новенький, хрусткий, остро пах-
нущий типографской краской партийный билет. Не сознанием, а кожей я почуял, что отныне больше не принадлежу себе,
и мною будет повелевать неумолимая сила, воспротивиться

которой невозможно, и олицетворять эту силу будут широко-
рожий, с оспой на скулах сержант Котов и страдающий хро-
нической малярией ипохондрик — политрук.

Это диаметрально расходилось с моими наивными розовыми представлениями об облике коммуниста, на каких я был
воспитан советскими книгами и фильмами, а также моим отцом, вступившим в партию еще при Ленине, до моего рождения, и отравило, кислотой разъело мою наивную и доверчивую душу. Но главное испытание было впереди.

Пополнение с Урала доставили к нам в лагерь без особых
происшествий. Никто не сбежал в пути. Вид у этих людей был
пришибленный, тихий. Даже в застиранном военном обмун-
дировании, в которое их облачили, они оставались таежными
деревенскими мужиками, сторонящимися остальных солдат, и
язык их, хоть и тоже русский, отличался от нашего, словно
был совсем чужим.

Сержант Котов, вернувшийся с пополнением, меня обхо-
дил, не замечая. И я был рад этому. Но как-то вечером, когда
взвод возвращался со строевых занятий, и мы еле волочили
пудовые, облипшие глиной ноги, он пропустил две шеренги и
пошел рядом со мной.

— Вот что, милок, — сказал он, глядя вперед и не удостоив меня взгляда, — пришла пора узнать, не зря ли тебя в партию приняли. Есть одно дельце. Докажешь, силен ли в колен-
ках. Вернемся в расположение, дуй к политруку Демченке.

Политрук посмотрел на меня рыбыми, ничего не выража-
ющими глазами и лишь спросил:

— Стреляешь хорошо?

— Второе место в роте, — горделиво доложил я.

— Молодец. Есть шанс подтвердить свой меткий глаз. И не
только глаз... Но и беспощадное к врагу сердце.

— Завтра на фронт?

— Фронт не фронт, а репетиция будет, — загадочно ответил политрук.

Было раннее сырое утро, когда всех обитателей лагеря
подняли по тревоге и велели строиться на плацу перед бараками. Без оружия. Меня сержант Котов на выходе из казармы
поманил пальцем и вручил трофейную немецкую винтовку.
Порывшись в картонной коробке, он отсчитал девять боевых
патронов и высыпал мне в подставленные ладони.

У него на плече висела такая же винтовка.

— В строй не становись. Следуй за мной.

Поеживаясь от зябкой сырости, я пошел за сержантом мимо строившихся в каре солдат, и чувство неосознанной тревоги утренним холодком заползало в душу.

Сержант привел меня в караульное помещение. Там уже сидели на скамьях и нервно покуривали, поставив винтовки между колен, еще с десяток солдат из разных взводов. Некоторые лица были знакомы: нас вместе принимали в партию.

— Ну вот, — сказал политрук Демченко, — кажется, все в сборе. Тут одни коммунисты, можно в бирюльки не играть, а говорить начистоту. У нас в части чрезвычайное происшествие. С последним пополнением к нам просочился вражеский элемент. Подрывной, опасный элемент.

Меня пронзило электрическим током от возбуждения и любопытства. Надвигалось что-то очень серьезное, запахло настоящей войной. На которую я пошел добровольно и уж сколько времени томился в этом лагере, ожидая отправки на фронт.

Но тут я встретил нехороший, насмешливый взгляд сержанта Котова, от которого у меня стала деревенеть кожа. По этому взгляду я сразу почуял, что впереди какой-то гадкий и жуткий сюрприз.

— Короче. К нам попали сектанты, — продолжал политрук. — Религиозные фанатики. Социально чуждый нам элемент. Которые все годы советской власти отсиживались в уральской тайге, а когда пришел час послужить родине, показали свои волчьи клыки. Отказываются воевать. Им, мол, вера не позволяет брать в руки оружие. Ясно? Так вот, сегодня мы им дадим урок. Научим любить советскую власть. Урок будет показательным для всех солдат. Чтоб, если у кого и есть сомнения, вышибло этот дух начисто. Тут, на месте, зарядить и проверить винтовки. Чтоб ни осечки, ни промаха. И выходи строиться!

Я открыл липкий от ружейного масла затвор, загнал деревянными пальцами холодные патроны в магазин, а в голове назойливо стучало: меня делают палачом, мне предстоит убить безоружного, беспомощного человека, которого я никогда прежде не знал, с кем не обмолвился ни словом, просто взять и убить, как муху, живого человека.

Эта мысль продолжала биться в черепе и когда мы, толкаясь, покидали караулку с покачивающимися над плечами тем ными смертоносными стволами винтовок. И когда вышли серой цепочкой на плац, выстроенные в каре без оружия сотни солдат затихали и сжимались при виде нас, вооруженных. И когда нас построили в ряд тесно друг к другу, спиной к солдатам и лицом к пустому пространству, и сержант Котов, правофланговый, скомандовал — поставить винтовки к ноге.

Потом из дальней казармы вывели обреченных, и они цепочкой стали приближаться к нам. Даже по внешнему облику они отличались от остальных солдат, как мертвецы от живых. Они были без шинелей и без обуви. Босыми желтыми ногами ступали по холодной, сырой земле, которая скоро примет их еще теплые тела, продыравленные свинцовыми пулями, одна из которых останется на моей совести. Их делали непохожими на солдат свободно болтающиеся гимнастерки без ремней и непокрытые стриженые головы с не бритой многодневной щетиной на щеках. Я насчитал девять человек. Их даже не конвоировали. Только впереди цепочки, как гусак, ведущий гусей, шел солдат в шинели и с автоматом вниз дулом за спиной. И сзади цепочку замыкал автоматчик.

Поставили их метрах в двадцати от нас. Лицом к нам. И они стали, щурясь, вглядываться в наши лица, в лица своих убийц, переминаясь на холоде босыми, желтого трупного цвета ногами. Их было девять. Нас примерно вдвое больше. Значит, на каждого придется не меньше двух пуль.

Мои глаза забегали по их лицам. Отличить их можно было только по росту: кто выше, кто ниже. В остальном они были до жути безлики. Уже покойники. Все на одно лицо. Одинаковые зеленые брюки галифе, с болтающимися внизу тесемками, одинаковые распоясанные гимнастерки и одного срока серая небритость на желтой, уже помертвевшей коже.

Я вдруг ощутил робкую, удивленную почтительность к ним. Ведь эти люди во имя своей веры пошли против всех, зная, что им не будет пощады. Следовательно, они отчаянно мужественные люди. И кристально честные. Ради своей веры ради идеи, во имя которой живут, безропотно принимают насильственную смерть. Чем же они хуже идеальных героев моего детства — комиссаров гражданской войны, отдавших свои жизни за торжество идей коммунизма? Разница лишь в идеях. И кто знает, чья идея лучше и чище? Тех ли, кто оружием ее отстаивает, неся смерть другим? Или тех, кто отказывается от оружия, ибо не желает проливать ничью кровь? Уж я-то по крайней мере, рядом с ними жалкий, ничтожный пигмей, не способный даже воспротивиться гнусному, людоедскому приказу — стрелять в безоружного и беззащитного человека. Потому что, если я откажусь, меня ждет его судьба. Вот так же быть поставленным лицом к строю, и солдаты, стоящие теперь слева и справа от меня, не моргнув, всадят в мою грудь свинцовые пули, еще дремлющие в холодных магазинах их винтовок. А уж сержант Котов, тот пальнет в меня с превеликим наслаждением. И не в грудь, а в лицо, чтоб обезобразить труп.

Они стояли не шевелясь и, конечно, не слышали ничего из речи, которую сытым голосом держал командир нашего батальона, толстый, грузный капитан, нацепивший ордена и медали на обе стороны своего суконного кителя. Он был без шинели, но в кожаных черных перчатках. Я тоже не разбирал слов, потому что, как и осужденные, лихорадочно размышлял, словно мне, как и им, осталось жить на земле считанные минуты.

Вдруг я поймал себя на том, что сам факт таких моих размышлений свидетельствует о моей коммунистической неполноценности, потому что коммунист не должен знать колебаний и, как верно заметил мне сержант Котов, делить весь мир на две части: кто не с нами, тот против нас. Я даже скосил глаз на соседа слева, такого, как я, молоденького солдатика, курносого, с не бритым пушком на короткой верхней губе: не подслушал ли он моей мысли. Он усердно хмурил белесые брови, уставившись на командира батальона. В голосе капитана не было ни злости, ни суровости. Он произносил страшные слова, последние услышанные на этом свете девятью обреченными, таким обычным, даже домашним голосом, что мне послышалось, он сытно икнул в одном месте, прикрыв рот перчаткой.

— Принести девять винтовок, — велел в заключение капитан, — и положить перед ними. Даю им последний шанс.

Два солдата притащили охапками винтовки и разложили их на земле так, чтобы каждая оказалась перед одним из обреченных. После чего солдаты поспешно отошли, словно опасаясь, что мы раньше времени начнем стрелять и зацепим их. Это напоминало какую-то зловещую игру, в которую молча и сосредоточенно играли не дети, а взрослые люди, вырядившись в одинаковые серые шинели и только девятерых оставив на холоде без них.

— Крайний слева! — окликнул капитан.

Босоногая шеренга шевельнулась, задвигала стрижеными головами. Стоявший крайним слева никак не мог понять, что это к нему обращается командир батальона.

— Ты! Ты! — подтвердил капитан. — Три шага вперед! Марш!

Желтые босые ноги, поколебавшись, сделали неуверенные два шага и потом еще один короткий шажок, уткнувшись в железный затылок приклада лежавшей на земле винтовки.

— Та-а-ак, — протянул капитан. — Готов защищать социалистическую Родину? Возьмешь винтовку?

Сектант стоял без движения, лишь губы на его небритом лице шевелились. Должно быть, молился.

— Берешь? — рявкнул капитан. — Последний раз спрашиваю.

Губы сектанта зашевелились быстрее, он спешил, пока еще жив, закончить молитву.

— Взво-о-од! — нараспев сказал капитан. — Изготовиться к стрельбе.

Слева и справа от меня зашевелились солдаты, поднимая винтовки и устанавливая их дулом вперед, с упором приклада в плечо. Я еле успел проделать то же самое. Теперь впереди нас покачивались темные, с синевой, винтовочные дула, все теснее сходясь на фигурке сделавшего три шага вперед солдата. У меня вспотели ладони, и щека, прижатая к прикладу, взмокла. Сквозь прорезь прицельной рамы я отчетливо видел небритую тощую шею с прыгающим кадыком.

— По крайнему слева-а... — снова завел капитан нараспев. — И пока только по нему... По изменнику Родины... По презренному дезертиру... взвод... залпом... пли!

С голых деревьев взлетело в небо черное облако галок, слитный гром двух десятков выстрелов забил наглухо уши. Отдача больно ударила прикладом в мое плечо. Но глаза продолжали ясно видеть. И видел я, как покачнулся небритый, босоногий человек, неловко взмахнув руками, и ничком упал на лежавшую на земле винтовку, словно в последний миг раздумал и бросился ее поднимать, да споткнулся и растянулся на ней.

Птичья стая, тревожно горланя, растянулась, редея, над лесом.

— Следующий! — издалека донесся до меня голос капитана. — Второй слева! Три шага вперед!

Другой босоногий оторвал взгляд, прикованный к лежащему впереди мертвому товарищу, дернул головой и пальцем ткнул себя в грудь.

— Меня, что ли?

— Тебя! Три шага вперед!

— Беру! — закричал босоногий. — Не убивай! Беру!

Он мелкими шажками подбежал к винтовке, лежавшей на земле возле руки убитого, неумело поднял ее и прижал плашмя к груди. И тут же дрогнула вся шеренга. Остальные семеро, не дожидаясь окрика капитана, тоже подобрали винтовки.

— Взвод! — удовлетворенно прокричал капитан. — Отставить! Винтовки к ноге!

Сердце мое прыгало в груди. От радости, что убийство кончилось, и восемь человек остались живыми. И от горькой безысходности, на моих глазах, герои-идеалисты перед реальной угрозой смерти дрогнули, отреклись от своих священных заповедей, одним словом, заложили душу за право остаться в живых. Я понял, что стал послушным винтиком той машины, которая сокрушит все на своем пути, раздавит все без колебаний, и, если я оступлюсь и подвернусь ей под колеса, рассчитывать на пощаду не придется.

Следовательно, отныне я должен выполнять любой ее приказ, не размышляя, не мудрствуя. Единственное условие, чтобы уцелеть, остаться живым человеком, дышать воздухом, радоваться птичьим голосам, это перестать размышлять и задумываться. То есть перестать быть человеком.

С таким настроением я отправился через неделю на фронт в длинном товарном составе, в одной теплушке с двумя из раскаявшихся сектантов. Их распихали по разным взводам. Сержант Ваня Котов всю дорогу не спускал с них бдительного глаза. Он даже в окопах в первые дни следил за ними: стреляют ли, или делают только вид. Но скоро пришел конец подозрительности и недоверию.

Немецкий снаряд угодил прямым попаданием в нашу траншею. Убив наповал всех, кто там был. В том числе и сержанта Ваню Котова. Развеяв по ветру его мечту: вернувшись с войны с партийным билетом, сажать других на трактор и покрикивать на них.

Этот же снаряд, чтоб покойному сержанту не было уж совсем обидно, прошил осколками и меня. Часть из них вынули в госпитале, другие сами выходили из моего тела в разные годы после войны, а один, для памяти, остался навсегда. Он вонзился в сердце, застрял в нем и прирос к мускулу. Трогать его было рискованно, и судьбе было угодно оставить меня доживать свой век с кусочком железа в сердечной мышце. Я скоро привык к нему и надолго забывал о его существовании. Медицинская комиссия даже сняла с меня инвалидность и лишила той крохотной пенсии, которую платили мне после госпиталя. Я был молод и чувствовал себя совершенно здоровым. Лишь при резкой перемене погоды мой железный сосед начинал беспокоиться в моем сердце, причиняя мне мучительные боли, заглушить которые никаким лекарством не удавалось. Но стоило уравновеситься погоде, и мой осколок засыпал, боль улетучивалась, и я оживал и радовался жизни. Возможно, с большей жадностью, чем другие, без железа в сердце, и этим в немалой степени объяснял себе свое поведение в дальнейшем, оправдывал поступки, которые совершал.

Но между взрывом немецкого снаряда и моим выздоровлением произошли события, тоже оставившие след в моей жизни, и, если я хочу быть объективным, обходить их, умалчивать о них нет смысла. Тем более, что, копаясь сейчас в своей памяти, я мучительно пытаюсь понять, как и когда подверглась трансформации моя личность, пока я не стал таким, какой есть.

Война страшна тем, что убивает цвет наций, молодежь, самых энергичных, решительных, активных, ослабляя, ухудшая человеческую породу. Возразить тут нечего. Но на мой взгляд, наиболее разрушительные последствия войны — это искалеченные, раздавленные души тех, кто прошел войну и физически уцелел.

Нигде так, как на войне, не торжествуют безнравственность и низменные инстинкты, подогреваемые очумелой людоедской пропагандой, именуемой патриотической. Нигде и никогда так откровенно не обнажается все звериное и подлое, что до времени таилось под наслоениями цивилизации. А обнажившись и всплыв на поверхность, уже не даст загнать себя обратно и будет бесстыдно рваться наружу в любую щель, отравляя зловонным дыханием, опаляя хрупкие крылья и тому поколению, которое родится после войны.

До войны, в моем детстве и отрочестве, я был искусственно изолирован от подлинной жизни семьей, школой, литературой, вдолбившими в мое сознание непререкаемые истины, что мы, советские люди, — самые лучшие, самые передовые в мире и что коммунистическая революция и советская власть воспитали неведомое прежде на земле поколение честных, чистых, нравственных, добрых и красивых людей, к лику которых могу причислить себя и я, если сумею избавиться от пережитков капитализма, искоренить в себе проявления дурных атавистических качеств проклятого прошлого. Я искренне гордился тем, что я — советский человек, и был признателен судьбе, что родился после революции.

Война разнесла вдребезги хрупкие стены оранжереи, в которой я вызревал, и настоящая, а не книжная жизнь оглушила меня, безжалостно обожгла, плюнула в лицо кровью и гноем.

Немецкий снаряд, угодивший прямым попаданием в траншею, оставил в живых не только меня, истекавшего кровью, но и одного из сектантов, что не так давно стояли босиком и без ремней перед дулом моей винтовки. И этот человек, чью грудь должна была продырявить посланная мной пуля, спас меня, вырвал из лап смерти, в самом прямом смысле этого слова.

Звали его Фролом, старинным русским именем, какое уже не встречалось среди моих сверстников. А фамилии его я так и не узнал. Он представился лишь именем. Мне же, в моем состоянии, было не до его фамилии.

Когда взорвался снаряд, я лежал за припорошенным снегом бруствером траншеи, спиной к взрыву, и горсть осколков, прошив шинель, врезалась в лопатку, за которой еще полнокровно и легко билось мое сердце. Тяжелое ранение, с несомненным смертельным исходом. Я, как и полагается в таких случаях, клюнул носом мерзлую землю и отключился, потерял сознание. Спасло меня лишь то, что в беспамятстве я стонал, и поэтому был обнаружен до того, как окончательно истек кровью.

Мы попали под артиллерийский огонь в самом начале атаки. Батальон ушел вперед, чтоб нагнать отходивших немцев, и на снежном поле остались темными кучками тряпья убитые. Санитары в спешке подобрали тех, кто подавал признаки жизни, и помчались вслед за батальоном.

В нашу траншею никто и не заглянул. Там лежали трупы и два еще живых человека. Я и сектант Фрол. Он был ранен легко. По крайней мере, легче меня. Потому что, оклемавшись от контузии и сообразив, что произошло, самостоятельно стянул бинтами из своего индивидуального пакета кровоточившую голову, обмотав ее наподобие белой чалмы, и затем прошел по обвалившейся траншее, наклоняясь над каждым и проверяя, жив ли. Так он обнаружил меня.

Этот темный мужик из забытой Богом глухой таежной деревни, никогда в жизни не слушавший радио и впервые увидевший поезд лишь тогда, когда его с толпой мобилизованных крестьян повезли с Урала на запад, на фронт, проявил редкостные качества: жалость и сострадание. Покричал в морозный воздух, клича санитаров, и, убедившись, что никого не дозовешься, что мы брошены среди мертвых на произвол судьбы, не ушел искать медсанбат для себя, а занялся моей раной. Содрал с моего плеча шинель с рваной дырой сзади, нашарил в моих карманах индивидуальный пакет, провел пальцем по раздробленной, сочившейся кровью лопатке, выковырял два железных осколка и несколько кусочков моих костей и, заткнув кровавое месиво тампонами, туго спеленал рану бинтами. И полотенцем, которое тоже обнаружил в моем кармане. И лишь после этого стал легонько трясти меня, тереть лицо снегом.

Я открыл глаза и долго не мог понять, что со мной и кто это небритый, с окровавленным лицом и белой чалмой на макушке склонился надо мной.

Тогда он и представился, назвал свое имя — Фрол, сообщил, что из всего отделения лишь мы двое живы, кругом никого нет и, если я хочу уцелеть и не замерзнуть, то надо двигаться, искать помощи.

Он подхватил меня справа, с другой от раны стороны, я обнял его шею, свалив слабеющую голову на плечо, и мы заковыляли. По осыпающемуся снегу выбрались из траншеи Вокруг нас расстилалась неровная белая равнина без единого деревца. Зимняя степь. Исполосованная параллельными рубчатыми следами от танковых гусениц. С черными пятнами от подтекшего горючего. По такой танковой колее и черным пятнам мы и пошли. Подальше от нашей траншеи, от мертвых тел, черневших в снегу впереди нее, в тыл, где должны же, наконец, быть живые люди. Которые нам помогут. Дадут лекарства. Наложат свежие повязки, приведут под крышу, в тепло и сухость.

Чтоб я не впал в беспамятство, Фрол всю дорогу занимал

меня разговором, с трудом выдавливая из горла слова, потому что тоже ослабел от потери крови и устал тащить мое обмякшее тело

Меня потянуло к покаянию, и я сказал ему, что стоял в шеренге комендантского взвода, когда их, сектантов, расстреливали

— Грех, конечно, — ответил он, часто дыша, — но не волен ты в своих делах

— Почему?

— Небось, коммунист?

— Конечно

— Вот и подневольный человек. Должон слушаться приказа

— А ты... не подневольный?

— Я-то? Свободный я. Ни перед кем не гнусь. Мне указ один. От Бога. А что от Бога, то не в тягость... а в радость.

Это было что-то совсем новое для меня, и, хоть голова моя наливалась жаром, я пытался соображать и даже спорить.

— Что ж ты нарушил наказ своего Бога... Взял оружие в руки?

— Не по своей воле. И взял-то ложно. Ложь во спасение. Ни разу в человека не выстрелил. Господь — свидетель.

— Не пойму я тебя, Фрол, — не унимался я, тоже цепляясь за разговор, как за соломинку, боясь потерять сознание. — Вот ты меня спасаешь, тащишь, сам еле живой... А ведь я тебе враг. Был готов пристрелить.

— Значит, так Господу угодно. Надежда всегда есть — авось и ты хватишься, услышишь глас, и на тебя сойдет просветление.

Мне было нечем крыть. Он был логичен, этот темный мужик. И мудрее меня.

Быстро темнело, и пока еще что-нибудь можно было различить, наметанный таежный глаз Фрола обнаружил далеко-далеко идущую в нашем направлении машину. Теперь важно было успеть выйти на дорогу до того, как автомобиль пронесется мимо.

— Сиди! Жди!

Фрол опустил меня в снег и, подхватив обеими руками полы шинели, побежал наперерез автомашине. Это был американский «Студебеккер» с открытым, без парусинового тента кузовом. Прихватив с собой красномордого, в черном овчинном полушубке шофера, Фрол вернулся за мной.

В теплой кабине оставалось свободным лишь одно место

Кроме шофера там сидел молоденький лейтенант. Фрол кивнул, чтоб посадили меня, а сам полез в кузов, до отказу набитый железными бочками с горючим, и примостился скрючился на жгучем железе.

Меня усадили в кабину боком, так чтобы раненое плечо выдвигалось вперед и не терлось об лейтенанта. Правым плечом я упирался в стекло дверцы кабины.

«Студебеккер» шел с погашенными огнями по раскатанной, разъезженной военными машинами дороге, пробитой ими в снегу. Ни впереди, ни с боков ни одного огонька — маскировка на случай появления самолетов противника. Мы ехали в кромешной тьме, и из этой тьмы на нас набегали снежные бугры, и машину качало, и я думал о бедном Фроле, которого мотает в кузове на железных бочках, да еще на пронизывающем ветру. С этим я то ли уснул, отогревшись в кабине, то ли снова провалился в беспамятство, но пробуждение мое было не из радостных.

Я лежал в снегу метрах в пяти от «Студебеккера». И очнулся от нестерпимого жара, опалявшего мое лицо и руки. «Студебеккер» пылал огромным багрово-черным костром — от радиатора до заднего борта, отстреливаясь огненными плевками, с шипением вонзавшимися в снег. Еще не разобравшись, что произошло, я увидел в кузове среди огня темный силуэт моего спасителя, сектанта Фрола, продолжавшего сидеть на горящих бочках и раскачивавшегося, пылая, будто кланяясь мне на прощанье.

В кабине горели, уткнувшись в ветровое стекло, шофер и лейтенант. Дверца со стороны, где я сидел, была распахнута настежь, и поэтому я выпал в снег и остался жив.

Загребая снег локтями и коленями, я отполз подальше от обжигающего даже на расстоянии пламени и тогда увидел причину пожара. Наш «Студебеккер» воткнулся на полном ходу в трактор-тягач, должно быть, брошенный на дороге артиллеристами из-за неисправности. А дальше все можно было вообразить. Удар. Взрыв бака с горючим. Пламя через кабину метнулось в кузов, полный бочек с бензином. Я, по всей вероятности, выпал при столкновении в распахнувшуюся дверцу, которую я, видать, неплотно прикрыл, садясь.

Все ехавшие в «Студебеккере» были мертвы, за исключением меня и теперь догорали. Мертвый Фрол шевелился в огне, словно устраиваясь поудобней, и мне даже показалось, скалил, будто хохоча, зубы.

А кругом никого. Хоть бы один автомобиль приблудил на огонь. Единственное, чего можно было ожидать, это появления самолета противника, привлеченного демаскирующим пламенем, заметным с большого расстояния.

Мне ничего не оставалось делать, как поползти вперед по дороге, в сторону движения нашего злополучного «Студебеккера». И еще долго его горящий остов согревал мою спину. По мере удаления от него я стал остывать, а потом и мерзнуть.

Это было лишь началом кошмаров, которые мне привелось пережить на пути к спасению. Я полз и полз, оглушенный пронизывающей болью в спине, загребая мерзнущими бесчувственными руками сухой, колючий снег. И, несомненно, замерз бы на дороге, окончательно выбившись из сил, если б не увидел дом на обочине и в нем, за плотно прикрытой ставней, слабый свет. Обитаемый дом. Теплый дом. С живыми людьми.

Дом стоял на самой окраине деревни или поселка. Дальше тянулись пепелища и пустыри с силуэтами печных дымоходов. А этот цел и невредим. И в нем еще не спят, потому и не погашен свет. Возможно, ужинают. Всей семьей. Отец, мать, дети. И старенькая бабка. Сидят вокруг керосиновой лампы и мирно едят. Вареную картошку, скажем, с соленой капустой — единственную пищу на селе в голодное военное время. И бабушка рассказывает внукам сказку. Про избушку на курьих ножках, про царевну-лебедь, про Ивана-царевича... И стали они жить-поживать, добра наживать... Я там был, мед-пиво пил... по усам текло... да в рот не попало.

Все это сладко и обнадеживающе растекалось в моем воспаленном мозгу, пока я подползал к крыльцу дома и на локтях стал подтягиваться по трем обледенелым ступеням, волоча за локтями будто не мое, деревянное тело.

Добравшись до дверей, я, как ни старался, не смог встать, хоть бы на колени, чтоб дотянуться до дверной ручки. Каждый раз валился на ледяную корку крыльца. И тогда, отчаявшись, я начал бить головой в самый низ двери. Не дождавшись ответа, стал помогать голосом, слабым, еле слышным:

— Люди! Откройте! Раненый замерзает!

И до звона в ушах продолжал стучать головой в глухое дерево двери.

Наконец я разобрал звук шагов в сенях и низкий, прокуренный мужской голос:

— Кого нелегкая несет?

— Это я! Советский солдат! Русский! Раненый. Пустите в дом.

— Советский? — мне показалось, ухмыльнулся голос за дверью. — Вот к Сталину и иди. Пускай он тебя погреет.

Я не верил своим ушам.

В моей стране, мой соотечественник, мне, солдату, умирающему за его и мою страну, отказал в помощи, оставляет истекающего кровью замерзать на пороге его теплого дома. Это не укладывалось в моей и без того больной голове. Где же единство советского народа, о котором мне жужжали в уши, сколько я себя помню? Откуда у нашего советского человека такая неприязнь к солдату своей армии, которая, возможно, вчера освободила его от чужеземной оккупации? Неужели ему, русскому крестьянину, ближе и милее германские фашисты, чем наша народная рабоче-крестьянская власть?

— Откройте! Отоприте двери! — изо всех сил возопил я и снова стукнул головой в гулкое дерево.

— Вот я тебе покричу! — прошипело за дверью. Звякнула железная щеколда открывшейся двери, меня обдало волной густого, теплого воздуха. А вслед за тем тупой оглушающий удар ногой по темени, и я покатился по ступеням, стукаясь раненым плечом, и от вспышки боли в который раз проваливаясь, как в пучину, в беспамятство. Последнее, что я успел уловить исчезающим сознанием, были отрывистые безжалостные слова:

— Нет тебе сугреву в моем доме. Накося, выкуси! Подыхай, как собака.

И снова судьба выволокла меня из могилы. Возможно, полагая, что я еще не все круги ада на этом свете прошел. Меня подобрали в снегу, кто — не знаю, и доставили в ближайший эвакопункт, где корчились и стонали сотни раненых, таких же бедолаг, как я.

По всей видимости, это был клуб. Со сценой, в глубине которой виднелся оставшийся с довоенного времени грубо намалеванный задник: колосящиеся золотые нивы до синего горизонта. Над ним алели слова лозунга: «Да здравствует великий Сталин — лучший друг советских колхозников!» Прочитав эти слова, когда прояснилось мое сознание, я почему-то вспомнил, что над входом в мою школу в Москве висел почти такой же транспарант, повторявший все до единого эти же слова, кроме слова «колхозников». Вместо него у нас стояло слово «школьников», и весь лозунг был: «Да здравствует великий Сталин — лучший друг советских школьников!» В моем сознании впервые при упоминании священного имени вождя ядовитой змейкой скользнула ирония.

В клубе разместился медицинский эвакопункт. Сюда свозкакивали подобранных раненых, и тут они ожидали отправки в госпиталь. Ждали неделями. Без какой-либо помощи и ухода.

Если действительно существует ад, то этот эвакопункт — его грубая копия. В зрительном зале, очищенном от стульев и скамей, на голом полу, тесно, впритык валялись раненые. Солдаты и сержанты. А на сцене, тоже на полу и тоже без ухода, — офицеры.

Единственное, что кто-то невидимый делал, — в клубе постоянно топились печи, и поэтому мы не замерзали, а, наоборот, задыхались в душной густой вони. Большинство раненых не могли двигаться и ходили под себя. Можно было задохнуться от застоявшейся вони мочи и человеческих испражнений, висевшей в спертом воздухе в дополнение к тошнотворному духу от гноя, распространяемому необработанными, загнивающими ранами. Гноем разило и от моей спины.

Я провел в этом зале день и ночь. И никто ко мне не подошел. Мертвых не выносили наружу, и они лежали вперемешку с живыми, со скрюченными в последних судорогах руками и ногами и оскаленными, разинутыми ртами. По серой щетине, покрывшей небритые лица трупов, ползали белые жирные вши. Из разных концов зала доносились стоны, горячечный бред, громкий плач и скулеж.

Мне показалось, я схожу с ума. Я поймал себя на том, что повторяю, не останавливаясь, лозунг, написанный на сцене, но в немного иной интерпретации: «Да здравствует товарищ Сталин — лучший друг советских солдат! Да здравствует товарищ..»

Огромным усилием воли я заставил себя оборвать горячечное бормотание и, приподнявшись на локтих, оглядел валяющиеся в разных позах, взопревшие и гниющие тела солдат и пополз, оскользаясь, тычась носом в грязные доски пола, задевая чьи-то руки, чьи-то ноги, чьи-то головы. Вслед мне неслись вскрики, стоны и бессильная ругань. Целью своего перемещения я избрал узкую дверь возле сцены, за дверью был медицинский пункт. Я это понял, проследив за прошмыгнувшими туда фигурами в белых халатах.

Долго полз я до этой двери. Через весь зал, через десятки тел, прямо по телам, потому что обойти, обогнуть их не было сил. Отдыхал. И снова полз. И дополз. С непристойным эгоистичным желанием — уж раз я туда попаду, мне-то уж точно окажут медицинскую помощь. Хоть сменят бинты. Промоют рану. Дадут каких-нибудь порошков проглотить. Иначе еще сутки — и я буду валяться тут на загаженном полу без движения, и по моему небритому лицу без опаски за гуляют белые вши.

Дверь я открыл головой, и она распахнулась легко, потому что была не заперта. И замер на пороге. Меня сразу оставили последние силы. В маленькой каморке остро пахло спиртом На полу у самого моего носа валялась порожняя бутылка, а на табурете стояли два стакана Дальше был диван. И на диване лежали пьяные медсестра и фельдшер. Он на ней, раскинувшей голые ноги, а между ее ногами белел поверх приспущенных брюк его обнаженный зад.

Они меня увидели. Ко мне обернулись две багровые, распаренные рожи с разинутыми пастями. А из пастей рвался лошадиный хохот.

И я заплакал. Тихо, без всхлипа. Как обиженный ребенок Втянул голову в плечи и пополз, пятясь. назад. Сомнения больше не оставалось: мне здесь помощи ожидать не от кого Если я хочу жить, а мне в тот момент жутко захотелось остаться в живых, я должен убираться из этого клуба. На улицу. В снег. На волю. Там есть надежда наткнуться на нормального человека.

Не помню уж, как я снова проделал путь через зал, к входной двери. Вывалился на холод. В одуряющий свежий воздух Под слепящее зимнее солнышко. И опять пополз. Подальше от этого места. В снежную степь. От одного телеграфного столба к другому. В полубреду соображая, что столбы ведут к железнодорожной станции. А там, где железная дорога, неминуемо будет санитарный поезд. А в санитарном поезде - жизнь... Если и не спасут, то хоть похоронят как человека.

Я полз на четвереньках по неглубокому, промерзшему снегу. Раня ладони об острые льдинки и накалываясь коленями во взмокших прилипших брюках

Ориентиром на белом снегу мне служили темные телеграфные столбы с оборванными, скрученными в спиральные мотки проводами. И санный след, проложенный совсем недавно. След даже не саней, а санок, детских салазок. Гладкие параллельные колеи. Между колеями — отпечатки ног. Двух пар. Рубчатые подошвы солдатских ботинок и маленькие ямки от валенок, не взрослого, а детского размера.

Очередной телеграфный столб был наполовину короче, словно и снег провалился, — впереди была низина, овраг, а в овраге я разглядел, когда дополз до его края, замерзшую, скованную льдом узкую речушку. Во льду была пробита темная полынья, и две женские фигурки, одна побольше, другая поменьше, копошились возле санок, по следам которых я дополз сюда. На санках стояла деревянная бочка, в какой солят на зиму огурцы, и та фигурка, что покрупнее, черпаком доставала из полыньи воду и сливала в бочку.

Солнышко светило мне в лицо и слепило. Я лежал, распластавшись в снегу. Попробовал подняться на колени, чтоб меня увидели снизу, из оврага, но не устоял и рухнул воспаленным, мокрым от пота лицом в колкий, рассыпчатый снег. И тогда, задрав облепленное снегом лицо, я не закричал, а бессильно завыл.

Обе фигурки внизу замерли, повернув головы в мою сторону, и я разглядел, что это не женщины, а дети. Две девочки. Одна постарше, другая — совсем малышка.

Они застыли, раскрыв от страха рты, а я выл все тягучей и жалостней, призывая на помощь. И тогда они, как по команде взмахнув руками, бросились бежать. Не ко мне, а от меня. По льду на другую сторону оврага, барахтаясь в осыпающемся под ногами снегу. У полыньи остались салазки с бочкой и темный черпак.

Выбравшись наверх и почувствовав себя в безопасности за разделявшим нас оврагом, девочки не побежали дальше, а, взявшись за руки, стали разглядывать меня, пытаясь определить, что я за зверь. Я помахал им рукой. Моя рука, обычная человеческая рука, успокоила их. Что-то обговорив, они спустились в овраг и медленно, не без опаски поднялись по другому склону ко мне.

Я уже не выл и не двигал рукой. Мысль о том, что теперь мне не дадут замерзнуть в степи, а что-то сделают, умиротворила меня, и я уж стал впадать в мутное забытье, но чье-то теплое порывистое дыхание коснулось моего лица, и тонкий, робкий голосок вернул меня к жизни:

— Дяденька... А дяденька?

Я разлепил смерзшиеся ресницы и увидел над собой короткий вздернутый носик, пунцовые от румянца щеки и синие-синие глаза. А пухлые, совсем кукольные губки шептали

— Дяденька?.. Что с тобой, дяденька?

И другое личико высунулось из-за ее головы — укутанное в теплый платок лицо десятилетней девчушки, похожей на старшую сестру. И шмыгавшей таким же вздернутым мокрым носиком.

— На станцию, — выдохнул я. — Я — раненый... А там.. санитарные поезда.

Девчонки оказались на редкость сообразительными. Сбросили с санок бочку, поднялись ко мне и, подпирая с двух сторон, помогли взгромоздиться на обледенелые дощечки санок и веревкой привязали к ним.

Санки были маленькие. Я мог на них поместиться только сидя. Чтобы я не опрокинулся, младшая стала сзади, ручками поддерживая меня за плечи. От этого усилилась боль в лопатке. Но я молчал, даже не постанывал, чтобы не вспугнуть моих спасительниц.

Так мы и двинулись. Старшая впереди тащила санки за веревку, вцепившись в нее обеими оттянутыми назад руками. А за моей спиной посапывала младшая, упираясь ладошками в мои плечи.

Благополучно съехали в овраг, миновали брошенные у темной полыньи бочку и черпак, по трескающемуся льду прокатились через ручей и с трудом еле-еле выбрались наверх, на ровный снег, из которого торчали телеграфные столбы, убегая в белую безлюдную степь.

Девочки задохнулись на подъеме и остановились, чтоб перевести дух. Теперь я хорошенько мог разглядеть обеих. Старшей на вид лет пятнадцать, не более. Но уже крепкая деваха. Невысокого роста. В платке, повязанном по-деревенски, через грудь, узлом на спине, в стеганом ватнике с завернутыми не по росту рукавами и в синих фланелевых шароварах, заправленных в большие солдатские ботинки. Звали ее Верой. А младшую сестренку — Марусей. Пока отдыхали, они успели наперебой рассказать мне, что живут без отца, в соседней деревне. Деревню сожгли. И они с матерью приспособили под

жилье оставшийся от солдат блиндаж, и там даже есть чугун-
ная печка. Вот только дров маловато. Все, что могло гореть,
сгорело кругом. А воду возят с реки. Не украли бы бочку. Мать
прибьет, если воротятся без нее. У Веры был типичный дере-
венский облик. Кирпичный румянец на скуластых щеках, нос
пуговкой и небесная синева глаз под тяжелыми нависшими
веками, придававшими ей озабоченный, сердитый вид. Красивой не назовешь. Матрешка. Вся ее прелесть лишь в юной
свежести и здоровье.

Мы ехали и останавливались, и снова трогались, оставляя
позади столб за столбом с мотающимися по ветру обрывками
проводов. Меня то трясло от озноба, то бросало в жар, и маленькая Маруся с тревогой заглядывала сбоку в мое воспаленное лицо и снова подталкивала ладошками в спину.

До станции добрались, когда уже стало смеркаться. Собственно, станции никакой не было. Черная, задымленная
кирпичная коробка, без крыши, с пустыми провалами вместо
окон, и только тускло горящие керосиновые фонари на
стрелках, у разветвлений рельсов, напоминали, что станция
жива и действует. Никого, кроме укутанного в тулуп старика
стрелочника, мы не обнаружили на станции. Он нам сказал,
что зря мы сюда добрались, санитарные поезда проходят, не
останавливаясь, а если и стоят, то даже дверей в вагонах не
отпирают.

Мы переглянулись с Верой. Увидев, как я побледнел от
этой новости, она резко сказала стрелочнику:

— Ты, папаша, иди, не каркай. У нас раненый, понятно?
Не помирать же ему в степи.

Стрелочник помог девчонкам снять меня с санок и усадить
на каменную платформу, спиной к кирпичной стене. Вера развязала свой платок, сняла с головы и, сложив его вдвое, посте-
лила под меня. Оставшись с непокрытой головой, она тряхнула светлыми слежавшимися волосами и, скосив на меня свой
синий-синий бедовый глаз, сказала:

— Знала бы маманя, что под чужой зад ее платок сунула,
прибила б совсем.

У меня на глаза навернулись слезы. От бессилия и невыра-
зимой благодарности этой скуластой девчушке с сердито сдвинутыми белесыми бровями. А она продолжала распоряжаться.
Отправила Марусю с санками домой, наказав по пути прихва-

тить у ручья бочку и матери передать, чтоб не беспокоилась, сама вернется, как солдатика отправит с санитарным поездом.

Маруся ушла в темную степь, волоча за собой санки. Исчез стрелочник в тулупе. Мы остались одни возле закопченных руин вокзала, на мерзлой, продуваемой платформе.

Вскоре послышался надвигающийся шум поезда. Но наша радость быстро испарилась. Поезд шел не от фронта, а к фронту. Перед нами прогрохотали бесконечные открытые платформы с заиндевелыми, в морозном инее танками и остановились. Невдалеке от нас оказались товарные теплушки, где ехали танковые экипажи, и Вера метнулась туда, оставив меня. Какие-то люди в военном проходили мимо, не замечая меня. Потом лязгнули буфера, загудел паровоз, и эшелон тронулся. Мимо. Мимо. Пробежали теплушки с открытыми дверями. С них свесились танкисты. В ребристых шлемофонах и телогрейках. Молодые, здоровые ребята. С улыбками от уха до уха. Скользнули по мне веселыми глазами безо всякого любопытства. И исчезли под нарастающий стук колес. Их унесло туда, откуда еле живой выполз я, и кто знает, приведется ли кому из них ехать в обратном направлении, может быть, только в санитарном поезде. В таком вот, какой явился с запада на смену эшелону — одни пассажирские вагоны, и на каждом большой красный крест в белом кругу.

Но до того, как пришел санитарный поезд, Вера принесла мне выпрошенные у танкистов бинты с ватой и горбушку черного хлеба.

Я сидел на ее вязаном шерстяном платке и тупо жевал хлеб, а она, подвинув меня от стены и освободив спину от шинели, отрывала от моей лопатки спекшиеся, в крови повязки. Я морщился от боли и гнилого запаха, шедшего от упавших на платформу бинтов, и продолжал механически жевать хлеб.

— Не придет санитарный поезд, — озабоченно бормотала за моей спиной Вера, — сгниешь совсем. Гною-то! Господи!

Она неумело заткнула раскрытую рану бинтами и ватой и бережно натянула на плечо шинель. Потом присела на корточки передо мной, заглянула в мое безучастное, обтянутое небритой серой кожей лицо и вздохнула по-бабьи, совсем как взрослая.

— Горе ты мое! Когда же твой поезд будет?

И словно наколдовала. Из густой темноты с западной стороны с гулом и лязгом подошел и замер поезд, отдуваясь после бега сизыми облаками пара. На стенках заиндевевших пассажирских вагонов спасительно алели, словно выведенные кровью, кресты. Санитарный поезд. И моя жизнь зависела от одного: возьмут ли меня с собой или оставят замерзать на каменной платформе.

Как и напророчил стрелочник, двери вагонов, пока поезд стоял, не открыли, и мы с Верой, почти тащившей меня на своем плече, толкались от вагона к вагону, и она ожесточенно стучала кулаком в каждую промерзшую дверь, и в ответ от нас лишь отругивались матерно и не отпирали.

В тронутых морозным узором окнах смутно виднелись человеческие фигуры на полках в белом нижнем белье, с забинтованными то руками, то ногами, и прижимались к стеклу лица медицинских сестер, взиравших на нас с праздным, равнодушным любопытством.

Вера тащила меня вдоль вагонов, подпирая плечиком, согнувшись под моей тяжестью, и продолжала неистово стучать в каждую дверь и орать сорванным, простуженным голосом:

— Да вы что? Не люди, а звери? Раненый помирает!

Сознание уходило и возвращалось ко мне. Вера не давала мне осесть, рухнуть на платформу, подталкивала плечом, тащила, вцепившись в повисшую на ее шее руку.

— Люди добрые! Не оставьте! — вопила она. — Раненый помирает!

До моего сознания не совсем отчетливо, но все же доходило, что раненый, о котором она кричит, это я, и, следовательно, умираю тоже я. И я даже слегка удивился, что эта новость нисколько меня не опечалила. Наоборот. Лечь, растянуться на платформе и забыться, умереть куда лучше, чем вот так, терзаясь незатихающей болью, переставлять отекшие, словно чужие ноги вдоль замерзших окон и запертых дверей отгородившегося, отказавшегося от меня мира.

Я спасся от несомненной смерти ценой жизни другого человека. Меня выручил покойник. Скончавшийся в санитарном поезде безымянный раненый солдат. Его труп в нижнем бязевом белье и с толсто замотанной бинтами головой, из-за чего даже лица нельзя было разглядеть, выволокли за ноги и за руки из поезда на этой станции. А для этого пришлось отпереть двери вагона. И пока четыре девки-санитарки сносили со ступеней подножки босоногого покойника, Вера ринулась к дверям, ударом наклоненной головы отбросила от поручней санитарку и с какой-то нечеловеческой силой потащила меня, ухватив под мышки, как труп, вверх по ступеням.

Перед моим замутненным взором через Верино плечо мелькали сердитые лица санитарок в тамбуре, я слышал крики и ругань и высокий с надрывом вопль Веры:

— А ну, пусти, гад! Кому говорят? Он, что, не наш солдат? Кого толкаешь? Раненого?

В меня вцепилась у раненого плеча чья-то безжалостная рука. Взвыв от пронзившей меня боли, я вонзился зубами в запястье и не без злорадства услышал болезненный вскрик и сразу ощутил свое плечо свободным.

Потом я стукнулся головой об стенку тамбура, потом еще раз уже об дверь из тамбура в вагон.

— Не уйдем из вагона! — кричала Вера. — Пристрелите на месте! Живыми не уйдем!

В вагоне мне ударил в нос душный воздух, пропитанный острыми запахами медикаментов и тошнотворной вонью множества давно не мытых тел. После пронизывающего холода здесь было жарко, впору задохнуться.

— Куды ты его? — визжала перед нами круглорожая, ширококостная санитарка в белом и несвежем халате, чуть не лопавшемся на выпирающей груди. — Где класть? Нету мест! Все забито!

— А где покойник лежал? На его место! — задыхаясь под моей тяжестью, не сдавалась Вера.

— Где был покойник, там уже другой, с полу взяли!

— Ну и я своего на пол положу. Не барин! — отрезала Вера, а мне в ухо горячо шепнула: — Только бы поезд тронулся, на ходу не выбросят. Вот сюда! Под нижнюю полку залазь. А то затопчут. Головой вперед, я подтолкну.

Я вполз под нижнюю полку, с краю которой свешивалась простыня, и, когда подтянул к животу ноги, чтоб меня совсем не было видно, услышал резкий начальственный мужской голос:

— Кто позволил? Гоните в шею! У нас своих хватает, невпроворот! Выполняйте приказ! Выбросить обоих!

Что-то закричала Вера. Кто-то взвизгнул — очевидно, Вера укусила или поцарапала. Под полкой зашарили руки, ухватились за мой ботинок и за колено, потянули.

— А ну, вылазь, зараза!

Я вырвал ногу и изо всех сил пнул во что-то мягкое, затем

поддал второй, под брань и матершину стал брыкаться обеими
ногами и все время слышал Верин истошный визг:

— Убивают! Раненого убивают! Шкуры! Гады!

А я все брыкался, не даваясь цепким рукам, и настолько
вошел в раж, что не учуял, как подо мной задрожал пол и за-
стучало под ним, все быстрее и быстрее, пока не слилось в
ровный гул. Это я терял сознание и в последних его проблес-
ках успел догадаться, что поезд, наконец, пошел и подо мной
стучат колеса, и где-то далеко-далеко плаксивый голос Веры:

— Эй, меня куда везете? Пустите! Там на станции платок
остался. Почти неношенный.

Я очнулся, когда меня несли на носилках после операции
Несли две санитарки по вагону, и перед моими глазами мелькали чьи-то ноги, спеленутые бинтами, скованные гипсом и
невредимые белые ступни человеческих ног, шевелившие
пальцами чуть ли не над моим лицом. Грудь и спина мои были
туго стянуты бинтами, и не было прежней боли.

В тамбурах, при переходах из вагона в вагон, морозный
воздух вихрился над моей головой, щипал нос, и я сообразил,
что светло, наступил день, а всю ночь я провел в беспамятстве
И тут же подумал, куда же меня положат? Неужели снова на
пол, сунут под полку?

Меня положили на полку. Верхнюю. Я лежал на полу и
ждал, пока санитарка сменит на ней белье. С матраца стянули
простыню в бурых пятнах от крови — последнее напоминание
о прежнем обитателе этой полки. Его труп лежал чуть дальше
от меня, тоже на полу, в ожидании, когда поезд дойдет до станции, и тогда его выволокут наружу, как и того, из-за кого мне
удалось попасть в вагон. Теперь другой покойник уступал мне
свое место на верхней полке.

Когда меня уложили, чья-то рука поправила одеяло, и я
узнал эту руку. Потом на уровне моих глаз появились сине-
синие глаза, поджатые скулами, и вздернутый носик.

— Будешь жить, — сказала Вера. — А я-то из-за тебя под-
залетела. Куда везут? Не знаю. Маманя там небось убивается..
И платок потеряла...

— Пришлю тебе платок, — шепнул я. — Из Москвы.

— Пришлешь, — недоверчиво сморщила носик Вера. —
Держи карман шире. Плачет небось маманя. Выходит, бросила я ее.

— А ты письмо ей напиши. Всего и делов, — сказал

мужской голос, показавшийся знакомым, и я, еще не увидев говорившего, узнал этот голос. Тот самый, что вчера приказал выбросить меня из вагона. Теперь я увидел его лицо. Седую вьющуюся шевелюру, черные печальные глаза и длинный с горбинкой нос. Врач. И должно быть, хирург, оперировавший меня. Моя догадка оказалась верной.

— Ну, солдат, — сказал хирург, — под счастливой звездой ты родился. Не попади ко мне на стол, не дотянуть тебе до утра. Гангрена началась. Задал ты нам работенки. Но благодари за свое спасение не нас. Вот ее, когда поправишься, поклонись в пояс.

Он потрепал Веру по нечесаной голове и добавил.

— Матери сообщи, чтоб не беспокоилась, служишь в санитарном поезде, возвращаешь в строй раненых воинов.

И обернувшись к кому-то сзади, бросил, уходя:

— Поставить на довольствие. И выдать обмундирование.

Вера осталась возле меня, положив голову на матрац у самого моего лица. Порой ее ресницы щекотали мою щеку, и на душе моей стало покойно и легко. Я уснул впервые за эти дни безмятежным сном.

Чем дальше на восток уходил поезд, тем больше снега становилось кругом: мы возвращались в сибирскую зиму. Вера в нашем вагоне уже была общей любимицей. Самая юная среди санитарок, она одним лишь своим появлением вызывала улыбки на измученных, изможденных лицах раненых. Она напоминала им их детей. Ей улыбались, ей кивали со всех полок, когда она проходила по вагону, и самые несдержанные на язык замолкали, чтоб случайно не ругнуться при ней. Врачи и санитарки тоже не могли нахвалиться ею. Не дожидаясь указаний, сама мыла полы в вагоне, умывала лежачих, кормила тех, кто не мог сам есть. И все делала легко, играючи. А как только урывала вольную минуту, бросалась ко мне и, уткнувшись подбородком в матрац, удивленно, словно не веря своим глазам, смотрела на меня, моргая белесыми ресницами.

Санитарный поезд разгрузился в сибирском городе Курган, и, как Веру ни уговаривали остаться служить в поезде, она не согласилась и вскочила в автомобиль, куда поставили посилки, на которых я лежал, и вместе со мной доехала до госпиталя.

Там я перенес вторую операцию. И Вера неотлучно сидела у моей койки, пока я снова карабкался на свет божий с того света. Потом ей удалось устроиться в госпиталь нянечкой и даже получить койку в общежитии. И здесь, как и в поезде, она быстро освоилась, и скоро в ней души не чаяли и больные и обслуживающий персонал. И вдруг Вера снова собралась в дорогу. Потому что настал час моего отъезда. Меня выписывали из госпиталя и отправляли домой, в Москву, под родительскую опеку и наблюдение московских специалистов, до полнейшего выздоровления. В пути мне полагался сопровождающий. Вера обегала все начальство, клялась, что обязательно вернется, лишь бы ей доверили сопровождать меня.

О лучшем сопровождающем я и мечтать не мог. Все заботы она взяла на себя. И билеты, и документы, и запас продуктов на дорогу. Мы ехали неделю: я имел спальное место на верхней полке, а Вера маялась внизу, сидя, прижатая с обоих боков другими пассажирами, кому тоже не посчастливилось ехать с удобствами на отдельной полке.

В купе ехала старушка, сибирская крестьянка, собравшаяся в дальнюю дорогу навестить сына в госпитале. Поэтому я, раненый, и санитарка, меня сопровождающая, вызывали ее откровенный интерес. Старушка шепталась внизу с Верой, делилась снедью домашнего приготовления и была особенно довольна, видя, что Вера почти все скармливала мне.

Однажды в отсутствие Веры, выскочившей на стоянке чего-то купить, и когда другие пассажиры тоже вышли из купе, старушка вытянула ко мне свое морщинистое и желтое, как печеное яблоко, лицо и беззубо зашептала:

— Слушай меня, сынок. Я жизнь прожила. И уж верь мне, знаю, что к чему. Не упусти девку-то. Лучшей тебе век не сыскать. Христом Богом клянусь. У меня глаз вострый. Любит она тебя... Души не чает. Уж мне-то видать. Гляди, не дай промашки. Женись... не думай... Таких — на тыщу одна. И быть тебе за ней кум королю...

Мне нравились ее слова, и я был готов слушать еще, но в купе вбежала запыхавшаяся Вера, и не знаю, слыхала ли она что-нибудь из того, что говорила старушка, но, увидев ее стоящей возле меня, резко одернула:

— Вы, бабушка, его пустыми разговорами не утомляйте. Он — раненый, и притом, тяжело. А я за него в ответе.

— Пустые разговоры, — обиделась старушка, садясь на свое место. — Ты-то почем знаешь, какие мы ведем разговоры?

— Для него, пока нездоров, все разговоры — пустые, — отрезала Вера. — Ясно, бабушка? И прошу не нарушать.

Старушка хитро прищурилась на меня снизу.

— Видишь, парень, какой у тебя командир? Помни мои слова.

В Москве была ранняя весна, когда наш поезд подошел к перрону Казанского вокзала. Меня осторожно тискали в объятиях рыдающая мама и не сумевший сдержать слез отец. Отец хромал, опираясь на палочку. Он успел раньше меня отвоеваться и после ранения, полученного в боях под Москвой, занимал высокую должность на гражданской службе. Даже в военной полуголодной Москве у отца был служебный автомобиль, который довез нас всех четверых — меня, отца с матерью и Веру — в родной Уланский переулок, который я покинул лишь полгода назад молоденьким и совершенно здоровым мальчишкой, а теперь возвращался, еле стоя на ногах, с раздробленной, изувеченной лопаткой и куском железа в сердце.

В первые дни после приезда мои родители, люди далеко не сентиментальные и скупые на проявления чувств, принимали Веру как родную. Их трогало и умиляло, как она заботилась обо мне, как умело меняла повязки и даже кормила, как маленького, с ложки, заставляя есть, когда меня воротило от еды.

Румяная, крепкая, как наливное яблочко, она сразу стала в нашем доме своим человеком. Согнувшись в три погибели и выставив обтянутый армейской юбкой тугой зад, мыла тряпкой полы, быстро и ловко гоняя грязную мыльную воду по крашеным половицам, начистила до блеска всю посуду, до которой не доходили мамины руки, бегала за продуктами по магазинам и отстаивала в длиннейших очередях, стряпала, и, когда отец и мать возвращались с работы, все в квартире блестело и сверкало, и на свежей скатерти их ждал горячий обед.

Врачи прописали мне постельный режим, и я не выходил из дому. Большую часть дня я проводил наедине с Верой, а когда она отлучалась в магазин или в прачечную, испытывал беспокойство и нервничал. Меня охватывал страх при мысли, что вечно так длиться не может и настанет момент, когда Вера уедет, и я не мог себе представить, как я буду один, без нее.

Ее крепко сбитая, ладная фигурка волновала меня, и я порой ощущал, будто по мне прошел электрический разряд, когда она прикасалась своей упругой ладошкой к моему телу. Я улавливал ответную дрожь ее руки.

Я не стеснялся ее, как не стесняются в детстве матери. Она уносила из-под меня, когда я лежал в госпитале недвижим, утки с испражнениями, мыла меня в ванне совсем голого, и оставались мы с ней в ванной комнате одни, взаперти. И она своими маленькими, но крепкими ручками обтирала всего меня и не отводила стыдливого взгляда, совершенно далекая от игривых мыслей, вся поглощенная исступленной материнской заботой обо мне.

В госпитале обслуживающий персонал и раненые иногда грубовато дразнили нас женихом и невестой, и Вера сердилась и однажды вцепилась в волосы не в меру языкастой санитарке, и ее за это чуть не уволили. Помогло мое и других раненых заступничество.

Мы оба избегали заговаривать о наших чувствах, словно боясь обжечься и все погубить.

Иногда, уснув днем, я улавливал ее дыхание возле моего лица и быстрое, вороватое прикосновение ее сухих горячих губ к моей щеке, носу, лбу. Я не открывал глаз и замирал, чтоб не спугнуть ее. Выдавала меня улыбка, помимо моей воли растягивавшая губы, и тогда Вера, отпрянув, сердито замахивалась на меня:

— Притворщик... Горе мое...

Получилось так, что она никого не подпускала ко мне, все успевая сделать до того, как мать и отец пытались предпринять что-нибудь. Я стал ловить недовольные, ревнивые взгляды матери, и мое сердце холодело при мысли, что они могут поссориться и невзлюбить друг друга.

Как-то я подслушал их разговор на кухне, прижавшись ухом к прикрытой двери. Мама пила чай, и на этом же столе, на другом конце его, Вера гладила выстиранное белье. И мое, и мамино, и отцово.

Они вполголоса переговаривались, и я слышал, как Вера просила:

— Миленькая моя, не гоните меня. Хотите, я вам буду... вместо прислуги? Все по дому делать, останетесь довольны... И платить не надо... Как для родных постараюсь.

— Глупенькая ты, — отвечала мама. — Разве я тебя гоню? Как ты могла даже подумать? Но дело в том, что в Москве нельзя жить без прописки. Узнает милиция, и тебя в 24 часа отправят отсюда.

— А что нужно, чтоб была эта прописка? — упавшим голосом спросила Вера. — Может, как-нибудь?

— Никаких «как-нибудь», дорогая. До сих пор наша семья была без пятнышка... И обходить законы мы не собираемся... да и не умеем.

— Что же мне делать? Как быть?..

После долгой паузы мать сказала:

— Ну, если уж тебе так хочется остаться в Москве — один способ... выйти замуж... за москвича.

— Какого москвича?

— Ну, уж это твоя забота. Ты привлекательна, молода... найдешь, если захочешь.

— Кого? За кого замуж?.. Если я уже влюбленная.. на всю жизнь.

— Ты это серьезно? — дрогнул мамин голос.

— Сами знаете. Не мне вам рассказывать.

Дальше послышался сдержанный плач.

Я не вмешался и ничего не успел предпринять, чтоб отстоять Веру, потому что, на беду, у меня этой ночью подскочила температура, я стал бредить, и меня в полубессознательном состоянии увезли. Вера рвалась за мной в больницу, пыталась на ходу вскочить в увозившую меня машину, но ее не пустили. Мама чуть не силой вернула ее домой.

Мне сделали третью по счету операцию. Извлекли еще несколько крохотных кусочков металла из околосердечной сумки и оставили лишь один-единственный осколок, трогать который даже московские специалисты не отважились. Тот самый, что вонзился в сердечную мышцу и врос в нее. Медицинский консилиум сошелся на том, что я могу прожить довольно долго, нося в своем сердце осколок, но почти никаких гарантий остаться в живых, если скальпель шевельнет этот кусочек металла.

Операцию я перенес с превеликим трудом и несколько дней после нее плавал где-то между жизнью и смертью. Так что мне было не до Веры. А вспомнил я ее, когда меня везли из больницы домой, и в машине, кроме отца и матери, никого больше не было.

— Где Вера? — похолодел я.

Меня не обмануло предчувствие. Отец и мать отводили глаза, и мать при этом повторяла:

— Тебе нельзя волноваться. Не смей волноваться.

— Где моя Вера? — настаивал я, переходя на крик. — Что вы с ней сделали?

Отец и мать сидели по обеим сторонам от меня на заднем сиденье служебной машины отца. Этим автомобилем пользовались руководящие работники его ранга по очереди, и отцу не хотелось, чтобы шофер был в курсе наших семейных дел. Он упросил меня потерпеть до приезда домой и уж там в спокойной обстановке выяснить, что к чему.

Мне действительно было противопоказано волнение. Я лежал в опустевшей без Веры квартире, в постели, приготовленной ее руками, и, исходя бессильными слезами, понимал, что меня жестоко и подло обманули, совершив за моей спиной, пользуясь моей беспомощностью, гнусную и мерзкую непристойность.

Отец и мать сидели у кровати с виноватыми лицами. Из их сбивчивых, порой нелогичных объяснений я выяснил, что Веру спровадили вскоре после моего отбытия в больницу. Для пущей достоверности ее припугнули милиционером, которого, я не сомневаюсь, позвала сама мама, и он явился ночью, поднял Веру с постели, проверил ее документы и велел в 24 часа покинуть Москву, или он подвергнет ее аресту за нарушение строгих московских правил пребывания в городе.

— Мы ее не обидели, — оправдывалась мама. — Расстались, как с родной дочерью. Она не может быть на нас в претензии. Дали денег на дорогу, продуктов и проводили на вокзал. Поверишь ли, даже плакала, прощаясь с ней... так привязалась за это время.

— Крокодиловы слезы, — замотал я головой. — А куда она поехала, ты знаешь?

— Не-ет, — растерянно протянула она. — В спешке, впопыхах забыла спросить ее... а она сама почему-то не оставила адреса.

— Следовательно, вы спровадили в неизвестность, к черту на рога, беззащитную девчонку, у которой нет в этом городе ни одной близкой души, кроме меня. Вы вышвырнули за ненадобностью человека, спасшего вам сына, вытащившего его буквально с того света и пожертвовавшего ради него всем, даже собственной семьей.

— Но что мы могли поделать? — вскричала мама. — Не нами законы писаны. Ее бы все равно не оставили в Москве.

— А выйти замуж? — крикнул я в ответ.

— За кого?

— За меня! Я бы женился на ней, вернувшись из больницы, и все проблемы были бы решены.

— Кроме одной, — вмешался до того терпеливо молчавший отец. — Ты бы поставил крест на своем будущем.

— Какой крест? Почему?

— Потому что она, Вера, к сожалению, подпадает под категорию людей, к которым советская власть не питает доверия. Возьми себя в руки, сынок. Я понимаю твои чувства. Ты добрый, честный и порядочный человек.

— Почему же вы, мои родители, не такие?

— Со стороны лучше видать, — понурил голову отец.

А мать рассердилась:

— Грех тебе так говорить. Никто еще не упрекнул твоих родителей в непорядочности...

— Я... я упрекаю. А кто лучше меня знает вас? Вы совершили преступление! Понимаете, преступление!

— Со временем ты изменишь свое мнение, — кротко возразил отец. — Ты еще далеко не все понимаешь. Вера была на оккупированной территории, у фашистов. К таким лицам в ближайшие годы не будет доверия, на них лежит нечто вроде клейма.

— Миллионы клейменных, — завопил я. — Мы сами не смогли их защитить, бежали перед врагом, оставили ему огромные территории с населением, которое претерпело адские муки, и теперь, когда эти люди, в основном женщины и дети, наши русские люди, наконец, освобождены от чужеземной оккупации, мы их, миллионы и миллионы, берем под подозрение, делаем людьми второго сорта и клеймим чуть ли не предателями. Кого? За что? И кто? Свою вину, свое неумение воевать валим на их плечи, отводим на них душу за свои собственные грехи.

Отец и мать застыли на стульях у постели, охваченные страхом, что кроме них еще кто-нибудь, хотя бы соседи, могут услышать мои кощунственные, строжайше наказуемые речи, и тогда и мне и им не поздоровится. А я, выпалив все это, обессиленный и опустошенный, отвернулся к стене, забинтованной спиной к ним.

Этой ночью зазвонил телефон, и, когда мать, поднявшись с постели, взяла трубку, оттуда не донеслось никакого голоса, и на ее вопрос, кто это, зазвучали короткие гудки отбоя. Руг-

нувшись, мама вернулась в постель. И снова раздался теле
фонный звонок

— Не подходи! — крикнул я матери — Это мне!

Отец и мать, взъерошенные спросонья, в нижнем белье
подняли меня из постели и под руки подвели к висевшему на
стене не умолкавшему телефону. Трубку снял отец и, не при
ложив к своему уху, протянул мне и держал так, чтоб я мог
слышать и говорить.

— Я слушаю

— Олег! — раздался в трубке далекий голос Веры. — Как
ты? Все в порядке?

— Все в порядке, Верочка! Где ты? Откуда звонишь?

— В Москве я. На Курском вокзале

— Ты вернулась в Москву?

— А я и не уезжала.

— Где же ты была все это время?

— А здесь... На Курском вокзале. Днем у твоей больницы
дежурила, чтоб знать, что и как, а спать... на вокзал... Я при
вычная... на скамье спать.

— Слушай, Вера! Бери такси и немедленно приезжай сюда!

— Нет, Олег. Я не затем звоню. Мой поезд сейчас уходит.
Ты уже не в опасности. Я тебе ни к чему... Хочу пожелать счас
тья... и успехов.

В телефоне щелкнуло, и послышались гудки, частые и до
того тревожные, что у меня защемило сердце.

— На Курский вокзал! — крикнул я родителям. — Помоги
те одеться!

— Через мой труп! — вскричала у двери, раскинув руки,
мама. — Тебе нельзя двигаться! Даже с постели вставать! Это
смертельно!

И громко зарыдала.

Отец повесил трубку и обнял меня дрожащей рукой.

— Идем, сынок. Приляг. Успокойся. Тебе нельзя. Никак
нельзя. Пройдет время, и сам же признаешь, что я был прав
Время, мой сын, лучший лекарь... и судья.

ТОЙОТА

На многорядных американских автострадах я пред
почитаю крайние ряды Тогда много видишь и есть о чем по

думать под ровное гудение моторов на встречных курсах, под упругую пульсацию бетона под шинами.

Когда я прижата к левой кромке, то наслаждаюсь встречами с земляками. Бог ты мой, сколько японцев бегает по американским дорогам! «Хонды», «Датсуны»; «Мазды» и, конечно, мы, «Тойоты». Чуть ли не каждый пятый автомобиль — нашей, японской марки. Куда меньше по габаритам, чем американские утюги, и намного экономичней их. А теперь, когда бензин дорожает день ото дня, покупая машину, призадумаешься: брать ли прожорливого своего или заморского японца с таким скромным аппетитом.

И бегут мои братья и сестры, мои земляки по американским дорогам в таких количествах, что их уже назовешь не гостями, а полноправными хозяевами.

Когда мы узнаем друг друга на встречных курсах, теплые улыбки согревают наши радиаторы, а фары сами собой вытягиваются в узкие азиатские щелки-глаза.

— Привет, земляк!

— Привет, сестра!

Мигаем мы друг другу и даже успеваем перекинуться парой слов.

— Как самочувствие? Нравится Америка? Не скучаешь по нашей далекой Стране восходящего солнца?

Ответа не услышишь. Не хватает времени. Со свистом проносимся мимо, на прощанье мигнув задними фарами.

И снова и снова во встречном потоке мелькают наши японцы. Я пытаюсь угадать, каково американцам видеть это нашествие. Воевали обе наши страны. Мы проиграли войну. А в мирное время без единого выстрела оккупировали самую сильную державу мира. Своими автомобилями, которые атакующими колоннами расползлись по всему лицу Америки, нашими фотоаппаратами, радио и телевизорами, какие встретишь почти в каждом американском доме. Нашими мотоциклами, вытеснившими всех конкурентов.

Не самурайским мечом, а мирной продукцией своих заводов Япония овладевает миром. И до сих пор остановить наше наступление еще никому не удалось.

Не скрою, есть во мне патриотический дух. Все японское радует мой взгляд. Может быть, оттого, что я продана на чужбину и это результат ностальгии? А останься я дома, и стала бы космополитом, как нынешняя молодежь?

Но при всей любви к японскому предпочтение я отдаю все же моей кровной родне, отпрыскам нашего многочисленного семейства Тойота. Столько тепла разливается в моей душе, когда навстречу, сразу выделяясь каким-то особым здоровьем и уверенностью среди других автомобилей, бежит моя родная «Тойота». То ли мой близнец «Королла», то ли любимые сестры «Селика», «Корона», такие ладные, такие крепенькие и юркие, что сердце заходится от гордости за нашу семью. У меня даже нет зависти, что красавица «Селика» куда наряднеи и роскошнеи меня. В каждой семье есть свои фавориты, свои баловни. И если хвалят ее, то и мое тщеславие удовлетворяется всласть — ведь мы же все Тойоты.

Много нас, сестер. Но есть у нас и брат. Грубоватый и сильный джип-вездеход. На его обрубленном упрямом радиаторе-подбородке наша фамилия написана самыми крупными буквами: ТОЙОТА. А по бокам, на капоте, — вызывающе гордое имя — сухопутный крейсер. И сколько бы мы ни толковали, что этого класса машины: английский «Лэндровер», французская «Симка», немецкий «Мерседес» — не уступают моему братцу ни во внешнем оформлении, ни в технических показателях, я буду упрямо твердить: «Нет, нет, лучше моего брата нет никого на всех дорогах». И переспорить меня никому не удастся.

Сестры ведь всегда опекают своего брата. Да еще когда он единственный. И самый младший.

Иногда некоторые наши земляки истолковывают весьма превратно радушие и приветливость, которые я проявляю, завидев их родные японские мордашки. Отличаются этим, конечно, мужчины. «Датсун», скажем. Как-то в одном потоке рядом со мной появился такой малыш, «Датсун». Красного пижонского цвета. Ну, точно пожарный автомобиль. Я даже фыркнула. А он, дурень, принял это за заигрывание. И пошел. И пошел. То чуть обгонит и покажет хвастливо свой багажник, то отстанет на шаг-другой. У меня ведь тоже живая душа. Женщина остается женщиной. И внимание нам всегда по сердцу.

Ну, я завиляла, запрыгала. Вот-вот от бетона оторвусь. А он не отстает. Нескромно пожирает меня фарами, вылупившись, то передними, то задними. И газу поддает, и рокочет мотором. Словно хочет убедить меня, что он так и пышет здоровьем, ни один клапан не стучит, только-только с техосмотра. А мне-то что, господи, до его здоровья? Ну и слава Богу!

Беги себе. У каждого из нас свой путь, своя судьба. А поиграть маленько? Отчего же не поиграть! Хоть какое-то разнообразие в монотонном беге в общем стаде.

Видать, избытком ума «Датсун» не отличался. Как разгулялся! Какой страстью запылал! Чуть не гладит своим боком мой бок. А я такие заигрывания терпеть не могу. Знаю, чем это кончается. Обдерет краску, а еще хуже — оставит царапины и вмятины на корпусе. Потом становись на ремонт и кукуй.

Поэтому, увидев, что «Датсун» уж слишком вошел в раж, я бочком, бочком стала от него отходить, сменила ряд, потом другой. Но и он сменил и ни на шаг не отстает.

Спасло меня ответвление на автостраде. Я вырвалась из потока и съехала на боковую спираль. «Датсун» хотел было за мной рвануть, но хозяин быстро приструнил его и погнал прямо. Как он скис, бедный! А я ведь тоже хороша. Еще подразнила задними фарами, поиздевалась на прощанье. Небось долго обиду таил.

Еще больше впечатлений, когда я иду в крайнем правом ряду автострады. Тут никто и ничто не заслоняет виды, которые миля за милей открываются, распахиваются, разворачиваются передо мной.

Господи, до чего красивая, интересная и многообразная страна эта Америка! Чего только я не повидала в одном лишь этом путешествии из конца в конец Америки, с западного побережья до восточного, от Тихого океана до Атлантики, из Лос-Анджелеса в Нью-Йорк. Океанские бухты с кораблями на горизонте. Цветущие зеленые долины. Горы — нагромождение безжизненных скал. Прерии — без конца и края, ровная, как стол, земля с раскиданными по ней фермами. Кукурузный пояс Америки — Айова, Вайоминг. Кукурузные моря. И прямо среди кукурузных джунглей черные головастые кузнечики кланяются мне — это нефтекачалки сосут из богатой американской земли, прямо из-под корней кукурузы, нефть — единственную потребную мне пищу, ту самую, что без устали гонит вперед по всем автострадам миллионы и миллионы моих соплеменников-автомобилей.

В этих местах даже маленькие сельские кладбища плотно окружены кукурузными полями, и из-за стеблей еле видны каменные кресты надгробий.

Кстати, о кладбищах. Мы миновали их в немалом количестве. И человеческие, и автомобильные И знаете, к какому открытию я пришла? Автомобильных кладбищ больше, чем человеческих. А что это значит? Мы обгоняем народонаселение земли. Нас уже больше, чем людей. Вся планета скоро будет принадлежать не двуногим, а нам, четырехколесным. И мы установим свой, автомобильный, порядок на земле. Без войн и голода. Без дискриминации и смертной казни. Без деления на белых, желтых и черных. Без границ и таможенных пошлин.

Автомобили всех стран, соединяйтесь!

Кажется, я немного увлеклась. Со мной это бывает. Когда долго несешься по бесконечному бетону и мои фары неотступно следуют за покачивающимся багажником впереди идущей машины. Можно одуреть.

Мы, живые, полнокровные автомобили, несемся мимо автомобильных кладбищ, и сердце мое каждый раз замирает, и я слышу учащенный стук моего мотора.

Смерть к нам безжалостна. Больше, чем к людям. Тех-то хоть хоронят по-людски. Каждого в отдельной могиле. И памятник поставят. И даже узорную ограду. И цветочки высадят.

А мы? Нас, как только мы посыплемся от усталости и износа, рухнем на полном бегу так, что ремонт нас оживить не сможет, сволакивают с дороги, как ненужную вещь, бросают на ржавые скелеты наших собратьев-покойников, и мы уродливой горой металлолома мокнем под дождями, стынем под снегом, пока подъемный кран своими безжалостными челюстями не выдернет нас из кучи и не понесет под пресс.

У меня захватывает дыхание от этого жуткого зрелища. Со страшной силой пресс давит нас. Трещат косточки, лопаются сухожилия, и, перемешавшись с чужими обезображенными кусками, мы слипаемся в слиток.

Потом кремация. Как у людей. Но нас, в отличие от них, не сжигают, а переплавляют. В новый металл. Из мартеновской печи мы отправляемся в прокатный стан. Оттуда снова под пресс. Мы возрождаемся на конвейере, и, глядишь, уже бежит, сверкая лаком и хромом, вновь рожденный автомобиль и вливается в бесконечный поток своих собратьев на автострадах.

И выходит так, что, в отличие от людей, мы, автомобили, бессмертны.

Порой зрелище того, что происходит на обочине автострады, вызывает у меня чувства, которых я стыжусь и преодолеть которые я до сих пор не в состоянии. Название этому чувству —

злорадство. Да, да, я злорадствую. Когда вижу на обочине застрявший из-за поломки автомобиль не нашей японской марки и, конечно, не «Тойоту».

Вот косо, неуклюже застыл с задранным к небу капотом из-под которого виднеется зад шофера, особенно не любимый мной итальянец «Альфа Ромео». Возможно, меня раздражает присвоенное им классическое имя Ромео, которому много-много веков назад, задолго до появления первого автомобиля на земле, дал такую всемирную рекламу англичанин Шекспир. Но не исключено, что я невзлюбила эту машину за ее кокетливый вид, за претензию на знатное, аристократическое происхождение, о чем назойливо напоминает каждому встречному и поперечному эмблема на радиаторе — геральдический герб.

Кичись своей родовитостью, голубушка, кокетничай напропалую, ну а по техническим показателям тягаться со мною — у тебя кишка тонка. Я качу как ни в чем не бывало, а ты стоишь с задранным капотом, и хозяин твой ругает тебя на все корки и, уверена, клянется в следующий раз при покупке не гоняться за внешним лоском, а искать прочность и качество.

Конечно, не могу удержаться от злорадства, когда застревают из-за поломки аборигены — американские широкозадые «Плимуты», «Шевроле», «Форды» Дома, говорят, и стены помогают. Ан нет. Стоят, голубчики, на своих дорогах и ни взад, ни вперед. А мы победно мчимся мимо, небрежно кося фарой. И злорадствуя.

Грех, конечно. Но кто без греха? Тем более, когда в мире такая конкуренция на автомобильном рынке. Тут уж не до приличных манер и показного благородства.

Когда я в среднем ряду, зажатая с обеих сторон попутчиками, мне не на кого глядеть. Особенно по вечерам и ночью, когда впереди мерцают лишь красные огоньки и от них начинает рябить в глазах. Тогда углубляюсь в себя. Предаюсь размышлениям. Под баюкающее рычанье десятков соседних моторов, слегка одурманенная газом из множества выхлопных труб.

И, невольно, клянусь, я не люблю подслушивать, внимаю разговорам моих хозяев. Вернее, моей хозяйки — Майры и ее попутчика Олега. Я привыкла к обоим за долгий путь через весь американский континент, мы сжились, стали одной семьей, и их беды и заботы, их перемежающиеся ссорами страстные поцелуи волнуют меня, радуют и угнетают, оставляя в душе ощущение близящейся недоброй развязки.

Они спорят и ссорятся, доходят до ненависти. А потом, устав, приникают друг к другу и горько и нежно предаются любви. Потом снова спорят и ссорятся.

Я слушаю, и мне грустно. Потому что я мудрее их. Я — с Востока. За моей спиной самая древняя цивилизация. Я знаю много больше, чем знают они. Я знаю, что было, и я знаю, что будет. И от жалости к людям мне хочется взвыть во всю силу своего клаксона, так, чтобы этот сигнал тревоги прокатился над бесконечными лентами автострад, над миллионами автомобилей, мерцающих красными огоньками задних фар и несущихся вперед, безостановочно вперед.

ОНА

Я стою, вернее, нервно прохаживаюсь, на Лексингтон-авеню, между 55-й и 56-й улицами. Это место я выбрала по наитию, седьмым чувством определив, что здесь мне повезет. А также потому, что здесь иссякает неровная цепочка проституток, протянувшаяся по обеим сторонам Лексингтон от самой 42-й улицы, и, следовательно, тут я в какой-то степени застрахована от конкурентной атаки уличных девиц и их покровителей — сутенеров.

Можете меня поздравить — я стала проституткой. Даже не стала. А лишь попробовала откусить от этого куска хлеба.

Меня выгнали из дому. Точнее, я сама ушла, в который раз поссорившись с матерью и сняв с ее души грех указать мне рукой на дверь отчего дома. Ушла, оставив ее и отца стоять в прихожей с бледными лицами и трясущимися губами, но так и не отважившихся окликнуть меня, ласковой интонацией в голосе остановить на пороге, и я бы замерла, зарыдала и бросилась на шею, не к ней, а к отцу. Он-то совсем ни в чем не повинен. И любит меня. Я это знаю. Но бесхарактерен, как тряпка. И никогда не соберется с духом возразить ей.

Когда нечем заработать на пропитание, а ты молода и кожа твоя свежа, и лицо не отпугивает мужчин, и между ногами есть кое-что, способное выдавить у самца глаза на лоб, ты с голоду не умрешь. Не протянешь ноги. А раскинешь их, чуть задерешь — и считай, ты сыта.

В мире капитала, да к тому еще в столице этого паучьего

мира, в Нью-Йорке, все, на что есть спрос, продается. И молодое тело тоже. И, как я слыхала, по неплохой цене. За каких-нибудь полчаса под чьей-то потеющей и кряхтящей тяжестью унесешь в зубах больше, чем за целый рабочий день на швейной фабрике в нижнем Манхэттене.

За мной хлопнула дверь нашего дома, швырнув меня из мягкой, ласкающей кожу прохлады кондиционированного воздуха в густую и вязкую, как клей, духоту летнего Нью-Йорка. Даже в Форест Хиллс, где столько зелени на лужайках вокруг коттеджей, а черепичные крыши укрыты густыми кронами старых деревьев, не продохнуть. Что же творится в такую ночь в каменных, без единой травинки мешках Манхэттена?

А я еду туда. Там меня ждет хлеб. Возможно, и кров. Но ночевать же мне на скамейке в Сентрал Парке, этом ночном обиталище наркоманов и грабителей. Добро бы только изнасиловали. Убьют просто так. От скуки. Ради потехи. Чтоб как-то скоротать душную, теплой ватой забивающую легкие ночь. Я это видела много раз по телевидению. В новостях, которые уж давно не новость, а рутина. Одна из сторон обычной жизни этого жуткого города — самого богатого в мире. И самого... Бог с ним. Я родилась в этом городе. И даже по-своему люблю его. Испытываю же я нежность к своему отцу, хотя и знаю, что он ничтожество. Бесхарактерное и беззащитное. Вот таково примерно и мое отношение к этому городу, построенному пришельцами и беглецами из Европы на базальтовых глыбах берегов двух рек и на нескольких островах, купленных их предками у краснокожих индейцев за жалкую пачку долларов, за которые теперь вам не продадут даже наш дом в Форест Хиллс.

Вышла я в чем стояла. В шортах — совсем коротко, под самую промежность, обрезанных джинсах — и в белой безрукавке с эмблемой на груди «Я люблю Нью-Йорк». Вместо слова «люблю» красное сердце, червонный туз, а Нью-Йорк — инициалами. Всего четыре знака на моей груди, рекламирующих мою любовь к тому, что ненавижу. Насмешка судьбы. Она, судьба, почему-то относится ко мне с иронией, хотя, видит Бог, я ко всему вокруг меня отношусь весьма серьезно.

Этот мой наряд, и в особенности шорты, и определил род моих занятий в эту ночь. Проститутки в изнемогающем от духоты Нью-Йорке как в униформу облачены в шорты и безрукавки. С эмблемой и без эмблемы И для пущей сексапильно-

ети на их крепких голых ножках — сапоги до колен. Мягкие, в
обтяжку, как чулки. А бедра до паха обнажены.

Из дому я, не задумываясь, вышла, обряженная, как проститутка, и это решило весь ход моего дальнейшего поведения
в эту ночь. Тем более что я сгоряча забыла прихватить свои
деньги, долларов двадцать мелочью, покоившиеся в ящике
ночного столика у моей кровати. В карманах моих шорт, отойдя несколько блоков от моего дома и немного успокоившись,
нашарила лишь медный жетон метро. Поэтому не оставалось
иного выбора, как сесть в метро и покатить... Куда? Конечно
же, к центру. В раскаленный, как финская баня, Манхэттен.
Где улицы, в бетонных ущельях небоскребов, истекают мокрыми огнями всю ночь. Где до утра не иссякает поток автомобилей. Где очень много людей не спят и рыщут по мягкому асфальту, гонимые наркотическими парами и алкоголем, а то и
просто одиночеством, кто в поисках чужого распаренного тела,
кто приглядывая своему телу потребителя поприличней, способного уплатить за услуги. Товар — деньги — товар. По Карлу
Марксу. Ох, прозорлив был этот благообразно седой немецкий
еврей. Все понял. Все уловил. На целое столетие вперед.

Чтоб попасть на экспресс, мне нужно сесть в поезд на
станции Континенталь на 71-й улице, и я иду туда тихими, уже
сонными улицами Форест Хиллс, где каждый дом, каждое дерево мне знакомы от рождения. Во многих домах я бывала в
разные годы. Там жили школьные подруги, мальчишки, с кем
знакомилась на танцах, приятели моих родителей, их коллеги
по бизнесу или компаньоны по карточным играм.

Дома, хоть и разные, тщатся отличиться от соседей, чем-
нибудь выделиться, все равно похожи друг на друга, а уж
внутри, как близнецы. Сытый и скучный обывательский
стандарт людей без воображения, без вдохновения, без озорства, одержимых лишь одной страстью — не быть хуже других, не отстать от них и поэтому до зубной боли похожих на
этих других, как две капли несвежей, зацветшей воды.

Не во всех окнах горит свет — готовятся ко сну. Но везде по
голубоватым отсветам я угадываю — включены телевизоры.
На ночь смотрят, позевывая, глупую комедию с консервированным смехом, заранее записанными взрывами хохота, побуждающими дремлющего обывателя, вздрогнув, тоже поржать
в заранее запланированном и указанном ему месте. Мужчины
вроде моего папы, клюя носом, дожидаются новостей

Сейчас десять часов. Если стоит пятая программа, то именно сейчас серьезная, озабоченная дама или такой же, с проникновенным взором мужчина спросит с экрана: знаете ли вы, где сейчас ваши дети? Этот вопрос задают каждый вечер по этому каналу, и прежде я пропускала его мимо ушей. Что значит, знаете ли вы, где сейчас ваши дети? Нелепый вопрос. Наши дети, то есть дети моих родителей и наших соседей, в это время чистят зубы, умываются на ночь и отправляются в свои комнаты, в мягкие и свежие постели, которые, спружинив, примут их тела в свои объятия.

Но, Боже мой, какой тревогой сейчас пахнуло на меня от этого приевшегося, как реклама, телевизионного вопроса:

— Знаете ли вы, где сейчас ваши дети?

Что они знают, ублюдки, за стенами двухэтажных коттеджей о том, где сейчас их дети? Они и не хотят утруждать свои оплывшие жиром, несмотря на вечные диеты, мозги. Потому что дети их в эти часы накуриваются до одури марихуаны, нанюхиваются до беспамятства кокаином, насасываются до тошноты чужих, за полчаса до того незнакомых членов, лишь бы не думать ни о чем, уйти от бесстыдной лжи повседневности, не видеть омерзевшие рожи хрюкающих от довольства и благополучия родителей.

Любопытно, какие рыла сейчас у моих родителей, когда они услышали с экрана:

— Знаете ли вы, где сейчас ваши дети?

Вернее всего, они лишь молча переглянулись. Она, обиженно поджав и без того тонкие губы, а он, заморгав потелячьи ресницами, как он всегда делает, когда не знает, как реагировать, чтоб не допустить оплошности.

— Ваши дети на улице! — чуть не кричу я во влажную мглу. — Они опускаются на дно, с которого вы всю жизнь выкарабкивались, пока не укрылись в домиках-раковинах. Ваши дети выходят на панель. Чтоб вкусить горький хлеб людей, стоящих ниже вашего среднего класса, по горло в дерьме, потерявших надежду выплыть на поверхность вашего жирного вонючего болота.

Меня трясет от ненависти. К этим ухоженным газонам, сытым, разомлевшим деревьям и кирпичным двухэтажным фортам, за стенами которых окопались скучные, тусклые люди, мнящие себя солью земли образцовыми гражданами недосягаемой мечты всего страждущего человечества — благословенной Америки.

Мне хочется швырять гранаты, стрелять в упор, содрогаясь вместе с дергающимся в руках автоматом. Никого не щадя. Ни малых, ни больших ублюдков.

Ох, не зря в мире расплодилось столько террористов. Не зря гремят выстрелы по всей планете. Это рвется к небу гнев моего поколения, его исступленная ненависть к окружающему миру.

Я спустилась в метро, в куда более густой и вонючий воздух, чем на разомлевшей от влажной жары улице. Подождала, пока подойдет поезд, и на всей платформе, слева и справа от меня, на дистанции, досягаемой моим зрением, не увидела ни одного белого лица. Сплошные черные. Лоснящаяся, как густо смазанная обувной мазью, черная кожа и синеватые белки глаз. Подземное царство. Самый низкий уровень Нью-Йорка. Владения черных. Ниже этого только крысы, на которых покоится самый большой город мира. Я где-то слыхала или читала, не помню, что мой родной город населяют 14 миллионов крыс. Больше, чем по одной крысе на душу населения.

Белые ездят в автомобилях. С охлажденным воздухом. А если заглянут в метро, оттого, что то ли автомобиль сломался, то ли нет его по бедности, трясутся от страха. Словно пересекли запретную зону, заглянули на чужую, враждебную территорию. Потом в новостях на экранах телевизоров белую женщину, вернее, укутанные в санитарный саван куски белого мяса с костями, извлекают из-под колес поезда. Черные мальчики-проказники столкнули белую леди под самые колеса вынырнувшего из туннеля поезда.

Когда с нарастающим гулом возникли из темноты огни поезда, я невольно оглянулась на стоявших за моей спиной черных парней и девиц, хохотавших громко и вызывающе, и отступила на шаг от края платформы. Потом еще на один. И сдвинулась в сторону, чтоб никого за моей спиной не было. Это я-то Прогрессивная до чертиков, защитница равноправия, борец против расизма. В распахнувшиеся с треском двери вагона я вошла последней, смущенная, как напакостившая на ковре собачонка, пропустив всех черных впереди себя, и все же села не рядом с ними, а на дальней скамье, где их не было ни одного, а лишь скорчилась в углу жалкая старушка с дряблым, сморщенным лицом. Белым. Таким же, как у меня

Вышла я из-под земли на Пятой авеню и чуть не задохнулась от густого чада застоявшихся автомобильных выхлопных газов. Пятая авеню, вся в огнях и витринах, как река в половодье, затоплена до краев лоснящимися боками и крышами автомобилей, газ от которых не уходит, а, пропитавшись влагой, ползет едким душным облаком, набиваясь в ноздри, глотки, во все поры.

Куда идти? Наверх, к Сентрал Парку? Или на Лексингтон-авеню? Оказывается, я знаю места, где промышляют проститутки. Никогда специально этим не интересовалась. Но то ли из трепа знакомых ребят, то ли из газетных статей, а возможно, из болтовни подружек-всезнаек, проявляющих особые познания во всем, что касается сексуальных проблем, я безошибочно вспомнила, что на Сауф Парк Лэйн, у южной оконечности Сентрал Парка, вдоль самых фешенебельных отелей, таких, как «Эссекс-хауз» или «Барбизон Плаза», прогуливаются в нарядной толпе самые дорогие проститутки. Меньше чем со стодолларовой бумажкой к ним и не суйся.

Бывая в этой части города, я каждый раз на Сауф Парк Лэйн невольно искала глазами этих самых дорогих проституток и не могла выделить их среди прекрасно одетых, очень красивых и очень стройных женщин. Не угадаешь, не отличишь, кто здесь проститутка, а кто — жена миллионера. Возможно, сами миллионеры по каким-то им одним ведомым приметам отличают проституток от своих жен и не женам, а этим девицам суют стодолларовую бумажку. На жен им приходится тратить значительно больше, и, сомневаюсь, получают ли от них такие сексуальные услуги, какие дают всего за сотню уличные девчонки.

У Таймс-сквер отираются дешевые бляди По десятке за раз. Поторговавшись, какой-нибудь безденежный чудак собьет цену и до пяти долларов. Там у сутенеров отталкивающие уголовные рожи. Да и у самих девиц тоже фасады которые впору показывать лишь в темноте, из-под полы

Золотая середина на Лексингтон-авеню. Цена там божеская — 25 долларов. И не унизительная для девочек, и вполне по карману заезжему клерку или коммивояжеру, вырвавшемуся в Нью-Йорк без жены и жаждущему острых ощущений Предпочтительно без гонореи. Не знаю, каким образом они определяют гарантию от болезни. Должно быть, по выражению лиц, по чистому, немигающему взгляду вчерашних школьниц, которым девицы провожают спешащих мимо мужчин

Таким же взглядом уставилась я перед собой, выйдя на Лексингтон у 56-й улицы и облюбовав себе угол без соперниц Предварительно я прогулялась по всей авеню до самой 42-й улицы, знакомясь, так сказать, с полем боя и его участницами

В эту ночь Лексингтон кишела проститутками. На каждом блоке с обеих сторон их прогуливалось и выглядывало из подъездов не меньше дюжины. Встречались и совсем хорошенькие. Со свежими юными личиками. Точеными ножками Осиными талиями. Черные и белые. Смуглые, бронзоветелые пуэрториканки. И скуластые, с узкими глазками желтокожие азиатки. Китаянки или японки. Я их не различаю. Прелестные, как восточные фарфоровые куколки. Попадались и постарше, повульгарней. С грубо накрашенными лицами. С большими, болтающимися грудями. На любителя. Выбор на любой вкус.

Я видела, как к ним подходили мужчины, и, приблизившись, напрягала слух. Точно. Такса — 25 долларов. Девицы не уступали. Отворачивались от скупых. Словно это была твердая, утвержденная профсоюзом цена, и сбить ее, уступить дешевле выглядело предательством по отношению к коллегам по профессии. Это мне понравилось. Я даже почувствовала симпатию к этим девчонкам, фланирующим в сапожках и шортах по Лексингтон, у которых есть профессиональная честь, не меньшая, скажем, чем у шоферов такси. Девчонки прогуливались от угла до угла и обратно. На другой блок не переходили. Там было место других. Тоже до следующего угла.

Вступать на чужую территорию, отбивать клиента было нарушением этики и каралось на месте. Избиением. Жестоким и кровавым. С непременным повреждением товарного фасада — лица. Об этом я знала понаслышке и не стала испытывать судьбу.

На 50-х улицах проституток заметно меньше, а на углу 56-й ни одной. Там я и остановилась. Мои губы непроизвольно, сами по себе растянулись в тугой резиновой улыбке. Это все из фильмов. Профессиональные улыбки проституток застряли в моей памяти оттуда.

Ничего не изменилось в мире от того, что я, дочь почтенных родителей, ребенок из приличной американской семьи, вышла на панель, предлагая свое тело любому, кто заплатит за это. Любому, даже самому старому и отвратительному, с гнилыми зубами и вонью изо рта, а возможно, и даже застарелым невылеченным сифилисом.

Мир не вздрогнул, не замер в недоумении, не возопил, воздев к небу руки. Никто ничего не заметил. Все в порядке вещей. И прохожие даже не замедляют шага, обтекая меня.

Стоит в толпе хорошенькая девчонка и улыбается немного вызывающе, но робко и неумело. Дай ей Бог удачи. У каждого свой бизнес. Каждый зарабатывает свой кусок хлеба как умеет. Еще, слава Богу, она обладает молодостью и свежим, аппетитным телом. Это не так уж плохо. С такими данными не пропадешь. Потому что даже во время экономической депрессии и инфляции у мужчин не перестает стоять, и их блудливые члены ищут на стороне то, чего не получают в супружеской постели.

Я пошла с первым же, кто остановился возле меня. Он был далеко не молод и благопристойно сед. Где-то в возрасте моего отца, возможно, даже и старше. Сухощав, с южным загаром, и, когда он заговорил, его акцент не оставил никаких сомнений, что он из южных штатов. Не беден. Не удивлюсь, если какой-нибудь вице-президент весьма успевающей фирмы или владелец большого магазина, куда больше, чем у моего отца, с родословной, тянущейся не меньше столетия.

— Сколько? — торопливо спросил он и оглянулся по сторонам, не в восторге от того, что его видят прохожие за этим неблаговидным занятием.

— Двадцать пять, — выдохнула я и растянула улыбку еще шире.

— О'кей, — кивнул он.

— За один раз, — уточнила я.

Усмешка тронула его тонкие губы.

— В моем возрасте, детка, одного раза вполне достаточно. Пойдем.

— Куда?

— Ко мне в отель. Куда же еще. Иди за мной. Шага на три отступя. Я в рекламе не нуждаюсь.

Я пошла за ним. Оставив дистанцию даже большую, чем он просил, — шагов десять. Мы пересекли Парк-авеню и остановились у вертящейся двери отеля «Дрейк». Мое сердце стучало и прыгало у горла.

Он оказался в этих делах таким же новичком, как и я. По крайней мере, мне так показалось поначалу. Не чувствовалось опыта в обхождении с уличными девицами, и он явно стеснялся проявленной слабости — обращения к услугам проститутки.

В холле гостиницы безо всякой нужды он стал оправдываться перед мордатым портье в том, что я это не я, а, мол, племянница, живущая в Нью-Йорке, и вот так вот, не переодевшись, в шортах заскочила на минуточку к дяде повидаться. Портье ко всем его излияниям выразил полное безразличие на своем творожном, с тремя подбородками лице и даже шевельнул ушами под форменной коричневой фуражкой.

— Пойдем, дядя, у меня нет времени, — пришла я на выручку своему незадачливому клиенту и даже потянула его за руку.

В лифте мы, к его облегчению, оказались одни, и, пока кабина, утопляя мое сердце, неслась, как космический снаряд, к восемнадцатому этажу — я засекла, какой этаж, по номеру на нажатой им кнопке, — он рассматривал меня с деланным безразличием на лице, но рассматривал внимательно и деловито, как хозяйственный фермер купленную им вещь. Задержал взгляд на моей груди, потом на животе, даже опустил глаза на мои голые ноги в спортивных беговых туфлях.

Я не шарила по его фигуре, а разглядывала его лицо, жесткое, в вертикальных складках, с нездоровыми мешочками под бесцветными, водянистыми глазами. Нос, довольно широкий и слегка провисший, был испещрен красноватыми прожилками, что выдавало несомненное пристрастие к алкоголю. По крайней мере верхняя челюсть у него была искусственной, вставной — уж слишком ровны и белы были все зубы подряд. Нижние были мелкими и прокуренными, — значит, свои. Я тут же, по своей гадкой привычке, стала представлять в деталях то, от чего непременно должно стошнить. Увидела, как он, раздевшись, вынет изо рта розовую челюсть и плюхнет ее в стакан с водой и потом полезет ко мне с проваленной верхней губой, а из стакана на ночном столике на меня будет пялиться подкова с зубами, и от нее в воде, как водоросли, будут тянуться вверх белые нити слюны.

Такая уж у меня идиотская привычка. Увижу на улице раздавленную автомобилем собаку или кошку с вываленными наружу внутренностями, и много дней подряд эта картина будет возникать в моей памяти именно тогда, когда я сяду к столу, чтобы съесть что-нибудь мясное. И, естественно, меня начнет воротить от еды. И так повторится назавтра. И послезавтра. Я буду долго питаться только овощами и фруктами, не вызывающими ассоциации с собачьими внутренностями, раскиданными по асфальту.

В его номер я вошла с мыслью о вставной челюсти и тут же стала искать глазами стакан, в который он ее положит. Но под окном мягко гудел кондиционер, воздух был сухой и прохладный, и мне, как бездомной собачке, здесь так понравилось, что все глупости улетучились из головы, и стало легко на душе.

В комнате была деревянная двуспальная кровать, аккуратно застланная, и поверх одеяла покоились рядышком две большие пухлые подушки. Над журнальным столиком склонил старомодный абажур деревянный торшер. Цветной телевизор «Ар-Си-Эй» тускло отсвечивал бельмом невыключенного экрана. Вкусно шипел коричневый холодильный шкаф, на котором стояла ваза с увядшей розой. Над письменным столом — большое зеркало, и в нем отражается в приоткрытой двери розовая глубина ванной комнаты.

В первую очередь мне захотелось под горячий душ, смыть клейкую слизь, покрывшую все тело, особенно под мышками и между ног.

— Нет, нет, — всполошился он, обнаружив мое намерение уйти в ванную комнату. — Ты испортишь все удовольствие, всю прелесть... Не смей купаться. Я хочу тебя именно такой... с запахом... с душком. Господи, ты же могла все погубить...

Он рухнул на ковер, обхватил руками мои бедра, уткнулся своим широким носом в мои шорты и задышал глубоко и с наслаждением, словно его до этого томило удушье, кислородное голодание и теперь он наконец дорвался до чистого кислорода.

Мне было мучительно неловко. Я терпеть не могу этот запах, острый и густой, как от лежалой селедки, которым несет от тебя, если забыть вовремя подмыться. Даже слабый намек на этот душок, на мой взгляд, — смертный приговор для женщины, признак ее нечистоплотности и отсутствия женственности, а мужчины, уловив его чувствительным обонянием, становятся, я уверена, импотентами надолго, а уж с этой дамой навсегда.

Мой клиент-южанин дрожащими то ли от старости, то ли от возбуждения руками стал расстегивать мои шорты, не переставая со свистом вдыхать на всю глубину легких зловоние из мокрой промежности. Шорты съехали на пол, вслед за ними он стащил с моих бедер липкие трусики и, поднявшись на ноги, толкнул меня в грудь. Я присела на край кровати, а потом запрокинулась на спину. Голая снизу до пояса, противная самой себе. А он, напряженно дыша и выпучив глаза, на которых проступили такие же, как на носу, красные прожилки, схватил своими оказавшимися очень крепкими руками икры моих ног, давил их до боли и рванул в стороны.

— Сейчас покушаем, — губы его расползлись в плотоядной ухмылке. Он опустился на колени и лицом ринулся в мой волосатый, мокрый лобок. Я ощутила его шершавый сухой язык, и он, как собака, лакающая воду, задвигал им вверх и вниз по клитору.

И я сама не заметила, как брезгливость, охватившая меня, стала испаряться, кожа, сделавшаяся было гусиной, разгладилась, и по всему телу растеклась сонливая истома, верный признак назревающего, пока еще очень далеко, оргазма.

Независимо от моего чувства, от моего сознания шершавое лизание клитора включило в глубинах моего подсознания какой-то рубильник, и началась химическая реакция живого, полнокровного организма.

Я еще подумала, что проститутки, по моим сведениям, не кончают с клиентом и это результат профессионализма, специально приученного тела, а я новичок, теленок, так отключаться не умею и реагирую, как нормальный живой человек.

Он, постанывая и всхлипывая, лизал и шумно сглатывал, продвигая острый и крепкий язык все глубже и глубже, отчего мое тело наэлектризовалось и к глазам подступили слезы. Когда я, напрягшись в его крепких ладонях, задвигала бедрами и стала, дергаясь, кончать, он взвыл и чуть не захлебнулся от удовольствия. Тут же отпустил мое обмякшее тело, поднялся на ноги и стал суетливо раздеваться.

— Теперь я кончу. Я возбудился... Я тебя хочу... Я очень тебя хочу.

Удовлетворенная и сразу остывшая, я не стала смотреть на него, а отвернулась к окну, за которым темнели напротив, ряд за рядом, тусклые окна соседнего небоскреба.

Он плюхнулся на меня своим сухим, без признаков пота телом, приподнял руками мои безвольные ноги и начал ерзать, болезненно натирая мне кожу тощим, костлявым лобком. Я чуть не рассмеялась. Пока он раздевался, бедняга, возбуждение прошло, член обмяк и упал, превратившись в мяг-

кціі, вилляющий жгутик, неприятно щекотавший мою промежность. Он тяжело сопел, задыхался, словно взбирался на кру-
тую гору, и, убедившись в тщетности своих усилий, боком
сполз с меня, затих рядом, на спине и, пытаясь установить
ровное дыхание, жалобно попросил:

— Ну сделай что-нибудь... Возьми в рот... Подними его.

— Нет, дорогой, — безжалостно отказалась я. — Такого
уговора у нас не было. Я вам уступила свою дырку, делайте с
ней, что хотите. Но не рот. Взять в рот я могу только у человека, которого люблю, к кому питаю страсть, а за деньги свой
рот не сдаю в аренду.

— У тебя есть принципы? — удивился он. — Довольно
странная позиция для человека твоей профессии.

— Вы моей профессии не знаете, — обиделась я. — Я вам
не представлялась... да вас это и не интересовало.

— Господи, — простонал он. — До чего же я ее хочу... Я
умираю от желания... и не могу.

— Получается, как в том анекдоте, — безо всякого сочувствия рассмеялась я.

— В каком анекдоте? — машинально переспросил он.

Я приподнялась на локте и с фальшивой заботливостью
подвинула подушку ему под голову.

— Анекдот литературный. О признаках комедии, драмы и
трагедии. Чем они отличаются? Естественно, через секс.
Драма — это когда мужчина имеет место, где можно употре-
бить женщину, и, конечно, ее, готовую к его услугам, но недостает одного слагаемого — нечем это сделать. Как в вашем
случае. Комедия — это когда есть во что и есть чем, но негде
А трагедия...

Он не дал мне договорить.

— Не для того я тебя позвал, милочка, — строго произнес
он, — чтоб ты меня дразнила сомнительными анекдотами Я
плачу за твое тело

— Пожалуйста, — сдерживая смех, сказала я — Берите
Если есть чем Но вы переживаете драму О чем я вам и твержу
Третьего элемента — возбужденного члена не имеется в на-
личии.

Он помолчал

— Это на нервной почве

— Вполне возможно, — проявила я снисходительность

— Если полежать и отдохнуть, я смогу

— Полежать можно, — согласилась я. — Но не на пустой желудок. Я голодна.

— Настолько, что не можешь полежать немножко?

— Да, настолько. Вы нализались и, должно быть, сыты... А я ничего во рту не имела.

— Я тебе предлагал, — съязвил он.

— Это был рискованный шаг с вашей стороны. Могла бы и откусить... с голоду.

— И правильно бы поступила, — проявил он неожиданно чувство юмора. — Он того заслужил.

— Не нужно унижать его, — поднялась я с постели. — Пойдемте. Поедим и вернемся сюда. Вторая попытка, возможно, и будет успешной. А я это все засчитаю за один раз. Идет?

— О, вы великодушны.

— Из уважения к сединам.

Мы оба по очереди помылись в душе. Он сменил костюм, надел свежую белую рубашку, повязал на дряблой шее не совсем модный, но вполне элегантный галстук. Я облачилась в свое слегка подсохшее тряпье, и он, глянув на меня, кисло резюмировал:

— У нас будут неприятности в ресторане... Из-за твоего... э... э... костюма

— Меньше обращайте внимания на условности, сэр, — посоветовала я. — Жена Цезаря вне подозрений... Дама джентльмена не подлежит критике. Вы, надеюсь, джентльмен?

— Может быть, заказать сюда?

— Нет, — заупрямилась я. — На один вечер излечитесь от провинциальных комплексов. Не суетитесь перед официантами. Ни перед кем не оправдывайтесь. Вы платите. И все подчиняется вашим прихотям.

— Откуда у тебя такие сведения о нормах поведения человека... э... э... с деньгами?

— Я родилась в Нью-Йорке. Этого разве мало?

— И ты уверена, что тебя не попросят покинуть ресторан в этих э... э... шортах?

— Уверена.

— Почему?

— Я в этом ресторане бывала.

— С кем? Если это не профессиональный секрет?

— С родителями

У него полезли вверх седые брови. Мы уже были в лифте. Больше он вопросов не задавал.

В интимной полутьме ресторана нас встретил метрдотель с рожей старого дога, на которой при нашем появлении не отразилось ровным счетом ничего. Он провел нас вглубь и усадил за столик с темным полукруглым диваном, вручив каждому с церемонным поклоном, как посол верительные грамоты на приеме у президента, большие, в твердых вишневых переплетах ресторанные меню. Мы сели не друг против друга, а почти рядом, вполоборота один к одному и в то же время лицами к молодому и длинноволосому пианисту, который, блаженно прикрыв глаза, извлекал из темного рояля сладкую и грустную до слез мелодию из фильма «Доктор Живаго». Играл он тихо, как бы вполголоса, и это еще больше создавало атмосферу непринужденности и покоя.

Мы сделали заказ официанту, и, когда он отошел от нашего столика, я сказала:

— Полагаю, наступило время представиться. Я даже не знаю не только, кто вы, но как вас зовут.

— А это обязательно? Мы, кажется, неплохо обходились до этого без представлений.

— Ну, скажите хоть, как вас зовут ваши внуки.

— Дедушка.

— Хотите, чтоб и я вас так называла?

— Ладно, называйте меня Дэниел. А вас?

— Майра.

— Это ваше действительное имя?

— Да. А ваше?

— Тоже.

— Вот и прекрасно, — захрустела я орешками, достав их из вазы на середине стола.

— Майра. Майра... — повторил он мое имя. — Вы католичка?

— Нет.

— Любопытно. Из протестантов? Я бы определил вас как испанский тип.

— Ошиблись. Я еврейка.

Он не мог скрыть удивления.

— Не предполагал, что и ваши... э... выходят на панель.

— Панель не имеет расовых предрассудков, — усмехнулась я.

— Я вижу, вы, как и подобает представителю этого... э... э племени, относитесь к либералам, имеете розовую окраску.

— А вы — коричневую?

— Если угодно... На юге, слава Богу, консервативные традиции не выветрились.

— Значит, вы антисемит?

— И не стыжусь этого. Я к тому же и расист. К вашему сведению, терпеть не могу черных... и цветных, вроде пуэрториканцев и «чиканос». Так у нас на юге величают мексиканцев.

Он посмотрел на меня со снисходительной улыбкой и потянулся к вазе за орешками. Я невольно отдернула оттуда свою руку.

Я, пожалуй, впервые сидела лицом к лицу с моим политическим противником, откровенным, незамаскированным идеологическим врагом. А совсем недавно, с полчаса назад, валялась с ним в одной постели. Как с человеком. Не очень интересным. Слишком старым для сексуальных утех. Но все же человеком. Таких сухощавых, подтянутых старичков любят показывать по телевизору в рекламе сладких лакомств. Они, эти слюнявые рекламные старички, приносят лакомства своим внукам и улыбаются с экрана фальшивыми зубами, олицетворяя собой добрую старую патриархальную Америку.

Мой интерес к нему заметно возрос. Теперь для меня он был не просто сладострастным импотентом, а персоной, вызывающей жгучее, нездоровое любопытство. Такое же, должно быть, вызывает в кунсткамере заспиртованный двухголовый теленок.

И он оживился. Его водянистые блеклые глаза приобрели молодой блеск, какого я не наблюдала у него в постели. Как и меня, встреча с врагом его возбудила.

Официант подкатил на тележке заказанный ужин и важно, с преувеличенным чувством собственного достоинства разложил из мельхиоровой посуды на тарелки аппетитно пахнущие, коричнево поджаренные стэйки, добавив по собственному усмотрению картошки, цветной капусты и зеленого горошка. Бутылку вина в серебряном ведерке принес другой официант, помоложе, должно быть, ученик, потому что разливал он вино по бокалам робко, сдерживая дыхание, опасаясь пролить на скатерть.

— Ну, что ж, — сказал Дэниел, поднимая высокий узкий бокал и взглянув на меня с плотоядной приветливостью —

Давайте с вами выпьем... знаете за что? .. За Америку. Ведь вы не иммигрант? А урожденная американка .. И даже можете быть избраны президентом страны. Впрочем, сомневаюсь. Америка еще не имела президента иудейского вероисповедания.

— За Америку, — слегка приподняла я свой стакан. — У каждого из нас своя Америка.

Он отпил из бокала и приступил к стэйку.

— Верно, — осторожно жуя вставными зубами, произнёс он. — Каждый носит в душе свою Америку. Ваши предки, не далее чем в прошлом поколении, прибились к этим берегам, чтоб урвать себе кусочек американского процветания. Не правда ли? Бежали из одной чужой страны, России, скажем, или Польши, в другую, тоже чужую. Уже кем-то построенную и достигшую расцвета. Прибежали на готовое и впились зубами в чужой, совсем иными руками приготовленный пирог. Мой род в Америке, к вашему сведению, семь поколений...

— Но задолго до вас, — перебила я, — здесь жили подлинные американцы, не пришельцы из нищей Европы, а свободные и свободолюбивые индейцы... которых ваши предки нещадно истребили, чтоб отнять их земли, их угодья... То есть отнять чужое, не принадлежащее по праву. Так что и вы, и мы, в сущности, пришли на чужое. Но лишь с той разницей, что мы не пролили ничьей крови.

— В первую очередь, мы орошали эту землю своей кровью. Великая дорога на Запад, по которой продвигались в своих фургонах отважные пионеры, устлана костями умерших от болезней и стужи младенцев, их матерей, не перенесших голода, и их отцов, павших от копья или стрелы. Это не было веселой прогулкой, как изображают нашу историю в ковбойских фильмах евреи из Голливуда. Это были тяжкие страдания и мужество. Поэтому тележное колесо, то самое, с пионерского фургона, до сих пор украшает ворота наших домов. Чтоб напоминать каждому новому поколению, как и кем была создана эта богатейшая в мире страна.

Я рассмеялась, и он с недоумением посмотрел на меня.

— Ваш символ — тележное колесо — подвергся такой же девальвации, как и все ценности в Америке, — сказала я, поддразнивая его. — Новенькое крашеное колесо можно купить за несколько долларов в магазине сувениров и прибить к своим воротам, как это делают совсем зеленые иммигранты, не на

фургонах пересекшие Америку, а в подержанных «Фордах». Я
бы на вашем месте, имей я столько поколений в Америке,
прибила к воротам не банальное тележное колесо, а скальп,
длинноволосый индейский скальп, срезанный мужественны-
ми предками с убитой индейской женщины или ребенка, и это
было бы более точным и нетленным символом. Потому что
при нынешнем прогрессе можно всегда заменить обветшалый
натуральный скальп на синтетический, скопированный с ори-
гинала.

— Вы язвительны и даже остроумны, — нисколько, по
крайней мере внешне, не рассердился он. — Пикироваться с
вами занятно, и это скрасит наш ужин. Я принимаю эту игру...
но при одном условии. Не переходить на лица и... э... э... без
лишних эмоций. В противном случае мы не получим удовольствия от ужина и сохраним друг о друге нелестное, а, главное,
неверное впечатление. Идет?

Я кивнула с набитым ртом. Стэйк был сочным и приятным
на вкус. Я изрядно проголодалась и отправляла в рот дольку за
долькой нарезанного острым ножом, хорошо прожаренного
мяса, не отказываясь и от хлеба, которого я обычно стараюсь
избегать по диетическим соображениям.

Мягкая, плавная мелодия тихо плыла под бордовым, с золотом потолком ресторана, блуждала среди бронзово-хру-
стальных люстр, купалась в сизых прядях сигаретного дыма.

Дэниел тоже закурил, вежливо испросив моего согласия.
Стэйк он не доел. Салат остался нетронутым. Он явно страдал
каким-нибудь желудочным недомоганием. Об этом свиде-
тельствовали нездоровая желтизна кожи на лице и набрякшие
мешочки под глазами.

— Мне любопытно, — сказал он с дружелюбной улыбкой, —
как вы, молодежь... э... э... и притом либеральная, видите ближайшее будущее Америки.

— Ответить кратко или пространно? — улыбнулась я ему.

— Сначала кратко... а уж потом, если понадобится...

— Наша страна идет к фашизму.

Мой ответ был для него неожиданным. Он вынул сигарету
изо рта и долгим изучающим взглядом вперился в меня.

— Вы так полагаете?

— Это и ребенку видно. Такие, как вы, рвутся к власти, и
вы ее захватите. Вне всякого сомнения. Деньги-то у вас. А там,
где деньги, там и сила.

— Я вас разочарую, если с вами соглашусь?

— Нисколько. Правые, консерваторы всегда были прямолинейны, как... полицейская дубинка. Вы откровенны и не рядитесь в овечьи шкуры.

— Но я бы это не назвал фашизмом...

— А как? Новым порядком? Сильной рукой?

— Пожалуй, это ближе к истине. Разве вы не видите, как остро нуждается Америка в сильной руке, чтоб выбраться из трясины, в которую ее засосало по самое горло?

— Кто же загнал ее в трясину?

— Неужто не знаете? Вы, господа либералы, и ваше окружение всех оттенков, от бледно-розового до кроваво-красного. Вы разоружили некогда сильнейшую державу мира, отучили ее народ работать, развратили всеми видами подаяний из бездонных фондов социальной помощи, выработали неслыханный за всю нашу историю комплекс неполноценности у среднего американца, размякшего и безвольного от порнографии и наркотиков, чем вы его усиленно кормите вот уже два поколения подряд.

— Абсолютный бред, — замотала я головой. — Но дело не в том. Меня удивляет отработанность ваших формулировок. Вы не спорите со мной, а читаете лекцию, тщательно подготовленную и уже повторенную не единожды. Я права?

— Воздаю должное вашей проницательности. Я действительно читаю лекции... перед различными аудиториями, и, должен признать, число моих слушателей в последнее время небывало возросло. Сказал я вам это для того, чтобы в нашей дальнейшей беседе вы не ставили под сомнение цифры и факты, которые я приведу. Они тщательно выверены специалистами и подтверждены документально.

— Вы профессиональный лектор? Я так и не знаю рода ваших занятий.

— А это мне кажется необязательным при нашем... э... э... кратком знакомстве. Я не преподаю в колледже...

— Слава Богу...

Он невесело рассмеялся.

— И даже если б и решил заняться преподавательской деятельностью, то, смею вас уверить, еще некоторое время тому назад мне пришлось бы преодолеть неимоверные препятствия на пути к кафедре. Почему? Потому что, милое дитя, все университеты и колледжи Америки оккупированы либералами, и таким, как я, с моими взглядами, туда даже нечего было соваться. Не подпустят к студентам даже на пушечный выстрел. Кстати, известна ли вам такая цифра? Среди преподавателей в Америке семьсот тысяч ваших соплеменников, евреев. И в средствах информации: кино, телевидении, радио, газетах — примерно столько же. Не слишком ли много для такой сравнительно малой по численности этнической группы? Кажется, шесть миллионов всего? Я думаю, не будет преувеличением сказать, что эти важнейшие области духовной жизни страны прочно находятся в руках евреев. А следовательно, у либералов.

— Вы ставите знак равенства между евреями и либералами?

— Вне всякого сомнения. Либерализм — это еврейская национальная болезнь. И, конечно, имеет свои исторические корни. Евреев часто, чаще других, притесняли, подвергали преследованиям, и у них, даже когда они богатеют и добираются до кормила власти, остается своего рода комплекс вины перед другими людьми, обойденными судьбой, и лозунги либералов кажутся им единственной панацеей от всех социальных бед. Всю эту шумную и скандальную кампанию за равные возможности для черных и белых вели в основном евреи.

— Я не стыжусь этого.

— Вот видите. Даже сейчас, когда печальные плоды вашей деятельности налицо, вы не чувствуете раскаяния... Или хотя бы сожаления.

— В чем?

— Да хотя бы в том, что вы сами себе навредили. Уже не говорю о цене, которой расплачивается за вашу деятельность вся наша страна. Американские негры, которые и прежде жили получше, чем большинство белого населения Европы, и были трудолюбивой, лояльной и глубоко религиозной частью нашей нации, подхлестнутые и развращенные либеральными агитаторами, превратились в национальное бедствие. Черные не хотят работать и за это получать средства на жизнь. Их устраивает безделье, ибо либеральное государство и так прокормит их, оденет, обует, будет обучать их детей в школах и в колледжах и бесплатно содержать в госпиталях, когда они объедятся наркотиками. Черные сейчас возомнили себя хозяевами Америки и абсолютно убеждены, а это вдолбили им в головы вы, что каждый белый виноват перед ними за то, что их предков привезли из Африки на невольничьих судах и продали в рабство. Никогда, за всю историю, Америка не знала такой ра-

собой ненависти. Причем односторонней. Открыто деклари-
руемой неприязни и враждебности черных к белым. А с другой
стороны, растерянность и безволие белых, поверивших вашим
либеральным бредням и отравившихся чувством вины перед
черными за дела своих предков. Посмотрите, до чего дошло. С
наступлением темноты белое население боится высунуть нос
из дому. Улицы городов и парки стали местами почти безнака-
занного разгула черных. Здесь, в Нью-Йорке, даже в самом
центре, в Манхэттене, столкнувшись с черным, так и ждешь,
что он плюнет тебе в лицо. И будешь благодарить Бога, если
только этим, а не ножевой раной отделаешься. Включите телевизор. Что ни происшествие: убийство, поджог, ограбление —
ведут в наручниках черных, и они, не стесняясь, с вызовом
смотрят на вас с экрана.

Черные, бывшие некогда одним из источников благоден-
ствия Америки, стали сейчас национальным бедствием и приведут страну к большой крови. И их первыми жертвами будете
вы! Да, уверяю вас! Те, кого вы так опекали, с кем так
нянчились, чью судьбу так оплакивали, когда получили с вашей помощью все мыслимые и немыслимые права и блага, в
первую очередь обратили свою ненависть на вас, своих непро-
шеных благодетелей. Нигде в Америке так не силен антисеми-
тизм, как среди негров. Их прежде таившаяся под спудом неприязнь к белым опрокинулась с особой силой на ваши головы. Они легко определили, что евреи являются самым слабым
звеном среди белых, с трудом терпимым одноцветным с ними
христианским населением. К тому же облагодетельствован-
ный никогда не преисполняется любовью к своему благодетелю, а, наоборот, затаивает завистливую враждебность.

Злее антисемитов, чем негры, сейчас в Америке не найти.

— Даже злее вас, южан? — сыронизировала я.

— Вот, вот. Вы попали в точку, — усмехнулся он. — Мы
пришли, пожалуй, к самому интересному и полезному для вас
в этом разговоре. Если, разумеется, у вас хватит благоразумия
и чувства самосохранения, чтоб извлечь хоть что-нибудь для
себя на будущее.

— Давайте, советуйте, — все еще не выходила я из иро-
ничного тона. — Научите жить.

— Учить вас уже поздно, — вздохнул он. — Это вовремя не
сделала наша протившая школа и тоскующая по коммуни-

стическому кнуту пресса. Да и ваши родители... Полагаю, они не прозябают в нищете?

— Никак нет, — согласилась я. — Средний класс. Даже выше среднего...

— И конечно же, либералы?

— Некоторым образом, да... Но пассивные либералы, способные лишь на сочувственные вздохи, и только. Они мне так же чужды, как и вы... но с той разницей, что вы мой прямой враг, а они... косвенные, но тоже помеха... нашей борьбе.

— Вашей борьбе? Вот мы и разграничили позиции и провели линию фронта. Не так ли?

Тут он впервые понизил голос и оглянулся на соседние столики. За ними уже сидели мужчины и женщины, в основном парами, одетые по-вечернему. Я невольно подумала о том, какой я им кажусь в своих шортах и безрукавке. К счастью, ноги в спортивных беговых ботинках не видны под столом. Да и мягкий, неяркий свет скрадывал вызывающую наглость моей экипировки в этом благопристойном, в меру старомодном зале, имевшем еще задолго до моего рождения все тот же уверенно-консервативный облик.

Официант, тот, что помоложе, снова подкатил к нам тускло посвечивающую никелем и мельхиором тележку и поставил на стол десерт. Дэниел не притронулся к еде. Я же набила полный рот и еле смогла выговорить:

— Продолжайте. Я вас слушаю. Итак, мы по обе стороны баррикады.

— Да, — кивнул он. — К сожалению. Я предпочел бы видеть вас на нашей стороне баррикады. В противном случае вы обречены. И мне вас искренне жаль.

Не смейтесь. Я вижу по вашим глазам, вы сдерживаете смех, считая меня выжившим из ума монстром. Ужасное заблуждение. И легкомыслие. А ведь от того, как вы отнесетесь к моему предостережению, зависит не только ваше будущее, но и ваша жизнь... в самом элементарном физическом смысле. Поверьте, я не хотел бы зла лично вам. И разговариваю с вами... как говорил бы со своей дочерью...

— То есть как отец?

— Считайте так.

— Ну, тогда, уж если быть точными, как дедушка. Мой отец моложе вас.

— Великолепно. Я пропускаю мимо ушей вашу бестактность. Не согласны с моими взглядами? Ваше дело. Но хоть уважайте мои седины. Мне кажется, даже самые крайние в вашем лагере еще не дошли до того, чтоб совсем отмахнуться от старшего поколения, презреть его за убывающие силы и приближающуюся пропасть могилы. Все там будем, милая. Кто раньше, кто позже. Старости можно избежать лишь одним путем: умереть молодым.

— Вот на это я и рассчитываю. В предстоящей схватке я не надеюсь уцелеть. А что касается уважения к сединам, то вы мне сами подали пример неуважения к вам. Уважая свои седины, не пользуются продажной любовью уличных девчонок, годящихся вам во внучки.

— Видите, как дело обернулось? Вы, а не я, вышли на панель, предлагая свое тело за деньги. И за это вы мне читаете мораль. Бог с вами. Я оставляю ваш выпад без внимания. А то мы отвлечемся от главной темы нашего спора. А нам пора прийти к заключению, потому что скоро принесут счет и нам навряд ли представится возможность продолжить этот очень интересный разговор.

Итак, вы считаете, что Америка идет к фашизму, а я полагаю, что мы накануне гражданской войны, большой кровавой бойни. Оба мы сходимся на том, что так, как теперь, дальше продолжаться не может. Должен произойти взрыв.

Мы по-прежнему, хотя бы в потенции, самая сильная держава свободного мира и последняя надежда этого все сужающегося мира. Только мы еще способны, если наведем порядок у себя дома, противостоять натиску безбожной тоталитарной, темной силы, назвавшейся коммунизмом.

Но вначале бой у себя дома. Со всеми теми, кто наше прежде мускулистое тело превратил в дряблое желе, кто отравил душу нации безверием, нравственной нечистоплотностью, неуважением к нашим святым идеалам добра и любви к ближнему.

Белая, здоровая Америка сметет вас со своего пути. Называйте это фашизмом, военной диктатурой, как вам заблагорассудится. Сильная рука, а не болтовня конгрессменов в Капитолии — единственное лекарство, которое спасет Америку и мир.

И вот тогда, когда хлынет кровь, ваша участь будет самой незавидной. Евреи всегда были удобной мишенью для разгневанных толп. А теперь к вашему древнему греху — мукам Иисуса, за который вы расплачиваетесь унижением и кровью вот уже скоро две тысячи лет, добавится ваш либерализм, ваше неумное, болезненное сочувствие социализму — ядовитой экземе на теле Америки. И вас первыми сметет кровавая волна. Вместе с неграми, пуэрториканцами и прочим отребьем, как вши расползшимся по Америке, опутавшим нам ноги, повисшим на нас зловонным грузом.

Но вы, евреи, будете первыми жертвами. За это я могу поручиться. Вам ничего не говорит цифра — шесть миллионов? Столько, если верить статистике, Гитлер уничтожил евреев в Европе. В Америке сейчас насчитывается приблизительно столько же. Роковая для вашего народа цифра. Не правда ли?

А теперь послушайтесь моего совета. И поделитесь им с каждым, кто вам дорог. Пока не поздно, отряхните с себя либеральные лохмотья, проявите дальновидность, докажите любовь к стране, вас приютившей, ведь вас принято считать умным народом, и придите к нам, в наш лагерь. Перейдите заранее к победителям. Мы вас примем. Как белых людей. Как бойцов. В одном строю с нами.

Он выжидающе посмотрел на меня.

Я кипела от негодования. И поэтому молчала, чтоб не сорваться на крик. Мне было гадко сидеть с ним за одним столом.

Выручил метрдотель, принесший счет. Дэниел небрежно, явно изображая широкую, немелочную натуру, пробежал счет и, взяв у метрдотеля услужливо поданную ручку, подписал его, прибавив к общей сумме еще пятнадцать процентов на чай. Метрдотель, с достоинством поблагодарив, удалился, а он, пребывая в отличном расположении духа, победно глянул на меня своими в красных прожилках глазами и изрек:

— А знаешь, милая, мои планы некоторым образом изменились. Нам придется расстаться сейчас. Я захотел спать... Так сказать... баюшки-баю...

— Это единственное, что вы умеете ночью делать, — сказала я с облегчением.

— Вот видишь, как ты прозорлива. Мы выйдем вместе в холл, а там — в разные стороны.

— Зачем утруждать себя совместной прогулкой до холла? Не лучше ли расстаться тут же... за столом?

— Как будет угодно. Желаю всех благ... И помни, о чем я говорил. Пока не поздно, займи верную, беспроигрышную позицию. Мы не пощадим никого, кто будет против нас

— Об этом еще рано беспокоиться. Тем более вам... У вас мало шансов дожить до той поры... Возраст возьмет свое.

Я его все же вывела из равновесия.

— Ну, ну... рано меня хоронишь, — хрипло прошептал он мне в лицо. — Я еще увижу своими глазами, как таких, как ты будут сваливать штабелями в общие могилы.

— Желаю приятно развлечься, — сказала я, приподымаясь, и вдруг вспомнила:

— А деньги?

— Какие деньги? — опешил он.

— Двадцать пять долларов, о которых мы сторговались на Лексингтон-авеню... Что, склероз?

— Ах, вот ты о чем? — улыбнулся он. — Но мы уже в расчете. Я оплатил твой ужин.

— Ужин — сверх программы, — сказала я, повышая голос, и за соседними столиками стали поворачиваться к нам. — А за сексуальные услуги надо платить. Даже импотентам.

Он заметно встревожился и полез за кошельком.

— Сколько я должен?

— Двадцать пять.

— За вычетом ужина.

— Хорошо. Дайте разницу. Чтоб я могла оплатить такси, по крайней мере.

— Вот тебе на такси.

Он открыл кошелек и синеватыми склеротичными пальцами стал извлекать из него по одной долларовые бумажки, каждую кладя передо мной на скатерть и пришептывая:

— Раз, два, три... четыре... пять...

Он поднял на меня глаза и, помедлив, положил сверху еще одну бумажку.

— Хватит, — сказала я, смяла бумажки в кулаке и сунула их в карман шорт. — Вы слишком щедры. Я лишнего не хочу. Возьмите сдачу.

И склонившись к нему, на виду у всего зала и даже пианиста, переставшего играть, звучно хлестнула его наотмашь по физиономии. Мне показалось, что по залу прокатился стон, когда я быстро пошла между столиками к выходу. Пианист проехал по клавишам, и мне вслед понесся бравурный, словно одобряющий мой поступок марш. Метрдотель посторонился у двери, пропуская меня. Я пересекла холл, пружиня спортивными беговыми ботинками по толстому ковру, и, распахнув стеклянную дверь, вывалилась в упругую и вязкую духоту нью-йоркской ночи.

Было уже за полночь, но в этой части Манхэттена, между Парк-авеню и Пятой, Нью-Йорк кишел людьми и автомобилями, как в часы пик. Начинался разъезд из ресторанов. Из горловин подземных гаражей выныривали одна за другой бесконечной вереницей длинные сверкающие машины, и черные служители в синих комбинезонах распахивали лакированные дверцы перед нарядными дамами и мужчинами и прятали в карманы полученную мелочь чаевых. Автомобили вклинивались в поток других машин и, сонно мигая красными подфарниками, уплывали в душную темень. Домой. В свои собственные гаражи. Где они уютно простоят до утра.

У автомобилей было место для ночлега. Не было его лишь у меня. Я перебирала в уме всех, кого знала в Нью-Йорке, в надежде найти кого-нибудь, кто бы мог предоставить мне кров, и отметала одного за другим. Подругам пришлось бы объяснять, почему ушла из дому, и выслушивать их соболезнования, а одинокие мужчины пустят ночевать лишь под свой бок, что для меня сейчас, после гостиницы «Дрейк», было равносильно тому, как лечь на аборт.

И тут мне пришел на ум дядя Сэм, которого действительно звали Сэмом, и был он дядей, но не мне, а моей матери. Мне он приходился двоюродным дедушкой. Как и положено Дяде Сэму, он был богат. И богат сказочно. Никто в нашей семье не достиг и сотой доли того, что накопил он еще до второй мировой войны. Он уже тогда был стар и ушел от активных дел и стал тратить нажитое в свое удовольствие. Потому что был вдов и бездетен. Родню свою он, не скрывая, презирал. И делал исключение, пожалуй, только для меня. Я ему нравилась. Меня он брал за подбородок и трепал по спине в те редкие разы, когда соизволял повидаться с родней, и говорил, что я украшу весь наш род, потому что вырасту красавицей, а красота дороже любых бриллиантов. Мама при этом не упускала случая притворно вздохнуть, осторожно заметив, что хороший бриллиант нуждается в дорогой оправе, и только тогда за него дадут подходящую цену. На что дядя Сэм, не выпуская из своих дряблых пальцев моего подбородка, отвечал, что, когда настанет время, появится и оправа, и пусть об этом у мамы голова не болит.

Изо всей нашей семьи только я несколько раз удостоилась

приглашения в его дорогую, роскошную квартиру в небоскребе «Эссекс-хауз» в самом фешенебельном районе Нью-Йорка на Сауф Парк Лэйн, с потрясающим видом на Сентрал Парк, открывающимся из его окон.

Дядя Сэм жил в этой квартире в недолгие наезды в Нью-Йорк. Все остальное время она пустовала, сохраняемая день и ночь вооруженными стражами в вестибюле, с черных мраморных стен которого каждого входящего ощупывали объективы бессонных телекамер. А стоила эта квартира около трех тысяч долларов в месяц. У дяди были дома в Майами и Палм Спрингс. И в Швейцарских Альпах тоже. Всех его владений я не знала.

Мы с ним обедали в его квартире вдвоем. Стол сверкал серебром. Молчаливые и ловкие служанки выкатывали из лифта тележки с умопомрачительными яствами — дядя соблюдал диету, и все это пиршество заказывалось исключительно, чтоб порадовать и поразить меня — а за широким окном кудряво зеленели верхушки деревьев бесконечного Сентрал Парка.

За едой дядя говорил только обо мне, внимательно расспрашивал, как я учусь, какие планы строю на будущее, даже намеком не касаясь никого из остальной родни. И провожая меня к лифту, снова трепал по спине и приговаривал, что я не пропаду, он в этом уверен, и даже если замешкается в пути тот ювелир, которому выпадет счастливый жребий облечь этот бриллиант в соответствующую оправу, то остается, на худой конец, он, дядя Сэм, который не забывает тех, к кому лежит его душа.

По моем возвращении домой мама дотошно выпытывала каждое слово и каждый жест дяди Сэма и, провернув полученные данные в своей голове-компьютере, извлекала желанный результат:

— Дурочка! Ты ничего не поняла! Господи, за что ей такое везение! Уверяю тебя, из всей нашей семьи лишь ты одна в его завещании. Он тебя озолотит! Вот увидишь! А твои сестры и я останемся с кукишем! Старческий маразм!

Но, надеюсь, когда ты получишь свой жирный кусок, не забудешь бедную маму и сестер и не станешь задирать нос и делать вид, что нас не знаешь, как ведет себя эта выжившая из ума развалина?

При этом моя мама точь-в-точь напоминала злую мачеху

из сказки о Золушке, а мои сестры казались мне ее злыми и глупыми дочерьми.

Потом на год, а то и на два дядя обо мне забывал, пока не объявлялся телефонным звонком и, не обмолвившись ни с кем из наших ни словом, подзывал меня и дребезжащим голосом спрашивал, не соблаговолит ли красавица удостоить его чести отобедать с ним по-домашнему в его квартире в «Эссекс-хаузе»? Обедом все и ограничивалось. Он никогда мне ничего не дарил. Не знал и не удосужился поинтересоваться, когда мой день рождения. Какая-то странная любовь.

Как здорово, что мне пришел на ум дядя Сэм! Дядя Сэм, если он в Нью-Йорке, конечно, пустит меня ночевать. Он, несомненно, не спит еще в этот час. У стариков бессонница.

Я вышла на Пятую авеню и по ней вправо к Сентрал Парку. На Сауф Парк Лэйн мимо небоскребов-отелей потоком текли автомобили. Самых дорогих марок. Почти сплошь черные. И длинные-предлинные. Как катафалки, в которых отвозят на кладбище покойников. И я невольно усмехнулась, подумав, что капитализм, сам того не ведая, цветом и видом своих дорогих автомобилей подтверждает предсказания социологов и готовится с привычным комфортом к собственным похоронам.

На первых этажах светились окна ресторанов, высвечивая как днем, лица прохожих. Свет был тоже неживой, и потому и лица имели покойницкий вид. Это ощущение усиливала излишняя косметика. Усопших перед погребением принято подкрашивать.

Толстую стеклянную дверь «Эссекс-хауза» открыл мне атлетического вида швейцар в пиджаке, топорщившемся на бедре от пистолета. С потолка устремили на меня свои бельма сразу две телекамеры. Из обоих углов. Другой страж, не менее здоровый и черный, вразвалку подошел к своему коллеге, когда я переступила порог.

Я назвала фамилию дяди Сэма и на вопрос, кто я, сказала, что прихожусь ему внучкой. Черный страж набрал номер внутреннего телефона и, подержав трубку у уха, сказал, что никто не отвечает и моего дедушки, по всем признакам, дома нет. Потом явился третий, в другой униформе. В черном фраке. И снова расспросив, кто я и кем прихожусь дяде Сэму, сообщил мне с извиняющейся улыбкой, что мой дедушка уже давно в отъезде и в ближайшее время не ожидается дома. Что ему передать? Он иногда звонит.

— Ничего. — пожала я плечами. — Заглянула проведать

— Немного поздновато. Вам не кажется? — сдержал улыбку упитанный холуй. — Уже не гостевой час.

— А далеко он уехал? — спросила я просто так, чтоб что-нибудь сказать перед уходом.

— По нашим сведениям, он совершает кругосветное путешествие.

Они втроем закрыли за мной дверь из толстого стекла, должно быть, пуленепробиваемого, и, когда я оглянулась, озарились все трое одинаковыми лакейскими ухмылками.

Я снова оказалась на улице. Струя пешеходов заметно рассосалась, черные автомобили с легким шипением проплывали мимо со все большими интервалами. Улица пустела. Нью-Йорк, задохнувшись в потном компрессе, отходил ко сну.

На другой стороне улицы темнел Сентрал Парк. Редкие фонари желтели в туннелях его аллей. Там, как я знала, затаился одурманенный алкоголем и наркотиками другой Нью-Йорк. Отверженный. Выброшенный на помойку. Бездомный. Спящий на скамейках. От которого воротят нос и покрываются гусиной кожей обитатели небоскребов, опоясавших парк с юга, запада и востока.

Ночью в Сентрал Парк нормальный человек не ступит ногой. Туда и полицейские в этот час не отваживаются заглянуть. Но кто сказал, что я нормальная?

Я ведь тоже отвержена этим городом, этой страной, в лояльных гражданах которой числились мои родители. Я бездомна. Мне негде голову преклонить. И скамейка в Сентрал Парке по праву принадлежит и мне. Я разделю ее с сотнями таких же, как я.

И все же мое сердце заколотилось, когда я ступила на гравийную дорожку парка, под сень больших деревьев, замерших в тревожной дремоте, не решаясь шелохнуть листочком. Здесь было темно, и лишь отсветы с Сауф Парк Лэйн, с высоких этажей небоскребов, давали возможность оглядеться

Деревянные, со спинками, скамьи тянулись впритык друг к другу нескончаемой змеей, гибко извиваясь вместе с дорожкой. На скамьях темнели фигуры. Чаще черные. Но попадались и белые бродяги, хотя цвет их кожи было нелегко определить из-за слоя покрывавшей их грязи. Одеты они были в какие-то лохмотья, напялив их в таком количестве, будто боялись простудиться в эту душную, мокрую ночь, когда, даже раздевшись догола, не ощутишь спасительной прохлады. Под ногами у них валялись пустые бутылки и банки из-под пива. У многих на скамьях под боком желтели магазинные упаковочные пакеты — в них было свалено все имущество этих людей.

Подыскав место посвободней, я робко села на скамью. Слева от меня, на расстоянии протянутой руки, храпел, растянувшись, мужчина, и лица его я не могла разглядеть, так как спал он, уткнувшись носом в деревянное сиденье. Оттого, возможно, и храпел. Справа, на такой же дистанции, сидя, клевала носом женщина, по всем признакам, старуха. И беззубая притом. Потому что в видимом мне профиле кончик носа чуть ли не касался подбородка. И от старухи, и от мужчины исходил тяжелый, тошнотворный запах.

Я села, подтянув ноги на скамью и обняв колени руками. Не надеясь уснуть. А переждать до утра.

Прямо передо мной уходили в небо многочисленные этажи «Эссекс-хауза» с редкими квадратами светящихся окон. За темными окнами или спали, или эти квартиры пустовали, как у дяди Сэма, отправившегося в кругосветное путешествие.

Я вдруг вспомнила, что он уже не первый раз путешествует вокруг света. Он мне говорил об этом. На одном и том же фешенебельном теплоходе, с одними и теми же соседями в каютах. Такими же богатыми стариками, как и он. Не знающими, куда девать свои деньги и праздное время, оставшееся до могилы. Вот и кружат на океанском лайнере вокруг глобуса, ползут по нему от материка к материку, как жирные навозные мухи. И даже не выходят в портах, где останавливается лайнер. Они все туристические красоты давно уж видели, всем пресытились до предела, и лишь карты им не надоедают. Вот и дуются, сидя на палубе в погожие дни и в салонах в непогоду. Играют, играют. Без азарта, без интереса. Как старые жабы, шевеля обвисшей кожей дряблых шей и за сигарным дымом не видя партнеров.

А их огромные квартиры пустуют. Вышколенные служанки содержат их в образцовом порядке, ежедневно высасывая пыль с бархата кресел и с ковров, меняя воду в дорогих цветочных вазах. Там стоят широкие, мягкие кровати, на которых никто не спит. Морским бризом освежают бесшумные кондиционеры воздух, которым никто не дышит.

Их же соотечественники, люди одной с ними страны, кому не повезло огрести миллионы, копошатся на жестких скамьях Сентрал Парка, как нечистые насекомые. Какая ненависть должна закипать в их душах, когда глядят они со своего дна на громоздящиеся небоскребы Манхэттена. Какая страсть громить и убивать, ничего не щадя! О, какой смерч, какой ураган породит несправедливость!

Так рассуждала я, стараясь не глядеть по сторонам и тем более назад, в мрачную глубину парка, а лишь вперед, на освещенную Сауф Парк Лэйн. Гневные размышления, клокочущий внутренний монолог отвлекали меня от мерзкого чувства страха, ползшего холодными щупальцами по немеющей спине.

Но вот слева от меня защевелился лежавший ничком на скамье мужчина. Кряхтя и кашляя, сел, затем встал, тряхнул лохмотьями, отчего исходивший от него дурной запах сгустился. Он с воем, по-собачьи зевнул, сонно глядя на небоскребы, и, поковыряв рукой ниже живота, зазвенел струйкой прямо на асфальт. Мне даже показалось, что брызги долетали до моих колен.

Это уже было свыше моих сил. Из меня выдуло мои недавние размышления о социальной несправедливости, о бедных и богатых. Меня чуть не стошнило.

Я снялась с места и, стараясь не бежать, устремилась из парка на освещенную улицу. На Сауф Парк Лэйн было уже почти безлюдно. Попадались редкие прохожие. В основном проститутки, слонявшиеся под угасшими окнами небоскребов без особой надежды подцепить клиента.

Сзади меня стал нарастать лающий вой. По центру улицы мчалась, мигая красными отсветами на крыше, белая машина. Кому-то было худо, кто-то погибал от удушья в этом провонявшем бензиновыми парами и будто поджаренном на сковородке городе. И по ассоциации мне пришел на ум мой дед Сол. Родной дед. Отец отца. Сбытый с рук нашей семьей и дожидавшийся смерти в доме для престарелых. Маленький и славный дедушка Сол. Колючий, как седой ежик, когда забывал побриться. Умница с чистыми и ясными мозгами даже в свои восемьдесят лет. Он, единственный в нашей семье, говорил по-английски с акцентом, потому что только он родился не в

Америке, а где-то в Восточной Европе. Кажется, в Польше. Или России. А впрочем, если я не ошибаюсь, Польша в то время была частью России. Его дети уже были стопроцентными американцами, а мы, внуки, даже больше того. Как говорил дедушка Сол, настолько заамериканизировались, что скоро на людей не будем похожи.

По праздникам, в Пасху или на Хануку, отец заезжал за дедушкой, и он проводил у нас неделю-другую, потом его снова отвозили, как он говорил, в приемную морга. В будни о нем забывали. Лишь я, когда вспоминала, навещала его, и он радовался каждому моему посещению, как маленький ребенок. Водил меня обедать в столовую, предварительно заказав у администрации порцию для меня. В столовой этой сидели, четверо за каждым столом, еле живые старики и старушки и лениво жевали, без видимого аппетита, вставными зубами.

С дедушкой делили стол три старушки, три божьих одуванчика. И так получалось, что в каждое мое посещение один стул обязательно пустовал. Одна из старушек умудрялась скончаться как раз незадолго до моего приезда, и ее место еще не передали новой пациентке, поэтому занять его я могла без всяких осложнений. И в следующий раз опять имелся свободный стул. А из двух уцелевших старушек одна была новая, мне незнакомая.

— Видишь, как славно получается, — ликовал дед, сияя голубенькими глазками под толстыми стеклами очков. — Бог знает, что я тебя очень жду, и вовремя готовит место для моей любимицы. Так что никого не надо пересаживать, ни у кого просить одолжения. А мы с тобой сидим за одним столом, и я радуюсь, что ты такая красавица.

У деда была худенькая, морщинистая, как у индюка, шейка, на лоснящемся темени колебался белый пух, и из этого пуха торчали в стороны большие, мясистые уши, несоразмерные с крохотной головкой. Он выглядел смешно и трогательно. И я его любила, как никого в нашей семье. Потому и навещала и слушала его длинные, нескончаемые речи, которые он обрушивал на меня, соскучившись по внимательному слушателю. Старушки были не в счет. Что им говори, что стене, никакой разницы. Так считал дед, и я не перечила ему и отдавала свои уши в его полное распоряжение, чтоб он мог всласть отвести душу до следующего моего посещения.

Дедушка Сол был портным. Всю жизнь. Пока пальцы не

перестали гнуться. И не нажил капитала. Хватило лишь на то, чтоб детей поставить на ноги и жену похоронить прилично, с дорогим мраморным памятником на могиле. Рядом с ней оставался свободный кусок травы, вперед оплаченный им, чтоб, когда настанет час, лечь по соседству и уж никогда не расставаться, как они не отходили друг от друга все пятьдесят пять лет совместной жизни.

Как-то я спросила его, правда ли, что многие миллионеры начинали чистильщиками сапог или уличными торговцами. Он кивнул и в пример привел своего знакомого.

— Только труд, тяжелый труд открывает путь к богатству. Это прописная истина в Америке, — засиял голубыми глазами дед. — Этот нищий эмигрант начал с того, что покупал за один цент бублик и продавал его на улице за два, затем покупал два бублика и продавал их за четыре. И так далее, и так далее...

— И стал миллионером?

— Да. Он продавал и продавал, надрывая глотку на своем углу, пока из-за своего крика даже не расслышал, как на него наехал грузовик. За увечье транспортная компания ему выплатила столько денег, что он стал миллионером.

Дед рассмеялся мелким сухоньким смешком, и его глазки засияли от радости, что удалось рассмешить меня.

Господи, как это я сразу не вспомнила дедушку Сола? У него уж я точно смогу провести остаток ночи. Комнатушка у него маленькая, но он в ней один. Размещена комнатушка на первом этаже, а окно выходит на улицу. В доме для престарелых посторонним запрещено оставаться на ночь, но кто обнаружит, что я нарушила их распорядок, если заберусь к дедушке в окно и тем же путем незаметно уберусь завтра.

Дедушка не спал, когда я подъехала на такси. Его окно, восьмое от угла, мерцало синеватыми бликами: старик от бессонницы пялился в телевизор. У него был чуткий слух. Мой легкий стук по стеклу поднял его из кровати. Улица была пустынна, и только ущербная луна, висевшая над темными пиками хребта из небоскребов Манхэттена, была свидетельницей, как в старческий дом в окно пролезала молодая женщина. Дед, хоть и встревожился моим ночным визитом, все равно был мне рад. Даже согрел чаю в электрокипятильнике и дал кусочек подсохшего кекса, по всей видимости, прихваченный из столовой. Я рассказала, что поссорилась с родителями, об остальном, естественно, умолчала, и дед не удивился моему поступку и даже одобрил. Единственное, что его тревожило, где я буду жить?

— Сегодня ты у меня переночуешь. А завтра? Меня выселят отсюда, если узнают.

Я сказала, что буду ему благодарна за эту ночь, а завтра что-нибудь придумаю. Дед повеселел. Я приняла душ за занавеской в углу, обрядилась в пижаму деда и легла в его широкую постель. Второй кровати не было, как не было и дивана. Дед примостился рядом со мной, и я обхватила руками его острые, сухие плечики и зарылась лицом под его колючий подбородок.

Телевизор мы не выключили — его звук заглушал наши голоса. Перегородки были тонкими, и у соседей могло пробудиться любопытство, с кем это старый Сол болтает по ночам?

— Я и не сомневался, что ты с ними не уживешься, — дедушка имел в виду моих родителей. — Они — продукт американского образа жизни, а ты — святая.

Я беззвучно рассмеялась.

— Действительно считаешь меня святой?

— А как же? Но не в том смысле, в каком это было принято в старину. В твоем возрасте сейчас никакой святости и днем с огнем не сыщешь. И ты, думаю, недалеко ушла от своего поколения. Все ваши проделки я по телевизору знаю. Совсем взбесилась молодежь. Но я не об этом. Ты — святая в другом смысле. Ты бескорыстна... честна... имеешь сострадание. С такими качествами ты — выродок в вашей семье. Инородное тело. Вот это точное слово. Инородное тело. Так почему я должен удивляться, что ты ушла от них на ночь глядя и в такой спешке, что и не подумала, где сможешь голову приклонить?

Но, слава Богу, у тебя есть дед. И он тебя, маленькую козявку, пустит под свое одеяло. И ни словом не осудит твой поступок, а даже, наоборот, одобрит его.

Он помолчал, сопя мне в макушку.

— Знаешь, за что я тебя люблю? Не только за те качества, которые только что перечислил. Ты очень красива.

— Ах ты, старый дамский угодник!

— Глупая. Не то я имею в виду. Ты красивая, как твоя бабушка. Я ее, знаешь, как любил? — его голос дрогнул. — Никакой другой женщины в жизни не знал. И мысли не было. Зачем? Как можно размениваться еще на что-то, когда у самого дома такое золото. Ой, какая была красавица! До самой смерти.

— И фигура у нее была хорошая?

— Как у тебя, — он провел дрожащей ладонью по моей спине и замер. — Точь-в-точь. Я помню каждый изгиб тела.

— Дедушка, так ты же счастливый человек!

— А кто тебе говорит, что я несчастный? Конечно, счастливый! Мне не страшно умирать. Мне Бог отпустил столько любви и тепла, что хватило бы на десятерых. И даже с избытком. Я с жалостью смотрю на других людей. Тут у нас старики болтливы. Только и вспоминают, как изменяли. Больше врут, конечно. Но все равно, настоящего-то у них не было. Они, как нищие, рядом со мной. А я, как миллионер... Хотя меня грузовик и не переехал.

Он сдержанно рассмеялся.

— Вот какой у тебя дед! Гордись! И бери пример. Тогда не пожалеешь о прожитой жизни.

Он какое-то время молчал, дыша с заметным хрипом.

— Можно тебя спросить?

— Конечно.

— Любила ты хоть раз?.. Я не имею в виду спать... А вот так... За руку подержаться... и можно одуреть от счастья. Скажи, детка. Приводилось тебе? Смотреть в глаза человеку и от этого одного считать себя счастливейшей особой на земле. А?

— Не знаю... Как тебе сказать...

— Что? Сразу и не вспомнишь? Ничто не застряло в бедной головушке? Как же так? Лучшую пору своей жизни... Ее не вернешь... Хоть ты сто раз спохватишься. Такого случая уже не будет.

— По-твоему, моя жизнь уже окончена? Дедушка! Бог с тобой! Что ты говоришь? Мне только двадцать пять. К тому же ты жутко отстал от жизни. Теперь все по-другому. Сначала идут в постель, а уж потом...

— Что потом? Скажи мне! Что потом? Делают аборт? Да? Да? И это у вас любовь! А где бессонные ночи? А где слезы в глазах при одном лишь воспоминании о любимой? И наконец, где счастье?

— Тише! Ты уже кричишь! Сам говорил, стенки тонкие и у твоих соседей бессонница.

— Мало ли что я говорил, — понизил он голос. — А впрочем, ты права, здесь такие ведьмы с обеих сторон. Еще обвинят твоего дедушку в разврате. Скажут, старый черт принимает по ночам юных красоток через окно. Вот уж почешут языки на славу!

— Ты считаешь, правильно жил? — спросила я. — Не с женой, а вообще.

— По крайней мере, стыдиться мне нечего. Все своими руками. Чужого гроша не взял. Работал и жил. И радовался жизни. Совесть моя была чиста, душа не болела ни за какие грехи. Что еще человеку нужно для полного счастья? Если он еще к тому и сыч, и всю жизнь влюблен в свою жену, и дети у него растут не лентяи и не наркоманы, а уважают родителей, как и положено у нормальных людей.

— Ты и моим отцом доволен?

— Что значит — доволен? Для лучшего нет предела, моя милая. Твой отец добрый и слабый человек. Но он вырос в этой стране. И как я ни пытался его уберечь, Америка засела в нем глубоко. По крайней мере, глубже, чем я бы желал. Он захотел быть богатым. Как все здесь хотят. А чего добился? Не знает покоя. Все время в бегах. От одного магазина к другому. Выпучив глаза. Не замечая, что жизнь проходит без радости. Даже упустил, что у него под боком выросла такая принцесса, как ты. И потерял тебя. А деньги что? Их с собой в могилу не возьмешь. В саване, говорят умные люди, карманов не имеется.

И при этом должен тебе заметить, делец он никудышный. Мягкий человек. А делец, если хочет преуспевать, не должен знать никаких сантиментов. Иначе сожрут конкуренты. Которые жалости не понимают.

Смех и грех с твоим отцом. Открыл магазины в Гарлеме, у черных. Хорошенькое место! Прямо в кратере вулкана. И чтоб сэкономить на расходах, нанял работников по самой низкой цене. Из нелегальных иммигрантов. Которые не имеют разрешения на работу и рады любой оплате. Лишь бы не сдохнуть с голоду. Казалось бы, выиграл, сберег много денег. Но еще больше и потерял. Они обворовывают его, таскают все, что под руки попадется. Чтоб, так сказать, компенсировать то, что он им недодает деньгами. А как уследить за ними? Не может же он одновременно быть в обоих магазинах. Вот и носится, как угорелый, из одного в другой. А в результате — ни больших барышей, и никакой жизни.

— Послушай, дед, выходит, что нет никакой надежды на

справедливую жизнь. Бедный будет работать, как мул, а богатый — стричь купоны. И ты такое положение считаешь нормальным?

— Почему нормальным? Кто тебе сказал, что это нормально?

— Но так оно и есть! И разве можно с этим мириться?

— Что ты предлагаешь? Революцию? Как в России?

— Я ничего не предлагаю, дедушка. Я хочу понять. И мне важно твое мнение. Я тебе доверяю.

— Опять заблуждаешься. С какой стати мне доверять? Разве я пророк? Своим умом до всего дойди. Знание из чужих рук — мыльный пузырь. Поймешь кое-что, лишь когда набьешь себе шишек на лбу.

— Вот ты сказал насчет революции... как в России. Разве социализм так уж плох? Ты же сам был социалистом.

— Был, деточка. Долго был. Лучшие годы ухлопал. Шило у меня сидело в заднице. Понимаешь? Все хотелось облагодетельствовать род людской, сделать всех людей равными. Знаешь, кто шел в социалисты? Самые порядочные люди. Честные. С низким болевым порогом. У тебя я замечаю ту же болезнь. Низкий болевой порог у тех людей, кто раньше других, первыми чувствуют боль. Не свою, а чужую. И откликаются на нее. Знаешь, кто таким был? Дон-Кихот. Я бы его занес в историю социализма как одного из первых борцов за всеобщее благо. Но, кажется, он был сумасшедшим.

Так вот, запомни. Подлинные социалисты, несомненно, честнейшие из людей. Но еще честнее те из них, кто порвал с социализмом. Убедившись, что это утопия. И опасная для человечества. Вроде русского эксперимента. Таких вот людей, исстрадавшихся от иллюзий идеалистов, я ценю превыше всего. Они не боятся правды, какой бы горькой она ни была. Они не только честные, но и мудрые. И мужественные. Я бы таким поверил в долг любую сумму денег, без расписки. При одном условии — если б у меня такие денежки водились.

— И ты стал циником, — вздохнула я. — Жизнь обломала тебя.

— Жизнь учит уму-разуму. Следишь за телевизором? Я вот с тобой болтаю, а на экран поглядываю. Телевизор — мой последний собеседник в жизни. Ненавязчивый, как мои болтливые соседи. Можешь слушать, а можешь выключить. Так вот, к чему я все это веду? Теперь показывают жизнь диких зверей в Африке. Любишь такие фильмы?

Я кивнула.

— И я люблю. Про зверей смотреть интересней, чем про людей. По крайней мере, нет порнографии и грязных ругательств, без которых нынешнее поколение двуногих и не мыслит человеческой речи. Нет, ты посмотри! Я уж этот фильм в который раз вижу. Гиены вышли на охоту... Подними подушку, сядь удобней.

Он тоже вылез из-под простыни, сел со мной плечо к плечу и устремил к телевизору толстые линзы своих очков.

Я вначале не могла сосредоточиться, но вскоре происходившее на экране увлекло меня, и дальше я уже с замирающим сердцем следила за развернувшейся перед нами драмой.

Семейство уродливых, гадких гиен, какая-то жуткая помесь свиньи и собаки, вышло на охоту в саванну. А по всей саванне мирно пасутся тысячные стада антилоп, зебр, газелей. Травоядных и беззащитных перед хищниками, рыскающими вокруг и жаждущими крови и мяса. Чьей крови? Чьего мяса? Вот этих вот пощипывающих траву и нервно помахивающих хвостиками красивых и даже грациозных животных. Миролюбивых. И почти не вооруженных для защиты. Жалкие рога не в счет перед клыками и когтями мускулистых хищников.

Выследив самую беззащитную жертву — антилопу-мать с крохотным детенышем, тычущимся мордашкой ей в вымя, гиены начали атаковать, стараясь отбить ее от стада. А стадо побежало. Полагаясь лишь на свои ноги и скорость. Побежала и антилопа-мать. Но маленький детеныш не в силах мчаться с большой скоростью. Хрупкие ножки стали подламываться, а гиены уж совсем близко. Вот-вот настигнут. Тогда остановилась мать. Склонила рогатую голову и вступила в отчаянную и безнадежную схватку с хищниками. Она рогами отгоняет одну гиену, но свора других наскакивает сзади и с боков, норовя ухватить теленочка, и, сколько мать ни вертится, ее круговая оборона не спасает дитя. Хищник сцапал теленочка, прокусил ему шею и поволок по траве в сторону, пока другие отгоняли и не подпускали мать. И поняв безнадежность дальнейшей борьбы, она побежала догонять свое стадо. Одна. Без своего ребенка. А стадо уж и не бежало. А мирно паслось совсем рядом.

Гиены им теперь не были страшны. Гиены получили, что хотели. И теперь на какое-то время оставят стадо в покое. Пока снова не проголодаются.

Дед оглянулся на меня. У меня стояли слезы в глазах. Мне не хотелось спорить. Да и вообще разговаривать. Но деду телевизор подлил масла в огонь.

— Вот это и есть мир. Показывают животных, а я вижу людей. Что отличает нас от животного мира? Лишь то, что там все обнажено и без прикрас. А мы прикрываемся фиговыми листками красивых слов и теорий. Хотя по существу все то же самое. Мир, называй его божьим или каким угодно, состоит из слабых и сильных, из травоядных тружеников и хищных эксплуататоров. Хищник умрет, если не полакомится мясом травоядного. Другой пищи он не знает. И добыть эту пищу можно, только лишь вырвав с кровью бок у той же антилопы. Или сожрав ее теленочка. Других путей нет. Это закон природы. Жестокий. Но и разумный. Он движет миром. Поэтому все разговоры о равенстве — слюнявая болтовня. Я это познал на собственном опыте. Знаешь единственное место, где все равны? На кладбище, дорогая моя. Но те, что там обитают, уже называются не людьми, а покойниками.

— Постой, постой! — не выдержала я. — Я не согласна. Нельзя равнять людей с животным миром. Нас отличают интеллект и способность объединяться для защиты. Стадо антилоп побежало, эгоистично оставив на гибель мать с теленком. И поэтому гиены их будут пожирать каждый день по одной. И так до бесконечности. А если б они, эти антилопы, не побежали трусливо, а все вместе заняли круговую оборону, ощетинившись рогами? Как много антилоп, а гиен лишь жалкая свора, — они бы не дали себя в обиду и одержали победу. Мы, люди, поступили бы так. И поступаем. Профсоюзы, забастовки — вот тебе пример того, чем люди отличаются от животного мира. И поэтому, скажу тебе откровенно, все, что ты говорил мне, нисколько меня не убедило. Чушь! Оппортунизм! Ты, дедушка, элементарный реакционер!

— Я? — вскричал он, сверкнув очками.

Но дождаться моего ответа ему не привелось. В дверь громко застучали. Сразу в несколько рук. И послышались раздраженные старушечьи голоса:

— Откройте! Немедленно! У вас в комнате женщина!

— Влипли, — схватился за голову дед. — Поди докажи им, кто ты мне. Ох, потреплют языками. Еще потребуют выселить.

— Откройте! Старый развратник! Осквернил весь дом! Мы найдем на вас управу!

— Не открывай, — прошептала я. — Пока я не оденусь. Задержи их.

Дед встал с постели, поддерживая руками спадающую пижаму, добрался до телевизора и усилил звук. Потом направился к дверям.

Стук с той стороны не прекратился. И под этот аккомпанемент я поспешно натянула на себя одежду и метнулась к окну. Когда я уже была снаружи и сползла с подоконника в траву, дед вернулся и, перегнувшись через подоконник, поцеловал меня в макушку. Затем закрыл створки окна, ворча:

— Идиоты! Чего вам не спится? Какая у меня женщина? Зачем мне нужна женщина?

А я, крадучись вдоль стены, чтоб меня не могли уследить в окна бессонные «божьи одуванчики», оказалась на пустынной улице. Фонари еще горели. Хотя рассвет давно наступил и было светло, как днем.

ОН

Телефонный разговор с Москвой испортил мне настроение. Хотя в конце разговора мне подсластили пилюлю.

Я позвонил редактору по поводу моей статьи, опубликованной на прошлой неделе. Дело было даже не в самой статье, а в герое этого очерка, литовском крестьянине Повиласе Даукше.

— Что? Оказался бандитом? — не на шутку встревожился редактор. — Этого нам только недоставало. Мы его на весь Союз разрекламировали.

— Нет, нет. Он наш человек. Настоящий коммунист, — поспешил я успокоить редактора. — Вернее, был...

— Что с ним стало?

В том, что с ним стало, я чувствовал и долю своей вины и, чтоб как-то заглушить угрызения совести, позвонил из Каунаса в Москву своему редактору.

Я был собственным корреспондентом центральной московской газеты в Литве, сравнительно недавно присоединенном к Советскому Союзу крохотном государстве, таком же, как Латвия и Эстония, его соседи по Прибалтике, поглощенные заодно с Литвой. Каунас был столицей буржуазной независимой Литвы, продержавшейся всего двадцать лет. До того Литва тоже была под русской оккупацией. Лет двести. Если память мне не изменяет. Советский Союз, сменивший на карте Российскую империю, вернул Литву на место. А чтоб истребить память о былой независимости, перевел столицу из Каунаса в Вильнюс, город, отнятый у Польши и, как собаке кость, брошенный литовцам.

Литва, единственная из всех оккупированных стран, не склонилась перед мощью Советского Союза и оказала упорное, граничащее с безумием сопротивление. Прошло пять лет, как умолкли пушки второй мировой войны, а в Литве не переставали греметь выстрелы, и мы, оккупанты, не решались сунуться в леса, где было царство «зеленых братьев», литовских «жалюкай», почти стотысячной подпольной партизанской армии. Кровь по всей Литве лилась обильно, и на лесных хуторах, и даже в целых деревнях не оставалось никого в живых, если не считать одичавших кошек и собак.

После университета я получил направление в Литву на такую солидную журналистскую должность сравнительно легко. И не только благодаря связям отца в высоких партийных инстанциях, а скорее всего из-за того, что на это горячее и опасное место было мало претендентов. Мой предшественник, с которым мне даже не пришлось познакомиться, продержался в Каунасе три месяца. Его труп с дыркой от пули в затылке нашли в лесу много времени спустя после его исчезновения и настолько разложившимся, что для похорон в Москву отправили в запечатанном цинковом гробу, который не открыли даже, чтобы показать семье.

Литве уделялось много места в газете, и поэтому там держали сразу двух корреспондентов, в обеих столицах. Меня — в Каунасе, а моего коллегу Анатолия Горюнова — в Вильнюсе. Он был в большей безопасности, потому что освещал в газете лишь городские события. Мне же досталось село, литовская Вандея, где кипели все страсти и шла партизанская война.

Разумеется, я был вооружен. Даже спать ложился, сунув под подушку пистолет «ТТ», и каждый мой выезд за пределы Каунаса напоминал военную операцию. Меня обычно сопровождали автоматчики, так называемые народные защитники, или «ястребки», как их еще тоже называли, — молодые, вечно пьяные литовцы из крестьян, перешедшие на сторону советской власти не так из идейных соображений, как за высокое жалованье и дарованное им право безнаказанно грабить население во время карательных экспедиций.

Повилас Даукша, о котором я написал очерк в газете, был одним из весьма немногих литовцев, искренне и безоглядно принявших советскую власть, и от этого ставший чужим и уязвимым во враждебном окружении своих односельчан. Такие люди ставили на карту свою жизнь и жизнь своих близких. Потому что «зеленые братья» были особенно жестоки и беспощадны к своим, литовцам, перешедшим на службу к оккупантам.

Он был единственным коммунистом в своей деревне. Худой, высокий, с желтой от туберкулеза кожей. Не расставался с пистолетом. И никогда не ночевал дома. А в сараях и на чердаках. Каждый раз в другом месте. Чтоб «жалюкай» не захватили его врасплох, спящим.

Один-одинешенек, безо всякой охраны этот фанатично поверивший в коммунизм крестьянин держал, по крайней мере днем, пока светло, под своим контролем сотни семей, осуществлял все функции новой власти в деревне. Мне он напомнил русских коммунистов времен гражданской войны, на заре советской власти, когда вера в коммунизм не была еще замутнена последующими событиями.

Я читал о них в книгах, мое поколение воспитывали на их примере. И таким, мне казалось, был в ту пору и мой отец.

Жизнь Повиласа Даукши представляла отменный материал для газетного очерка о современном герое, и я покидал деревню, уже прикидывая в уме, как распишу собственный материал. А мой «материал», сам Повилас Даукша, провожая меня и мою охрану до дороги, вдруг попросил, краснея и смущаясь:

— Не пишите обо мне. Ради Бога. Не простят они мне этого.

— Кто? — не понял я.

— Жалюкай.

Я даже рассмеялся.

— Чудак человек. Они не могут простить тебе, что ты коммунист. А ты тем не менее жив и здоров. Что же, станешь у них испрашивать разрешения на каждый твой шаг? К лицу ли это коммунисту?

Он совсем растерялся, красные пятна пошли по его желтому лицу.

— Ваша правда, — откашлявшись, произнес он. — Простите.. если не то сказал. Темнота наша.

Очерк я написал. Конечно, ни словом не обмолвившись о «зеленых братьях» Такое газета не публиковала. А расписал на все лады работу, которую один проводил в деревне коммунист Даукша, наставляя литовских крестьян на путь советской жизни.

Через неделю после публикации очерка Повиласа Даукши уже не было в живых. Его выследили и сожгли в сарае, куда он пробрался ночевать. И тогда, терзаемый угрызениями совести, я позвонил в Москву редактору и попросил напечатать короткую информацию о мученической гибели злосчастного героя моего очерка.

— Ты понимаешь, о чем говоришь? — искренне удивился редактор. — Ты предлагаешь пропагандировать действия литовского националистического подполья, их, так сказать, успехи в борьбе с нами. Я могу объяснить это лишь твоей наивностью. Запомни, что бы ни творилось в Литве, ни одна советская газета не заикнется о том, что нам невыгодно освещать. Литва — советская республика, и народ ее живет счастливо под мудрым руководством Коммунистической партии и ее вождя, великого Сталина. Ясно? Вот об этом и только об этом мы ждем от тебя материалов.

Потом, смягчившись, уже другим тоном добавил:

— А в целом мы твоей работой довольны. Очерк твой об этом... как его... ну, которого... сожгли...

— Повилас Даукша звали его, — мрачно сказал я.

— Вот-вот. Никак не выговоришь эти чертовы имена... Очерк твой похвалили наверху. Поздравляю. И если соскучился по родным, то можешь выбраться из своей Литвы в Москву на пару деньков. На праздники. Я не возражаю.

Так я получил непредвиденный отпуск. В Москву, по которой я так соскучился здесь, в угрюмом, враждебном Каунасе, где я чувствовал себя неуютно, хотя и был окружен комфортом, прежде мне недоступным.

Сначала я обитал в гостинице «Метрополис» на центральной улице, переименованной в проспект Сталина, но упорно называемой местным населением ее прежним, досоветским именем — Ласвес аллеяс, что в переводе с литовского означало: аллея Свободы. Получив же новое жилье, я сохранил за собой номер в «Метрополисе», обосновав там бюро нашей газеты, ее корреспондентский пункт. На деле же это была моя вторая квартира, в которой ночевал, задержавшись допоздна в центре и не рискуя в темноте подниматься на Зеленую Гору. В район уютных и богатых вилл, обитатели которых бесследно исчезли. По большей части в Сибири. Если не успели уйти к «зеленым братьям».

Мне предоставили реквизированный двухэтажный дом, с дверей которого при моем въезде старшина НКВД сорвал красную сургучную печать. Дом, как и водится, был опечатан, когда выселяли его прежних владельцев. Выселяли, видать, поспешно, не дав собраться. На кухонной плите я обнаружил посуду, которую не успели вымыть.

Мне отдали дом со всем его содержимым: мебелью, картинами на стенах, книгами на полках и даже одеждой в шкафах. Чужой одеждой, которую носили неведомые мне мужчина и женщина и их дети... Единственное, чего я не обнаружил в доме, это фотографий. Ни одной не осталось. И потому я представления не имел о тех, кто здесь жил до меня. Мог только воображать. По многим приметам, здесь жили обеспеченные и интеллигентные люди. Возможно, семья инженера. Судя по значительному количеству технических книг. Но не исключались и музыканты. В гостиной стоял запыленный черный рояль, и кипы нотных тетрадей высились на полках.

Я спал на чужой кровати. И даже на чужом белье. Вытирался чужими полотенцами. И жарил яичницу на чужой сковороде. Мне ничего не пришлось докупать — в доме было всего в избытке.

Лишь одежды не трогал. Стащил все в один шкаф и запер его.

Чувствовал я себя не совсем уютно в доме, во всех комнатах которого на обоих этажах еще не выветрился запах прежних обитателей. Светлые квадратные пятна на обоях — следы прежде висевших портретов — взирали на меня со стен, как черепа исчезнувших людей, и мне порой казалось, что я вижу проступающие сквозь них скорбные глаза и очертания лиц. По этой причине я предпочитал ночевать не на Зеленой Горе, а в гостинице «Метрополис», казенный уют которой меня вполне устраивал. Телефоны мои были спаренными, и одним и тем же звонком меня можно было застать или здесь, или там.

Невдалеке от моего дома на Зеленой Горе отливала желтизной и багрянцем старая, изреженная дубовая роща. Стоял ноябрь. Воздух был сырой, но теплый. По всей роще земля покрылась коричневым пластом опавших дубовых листьев, покойно шуршавших под ногами.

Поговорив с Москвой, я вышел из дому, чтоб пройтись по роще, обдумать предстоящий через два дня отъезд. В роще было почти безлюдно. За толстыми корявыми стволами деревьев бегали, резвясь, две собачки, пока их хозяйки отводили душу в разговоре. Навстречу мне шла молодая женщина, а когда она приблизилась, я увидел, что это совсем юная девушка. Лет семнадцати, не больше. Но рослая и крепкая, как большинство литовок. Она шла с непокрытой головой, и русые волосы густо лежали на ее плечах, с которых ниспадала красно-черная, в клеточку, ткань плаща-накидки, широким колоколом обвивавшегося при ходьбе выше колена. Вместо рукавов были косые прорези, откуда выступали кисти ее рук.

Она шла мне навстречу, устремив взгляд больших серых глаз прямо в мое лицо, и на губах ее, довольно больших и чуть вывернутых, блуждала улыбка, девчоночья улыбка, абсолютно безгреховная. Так улыбаются от избытка сил и здоровья, от молодости, от струящейся в жилах свежей, чистой крови. И я не выдержал и улыбнулся в ответ и, хоть не мог видеть себя со стороны, уверен, в моей улыбке тоже не было никакой двусмысленности.

Мы сближались шаг за шагом. И улыбались оба. Потом поравнялись. И разминулись. Пройдя несколько шагов, я не устоял перед соблазном обернуться, чтоб поглядеть ей вслед. Но увидел не ее спину, а лицо. Потому что она проделала то же, что и я. Обернулась мне вслед.

Теперь мы стояли лицом к лицу шагах в десяти друг от друга и растерянно и нелепо улыбались. Не я, а она сделала первый шаг, ко мне. Тогда и я двинулся ей навстречу. Она, еще не дойдя, высунула из прорези в плаще правую руку и протянула ее мне. Не дожидаясь, пока я подам ей свою. И первая сказала, улыбнувшись губами и глазами, всем лицом:

— Лабас!

Моих хилых познаний в литовском языке хватило, чтоб понять, что означает это слово, и я ответил ей тем же приветствием, но по-русски:

— Здравствуйте.

В ее глазах мелькнуло удивление и даже испуг.

— Вы русский? — спросила она по-русски, но с сильным литовским акцентом.

— А вас это смущает?

Одной из форм сопротивления местного населения нашему присутствию в Литве было почти поголовное нежелание отвечать по-русски. Любой вопрос, заданный на русском языке на улице ли, в магазине, на рынке, встречал непроницаемый, как стенка, стандартный ответ:

— Не супранту (Не понимаю).

И насмешку во взгляде. А чаще всего откровенную неприязнь. Это было самой безопасной формой вражды. За насмешливый взгляд и за незнание русского языка даже при Сталине в Сибирь не отправляли.

В ее взгляде я не прочел ни того, ни другого. В нем сквозило откровенное разочарование.

— Вам неприятно, что я оказался русским? — повторил я вопрос, и в моем голосе прозвучала досада. Она это уловила и постаралась замять неловкость своей обезоруживающей улыбкой.

— Я не умею говорить по-русски, — медленно, каждое слово отдельно, произнесла она.

— А я не знаю литовского, — развел я руками. — Слов двадцать. Не больше.

— И я... слов сто... по-русски. А какие слова... вы знаете по-литовски?

— Кяуле! — выпалил я. Это слово означает «свинья».

— Вы ругаетесь? — удивилась она. — Вы грубый человек.

— Совсем нет, — поспешил я оправдаться. — Я журналист и часто бываю в деревне. Поэтому первые слова по-литовски, запавшие мне в память, это — свинья, корова, куры, овцы.

Она поняла. И рассмеялась. Затем протянула мне руку и назвала свое имя:

— Алдона.

Это имя удивительно гармонировало с ее обликом. Очень распространенное в Литве, крестьянской стране, имя. От него шел аромат покойных литовских пейзажей: влажных туманных лугов с бредущими в высокой траве красноногими аистами, седых от росы полей клевера, старых и темных ветряных мельниц с застывшими ветхими крыльями. От имени пахло духовитым сеном и парным молоком. И сама Алдона, одетая по-городскому и с немалым изяществом, тем не менее напоминала сельскую девушку — и крепко сбитой фигурой, и лицом, широковатым, с выступающими скулами, и серыми глазами, чуть прижатыми тяжелыми веками.

Я, в свою очередь, тоже представился. И мое имя ей понравилось так же, как мне ее.

— Олег! — воскликнула она. — Красиво! Почти как литовское — Альгирдас. Разве Олег русское имя?

Мне пришлось объяснить ей, что мое имя настоящее русское, но исторически происхождения иноземного, от варягов, пришедших на Русь из Скандинавии и ставших первыми русскими князьями. Были у нас князья Олег и Игорь. Имя Игорь ей тоже понравилось, и она, не лукавя, призналась, что ей эти имена больше по душе, чем, скажем, Иван. Это имя стало нарицательной кличкой русских оккупантов в Литве. Я же из своего опыта мог присовокупить, что кличка эта имеет теперь хождение по всему миру, но, разумеется, промолчал, стараясь увести завязавшийся у нас разговор как можно дальше от политики.

Мы брели по роще рядом. Опавшая с дубов листва сухо потрескивала под ногами. Воздух был пропитан бодрящей горечью осени. Оба мы в равной степени были взволнованы нежданным знакомством и, не скрывая, радовались, что так вот случилось.

В ее взгляде, открытом и улыбчивом, сквозили совершенно детские бесхитростность и простодушие. И это сочеталось с несомненным природным умом.

Она действительно плохо владела русским языком, путала падежи и времена и тем не менее болтала без умолку.

А я слушал, по профессиональной журналистской привычке стараясь собрать побольше фактического материала, что позволит мне точнее рассмотреть и понять, что за существо эта удивительно легко проникшая в мою душу Алдона — девочка из литовского города Каунаса, где знакомство с русским и тем более дружба с ним были вопиющим нарушением неписаного кодекса местной этики и осуждались похлеще проституции. Уже сам факт такой вот безобидной прогулки в моем обществе ложился пятном, позорным клеймом на ее репутацию. Ей действительно еще нет и семнадцати. Учится в гимназии. Русский язык им вдалбливают ежедневно, но мало что остается в голове, потому что...

Тут она не договорила и выразительно глянула на меня. Она живет с мамой и сестрой. Отца нет. Она сокрушенно при этом вздохнула и снова прищурилась на меня. Вернее всего, в Сибири, решил я.

Мы пересекли рощу и вышли к виллам, совсем недалеко от моего дома. Я спросил, где она живет, и она, замявшись, сказала, что здесь, на этой улице.

— Значит, мы соседи, — воскликнул я. — Может, тебя проводить до дому?

Я незаметно перешел с ней на «ты».

Она без особого энтузиазма согласилась.

— Опасаешься, что мама увидит?

— Нет.

Мы поравнялись с моим домом, и она остановилась.

— Все. Спасибо. Здесь я живу.

— В этом самом доме? — показал я пальцем на мой дом.

— Да, в этом, — даже не сморгнула она.

— Странно, — протянул я. — А я полагал, здесь кто-то другой живет.

— Нет, я. Вот наша фамилия... на воротах.

И только тут я впервые обратил внимание на металлическую пластинку на ограде. На ней действительно была вытиснена фамилия прежнего владельца дома — Бредис.

С пластинки я перевел глаза на Алдону, и сердце мое сжалось от догадки:

— Как твоя фамилия?

— Бредите. В Литве, если отец — Бредис, то дочь — Бредите. А его жена, моя мать, — Бредене. Полезно знать... живя в Литве.

— Ты права, Алдона. Дело в том, что я живу не только в Литве, но еще и в этом самом доме... в котором, как я догадываюсь, прежде жила ты.

— Мне это сердце подсказало, — произнесла она, не отводя от меня пристального взгляда. — Теперь я понимаю, почему меня так потянуло познакомиться с вами.

— Извини, — только и осталось мне сказать. — Меня вселили в пустой дом...

— Он стал пустым, когда выселили нас, — сказала она с грустью и внезапно улыбнулась. — Хотите зайти в гости?

— Если приглашаешь... — совсем смешался я.

— Тогда отоприте. Ключи ведь у вас.

И так получилось, что я вошел к себе в дом гостем, а она — хозяйкой.

Алдона обладала несомненной выдержкой. Или же не хотела мне показать своей слабости. Сняв плащ и повесив его в прихожей, прошла по комнатам, внимательно оглядев каждую, и ее лицо не выразило волнения. Лишь в той, где я спал и постель оставалась неубранной и смятой, она с грустью заметила:

— Когда-то в этой комнате было чисто.

— Почему именно в этой? — удивился я.

— И в других тоже. Но эта была моей. И кровать моя.

Она оглянулась на меня:

— Можно?

Не поняв, о чем она спрашивает, я все же кивнул. И она принялась приводить в порядок постель. Расправила простыни, взбила подушки, аккуратно положила одеяло. Покончив с этим, спросила:

— Как в России принято? Гостям предлагают выпить? Или они сами берут?

— Ох, прости, — спохватился я. — Конечно, конечно. Что ты предпочитаешь?

— А что у вас есть?

Мое настроение сразу же улучшилось. Я понял, что я заполучил то, чего мне так недоставало. Юную, прелестную любовницу. Литовку.

Я забегал, засуетился. К счастью, в доме кроме водки нашлась бутылка хорошего грузинского вина «Хванчкара».

Алдона помогла мне накрыть стол. Безошибочно нашла скатерть, достала бокалы, тарелки, ножи и вилки. Она отлично помнила, где что лежит.

Она не умела пить. Но жадно припала к вину. Ей хотелось опьянеть, напиться, потерять контроль над собой. Чтоб облегчить ее задачу, я, словно по ошибке, плеснул ей водки в бокал с вином, надеясь этой смесью довести ее до нужной кондиции. Но мой неуклюжий маневр не остался незамеченным. Она отставила в сторону бокал и вообще больше к питью не притрагивалась.

Боже, до чего она была хороша! С раскрасневшимися от вина щеками, с сияющими серыми глазами и влажными, сочными губками, в которые так и тянуло впиться и не отпускать, пока мы оба не задохнемся.

Уж так повелось, такова глупая мужская логика. Когда мы добиваемся женщины, то несем черт знает какую околесицу, врем с три короба, обещаем золотые горы. Даже тогда, когда вся ситуация в нашу пользу и мы ясно видим, что желанны и отпора не будет. Но тем не менее продолжаем нести чушь и обещаем, обещаем, обещаем. Я уверен, что умные женщины с трудом сдерживают рвотные судороги в таких случаях.

Я, грешный, ничем не выделяюсь среди других мужчин, средних достоинств кобелей. И я стал пудрить бедной Алдоне мозги на всю катушку. Вспомнив, что получил от начальства разрешение съездить в Москву на праздники, спросил у сильно окосевшей девочки:

— А в Москве ты бывала?

Алдона заплетающимся языком, с трудом припоминая русские слова, объяснила мне, что нигде за пределами маленькой Литвы не бывала. И тогда я спросил:

— Хочешь съездить в Москву?

Она недоверчиво рассмеялась.

— Нечего смеяться, — остановил я ее. — Я беру тебя с собой в Москву. Увидишь Красную площадь, Кремль, военный парад. Седьмого ноября — годовщина Октябрьской революции. А сегодня у нас какое число? Четвертое. Вот завтра, пятого ноября, мы и выедем с тобой в Москву. Московский поезд отправляется из Каунаса в два часа пополудни. Просьба быть на вокзале за полчаса до отхода поезда. Согласна?

Удивительней всего, что она мне поверила. Лишь одно ее немного омрачило. Что сказать матери? Как объяснить свое отсутствие в Каунасе несколько дней? Конечно, она ни в коем случае не проговорится, что едет в Москву. Да еще с незнакомым мужчиной. Да к тому же русским. Оккупантом. Ее запрут на ключ и будут охранять, как в тюрьме, чтоб и носа не высунула наружу. Придется придумать что-нибудь... А врать стыдно!.. грех... На это я, тоже порядком пьяный, ответил, что если цель благородна и прогрессивна, то все средства хороши для ее достижения.

Алдона развеселилась, носилась по квартире, то и дело подбегая ко мне и неуклюже чмокая меня то в щеку, то в лоб. Я решил, что пора действовать. Мы были в моей спальне, которая некогда была ее комнатой, и я, сжав Алдону в объятиях, повалился вместе с ней на кровать, только что приведенную ею в порядок. Она не сопротивлялась моим поцелуям, не отводила моих рук, когда я жадно шарил поверх платья по ее телу. Но стоило ей почувствовать мою горячую ладонь на своем голом бедре, и она рывком, проявив несомненную спортивную ловкость, сбросила меня с себя и села на кровати.

— Не троньте меня, — сказала она. — Я невинная девочка.

Я не усомнился в правдивости ее слов. И сразу же увял. Всякие дальнейшие поползновения были бессмысленны. Мне, при моем официальном положении в этом городе, только недоставало скандала на сексуальной почве. Того и гляди, выложишь на стол партийный билет. И тогда прощай газета, прощай карьера.

Уныние на моем лице вызвало чувство жалости у нее. Она подвинулась ко мне и погладила по голове, как обидевшегося ребенка. Я стряхнул ее руку и встал.

— Ладно, — сказал я тоном, каким подводят итоги. — Повеселились, и хватит. У меня полно дел, надо подготовиться к отъезду.

— Значит, я в Москву не еду? — спросила она, тоже вставая.

Мне не хотелось ее оглушать отказом, и скучным голосом, стараясь не глядеть ей в глаза, я сказал, что своего предложения не отменяю, и если она не раздумала, то почему же, вполне может ехать. При этом я был уверен, что она поняла мои слова правильно — как вежливый отказ.

Я помог ей надеть плащ. На пороге она обняла меня, поцеловала в губы и, не дав мне опомниться, убежала. А я выскочил на тротуар и долго смотрел ей вслед, на мелькавшую среди дубовых стволов красно-черную, в клеточку, накидку на ее плечах, колоколом развевавшуюся у колен.

На вокзал меня отвез Коля Глушенков — фоторепортер, обслуживавший в этом городе несколько корреспондентов центральных газет. Ко мне кроме служебных связей он питал еще личную привязанность. Это был уже немолодой, на два десятка лет старше меня, одинокий человек. Врачи у него удалили половину кишечника, и ему строго-настрого запрещалось пить, предписывалась диета. Но он ел все подряд и пил, когда не работал, как заправский пьяница, напиваясь до чертей, но не теряя разума.

Ко мне он привязался, как старая нянька, и ходил за мной

по пятам, если я его не отсылал, как приблудный пес. Где-то на Севере у него были жена и взрослые дети, но связь между ними давно порвалась. Ни писем, ни телефонных звонков. Это был опустившийся человек. В его большом, губастом рту не хватало половины зубов, а он и не подумывал обратиться к дантисту и, когда смеялся, пугал окружающих черными провалами между одинокими зубами — желтыми и длинными, как у коня.

Я называл его фамильярно Колей, а он меня всегда по имени-отчеству и только на «вы». Со мной он ездил за пределы Каунаса, в литовские хутора, куда ступив без охраны, можно было легко расстаться с жизнью, и лучшего стража, чем он, я не мог себе пожелать.

Если мы оставались ночевать на хуторе и перепившаяся охрана засыпала мертвецким сном на полу возле кровати, где возлежал я, охраняемый ими объект, Коля с пистолетом в руке и гранатой в кармане, трезвый и чуткий, как волк в архангельских лесах, откуда он был родом, ходил всю ночь вокруг дома, независимо от погоды — и в осеннюю слякоть, и в трескучие морозы зимой.

Много позже я понял, что Коля Глушенков питал ко мне не одну лишь личную привязанность. Фоторепортерская работа была только одной и внешней стороной его деятельности. Он был секретным сотрудником органов государственной безопасности, и среди прочих заданий слежка за мной и письменные доносы на меня были не последними. Дружба с ним была равноценна беспечной прогулке по минному полю, и, как должно было случиться, я в конце концов, «подорвался на мине».

Но это было потом.

А пока мы катили, разбрызгивая лужи, к вокзалу на маленьком трофейном «Опель-кадете» — личной собственности Коли Глушенкова. В те годы редко кто имел в СССР свой автомобиль. Старенький, расхлябанный «Опель» был по дешевке куплен Колей у приехавшего из Германии офицера, который позарез нуждался в деньгах, чтоб крепко выпить по случаю свидания с Родиной. Но запасных частей к автомобилю в Каунасе не было, и только Глушенков умудрялся найти слесарей, способных подлатать развалившуюся машину.

Я сидел, скорчившись под низкой крышей, рядом с совсем согбенным над рулем Колей и, чтоб скоротать время, старался позабавить его историей моего не совсем обычного знакомства с литовской девицей в дубовой роще, которая при ближайшем рассмотрении оказалась невинной девочкой и доверчиво пошла ко мне домой, не предполагая, чем такой визит грозит ей.

— Странно, — хмыкнул Коля, который среди журналистов считался старожилом в Каунасе и большим знатоком его нравов. — Если литовка знакомится с русским на улице, то она непременно проститутка и потребует денег вперед. А эта невинная овечка, по-моему, имела другую цель: посмотреть хорошенько, где вы живете, все входы и выходы, и навести, когда понадобится, крепких дяденек из лесу... с ножами и пистолетами.

— Да брось ты, Коля, — отмахнулся я. — Пуганая ворона куста боится. Повсюду тебе мерещатся литовские националисты.

— Если б только мерещились, — вздохнул Коля, напряженно всматриваясь в прочищаемое «дворником» ветровое стекло. — Вчера тут недалеко, в Вилиямполе, двух наших нашли... без голов... Отрубили начисто. А как ее звали-то, девицу? Я их тут многих знаю.

— Как звали? Постой, как же ее звали? Такое простое... распространенное имя... Вертится в голове... а вспомнить не могу. Да ну ее... Я ведь, Коля, наболтал ей, пока домогался, черт знает чего... Даже пообещал взять с собой в Москву! Представляешь?

— Нашли чем порадовать литовку. Москвой, — пожал плечами Коля. — Они нас так тут любят, что, даже приплати им, ни за что не поедут смотреть Москву.

— А эта обрадовалась. Даже стала строить всякие планы. Но когда... у нас ничего не вышло... поняла, что о поездке не может быть и речи.

— Да и не собиралась она с вами ехать. Ей другое нужно. Совсем не разобрались вы в здешней обстановке, — пожурил он меня. — Нарветесь... если я не догляжу. Ну чего проще: нужна баба, обратитесь ко мне. Предоставляю на выбор... проверенную.

— Кем? — рассмеялся я. — Тобою в постели?

— А что? Не подкачаю, — показал он лошадиные зубы. —

Лучше уж после меня. По крайней мере, есть гарантия и от триппера... и от пули.

В вокзал я вошел первым, Коля за мной, с моим чемоданом в руке.

— Наконец-то! — услышал я радостный возглас. — Я испугалась... вы раздумали ехать.

Из толпы ко мне подбежала она. Та самая, с которой вчера познакомился на Зеленой Горе. Она ждала меня на вокзале в коротком теплом жакете с меховым воротничком, суконной юбке, обтянувшей крепкие, спортивные бедра, и замшевых туфлях на каучуковой подошве. Элегантная. Юная. Кровь с молоком. И простодушно улыбается, не скрывая своей радости.

Меня прошиб холодный пот. Во-первых, у меня уже был билет. Один. Достать второй перед отходом поезда накануне праздника — дело абсолютно дохлое. А главное, я и не хочу ехать с ней в Москву. К чему она мне там? Невинная телка. Плохо владеющая русским. Как я объясню своим родителям? Друзьям? Кем ее представлю? Она мне погубит всю поездку. Право, хоть возвращай свой билет в кассу и мотай обратно домой. Благо, Коля Глушенков здесь.

Он-то сразу сообразил, кто такая эта пташка, и вывел меня из столбняка, предложив:

— А вы бы познакомили меня с барышней.

— Алдона, — сказала она и, сняв перчатку, протянула ему руку.

Молодец Коля. Помог снова узнать ее имя, которое я не удержал с того раза в памяти. Он тут же стал донимать ее:

— Знакомое лицо. Где-то я вас видел, — игриво выставил он редкие лошадиные зубы. — Не на «Инкарасе» работаете? Кажется, я вас снимал.

И он хлопнул свободной рукой по фотоаппарату, как обычно, висевшему на плече. Пожалуй, он расставался с ним, лишь когда укладывался спать.

— Нет. Ошибка, — снова широко улыбнулась Алдона, и на ее крепких щеках образовались ямочки. — Я не работаю. Я учусь.

— Где?

— В гимназии. Я еще маленькая.

Она рассмеялась. И я тоже невольно улыбнулся. От нее веяло такой удивительной чистотой и непосредственностью, она прямо так и лучилась обаянием юности и здоровья, и я еще не успел ничего прикинуть в уме, а мой язык уже распорядился:

— Вот тебе, Коля, мой билет. Пойди в кассу. Ты тут всех знаешь. Поменяй на два... в одном купе.

Коля Глушенков не мог скрыть презрения ко мне, которое тут же проступило на его длинном лошадином лице. Но перечить мне не отважился. Взяв мой билет и деньги, скрылся в вокзальной толпе.

Он отсутствовал довольно долго, и меня даже охватил страх, что билета он не достанет. При всей своей пробивной способности. В канун праздника поезда на Москву брались приступом, потому что почти все билеты распродавались заранее, в кассах предварительной продажи, а тут, на вокзале, сохраняли самое ограниченное количество мест. Для начальства. К лику которого я и был причислен. Но к самому невысокому разряду. В списке привилегированных лиц журналисты, наподобие хозяйской прислуги, в самом низу. Вся надежда была лишь на неотразимую хватку Глушенкова, на его лошадиное обаяние и умение взмахом красной книжки журналистского удостоверения открыть любую дверь.

Нас с Алдоной немилосердно толкала бурлящая, взвинченная толпа вокзальной публики. А мы стояли, зажав ногами чемоданы, я — большой, а она — маленький, и, чтоб нас не оторвали друг от друга, крепко держались за руки. И, как дети, улыбались глупыми, до ушей улыбками. Ее серые глаза лучились смехом и неудержимой радостью, а ямочки на тугих щеках возникали, все углубляясь, и затем растекались, почти исчезая.

Я уже не мыслил ехать без нее и с по-мальчишечьи прыгающим сердцем предвкушал всю таинственную прелесть этой поездки, не утруждая себя заботой, чем завершится такая авантюра и удастся ли мне выйти сухим из воды.

Над толпой я различил лошадиную рожу Глушенкова, потную, со сбитой набок шапкой. Он улыбался мне полупустым ртом и тряс чем-то в высоко задранной руке.

— Вот, — пробившись через толпу, протянул он мне два билета. — Поедете как боги. Вдвоем в купе. Чудом вырвал. В международном вагоне. Я свои доложил. Рассчитаемся, когда вернетесь.

Он подхватил мой и ее чемоданы и, по-бычьи нагнув голову, рванулся в толпу, пробивая нам дорогу. У подножки вагона, глядя на крепкие икры поднимавшейся по ступенькам Алдоны, с одышкой шепнул мне в ухо:

— Партийный билет небось с собой? Спрячьте подальше.

Последнее, что я от него услышал после прощальных объятий, был сокрушенный отеческий вздох:

— Наши беды на кончике хера.

Мы покатили в Москву действительно как боги. Во всех вагонах, даже купейных, было не протолкаться — столько народу рвалось на праздники в Москву. Проводники неплохо заработали, забив свои служебные купе и вагонные коридоры «зайцами»-безбилетниками и поделив с контролерами барыш.

Только у нас в международном вагоне было тихо, просторно и уютно. В коридоре, застланном мягкой ковровой дорожкой, ни души. В купе, отделанном дорогим деревом и красным плюшем, с начищенной медью дверных и оконных ручек, с матовым усыпляющим светом плафонов только два дивана и только мы вдвоем с Алдоной.

Алдона не скрывала восторга — она впервые ехала в таком роскошном вагоне и впервые в такой дальний и загадочный путь. С детской непосредственностью то и дело прихорашивалась она перед зеркальной дверью, гладила пушистый ворс диванов, покачивалась на их упругих пружинах. Особенное восхищение вызвал у нее отдельный, только для нашего купе, туалет за узкой боковой дверцей.

— Я только в романах читала про такой вагон, — просияла она широко расставленными серыми глазами. — Это для свадебных путешествий.

— А мы разве не в таком путешествии? — спросил я, без особой надежды зондируя почву.

— Мы? — ткнула она себя пальцем в грудь. — Ты на мне женишься?

Я парировал вопросом, с подчеркнуто наигранной иронией:

— А ты бы пошла за меня?

— Я? — Она снова показала пальцем на себя.

— Ты. А кто же?

Улыбка испарилась с ее губ. Лицо сделалось печальным.

— Нет.

Такая обезоруживающая откровенность даже обидела меня.

— Не нравлюсь?

— Не-ет, — в раздумье покачала она головой. — Нравишься.

— Так почему же? — пристал я, все еще играя в затеянную игру, но уже с задетым мужским самолюбием.

— Не могу, — вздохнула Алдона, и вздохнула так глубоко и сердечно, что я не выдержал и рассмеялся.

— Что тебе мешает? То, что я — русский, а ты — литовка?

— И даже не это.

— Что же? — не отставал я.

— Я... Я... У меня жених.

— Вот это новость, — искренне расстроился я. — Вы что, помолвлены, обручены?

Она кивнула с виноватым видом.

— Он подарил мне кольцо. И наши родители... Моя мама.... и его...

— Значит, все обговорено и решено? Когда же свадьба?

— Отложили.

— Почему? .. Если не секрет?

— До времени... Когда будет лучшее время...

— Когда же, вы предполагаете, такое время настанет?

Она умолкла, опустив глаза. Потом тихо произнесла:

— Ты сам знаешь.

— Ах, вот как? Когда мы уйдем из Литвы?

Она подняла на меня глаза.. В них я прочел отчаяние и страх.

— Ну, ну, не надо, — тронул я ее за плечо, пытаясь грубоватой лаской приободрить ее. — Ты его любишь?

Она кивнула, затем еле слышно произнесла:

— Любила.

— А теперь? — ухватился я за ниточку.

— Не знаю.

— Почему?

— Потому что с тобой поехала...

— Действительно, как ты решилась поехать со мной? .. Если любишь его?

— Не знаю... Это нехорошо? Да?

— Выглядит, по крайней мере, легкомысленно.

Она замотала головой.

— Я не легкомысленная. Я ни с кем... Даже с Витасом...

— Кто это — Витас?

— Он.

— Да, верно, — протянул я. — Какая-то смесь... пуританской нравственности и... необдуманных, импульсивных поступков. Ты ведь уже не дитя.

— Знаю, — вздохнула она с обезоруживающей искренностью. — Мужские взгляды говорят мне об этом.

Наш разговор прервал стук в дверь. Вошла проводница, круглолицая русская баба в черной шинели и сером пуховом платке, неся на вытянутых руках поднос. На подносе рубином отсвечивал горячий чай в тонких стаканах и в мельхиоровых фигурных подстаканниках. Она поставила на откидной столик чай, положила кубики сахара в бумажных обертках, пачку печенья и, пожелав приятного аппетита, вышколенно улыбаясь, ушла, чуть не застряв широким задом в дверях.

Мы приступили к чаю. Я — в красном плюшевом кресле, Алдона — на диване, по другую сторону столика.

Поезд шел быстро, и в слезившееся нудным дождем окно, в треугольнике, образованном красными портьерами, мы видели убегавшие назад неуютные мокрые поля, темные хутора за щетиной голых деревьев, стреноженную мокрую лошадь. И этот зябкий, холодный пейзаж лишь подчеркивал, оттенял комфорт, в каком мы ехали. Из-за калориферных решеток под столом легким дуновением растекался сухой горячий воздух, и мы оба разулись, чтоб дать понежиться ногам. В невидимом радио тихо напевал женский голосок.

Я не строил никаких иллюзий насчет моих дальнейших отношений с Алдоной и не намеревался посягать на нее. Пусть прокатится в Москву, развлечется и меня позабавит. А вернемся и, как говорит Коля Глушенков, большой знаток блатных афоризмов, стукнемся задом об зад, кто дальше прыгнет.

Но при этом я ловил себя на мысли, что мне на удивление легко и приятно вот так вот ехать с ней в одном купе, в красноплюшевой интимной обстановке, мои губы сами расползаются в улыбке, когда я смотрю в ее серые глаза, в которых так и светит бесхитростность и ничем не затуманенная доброта. Мне с ней так уютно и приятно, как, возможно, бывает с сестрой, любимой и единственной, безоговорочно преданной и всегда готовой пожалеть и простить, когда никто иной на такое душевное движение не окажется способным. У меня не было сестры, я вырос один, но в своих фантазиях часто представлял такой свою сестру.

— Ты не жалеешь? — спросила она.

— О чем?

— Что взял меня... с собой.

— Нет. Нисколько. Я даже рад доставить тебе такое удовольствие.

— Ты — хороший, — просияла она. — Очень, очень хороший человек.

— Немного... преждевременно судишь.

— Нет. Я не ошибаюсь. Твои глаза... не обманывают.

— Тебе виднее. Но не рекомендую делать поспешных выводов. Я такой же скот, как и другие мужчины. И если ты еще не забыла, то ведь привел я тебя к себе с далеко не целомудренным порывом.

— Но ты мне... ничего не сделал. И отпустил.

— Проявив слабохарактерность, — рассмеялся я.

— А я чуть-чуть не проявила... крепкий характер, — выпалила она и в волнении прижала руки к груди.

— Когда?

— Тогда.

— Что же ты хотела сделать?

— Сказать правду?

— Твоя воля. Чего уж нам теперь кривить душой? Нам предстоит быть вместе несколько дней. Лучше все начистоту.

— Хорошо, — сдерживая волнение, произнесла она. — Я скажу правду... А ты... поступай как хочешь. Хорошо?.. Вот когда я была у тебя... в нашем бывшем доме... который ты захватил и... на моей бывшей кровати... хотел меня... ты сам знаешь что... был момент... когда я решила, если ты сделаешь еще один шаг, убить тебя. Да, да. Убить. Отрезать голову... завязать в платок... и привезти Витасу.

— Как свадебный подарок? — усмехнулся я.

— Не смейся, — прошептала она. — Это был бы подарок Литве... Голова оккупанта. Твоя голова. И за это Витас простил бы меня, что я пошла в дом к незнакомому мужчине.

Она умолкла. И я молчал. Потом спросил:

— Куда бы ты понесла Витасу мою голову?

— В лес, — прошептала она.

— Значит, он?..

— Да. — И, помедлив, спросила: — Теперь ты меня ненавидишь?

— Не-ет, — неуверенно протянул я. — По крайней мере, кое-что прояснилось. Хороший подарок везу я в Москву.

— Ты меня выдашь властям?

— За что? Ты не осуществила своего намерения. Моя голова, как видишь, на плечах. И, я полагаю, второй раз у тебя такое желание не возникнет.

— Не возникнет, — тряхнула она головой, и пепельные волосы взлетели над плечами. — Могу поклясться.

Она вскочила с дивана, шагнула ко мне, внезапно опустилась на пол и зарылась лицом в мои колени. Когда я склонился к ней, чтоб помочь подняться, она обхватила руками мою шею, притянула голову к себе и прильнула губами к моим губам.

Я поднял ее, усадил на диван и сел рядом. По щекам ее ползли, растекаясь у губ, слезы. Потом она несколько раз подряд глубоко вздохнула.

— Все! Извини. Ты где ляжешь? Внизу?

— Нет, тебе удобней будет внизу. Я полезу наверх.

— Но я хочу, чтоб ты лег внизу!

— Почему?

— Не скажу.

Она достала из чемоданчика халат и исчезла за узкой дверцей туалета, щелкнув изнутри замком.

Поезд замедлял ход. Я хорошо знал линию между Каунасом и Вильнюсом. Единственная остановка поездов дальнего следования — как раз на полпути, на станции Кайшядорис. Мы подходили к этой станции, рельсы стали разветвляться, и мимо нас поплыли товарные вагоны стоящего на путях длинного состава.

Сначала я даже не понял, почему у каждого товарного вагона с наглухо закрытыми дверями стоит солдат с автоматом, в овчинном полушубке и зимней меховой шапке. Сторожевые собаки — немецкие овчарки — присели у их ног на задние лапы, натянув поводки и вывалив длинные языки. Потом мой взгляд скользнул по узким оконцам у самой крыши вагона. В них чернели железными прутьями тюремные решетки, и за решетками мелькали лица и руки поглядывавших на наш поезд людей. Сомнений не оставалось: это был эшелон с вывозимыми в Сибирь литовцами, и первое, о чем я подумал с досадой, — зачем эшелон стоит открыто, на виду у всех. Меня охватило не чувство стыда за мою страну, не сострадание к несчастным, запертым, как сельди в бочках, в этих вагонах и угоняемым под конвоем далеко от родных мест, в холодную и чужую Сибирь, вернуться откуда почти нет никакой надежды. Меня обеспокоило то, что все это делается неприкрыто, слишком обнаженно и может нанести ущерб нашей пропаганде, на службе у которой я состою.

Затем я испытал неловкость за эти свои мысли. Жалость к людям за решетками шевельнулась в моей душе. И вслед за тем меня охватил панический страх, что Алдона вернется в купе и все это увидит.

Наш поезд уже стоял. На соседних путях темнел подконвойный тюремный эшелон. Наше окно упиралось в зарешеченное оконце напротив, и оттуда из темноты на меня смотрели детские глаза и детская ручонка махала мне. А губы шевелились, что-то говорили, и вернее всего — мне, но мое окно было закрыто, и ни звука снаружи не проникало в купе. Только недоставало, чтоб Алдона увидела эти решетки, эти глаза и ручонку. Я не стал рисковать, выжидая, когда наш поезд снова тронется, поспешно отвязал красные портьеры и, расправив их, плотно, без щели закрыл окно.

Вошла проводница со стопкой постельного белья и, заняв почти все купе своим обширным телом в черной шинели, стала надевать наволочки на подушки, приговаривая со вздохами:

— Видали, сколько их везут? Вот бандиты! Вот народ! Не сидится им спокойно, как всем нам. Шило им в заднице мешает. Вот и в Сибирь загремели. Сибирь-матушка... самую горячую голову остудит, до ума доведет. А как живут? Разве сравнишь с нашей жизнью? Чего им еще надо? Какого рожна захотели?

Я сказал, что мы сами приготовим постели, и, отказавшись от ее услуг, постарался выпроводить ее из купе, пока не вернулась Алдона.

Вместе с толчком тронувшегося поезда она появилась из узкой дверцы в домашних тапочках на босу ногу, в сиреневом коротком халатике, почти не запахнутом на груди, с влажными прядями волос, прилипшими к щекам.

— О, ты уже постелил? Спасибо, — улыбнулась она мне. — Я сплю наверху.

Я тоже разделся в туалете, облачился в пижаму и, вернувшись, обнаружил в купе мягкий полумрак, смутно подсвечен-

ный сверху синей ночной лампой. Когда глаза мои пообвык-
ли, я различил на моем нижнем диване Алдону, укрытую простыней до подбородка. С подушки лукаво светились ее глаза, а
улыбка открыла белые зубы.

Каким-то неуловимым движением она сдвинула простыню на пол и осталась лежать совершенно голая, с треугольником тени внизу живота и двумя небольшими круглыми
грудками.

— Я пришла к тебе.

И протянула ко мне обе руки.

— Я люблю тебя.

Мы провели ночь на тесном, не рассчитанном на двоих
нижнем диване, не расплетая объятий и лишь изредка вздрем-
нув миг-другой.

Поезд уже несся по снежной равнине восточнее Смолен-
ска, с каждым часом приближаясь к Москве. За сдвинутыми
портьерами становилось все светлее.

Алдона скрылась за узкой дверцей замывать простыню.

Потом мы снова пили чай из стаканов в мельхиоровых
подстаканниках. В зеркале отражалось мое помятое, усталое
лицо, а она вся лучилась свежестью и здоровьем.

— Кем ты меня представишь своим родителям? — блесну-
ла она глазами.

— Задача, — задумался я. — Скажем, что ты мой секретарь.
Ладно? И переводчица. Ведь я литовским еще не владею.

— А разве я знаю русский?

— Достаточно, чтоб очаровать любого. И надеюсь, что мои
родители тоже не избегнут этой участи.

— А теперь я тебе кое-что покажу, — потянулась она за
чемоданчиком.

Я насторожился, готовый к очередному сюрпризу.

Она положила на стол фотокарточку. Совсем юное мужское лицо. Длинные волнистые светлые волосы. Серые глаза.
Нос короткий и прямой. И широкий волевой подбородок.

— Догадался? — Алдона коснулась волосами моей щеки.

Я обернулся к ней.

— Зачем ты мне показала?

Ее глаза перестали улыбаться, посуровели.

— Больше не увидишь. Ни ты, ни я.

Она взяла фотографию обеими руками, разорвала пополам, сложила куски и еще раз порвала. Обрывки бросила в пепельницу.

Глаза ее снова блеснули улыбкой, когда она повернула лицо ко мне.

— Все понял? Теперь на всей земле ты один... мой любимый.

Больше всего меня поразило поведение мамы. Она поддалась чарам Алдоны с первого взгляда. Возможно, тут сыграло немаловажную роль то обстоятельство, что Алдона была нерусской, почти иностранкой и еле-еле, с жуткими потугами как-то умудрялась составить из нескольких слов немудреную фразу по-русски. Мама старалась изо всех сил понять, что она говорит, сама отчаянно жестикулировала и нажимала на мимику, подсказывала ей нужное слово и радовалась каждому успеху. И конечно же, Алдона покорила ее своей трогательной, без претензии прелестью. А когда она простодушно сказала, что все, что на ней, она сама сшила, своими руками скроила и сшила, маминым восторгам не было предела. Алдона, душечка, тут же предложила маме в подарок любое платье из своего гардероба, благо, они обе носят один размер, и мама, конечно же, замахала руками, отказываясь и благодаря и прося меня объяснить, что она ее не так поняла, маме, мол, ничего не нужно, она лишь выразила свой восторг, и это, мол, очень мило с ее стороны с готовностью раздаривать все, что другим понравилось на ней, но уж лучше ей быть посдержанней в своей щедрости, а не то ее в Москве разденут догола. И при этом от избытка чувств потрепала Алдону по щеке. У мамы было такое выражение на лице, что я догадался, как ей недоставало в жизни дочери, девочки, которая бы стала ее подругой, и ей бы она уж не поскупилась на душевное тепло и ласку, чего в ней накопилось в избытке и чем в детстве она обделила меня.

С места в карьер мама предложила прокатить Алдону по Москве и, пока еще не перекрыто по случаю праздника движение в центре, показать ей столицу. Отец, кидавший на Алдону украдкой несмелые взгляды, чем с головой выдавал, что его, старого кобеля, не на шутку волнует, как мужчину, стройная спортивная фигурка гостьи, тут же согласился, даже куда-то позвонил и отказался от участия в каком-то совещании из-за якобы недомогания, и мы веселой гурьбой

вывалились во двор, вызывая у соседей недоуменные взгляды и обостренное любопытство, и расселись в старой от-
цовской «Победе».

— Ваша машина? — искренне ахнула Алдона.

— Наша, — не без гордости кивнул отец.

Он сидел с Алдоной на переднем сиденье, а мы с мамой
расположились сзади.

— Вы — большой начальник! — воскликнула Алдона.

— Большой начальник, — согласился отец.

От него несло одеколоном, которым он надушился сверх
меры по причине прогулки с очаровательной подругой сына.
Мне даже показалось, что он на меня косится с плохо скрываемой мужской завистью.

— А ваш сын самый большой начальник, — восторженно
выпалила Алдона. И мы все: и отец, и мать, и я — покатились
со смеху от ее неуклюжей и трогательной попытки поддержать
мой престиж в нашей семье.

— Разве я не права? — удивилась Алдона.

— Конечно, права. Большой начальник, — уступил отец,
не преминув добавить: — В масштабах Литвы.

— А думаете, Литва совсем маленькая? Нас три миллиона, —
не сдавалась Алдона и после паузы завершила упавшим голосом:
— Было... А сколько осталось?.. Один Бог знает.

Я заерзал на сиденье, предвкушая конфликт.

— Ты веришь в Бога? — наклонилась к ней мама.

— А что? Совсем нельзя? — спросила она с детской непосредственностью. — Я чуть-чуть...

И возникшую неловкость как рукой сняло. Мы все от души хохотали. И Алдона с нами.

После Каунаса, после Литвы Москва выглядела бедно и
серо, хоть в канун праздника старалась вырядиться поярче.
Облупленные, запущенные за войну здания прикрывали свои
фасады неисчислимым количеством красной ткани с белыми
буквами бодрых оптимистических лозунгов. Лозунги и транс-
паранты чередовались с портретами, большими и малыми, одного и того же человека, с трубкой под усами и без трубки, в
золотопарчовом мундире, с иконостасом орденов и медалей,
опускавшимся даже ниже шитого золотом пояса. Огромная
Москва выставила в основном портреты Сталина и лозунги,
восхвалявшие его, подсветила их гирляндами разноцветных

электрических ламп и сочла, что этого достаточно для праздничного вида.

А на улицах под огромными портретами и назойливыми лозунгами, озаренные в ранних сумерках мигающими разноцветными вспышками ламп, текли серые, мутные потоки людей с усталыми, озабоченными лицами. Они выстраивались в длинные, бесконечные очереди у дверей продуктовых магазинов, где из-за праздника появилось на прилавках съестное, недоступное в будние дни, и, набрав полные авоськи бутылок и пакетов, волокли их, отирая пот и блаженно отдуваясь, к станциям метро.

Алдона вертела головой, спеша охватить взглядом обе стороны улиц, по которым, разбрызгивая подтаявший снег, двигалась наша машина.

Мама называла ей улицы и площади и, когда проезжали мимо памятника, объясняла, медленно и внятно выговаривая слова, кому этот памятник и за какие заслуги поставлен.

Порядком устав и проголодавшись, мы уже в темноте добрались до нашего переулка.

Когда въехали во двор, мой отец проявил неожиданную прыть, молодо выскочив из машины, и, обежав ее, галантно распахнул дверцу и помог Алдоне выйти. Мама, состроив комическую гримасу, только покачала головой.

Ужин затянулся. Мы ели много и выпили немало, и поэтому было шумно и весело за столом. И так получилось, что в центре внимания был не я, по которому соскучились мои предки, а странная, забавная гостья, еле говорившая по-русски и никак этим не утомлявшая, а, наоборот, смешившая и радовавшая нас. Алдона заупрямилась и не позволила матери подавать к столу и убирать, и все это проделала сама, легко, без напряжения, надев поверх платья мамин клеенчатый передник, и двигалась с посудой на подносе, грациозно пританцовывая. Отец и мать, оба не сводили с нее восхищенных глаз. У меня на душе становилось все покойней и радостней, и я подсознательно, еще не отдавая себе отчета, понимал, что в мою жизнь входит что-то светлое и яркое, и любовался Алдоной и разговаривал только с ней, несправедливо обделяя стариков вниманием.

Некоторая неловкость возникла, когда настало время укладываться спать. В нашей квартире, довольно просторной по тогдашним московским условиям, были две комнаты. В одной стояла двуспальная родительская кровать, в столовой — черный диван, разложив который, можно было разместить еще одну пару. Где уложить Алдону? Где меня?

Моя мать, всегда командовавшая в доме, нашла мудрый выход из положения. Алдона ляжет с ней в спальне, а мы уж с отцом, она надеется, не подеремся вдвоем на диване. Алдона насмешливо переглянулась со мной, и наш заговорщический обмен взглядами не остался незамеченным, но это никак не повлияло на мамино решение разъединить нас на ночь.

— А знаешь, сынок, — сказал мне отец, когда мы улеглись, — кого мне напоминает Алдона?

— Знаю.

— Что с ней, с Верой? Никаких сведений?

— Никаких.

— Прекрасная была девушка. У тебя не осталось чувства вины перед ней?

— А у тебя?

Он не ответил, глубоко затянулся папиросой, последней на ночь, и, без видимой, казалось бы, связи, спросил:

— У этой... все чисто?

— Имеешь в виду анкету?

— Хотя бы... В Литве, я слышал, шумно? Не очень нас там привечают?

Я поднялся на локте и заглянул ему в глаза. Мой мозг был возбужден алкоголем, и меня так и подмывало надерзить.

— А за что нас любить?

— Ну-ну-у, — протянул он задумчиво, не отводя взгляда, — мы их освободили от фашистов и заплатили за это дорогой ценой... своей кровью.

Тут уж я сорвался с тормозов.

— Освободили без приглашения с их стороны. Насколько я понял, находясь там, они предпочли бы скорее немецкую оккупацию, нежели нашу. А лучше всего никакой. Нас там считают оккупантами. С заборов не успевают стирать надписи: «Долой русских оккупантов!»

— Хулиганские выходки.

— Тогда считай, что вся Литва — сплошные хулиганы. Отец, ты себе не представляешь, как они нас ненавидят.

— Ничего, и не с такими справлялись. Врагами нас судьба никогда не обделяла.

— Но ведь они правы.

Отец застыл с окурком папиросы на губе. Лишь глаза его тревожно метнулись с моего лица к двери в спальне, и я не сдержался и съязвил:

— Что, и в своем доме разговаривать боишься?

— Нет, не боюсь. Я всегда отдаю себе отчет в том, что говорю. А вот твои речи мне не нравятся. Если правда, что стены имеют уши, то тебе лучше прикусить язык даже в нашем доме. Я уж не говорю о других местах. Ты не маленький. За такие речи по головке не погладят. И даже я, при всех своих связях, не смогу тебя защитить. Если ты дорожишь моим здоровьем, то дашь мне слово, что больше никогда и ни при каких обстоятельствах подобное не сорвется с твоих уст.

Но меня уже нельзя было остановить. Горячим, свистящим шепотом я бросал ему в лицо:

— Там идет война. Самая настоящая. Через столько лет после конца мировой войны. Маленький народ не хочет нам покориться. Дерется до последней капли крови. Ты себе не представляешь, отец, сколько там сейчас, в мирное время, проливается крови. Мы там ходим по колено в крови! От этого можно сойти с ума! А сколько народу угнали в Сибирь? Целыми деревнями. Да куда там деревни! Есть уезды, где все дома стоят пустыми. Как после чумы. Ты это себе можешь представить?

— Нет. Не могу. И не желаю. Я тебе не верю. Ты преувеличиваешь. Ты всегда был слишком нервным и впечатлительным. Поверь мне, я бы знал, если б это было правдой.

— Как бы ты узнал? Разве я, журналист, об этом пишу в газете? Я на все лады расписываю, как славно и счастливо живется литовскому народу под солнцем сталинской конституции. В моей газете даже намека нет, что в Литве хлещет кровь, что мы огнем и мечом уже какой год никак не можем поставить на колени этот упрямый народ. Ни намека, ни звука. Тишь да благодать. И счастливые улыбки с портретов, которые умудряется выжать мой фоторепортер Коля Глушенков.

Зато про Алжир целые страницы. Какие, мол, ужасные изверги французские колонизаторы! Убили несчастного араба. Там убьют одного, и по нашей команде весь мир начинает содрогаться от негодования и протеста. Бедные французы не знают, куда глаза девать от стыда и позора.

И никто в мире звука не издает в защиту тысяч и тысяч истязаемых и убиваемых нами литовцев, которых мы оккупировали по сговору с Гитлером, и забыли уйти, когда Гитлера не стало. Мир молчит. Потому что мир ничего не знает. Так ловко мы обделываем свои делишки. Так наглухо забили кляпами все рты.

— И тебе забьют. Допрыгаешься, — перебил меня побледневший отец. — Дать тебе валериановых капель?

— Да поди ты... знаешь куда... со своими каплями! — не сдержался я. — Я же с тобой, как с отцом... Хоть со мной наедине не криви душой!

У него задрожала нижняя губа вместе с приклеившимся окурком. Он сорвал окурок и, перегнувшись через меня, раздавил его в пепельнице и заодно выключил свет. Укладываясь в темноте на свое место, он скользнул ладонью по моему лицу, обнял меня за шею и припал головой ко мне. Это было примирение. Мы горячо дышали друг другу в лицо и молчали. Да и о чем было говорить? Нам обоим все было понятно без слов.

Подождав, пока я совсем успокоился, отец поцеловал меня в щеку, заботливо подоткнул под мой бок простыню и, поворачиваясь ко мне спиной, заключил:

— А девицу ты привез... первый сорт. Одобряю.

Три дня в Москве пролетели в безпаузном пьяном тумане, из одних гостей в другие. Школьные друзья, университетские приятели, семейные знакомые, родственники. И наш газетный аппарат. Редактор устроил по случаю праздника нечто вроде приема в своей просторной, не чета нашей, квартире, и я, махнув рукой на предосторожность, прихватил с собой Алдону. Ее появление среди наших чопорных казенных дам и с трудом сдерживающих жеребячьи инстинкты мужчин-газетчиков произвело форменный фурор. Она выделялась в серой и безвкусно одетой толпе, теснившейся в редакторской квартире, как представитель совсем иного вида, иной породы млекопитающих. Спортивная стройность ее фигуры, отличный рост, гордая посадка головы, покрой платья. И, конечно, улыбка, постоянная и неподдельная улыбка на пухлых губах, доброжелательно устремленная к каждому и мгновенно стиравшая печать скуки и желчной замкнутости с окружающих ее лиц.

Все мужчины, побросав своих дам, протанцевали хоть по одному разу с Алдоной. Она кружилась, легкая и неутомимая, юбка колоколом взлетала, обнажая длинные стройные ноги. Партнеры, вспотев и задохнувшись, сменялись один за другим. Ее голос, ее литовский акцент, ее смех были слышны повсюду. Каждый лез с ней чокнуться и выпить, а мужчины постарше, сдерживая одышку, норовили потрепать ее по щечке. Женщины чуть не шипели от ревности, но и они не могли скрыть восхищения, когда разглядывали ее.

Сам хозяин, редактор нашей газеты, сухой и недалекий человек, остановился перед Алдоной в изумлении и, нервно поправив на переносице очки, произнес, как цитату из приветственной речи:

— Так вот она какая, Литва! Добро пожаловать, наша младшая сестра в дружную семью советских народов.

Назвав Литву младшей сестрой, мой редактор пользовался официальной фразеологией, согласно которой СССР состоял из шестнадцати республик-сестер, а русский народ, с непременным добавлением эпитета «великий», почитался старшим братом.

Алдона, мне показалось, растерялась от этого приветствия, оглянулась на меня, словно испрашивая совета, как реагировать, но тут же снова просияла улыбкой и, протянув редактору руку, пригласила его танцевать.

Так получилось, что я, совсем зеленый новичок в этой солидной редакции, еще вчера мало кому известный, попал благодаря Алдоне в центр внимания и был принят в редакционный круг, как свой человек и славный малый. Это случилось безо всякого умысла с моей стороны. Алдона легко располагала людей, и доброе отношение, какое она вызывала, автоматически распространялось и на меня, ее партнера.

На вокзал нас провожали толпой, и было много людей, которых я видел второй раз в жизни: они пришли проститься с очаровавшей их литовкой. Отец не отставал от нее ни на шаг и, словно ревнуя к остальным, крепко держал под руку. В этом галдеже и бессмысленной толкотне на заснеженном перроне мать, улучив момент, отозвала меня в сторону и, испытующе заглядывая мне в глаза, спросила:

— Как ты намерен поступить?

— Что ты имеешь в виду? — не понял я, весьма непрочно стоя на ногах от выпитой на дорогу водки.

— Я имею в виду Алдону.

10* — А никак.

— То есть?

— Чего загадывать? Жизнь покажет.

— Жизнь тебе покажет кукиш с маслом. Дурачок. У тебя в руках сокровище. Которого ты не заслужил. Тебя никто так не полюбит, как она. Поверь мне. Я это чую.

— Ты все сказала?

— А что, тебя утомил разговор со мной?

— Мама, послушай. Я считаюсь с твоим мнением. Твой совет мне дорог. Но как я могу заглядывать вперед, строить какие-то планы, если не завтра, так послезавтра меня найдут с продырявленной башкой, и сделают это ее соплеменники, у которых такой же, как у Алдоны, смешной, трогательный до слез литовский акцент. Ты все поняла? Дай я тебя поцелую. И не плачь.

После триумфа Алдоны в Москве Каунас сразу остудил мою вскружившуюся было голову. И сделал это Коля Глушенков. Несомненно, по указанию свыше.

Он не стал со мной говорить об Алдоне в моем номере в гостинице «Метрополис» по понятной причине — все разговоры здесь прослушивались. Мы вышли на проспект и двинулись по аллее мимо голых, облетевших деревьев и пустынных в это время года скамей. Глушенков с присвистом сосал погасшую трубку.

— Я навел справки... о вашей пассии... пока вы с ней рекламировались в Москве.

— Мне все о ней известно, — нетерпеливо сказал я. — Она мне обо всем рассказала.

— Не уверен, что обо всем.

— Компрометирующий материал?

— Еще бы! Добро бы только ее компрометировал... но, к сожалению, и вас... за компанию. Ее отец расстрелян... по приговору военного трибунала... Она вам об этом сказала?

— Нет. Я не спросил ее.

— Так. А насчет жениха?

— Знаю. Он с «зелеными братьями».

— И все? А чем он отметил свой уход в лес? Так вот. Этот самый женишок, он учился в консерватории... собственноручно зарезал секретаря комсомольской организации... и тяжело ранил еще одного активиста. Это — осиное гнездо, дорогой мой, в которое вы по неосторожности и неопытности ступили.

— Откуда у тебя эти сведения?

— Вызывали в соответствующее место... в ваше отсутствие... и поговорили по душам. И с вами побеседуют. Я ведь рассказал вам к тому, чтоб вы были готовы и приняли предупредительные меры.

— Какие?

— Так сказать, почистить мундир. Пошалили — довольно. Чтоб ее духу подле вас больше не было.

Я остановился в раздумье.

— Вот что, Коля, спасибо за предупреждение. Но советов, пожалуйста, мне не давай. Сам решу.

— Это уж, конечно, вам решать. Да, пожалуй, не успеете. За вас уже решили.

Я встревоженно уставился на него.

— Не сегодня-завтра вся ее семейка, и она в том числе, загремит прямым сообщением в Сибирь. Они внесены в списки на выселение. Своими глазами видел.

У меня буквально потемнело в глазах. Весь этот проспект, скучный и мрачный, с голыми деревьями и пустыми скамьями, называвшийся раньше аллеей Свободы, а теперь, как в насмешку, носивший имя Сталина, показался мне кладбищенской аллеей. В моей памяти сразу же возник товарный состав с вывозимыми в Сибирь литовцами, который я видел в окно вагона на станции Кайшядорис, когда ехал с Алдоной в Москву. И вместо детского лица за решетками вагона-тюрьмы я отчетливо представил лицо Алдоны, ее серые удивленные глаза, в которых вытравился добрый, открытый взгляд на мир и навсегда поселилась ненависть.

Алдону надо было спасти во что бы то ни стало.

Это уже было для меня не только делом чести. Я не представлял, как стану жить, как буду смотреть людям в глаза, если не отстою ее.

Не счесть кабинетов, в которых мы с Глушенковым побывали в этот день. Надо воздать ему должное. Он не оставил меня одного и сопровождал во всех моих хождениях и даже использовал свои личные связи, чтоб помочь мне, хотя и не был согласен со мной и моего поступка не одобрял.

Нигде я не получил удовлетворительного ответа. Моя просьба вызывала нездоровое любопытство и кривые ухмылки. Единственное обещание, которое мне удалось вырвать, это не трогать Алдону и ее семью до моего возвращения из командировки, вычеркнуть их из ближайшего списка семей, подлежащих депортации. При этом я был строжайше предупрежден: ни словом не обмолвиться Алдоне о нависшей над ее головой угрозе.

И Алдона, не чуя беды, по-прежнему пребывала в том восторженном состоянии, в каком вернулась из Москвы. Ее пыл не смог остудить и прием, оказанный ей дома. Мать и сестра все знали. Каунас — небольшой город, и здесь трудно что-нибудь утаить. Алдону видели на вокзале и проследили, как она села в московский поезд. Со мной. И трое суток где-то пропадала. Ее били вдвоем: мать и сестра. С исцарапанным лицом и распухшей губой она пришла ко мне ночью на Зеленую Гору, волоча чемодан с кое-какими вещами, которые второпях сгребла, убегая из дому.

Увидев ее в таком плачевном состоянии и выслушав ее сбивчивый рассказ, я пришел в такое негодование, что не сдержался и возопил:

— Да как они смели! Да я их... в Сибирь отправлю!

И тут же осекся, увидев, как гневно сузились ее глаза. Я привлек ее к себе и осыпал поцелуями.

Таким образом, она поселилась у меня. В школу перестала ходить. Отсиживалась дома, дожидаясь, пока не заживут царапины и ссадины на лице. И ни минуты не грустила. Была весела и счастлива, и, если не знать ее, можно было приписать это легкомыслию. Я-то знал, что это не так. Она умела переступить через горе, подавить страдание, даже в беде не опускать головы. В ней бурлила неиссякаемая жизненная энергия, какой я мог только завидовать.

Теперь весь этот фонтан чувств хлынул на меня. Она вся светилась любовью. И трогательно и нежно заботилась обо мне. Стирала, готовила, убирала квартиру. Даже причесывала меня. Ухаживала за мной, как за маленьким ребенком. Хоть и была моложе меня лет на восемь. Я очень скоро с удивлением обнаружил, что в ее отношении ко мне переплелись чувственная страсть с самоотверженной материнской любовью. Именно материнской. Не хищной. Не эгоистичной.

Когда я, обессилев от любви, засыпал в ее объятиях, она, сидя в подушках, покачивала меня, как младенца в колыбели, и, склонившись над моим лицом, тихо напевала литовскую колыбельную песенку — «Лопшине».

Ее до слез трогали рубцы на моей искалеченной лопатке.

Она могла без конца нежно водить по ним кончиками пальцев, касаться губами и что-то ласково нашёптывать, словно заговаривая боль. А когда я ей сказал, что один осколок хирургам не удалось извлечь из моего тела и он торчит в сердечной мышце, изредка напоминая о себе острым покалыванием, она разрыдалась, и мне стоило немалого труда ее успокоить, заверив, что опасности для моей жизни нет никакой.

Ее забота обо мне возросла до смешного. Она не давала мне делать резких движений, наклоняться, чтоб что-нибудь поднять с полу.

— Тебе нельзя! — становились испуганными ее глаза. — У тебя железо в сердце!

— У меня железное сердце, — отшучивался я. — Пожалуй, единственный железный большевик во всей коммунистической партии.

Это смешило ее. И она припадала к моей груди, преданно заглядывала в глаза и нашёптывала по-литовски непонятные мне, но, несомненно, ласковые слова.

В канун моего отъезда в командировку Алдона впервые вышла из дому. Пока было светло, мы гуляли с ней в дубовой роще, уже посыпанной сухим, не тающим снегом. А когда стемнело, она предложила спуститься с Зеленой Горы в центр. Мне эта идея не улыбалась. С одной стороны, ничего разумного не было в том, чтоб дразнить гусей, открыто демонстрировать властям мои отношения с литовкой. Да и ей ни к чему было бросать вызов городу, пройдя со мной, оккупантом, под руку по главной улице на глазах у гуляющей публики и вызвав у всех вовсе не одобрительную реакцию. Ни мне, ни ей эта прогулка была ни к чему, и я попытался втолковать ей это.

— Значит, нам суждено всегда прятаться? — округлила она свои серые глаза. — Будто мы что-то украли?

Я не нашел ничего вразумительного в ответ. И уступил.

Мы съехали в вагоне фуникулера с Зеленой Горы, и уже в вагоне я натыкался на колючие взгляды пассажиров-литовцев. А на проспекте, покрытом свежим снежком и потому имевшем вид нарядный и праздничный, было многолюдно в этот вечер, и мы прошли буквально сквозь строй осуждающих и гневных переглядываний и злой несдержанной ругани за спиной.

Я себя чувствовал нелепо и гнусно и ковылял деревянной

походкой, втянув голову в плечи и устремив глаза поверх голов. Зато Алдона, казалось, нисколько не была шокирована. Она смело глядела всем встречным в лицо, заставляя их в смущении отводить глаза, а сама улыбалась открыто и приветливо. Чего это ей стоило, я понял лишь дома, где она прорыдала до поздней ночи, но на улице она проявила завидную выдержку.

В вагоне фуникулера, ползком тащившемся на Зеленую Гору, Алдона прижалась ко мне влажной щекой и, моргая ресницами с тающими на них снежинками, прошептала:

— Против нас весь мир. Знаешь, кто мы? Ты — Ромео, а я — Джульетта!

И, помедлив, добавила:

— С одним отличием. Мы не умрем. И будем жить... назло всем.

За окнами вагона косо уходили вниз огни города. Пассажиров было мало. Люди не решались поздно задерживаться на улицах и предпочитали отсиживаться за запертыми дверьми. На скамье напротив нас сидел, покачиваясь, пьяный офицер в шинели нараспашку, в сбитой на затылок шапке. Полагая, что все, кто не в военной форме, литовцы, он и меня принял за такового и, нетвердо ступая, перешел на нашу сторону вагона, явно желая со мной поговорить.

— По-русски понимаешь? — был первый вопрос, небрежно и высокомерно обращенный ко мне, и я вдруг с пронзительной остротой почувствовал, каково быть под оккупацией, под властью чужих, презирающих тебя людей. Я на момент почувствовал себя в шкуре литовца, и многое в поведении этих людей прояснилось для меня, стало понятней.

Я встал ему навстречу, отгородив Алдону.

— В чем дело? — сухо спросил я.

— О, так ты свой? — радостно всплеснул руками офицер, курносый и потный, деревенского типа малый. Теряя равновесие, он ухватился за отвороты моего пальто, чтоб не рухнуть. Жест этот был не агрессивным, а, наоборот, дружелюбным, и, вцепившись в меня, он пьяно бодал головой мою грудь, норовя устоять на ногах. Но так расценил это я. Другое дело — Алдона.

Вначале я даже не понял, что произошло. С головы офицера слетела шапка, после чего его голова резко мотнулась сначала в одну, потом в противоположную сторону. И лишь тогда я увидел разъяренное, с круглыми стеклянными глазами лицо Алдоны за спиной офицера. Она нанесла ему несколько ударов наотмашь, резко, по-мужски. И он рухнул спиной на пол вагона, потом сел, краснорожий и маленький очумевший, и стал шарить у себя на боку, явно пытаясь вытащить из кобуры пистолет. Но тут уж кинулся к нему я и вырвал пистолет из руки.

Несколько литовцев сжались в испуге на своих скамьях в другом конце вагона, который, к счастью, с легким стуком остановился и с шипением распахнул пневматические двери.

— Беги! — крикнул я Алдоне. На миг я замешкался, решая, что делать с пистолетом. За потерю оружия бедолага может лишиться офицерских погон. Я выбил обойму с патронами из рукоятки, сунул обойму в карман, а пистолет швырнул офицеру, стоявшему на четвереньках и норовившему встать.

Алдона не убежала. Она вышла вместе со мной, и мы быстро, все ускоряя шаг, устремились по темной, без единого фонаря улице в сторону нашего дома.

— Сечь тебя надо, да некому, — наконец выдохнул я. — Зачем ты полезла?

— Я думала, он хочет тебя ударить.

— Ну и что? Он ничего не хотел. Просто пьяная шваль. Но если б и хотел ударить, я что, сам за себя не смогу постоять? Мне нужна помощь... сопливой девчонки? Он же мог тебя пристрелить!

— Я думала, он хочет тебя ударить, — упрямо повторила она.

— Ты бы посмотрела на себя со стороны. Разъяренная тигрица. У тебя были глаза... слепые от бешенства.

— Я ничего не видела, — согласилась она. — Я думала, он хочет тебя ударить.

И вдруг заплакала, горько, совсем по-детски. Припав к моему плечу и шмыгая носом. Я не стал ее утешать и успокаивать. Пусть поплачет. Плачем она смывала с души горечь, которой наглоталась вдосталь на проспекте, бросив отчаянный вызов своему городу, своим соплеменникам. Горючими слезами она давала выход своей тоске по матери и сестре, с которыми порвала из-за меня. На ее еще не окрепшие плечи в считанные дни легла нагрузка, способная свалить кого угодно. А ведь ей еще не было семнадцати.

Утром за мной заехал на своем «Опеле» Коля Глушенков. Я оставил Алдоне ключи и деньги и велел как можно реже отлучаться из дому и никого до моего возвращения в дом не пускать. Оставил ей телефон, куда нужно позвонить, если почует опасность. Она была печальна и слушала невнимательно. Лишь кивала. Даже старого циника Глушенкова тронули ее грустные глаза.

— Ох, и девка! — посасывая трубку, сказал он, выруливая на дорогу. — Втюрилась в тебя насмерть. Это уж такая порода. Редкая в наше время. Берегись, парень. Легко не отделаешься.

Оглянувшись, я увидел прижавшееся к оконному стеклу лицо Алдоны, и у меня засосало под ложечкой от ее отрешенного вида и от слов Коли Глушенкова.

Утром по ее виду я понял, что она не сомкнула ночью глаз.

— Не уезжай, — шепнула она. — У меня предчувствие.

— Глупенькая. Сиди дома и жди меня. И не будет предчувствий.

— Не обо мне, — покачала она головой. — Чтоб с тобой ничего не случилось. В плохое место едешь.

— Ты-то откуда знаешь?

— Знаю. Если с тобой что-нибудь... запомни... я жить не стану...

— Что ты хочешь этим сказать?

— Береги себя... Если мной дорожишь.

Я рассмеялся и поцеловал ее в припухшие, податливые губы.

К цели нашей поездки мы добирались долго и с приключениями. На дорогах были снежные заносы, и хлипкий, еле живой автомобиль моего фоторепортера отчаянно буксовал, садился на пузо, и мне каждый раз приходилось вылезать и мокрыми мерзнущими руками подталкивать сзади эту рухлядь, обдающую плевками грязного снега из-под колес.

В деревне, куда мы ехали, разыгрывался очередной пропагандистский фарс. Там долго стояла пустой усадьба бежавшего на Запад литовского то ли графа, то ли князя. И ее понемногу разворовывали окрестные крестьяне. Кому-то из местного начальства пришла мысль сделать в усадьбе лучший в Литве сельский клуб, благо там имелся зрительный зал и даже сцена. Начальство повыше смекнуло, чем это пахнет, отпустило деньги и строительные материалы, прислало художников-декораторов из Вильнюса, и сейчас предстояло торжественное открытие уже не клуба (аппетит приходит во время еды), а Дворца культуры, что должно было продемонстрировать невиданный расцвет литовской национальной культуры под благотворными лучами сталинской конституции, которую принесли в Литву мы, русские, на своих штыках, не очень заботясь, какую радость доставит это местному населению. А оно, местное население, радости особой не проявляло и даже огрызалось, стреляя в оккупантов. За этим следовали репрессии. Безжалостные. И в маленькой Литве обильно лилась кровь. Так обильно, что менее чем трехмиллионный народ стоял перед явной перспективой быть полностью истребленным.

Дворец культуры действительно отгрохали на славу. С купеческим размахом. Потому как деньги не свои, а государственные, и чем больше их растратишь, тем выше оценка служебного рвения местных сошек у большого начальства в центре.

В глазах рябило от многоцветья литовских национальных костюмов и вырядившихся в них литовских сероглазых и белозубых девок, взметавших в пляске юбки чуть не выше своих светловолосых голов. Пищали, тренькали, звенели, подвывали до тошноты допотопные народные инструменты — канклес, скудучяй и еще какие-то диковинные деревяшки со струнами, названия которых я и не упомнил.

Многолюдные хоры, выстроенные по-солдатски во множество шеренг, во всю силу своих деревенских легких славили на литовском языке советскую власть и лично великого Сталина, чьи огромные портреты висели не только на сцене и в вестибюле, но и на фронтоне здания, заслоняя окна обоих этажей.

Взопрели, снимая, фоторепортеры и кинооператоры. Зал дружно и гулко аплодировал каждому номеру — публика была отборная, прошедшая строгую проверку по части лояльности и в основном состояла из местных начальников, их родни и домочадцев.

Я уже записал в блокнот все, что полагалось записать. Глушенков отщелкал две пленки и тоже складывал в сумку оптику. Теперь предстоял банкет, не посидеть на котором было бы сочтено дурным тоном, и мы собирались, если не потеряем над собой контроля, в меру напиться и нажраться, а поутру, опохмелившись, тронуться в обратный путь.

Пожар вспыхнул после антракта. Загорелось сразу в нескольких местах. На сцене большие языки пламени заплясали по портрету Сталина, во весь рост, в мундире генералиссимуса, и гирлянды из еловых лап, обрамлявшие портрет, весело затрещали, рассыпаясь множеством искр.

Горело и в зале и в вестибюле, и все вокруг быстро заволокло сизыми клубами удушающего дыма. Погас свет. Началась паника. Крики, плач, топот ног и грохот опрокидываемых скамей. Меня затолкали, и я упал под ноги взбесившейся, как стадо очумелых животных, толпы. Меня бы затоптали, не появись вовремя Коля Глушенков, который оттащил меня в сторонку, а затем на своих плечах уволок из пылающего зала. И все же я задохнулся от дыма и потерял сознание, пока неистребимый, железный Коля волок меня наружу, на свежий воздух.

Отравление оказалось настолько серьезным, что я почти неделю провалялся в местной больнице, все палаты которой были очищены властями от больных, чтоб разместить пострадавших при пожаре. Коля, которого ничто не брало, не уехал в Каунас и провел всю неделю при мне. Как заботливая нянька.

Поджог, как потом стало известно, был совершен «зелеными братьями», исхитрившимися нашпиговать своими людьми и хоры, и танцевальные ансамбли, и поэтому все меры предосторожности, предпринятые властями, и тучи милиционеров и в здании и вокруг него не смогли ничего предотвратить.

Были жертвы. Об их числе не сообщалось. И были ответные репрессии. Это я уже видел своими глазами, когда, оклемавшись в больнице, на Колином «Опеле» выбирался домой из этих мест. Мы миновали много хуторов по дороге, и ни один из них не был обитаем. В отместку за диверсию власти тут же, без всякого разбирательства, начали выселять в Сибирь всех, кто под руку попадался. Подряд. Хутор за хутором. Дав два часа на сборы. И растерянные крестьяне с остекленевшими от страха глазами грузили в военные машины свой жалкий скарб, который было позволено взять с собой, а поверх узлов усаживали хнычущих детей и трясущихся, бормочущих молитвы стариков.

Мы ехали мимо пустых крестьянских усадеб. С распахнутыми настежь дверьми и окнами, хлопавшими, как выстрелы, на ветру. На крышах изгибали спины осиротевшие кошки, во дворах скулили некормленые, дичающие псы. Из своих темных гнезд, похожих на распластанные меховые шапки, недоу-

менно водили красными клювами тонконогие белые аисты —
по народному поверью почитаемые охранителями дома от зла,
но на сей раз не сумевшие никого уберечь.

Нам довелось обогнать колонну грузовиков, в открытых
кузовах которых тряслись на своих узлах крестьянские семьи,
и в каждом кузове на заднем борту сидели с автоматами на коленях солдаты в белых овчинных полушубках — зимней форме войск НКВД.

Этих людей везли до железнодорожной станции. Там грузили в товарные вагоны, запирали и под усиленным конвоем
белых полушубков угоняли под грохот колес, заглушавший
плач и стоны, на восток, через всю Россию, в снежную, мороз-
ную Сибирь.

— Дорого уплатили, суки, за поджог, — шептал Глушенков,
объезжая по обочине грузовики. — Скоро их в Сибири станет
больше, чем в Литве. Допляшутся! Как думаете, Олег, надолго
их хватит?

Я не отвечал. Мне было муторно. То ли еще сказывались
последствия угарного отравления, то ли от вида этих людей,
безо всякой вины, а просто по изуверскому закону коллек-
тивной ответственности лишенных свободы, своего угла и
гонимых на чужбину, откуда редко кому удавалось выбраться назад.

Перед моими глазами стояла Алдона. Я не очень верю в
предчувствия, но могу поклясться, что в тот раз я явно чуял,
что на нас с ней надвигается беда.

Стоило мне вернуться в Каунас, тут же на меня обруши-
лась новость, потянувшая за собой цепь других событий, из-за
которых меня, стремясь спасти мою репутацию, срочно ото-
звали в Москву, и я покинул этот город навсегда.

Новость эту, как бы между прочим, сообщил мне, хитро
поглядывая из-под густых бровей, Малинин. Мы сидели в его
кабинете. Он велел секретарю никого не пускать и даже запер
обитую дерматином дверь.

Я по наивности подумал, что он со мной уединяется потому, что соскучился и не хочет, чтоб нам помешали, пока мы не
наговоримся всласть. Малинин с самого моего приезда в Каунас избрал меня для задушевных бесед и был со мной откро-
венней, чем с другими. Я ему явно нравился, и отношения наши складывались как у сына с отцом. Вернее, даже теплей и
прямее, чем у меня с родным отцом, занимавшим в Москве

пост повыше, чем у Малинина. Вне всякого сомнения. Малинин опекал меня не без указания свыше.

— Тут перед твоим приездом малость постреляли на Зеленой Горе. Прямо у твоего дома. Дом твой не пустовал?

— Нет. Там оставалась моя...

— Знаю. Алдона? Так ее звать... если не ошибаюсь?

— Так. А что?

— Да ничего. Она ни при чем. Возле твоего дома наш патруль пристрелил отпетого бандита. Мы за ним долго охотились. А он обнаглел, надоело в лесах таиться. Стал появляться в Каунасе... чуть не в открытую. Раз выскочил из наших рук. Правда, подстреленный. И укрылся на Зеленой Горе. Мы там все переворошили — как иголка в стоге сена. Потом вылез и напоролся на засаду. Когда осмотрели труп — на нем свежая повязка на прежней ране. И в кармане — запас пенициллина. Дефицитное лекарство. Сам знаешь. Отпускали только своим. Где мог достать? У тебя дома не было пенициллина?

— Кажется, был...

— Вот, проверь на всякий случай. Не улетучился ли? Кто его знает, лекарство новое, дефицитное... возможно, имеет свойство испаряться.

Потом разговор перешел на другое, мы еще с час болтали, сидя на диване, и уже я стоял в дверях и прощался, когда Малинин вынул из нагрудного кармана фотографию и протянул мне.

— Случайно не припомнишь это лицо?

На тусклой фотографии была лишь голова с закрытыми глазами. Вне всякого сомнения, голова мертвого человека, совсем еще молодого. Со спутанными светлыми волосами, вьющимися, в крупных кольцах. С упрямым широким подбородком. И коротким, чуть приплюснутым носом, какой бывает у боксеров.

— Покойник? — спросил я.

— Тот самый... что пристрелили у твоего дома.

Малинин не повторил вопрос, знакомо ли мне это лицо, а я не нашелся, что ответить.

На том мы расстались. Весь путь домой, на Зеленую Гору, я лихорадочно размышлял, соединяя обрывки, всплывавшие в памяти, в одну и, как казалось мне, стройную картину.

Убитый был мне знаком. Я с ним дважды сталкивался. Я

даже помнил его имя — Витас. Жених Алдоны, с которым она порвала, встретив меня. Он учился в консерватории у отца Алдоны, а когда профессора расстреляли, ушел к «зеленым братьям» и там, под кличкой «Кудрявая смерть», прославился своей жестокостью и неуловимостью. Малинин говорил правду: за ним давно велась охота и до последнего времени без всякого результата.

То, что «Кудрявая смерть» и Витас, жених Алдоны, — одно лицо, я долго не знал. Как не знало и начальство во главе с Малининым. В противном случае Алдона бы давно загремела в Сибирь, и мое заступничество не спасло бы ее.

Я не знаю, что побудило «Кудрявую смерть» выйти из леса и объявиться в Каунасе. Моему мужскому самолюбию, несомненно, льстила догадка, что кроме диверсионных целей у него имелся и личный повод — ревность к покинувшей его Алдоне.

Я увидел его настолько неожиданно, что даже ничего не успел предпринять, и он исчез так же, как возник, в толпе, запрудившей в этот солнечный воскресный день аллею Свободы.

Воспользовавшись погожим деньком, мы с Алдоной тоже спустились с Зеленой Горы в центр и не спеша прогуливались под руку, подставляя лица солнечным лучам. Вокруг было много народу — и впереди и сзади. Встречные потоки людей сталкивались, разветвлялись, обтекали и бурлили водоворотами там, где застревали шумным кружком знакомые.

Внезапно Алдона остановилась, словно споткнулась, придержав за руку и меня. Я успел разглядеть, как лицо у нее побледнело, а глаза расширились и застыли, прежде чем определил, что, вернее, кто вызвал у нее такую реакцию.

Его лицо сразу приковало мое внимание. Без шапки, белокурый, высокий и крепкий литовец чуть старше Алдоны, с упрямым широким подбородком и коротким, расплюснутым, как у боксера, носом смотрел прозрачными, как вода, глазами в упор на нее. И было ощущение, что он сверлит, пригвождает Алдону взглядом.

Не зная, кто это, я все же почуял неладное и машинально сунул руку в карман пальто, провисавший под тяжестью пистолета. Все дальнейшее произошло так быстро, что я ничего не успел предпринять.

Этот человек, не сводя глаз с Алдоны, шагнул к ней и, тихо прошептав: «Проститутка», — плюнул ей в лицо. И тут же, скользнув за наши спины, растворился в гуще рослых литовцев и литовок, его светлая кудрявая голова исчезла из виду.

Я выхватил пистолет, и люди вокруг шарахнулись от меня. Стрелять было бессмысленно — мог попасть в абсолютно невинных людей. Сопровождаемые угрюмыми и злорадными взглядами, мы покинули аллею Свободы. Вот тогда-то Алдона и сказала мне, кто был этот человек. Витас. Студент консерватории. Ее бывший жених. До этого момента пребывавший в лесной глухомани у «зеленых братьев».

— Что же ты меня заранее не предупредила? — срывал я бессильную злость на ней. — Я б его на месте ухлопал! Ах, негодяй! Плюнуть в лицо! Среди бела дня!

— Мне не привыкать, — кротко ответила Алдона.

— Что? — взвился я. — Тебе и раньше плевали в лицо?

— А как же? И на Ласвес аллеяс и на Зеленой Горе. И среди бела дня... И вечером тоже... Когда выхожу одна, без тебя.

— И ты молчала? Скрывала от меня?

— А что толку? Весь город в Сибирь не сошлешь.

Я умолк, сраженный ее логикой, и мое чувство к ней, и без того болезненное и настороженное, окрасилось бессильной горечью и состраданием. То, что Витас объявился в Каунасе, придало нашей с Алдоной жизни жутковатое ощущение пребывания в осажденной крепости. Мы оба чуяли, что за нами ведется наблюдение, но, ничего не в силах предпринять, устало и покорно ждали развязки. Не мог же я сообщить о Витасе властям. Это привело бы к неминуемым репрессиям против Алдоны. А я и не мыслил себе лишиться ее, остаться без нее.

Мы наглухо запирали на ночь двери и окна, на случай слепой, через ставни, стрельбы, сдвинули в спальне кровать в сторону от окна. Под подушкой лежал пистолет, и, просыпаясь среди ночи, я шарил руками, на месте ли он. У тумбочки стоял автомат ППД, а в ящике лежали гранаты.

Столкновение произошло в момент, когда мы меньше всего этого ожидали. Мы возвращались домой из ресторана поздней ночью в стареньком «Опеле» Коли Глушенкова. Он высадил нас на безлюдной и темной улице у нашей калитки и, попрощавшись, отъехал. Я уже отпер калитку, пропустил вперед Алдону и шагнул вслед за ней, как внезапно из-под ограды, где он, видно, притаился, дожидаясь нас, поднялся, распрямившись во весь рост, Витас и навел пистолет мне в переносицу.

— Руки вверх! — по-русски, не повышая голоса, велел он.

Мой пистолет был под пальто, в кармане пиджака, и доставать его было поздно. Мне ничего другого не оставалось, как высоко задрать обе руки, сдаваясь на его милость.

И тут что-то метнулось перед моими глазами, и меня закрыла от пистолета голова Алдоны, хлестнув волосами по лицу.

— Стреляй! В меня стреляй! — прошептала она тоже негромко, словно боясь кого-нибудь потревожить, нарушить тишину уснувшей улицы.

— И тебя, — сказал Витас. — Вы будете казнены на месте именем литовского народа. Он как оккупант. А ты как шлюха, сотрудничающая с врагом.

— Его не тронь! Стреляй в меня! Выполни, Витас, мою последнюю волю, — попросила она.

Я не видел пистолета. Голова Алдоны с густыми волосами заслонила его от меня. Мы с ней стояли, замерев, и вид у нас был явно нелепый: мои руки высятся над нашими головами, а ее, в широких рукавах шубы, раскинуты в стороны.

Нас спасло чудо. Коля Глушенков, доехав до угла, развернул свой «Опель», чтоб направиться в обратную сторону, домой, и поэтому снова появился у нашего дома, ослепив Витаса светом своих фар. Я тоже на миг ослеп, хоть стоял спиной к фарам. И когда смог что-нибудь разглядеть, Витаса за оградой уже не было. Глушенков вбежал в калитку с пистолетом в вытянутой руке и, заикаясь от возбуждения, засыпал нас вопросами:

— Целы? Оба? А его-то запомнили? Я его опознал. По фотографии! Давно ищут! Знаете, какая у него кличка? «Кудрявая смерть»! Это он! Я не мог ошибиться. У меня профессиональный глаз фотографа. Жаль, не ухлопал его. Боялся в вас попасть.

Глушенков уже не поехал домой и остался ночевать у нас. Наутро к нам приехали с собакой, пытались взять след, а меня с Алдоной и Глушенковым подробно допросили и составили протокол.

Ни я, ни Алдона не сказали, что знаем нападавшего и какое отношение он имеет к Алдоне. Власти посчитали это террористическим актом, попыткой нападения на ответственное советское лицо, под коим подразумевался я, и оставили нас в покое.

Теперь, возвращаясь от Малинина, я все это свел воедино и, как только вошел в дом, бросился к настенному ящику в ванной, где хранились медикаменты. Пузырька с пенициллином там не было. Картина становилась ясной. В мое отсутствие подстреленный преследователями Витас добрался до единственного места, где он мог укрыться и отлежаться в относительной безопасности, — в мой дом. Там находилась в полном одиночестве Алдона, и она не оттолкнет его в трудный момент, не оставит умирать на улице. Расчет оказался верным. Алдона впустила его в дом. Вымыла рану, посыпала пенициллином и забинтовала. Это подтверждалось наполовину уменьшившимся запасом бинтов в моей аптечке. Он отлежался в доме, никем не тревожимый. Обыскавшей все кругом милиции и в голову не могло прийти тронуть мой дом. А когда я позвонил, что приезжаю, Алдона выпроводила его, уже окрепшего и способного передвигаться, снабдив на дорогу остатком пенициллина из моей аптечки. Она даже не знала, что за порогом дома он нарвался на засаду и был убит наповал.

Все это я высказал Алдоне, сидевшей передо мной с видом провинившейся школьницы, опустив голову и положив руки на колени.

— Как ты могла? — возмущался я, делая круги по комнате. — Ты же меня ставишь под удар.

— Прости... если можешь, — не подняла головы Алдона.

— Ты дала приют человеку, который плюнул тебе публично в лицо!

— Но он был и первым, кто меня поцеловал.

— Да знаешь ли ты, что бы сделали с тобой, если б поймали его здесь?

— Знаю.

— И тебя это не страшило?

— Страшило.

— Так почему же? Почему ты так поступила?

— Потому что... иначе не могла. Можешь меня выгнать за это. И ты будешь прав.

— Уходи! — крикнул я.

Она поднялась со стула и выжидающе посмотрела на меня

— Мне... уйти?

— Уходи из этой комнаты! Я не могу тебя видеть.

Благодарная улыбка окрасила ее губы. Она подошла ко

мне и поцеловала в щеку. Затем, неслышно ступая, вышла за дверь.

Я схватил телефонную трубку и нервно набрал служебный номер Малинина.

— Это я... Олег... — выдохнул я в трубку. — Пенициллин, о котором вы говорили, стоит у меня в аптечке... в полной сохранности.

Малинин не сразу ответил.

— Что ж, поздравляю.

— С чем? — не понял я.

— Неужто забыл? А я помню.

— Что вы помните?

— Что у тебя в субботу день рождения. Смотри, не отвиливай. Все равно нагрянем в гости.

Я с облегчением перевел дух.

— Конечно, о чем разговор? Придете с супругой? Один? Еще лучше. Устроим мальчишник. Ни одной дамы.

— А куда Алдону денешь?

— А куда ее девать? Кто же нас будет обслуживать?

— Хорошую ты себе обслугу подыскал. Силен мужик! Невольно позавидуешь!

— Шутите...

— Не шучу. Завидую. И твоей молодости тоже. Передай ей привет и скажи: первый танец зарезервировал Малинин.

Он свою угрозу исполнил. Малинин танцевал с Алдоной и первый, и второй, и третий танец. Никого к ней не подпускал. Даже меня.

Алдона была в этот вечер на удивление хороша. Черное платье с глубоким вырезом на груди, туго, без единой морщины облегало ее гибкую фигурку. Крепкие длинные ноги в черных замшевых туфельках были настолько соблазнительны, что вся мужская компания, как только подпила, больше никуда не смотрела, только на ее ноги. Пока неугомонный для своих лет Малинин кружил ее вокруг стола под дребезжание патефона.

Народ у меня собрался начальственный. Те, кто представляли советскую власть в Каунасе. Руководящая верхушка оккупантов. И я не заблуждался, какие чувства к ним испытывает Алдона, с улыбкой подавая тарелки с закусками, раскладывая салфетки, унося грязную посуду. Она была со всеми ровна и любезна, и мужчины теряли голову, когда она касалась их локтем или боком.

Потом она призналась мне, что в какой-то момент у нее зачесались руки взять в спальне гранату из тумбочки и, сорвав чеку, бросить ее на стол, чтоб разнесло на куски всех до единого.

— И ты бы погибла заодно, — попытался отшутиться я.

— Нет. Не это меня остановило.

— А что же?

— Ты сидел за столом.

Гости, основательно перепившись, покинули мой дом поздно ночью, и шоферы и охрана, дожидавшиеся на улице, не без труда погрузили их в казенные автомобили и повезли к недовольным, обиженным женам.

Убирать со стола, приводить столовую в порядок мы не стали. Оба еле держались на ногах от усталости. Отложили все до завтра и поплелись наверх в спальню. Там нас поджидал жутковатый сюрприз. К сожалению, Алдона, а не я, первой обнаружила его. На тумбочке у кровати лежала фотография, подброшенная сюда кем-то, пока у нас были гости. Это была та самая фотография, что мне показывал Малинин, — голова мертвого Витаса.

Алдона долго смотрела на нее и, ни о чем меня не спросив, тихо заплакала. Беззвучно. Лишь крупные слезы катились одна за другой из глаз и падали на тусклый глянец фотографии, покоившейся у нее на коленях.

Алдона недвижно сидела на неразобранной кровати, а я нервно ходил маятником перед ней и силился понять, кто и зачем это сделал. Первое подозрение пало на Малинина. Я вспомнил, что он в разгар застолья выходил не единожды и даже поднимался наверх, смотрел комнаты и потом хвалил мне Алдону — в каком, мол, образцовом порядке она содержит дом, и снова повторил, что завидует мне.

— Перестань плакать, — сел я рядом с Алдоной и обнял ее за плечи. — Слезами не поможешь.

— Завтра я поеду в костел, — со вздохом произнесла она — Ты мне позволишь?

— Помолиться за Витаса?

Она кивнула, стряхнув еще две капли на фотографию.

— Я виновата перед ним. Он меня любил, а я его оставила.

— И об этом сейчас жалеешь?

— Нет. Но все равно на мне грех, и он мне не простится.

— Что ж, поади помолись..: Если считаешь это нужным.

— Не только за Витаса, но и за тебя я хочу помолиться.

— За меня-то зачем? — хмыкнул я. — Бог, если он есть, надо полагать, не жалует атеистов.

— А я попрошу... Может, услышит? Над нами, Олег, нависла беда. Сердце мое чует. Худо нам будет. И мне в первую очередь.

— Глупости, — отмахнулся я. — У тебя нервы шалят. Столько на твои бедные плечи навалилось.

— Это — не нервы, — мотнула головой Алдона. — Это — судьба. Я от нее ничего доброго не жду.

— Чего ты боишься? Что тебя страшит? Я же с тобой, глупенькая. Неужели ты мне не доверяешь?

— Доверяю. И все равно боюсь. У меня предчувствие... тебя отнимут у меня.

— Кто? — вскочил я. — Кто отнимет? Что я — игрушка?.. Тряпка какая-нибудь, что меня можно отнимать и возвращать? Что ты несешь?

— Сядь. Успокойся, — попросила она. — Ты — не игрушка. Я не это хотела сказать. Но люди, с кем ты... Малинин... или этот... Коля Глушенков... для них мы все — игрушки. Сердце говорит мне, они что-то замышляют против нас. Увидишь. Нас в покое не оставят.

И как я в душе ни сопротивлялся ее доводам, прилипчивый, необъяснимый страх поневоле овладел и мной.

Но еще месяца два прошло без каких-либо признаков надвигающейся беды. Алдона внешне успокоилась, я продолжал работать. Но из Каунаса старался отлучаться как можно реже, чтоб не оставлять ее одну.

А потом вдруг распоряжение из Москвы: меня отзывают из Литвы в аппарат редакции. Дают неделю на сборы. Со следующего понедельника я должен заступить в Москве на новую должность.

К моему удивлению, Алдона встретила эту весть спокойно. Взволнован и оглушен был я. Все рушилось. Через неделю мне предстоит расстаться с Алдоной. И расстаться навсегда. Потому что мой перевод из Литвы в Москву совершался не по соображениям служебным, а, в первую очередь, чтоб меня оторвать от Алдоны и тем самым уберечь мою репутацию коммуниста, оградить меня от нежелательной компрометации. Я догадывался, что все это было затеяно по инициативе Малинина и не без согласия моего отца. Как я выяснил много позже, решение о переводе в Москву с целью спасения моей карьеры было принято после обсуждения длиннейшего доноса, с точными, как в военном рапорте, датами и ворохом интимных подробностей о моих отношениях с Алдоной, составленного не кем иным, как Колей Глушенковым.

Брать Алдону с собой в Москву мне бы не позволили ни мое начальство, ни отец с матерью. Кроме того, ей бы не разрешили жить в Москве. Чтоб прописать ее там, я, москвич, должен быть на ней официально женат. А я не был готов к браку. Считал себя слишком молодым для этого шага.

Видя, как я томлюсь и нервничаю, и пристыженно, как нашкодивший кот, отвожу глаза в сторону, Алдона сказала мне с грустной улыбкой:

— Я знаю, что тебя томит. Ты — честный человек, и тебе стыдно, что вынужден бросить меня здесь... где... никто меня не любит. Верно ведь?

Мне ничего не оставалось, как кивнуть.

— Но ты это делаешь не по своей воле. Тебя загнали в угол. И я понимаю, что спасение для тебя одно — бросить меня и уехать.

— Или бросить работу, — неуверенно буркнул я.

— Работу ты не бросишь. Для тебя в ней вся жизнь. Вы, русские, работу ставите выше всего. Да мне и не нужно такой жертвы. Ты бы потом во всех своих бедах винил меня.

— Так что же делать? — завопил я.

Мне было стыдно и горько.

— Не кричи, — спокойно попросила Алдона. — Не омрачай наши последние дни. Садись рядом, успокойся. Возьми себя в руки.

Она еще утешала меня. От этого можно было сойти с ума.

Мы сидели на диване. Я склонил голову ей на грудь, пряча глаза, чтоб она не видела слез, а она ласково, легко водила ладошкой по моим волосам, и ее голос звучал ровно, без дрожи:

— Так должно было завершиться. Мы с тобой не пара. Ты уедешь в Москву, сделаешь карьеру и доберешься до таких высот... как твой отец. Советская власть — твоя власть. И никуда она тебя от себя не отпустит. А я для нее — чужой элемент. Враждебный. В этом она не заблуждается. Тебе подберут или ты сам найдешь жену под стать. И все у вас будет хорошо.

Я слушал и поражался трезвости ее суждений. Ведь ей еще не исполнилось восемнадцати лет. А она говорила со мной, великовозрастным дубиной, как умудренная жизнью мать с неразумным сыном. И тон был материнский. Покровительственный. Прощающий. Жалеющий. И любящий.

— Но ты-то? Как будешь ты? — простонал я.

— А что со мной станется? Не умру.

— Тебя же тут, в Каунасе, заживо съедят.

— Ничего, я из живучих.

— Вернешься к матери? Она тебя знать не хочет. Кто тебя приютит?

— Не знаю. Не думала об этом.

— О чем же ты думала?

— О чем? Знаешь, о чем я все это время думаю... с тех пор, как пришло это известие?

— Знаю. Презираешь меня.

— Нет.

— Не презираешь?

— Не презираю.

— Какого же еще отношения я, подонок, заслуживаю?

— Я тебя жалею.

— За что? Ведь худо будет тебе, а не мне.

— Нет. Худо будет не мне. Что бы дальше ни было, а мне будет хорошо. Потому что я остаюсь счастливой.

— От чего? Что я тебя трусливо бросил в беде?

— Счастливой от того, что я почти год была по уши влюблена. Ты себе даже и представить не можешь, какой ты меня сделал счастливой. Я тебе за это благодарна и всю жизнь не забуду.

Я повернулся на спину и лежал затылком на ее коленях. Снизу мне были видны ее острый подбородок, тонкая детская шея, на которой пульсировала жилка. Рука ее поглаживала мой лоб, брови, нос. Я губами ловил ее ладони и целовал с запоздалой нежностью, какой прежде не проявлял.

— Мне ничего не страшно, — продолжала Алдона. — Потому что всегда, в любой беде, одна-одинешенька, буду помнить, что целый год я была счастлива, как ни одна женщина в мире.

— Ну, уж как ни одна в мире... — слабо попробовал я вернуть ее на землю.

— Конечно! Ручаюсь, такого счастья никто не изведал. И

не изведает! Даже если всю жизнь проживет с мужчиной. Мне хватило одного года, чтоб насытиться на весь мой век. Ты и представить не можешь, как много ты мне дал.

— Чем? Что я такого для тебя сделал?

— Тем, что вызвал во мне эту любовь. Вызвал. И осчастливил. А себя обделил.

Она умолкла, ища слов помягче, чтоб не так больно ранить меня.

— Ты меня, мой милый, не любил. Ты лишь позволял себя любить. И этим себя обворовывал. Тебе не привелось испытать того, что я испытала. Ты остаешься ни с чем. А я... сказочно разбогатела. Я — с большой любовью. И ее у меня не отнять ни Малинину, ни Глушенкову, ни твоему отцу... и даже всей советской власти. С этой любовью я останусь навечно. Ее нельзя конфисковать. Нельзя арестовать. Сослать в Сибирь. Она — моя. До гроба.

Поэтому не гляди на меня побитой собакой. Не нужно жалостных взглядов. Ты ничего не отнял у меня. А дал очень много. Спасибо тебе. За мою любовь.

Как я ни был растерян и подавлен, готовясь к отъезду, я все время думал о том, что теряю редкий подарок судьбы, попавший в мои руки, который мне так и не удалось сберечь.

А она собирала меня. Стирала и гладила. Пришивала пуговицы. Укладывала мои вещи. Она собирала меня в путь, из которого уже не будет возврата. И ни слезинки, ни вздоха. Даже улыбалась. Подбадривала меня.

Как-то, прижимаясь ко мне в постели, она прошептала на ухо:

— Если тебе когда-нибудь станет плохо, случится беда. Кто знает? Попадешь под трамвай... не дай Бог, или выгонят из газеты. И ты никому не будешь нужен... все от тебя отвернутся... знай, что есть одно место на земле, где тебя всегда примут в любом виде. Этим местом будет мой дом. Когда бы это ни случилось. Даже если и буду замужем и будут у меня дети, все равно приди — в моем доме тебя ждут комната и уход.

Мы с ней условились, что провожать меня на вокзал она не поедет. Там будут Малинин, Глушенков и другая братия, с которой ей стоять вместе не с руки. Мы попрощались дома. Она ушла с маленьким чемоданом за час до того, как приехали меня отвозить на вокзал. Куда она направилась, сколько я ни бился, не сказала.

В вокзальном ресторане провожающие устроили шумную попойку. Я хлестал водку без меры, стараясь заглушить сосущую тоску.

Поезд отошел, и вместе с перроном стали уплывать назад машущие Малинин, Глушенков и еще какие-то люди. Уже в самом конце платформы среди чьих-то спин и голов мелькнуло курносое лицо Алдоны с развевающимися волосами. Это не было галлюцинацией. Могу поклясться чем угодно. Я отчетливо различил не только лицо, но и плащ-накидку в черно-красную клеточку, распахнувшийся на бегу. Я даже запомнил ее круглые колени, взлетавшие в беге. Рот ее был широко раскрыт. Она кричала какие-то слова. Надеясь, что я услышу. Но я ничего не уловил. Окна вагона были закрыты. А потом и Алдона исчезла... Поезд, набирая скорость, поворачивал, выгибал вереницу вагонов, закрыв от меня и вокзал, и платформу, и всех, кто был на ней.

ОНА

Моя мать напрасно ликовала, что ее дочь в девятнадцать лет вышла замуж невинной и достойна быть принятой в Белом доме президентом Соединенных Штатов как уникальный образец непорочности и добродетели. Я потеряла невинность в пятнадцать лет. Не девственную плеву, ее-то я сохранила на радость маме и на танталовы муки моему неопытному супругу, который пять недель штурмовал ее, как неприступную крепость, и лишь с помощью указательного пальца наконец-то проткнул.

Я лишилась невинности в пятнадцать лет. Я осквернила свою душу, убила первые нежные ростки поэзии. И с кем?

Если бы мама узнала имя виновника моего раннего грехопадения, с ней случился бы удар, она бы умерла от разрыва сердца. Хотя, пожалуй, нет. Она бы выжила, и ни одной морщинки бы не прибавилось на ее холеном лице. Потому что она до предела эгоистична и любые страсти и треволнения процеживает через фильтр несдержанных воплей и жеманных поз, оставляя сердце нейтральным и безучастным.

Меня совратил, вернее, я сама этого захотела, мамин любовник. Да, да. У моей мамы, уважаемой, добропорядочной дамы из Форест Хиллс, много лет подряд был любовник, и я полагаю, что эта связь, опостылевшая им обоим, тянется до сих пор. А мой папочка, до макушки погруженный в бизнес, чтоб дать приличную жизнь своей жене и трем дочерям, пребывал в дремучем неведении. В его вечно озабоченной голове не хватает фантазии предположить подобное. Как такой девственный фрукт сохранился в нынешней Америке — нелегкий вопрос для исследователей-социологов, психологов и, пожалуй, непременно, психиатров.

Начнем разматывать клубок от начала. У моей мамы в те годы был «Шевроле» очень заметного ярко-красного цвета. Как пожарная машина. Это не от безвкусицы. Мама — жгучая брюнетка, и ей очень идет красный цвет. Все фотографии, сделанные на фоне этого «Шевроле», эффектны, и мама на них, по ее мнению, неотразима. Мужчины на нее действительно заглядываются, это я поняла задолго до того, как обнаружила любовника.

Разгуливая как-то по Манхэттену, я увидела мамин красный «Шевроле», припаркованный в ста шагах от центрального входа гостиницы «Веллингтон». Я удивилась, потому что незадолго до этого своими ушами слышала, как мама объясняла папе по телефону, что собирается съездить на кладбище, на могилу бабушки. Бабушка похоронена в Бруклине, на еврейском кладбище, и навещать ее в Манхэттене, да еще в гостинице «Веллингтон», — от этого немножко попахивало мистикой.

На счетчике стоянки возле маминого «Шевроле» оставалось десять минут, после чего последует неумолимый штраф. Мама швыряться деньгами не любит, следовательно, она должна была появиться с минуты на минуту. Я устроила засаду за соседним «Фордом» и не сводила глаз со входа в гостиницу «Веллингтон». Сердце мое подсказало, что она именно там и нигде больше и, судя по счетчику, уже пятьдесят минут занимается чем-то таинственным.

Мама вышла из гостиницы не одна. За нею следовал, в серой модной шляпе и франтоватом плаще, доктор Джулиус Шац. Добрейший доктор Шац — не врач, а фармацевт, владелец аптеки в трех блоках от нашего дома, наш давний сосед и папин приятель. Они оба большие любители шахмат, и не бывает недели, чтоб доктор Шац не явился к нам после ужина и тут же не засел с папой за шахматный столик в углу гостиной. Часто он приходит с женой, и тогда гостью занимает мама, уведя ее подальше от погруженных в глубокое раздумье игроков.

Доктор Шац примерно одних лет с моим отцом, и в ту пору ему было за сорок. Но в отличие от моего отца, он следил за собой, как кокетливая женщина, одевался изысканно, у «Барнеса», носил длинные бакенбарды, курил дорогие ароматные сигары. Мой отец имел большой доход, но тратил скупо. Носил одно и то же по многу лет, курил сигареты, а в деревянном ларце сигары держал для важных гостей, для престижа, и позволял себе выкурить такую, лишь когда дом посещали подобные гости.

Что они любовники, я определила сразу, с первого взгляда. Еще до того, как он подвел ее к красному «Шевроле» и поцеловал в щеку, галантно распахнул перед ней дверцу. Он еще долго смотрел вслед удаляющемуся красному автомобилю, а я из засады рассматривала его в упор, и мне казалось, что он вкусно облизывается, как кот, налакавшийся сметаны. Потом он, насвистывая, степенно перешел улицу и сел в свой зеленый «Мустанг».

Из всех людей, посещавших наш дом, папиных и маминых приятелей, я отдавала предпочтение доктору Шацу. Мне нравился запах дорогих духов, исходящий от него, аромат его сигар. После его посещения еще долго в квартире не выветривались эти приятные запахи. Он и его жена были непременными гостями на наших семейных праздниках, и я каждый год ко дню рождения получала от него самый дорогой и изысканный подарок. Он не скупился, и его подарки вызывали восторженные восклицания моей мамы, а у отца брови ползли вверх и занимали позицию двускатной крыши, что я еще с малолетства называла «бровки домиком».

В нашей семье, когда собирались сделать кому-нибудь подарок, не стесняясь детей, долго и откровенно прикидывали, как бы это сделать подешевле и сэкономить доллар-другой. Если моей матери удавалось не потратить лишние деньги, она хорошела и расцветала, будто выиграла приз. Я однажды, в двенадцать лет, не выдержала и расхохоталась, глядя, как мама готовит стол к приходу гостей. Мама сказала мне, что только идиотка может хохотать без причины. Там, где я увидела смешное до колик, она не обнаружила никакого повода для смеха.

Нянька Ширли расставляла на длинном обеденном столе приборы, а мама обходила стол и у каждого пустого прибора, прикидывая, кого из гостей она тут посадит, комментировала вслух:

— У миссис Гроссман — гастрит, у мистера Саймона — печень, у мистера Глюка была недавно операция, миссис Блум разрешено только легкое вино. Слышишь! — крикнула она, зардевшись от удовольствия, отцу, готовившему на кухне напитки, — не открывай много бутылок. Мы вполне обойдемся одной бутылкой бренди и остатками виски, что я спрятала в холодильник с моего дня рождения.

Я заржала. Мама посмотрела на меня, как на идиотку.

Итак, я владела жгучим секретом, и мое воспаленное воображение, крепко настоянное на сексуальной литературе, проглоченной в чрезмерных объемах, и порнографических фильмах, рисовало апокалиптические картины, разыгрываемые в гостинице «Веллингтон», в широкой кровати и почему-то обязательно под балдахином, моей порочной, погрязшей в грехе мамочкой и добрейшим соседом, папиным напарником по шахматам, ароматно пахнущим доктором Джулиусом Шацем.

Теперь уж, когда к нам приходил доктор Шац и чмокал маму в щечку перед тем, как сесть к шахматному столику, я не сводила глаз с него и мамы и стала замечать многое, чему раньше не придала бы значения. Как они перекидываются быстрыми, едва уловимыми взглядами. Как она, делая вид, что интересуется их игрой, склоняется над столиком и' касается грудью, будто случайно, не папиного плеча, а его.

Маму я не любила. И папу тоже. Но его было жаль. Как всегда жаль обманутого.

Я решила молчать. Хранить тайну глубоко в душе, как тлеющий огонек, а когда настанет час возмездия и я захочу им сделать больно, я легко вздую из угольков огонь.

Той зимой, когда у меня были каникулы в школе, мы улетели во Флориду погреться и поплавать в океане. Мама, папа и я. И конечно, доктор Шац с женой последовали за нами. Но не по воздуху, миссис Шац не переносит самолета, а на своем «Мустанге» с севера на юг пересекли по прекрасной автостраде нашу любимую страну — последний оплот демократии и самое безопасное в мире убежище для евреев.

Поселились они в Майами-бич, в том же отеле, что и мы, на том же этаже, с балконом на океан. Отель носил французское название «Дювиль», и в его гербе и на фирменных спичках красовался мушкетер со шпагой и в ботфортах эпохи кардинала Ришелье и Д'Артаньяна. Жили в нем одни евреи.

Как и в соседних отелях и кондоминимумах, протянувшихся вдоль пенистой кромки океана и у тихих заводей лагун с редкими лапчатыми пальмами и гроздьями бурых кокосовых орехов на недосягаемой высоте.

Евреи оккупировали Майами-бич прочно, вытеснив отсюда все остальные этнические группы, но милостиво сохранив за ними право оставаться в обслуживающем персонале. Это были черные, мексиканцы и беглые кубинцы. А также смазливые девчонки с пшеничными волосами откуда-нибудь из Миннесоты, наезжавшие сюда в сезон официантками и проститутками, которых вызывают по телефону плотно упакованные деньгами старички из Бронкса и Нью-Джерси.

Майами-бич зимой — это еврейское царство. И очень старое, дряхлое. Здесь почти нет детей, редко увидишь молодую пару. По улицам и по пляжам перекатываются стада еврейских старичков. В шортах и бикини. С венозными, кривыми, ревматическими ногами, с вислыми грудями, с жабьими подбородками. В одинаково безвкусных шляпах и солнечных очках. С мертвым оскалом вставных челюстей.

Уродство старости, запах тлена. Под ярким солнцем Карибского моря, под сенью кокосовых пальм, под ласковый шорох волны.

Чистый светлый песок пляжей загажен неровными рядами полутрупов, урывающих от жизни последние крохи неги. И как в насмешку, с американской лошадиной деловитостью спинки белых скамей вдоль пляжей и в парках покрыты рекламами похоронных бюро, наперебой предлагающих свои услуги и полное обслуживание при отходе в мир иной.

Помнится, я читала в какой-то книге, что главный истребитель евреев в нацистской Германии, заместитель Генриха Гиммлера Гейдрих, которого потом убили в Чехословакии, и немцы в отместку сожгли деревню Лидице, сделавшуюся по этому поводу всемирно известной, любил приезжать в штатском, мирным туристом в те страны, которые Гитлер облюбовал для атаки. С особым наслаждением он провел недельку в бельгийском курортном городке Остенде накануне вторжения туда германских войск. Остенде, как и Майами-бич, был облюбованный евреями курорт, и будущий палач нежился на пляже среди тысяч загоравших на солнышке евреев, профессионально рассматривал их тела, как мясник смотрит на стадо откормленного к убою скота.

Мама с папой занимали большую комнату с двуспальной кроватью, туалетным столиком и зеркалом на полстены. Другая стена, лицом к океану, была из сплошного стекла — раздвижное окно, за которым была бетонная чаша балкона.

Чтоб не тратить лишних денег и при этом не стеснять себя по ночам, мои предки использовали балкон как спальню для дочери. На ночь туда выносилась раскладная кровать, заполнявшая весь балкон, я раздевалась в комнате, а туда прыгала, раздвинув окно. Затем папа плотно затворял окно, мама сдвигала толстые шторы так, что даже лучик света не проникал оттуда ко мне, и я оставалась одна на жестком матрасе, выставив свои голые крохотные грудки ярким южным звездам, и, прикрыв глаза, слушала, как сладкую музыку, ровный ритмичный шум прибоя.

Миссис Шац, женщина осторожная и подозрительная, высказала моей маме опасение, что оставлять девочку на ночь на балконе в Майами-бич весьма рискованно. Кто знает, какой безумец, особенно из кубинцев, вздумает взобраться по стене и...

У меня замирало сердце в сладком предвкушении, при одной только мысли, что зловещие предсказания миссис Шац, знающей все, кроме одной маленькой вещи, что ее муж регулярно живет с моей матерью, могут сбыться, и ночью по стене, ловкий, как обезьяна, взберется ко мне на балкон смугленький, в набедренной повязке креол, и его белые зубы хищно озарятся бледной луной.

Мне мучительно, до жути хотелось, чтоб меня изнасиловали на балконе, и я убеждала себя, что не издам ни стона, ни крика. Иначе я разбужу моих предков, и они, с воплями, распахнув окно, прервут процесс изнасилования в самом интересном месте, и мой белозубый креол исчезнет, как мираж, за бетонной стеной.

Я ждала креола и потому долго не засыпала, напрягала слух, смотрела в упор на зашторенное окно, за которым, по моим предположениям, мама и папа занимались любовью и делали это, без всякого сомнения, скучно и неинтересно. Папа не обладал большой фантазией и исполнял свой супружеский долг с усердием делового человека, знающего, что всему есть свое время, и если уж за что-то взялся, то надо это делать как положено. Сексуальную литературу он не читал, порнографические фильмы не смотрел и потому в любви был до тоски старомодным. Так я полагала, лежа на балконе и напряженно прислушиваясь в надежде, что уловлю хоть какой-то признак любовной возни за плотно стянутыми шторами. Оттуда не доносилось ни вздоха, ни стона. Они это делали, должно быть, как обедали, скучно уставившись друг другу в переносицу.

Мое тело при мысли об этом покрывалось гусиной кожей. Возникало мерзкое чувство, словно ступила ногой в какую-то гадость, и я давала себе зарок, что свою жизнь построю не так, как моя мама. А как? Я еще не знала.

Моя мама старилась на глазах. Это тревожило ее, она злилась, глядя в зеркало, и свое раздражение переносила на меня. Мне было пятнадцать, и, как говорил доктор Шац, я вступила в волшебную пору цветения. Я действительно хорошела ото дня ко дню, и видеть все это было сущей пыткой для моей мамы. Я была очень похожа на нее. С той лишь разницей, что моя женственность только начинала созревать, я наливалась сексуальной многообещающей силой, а она, потратив лучшие годы на рутинное скучное спанье со своим мужем и трехкратные роды, теперь блекла, покрывалась морозным инеем ранних морщин на вянущей коже и судорожно пыталась что-то урвать в последний час, ухватившись за ароматного доктора Джулиуса Шаца.

Она меня не любила. И не той равнодушной, полупрезрительной нелюбовью, как это было в раннем детстве, а новым, злым чувством беспомощно и неотвратимо увядающей женщины к юной, набирающей силу сопернице. Это была смесь ноющей ревности и бессильного отчаяния.

Как-то после пляжа, смыв океанскую соль в душе, мы сидели обе в спальне перед зеркалом, полуголые, сбросив с плеч на бедра белые мохнатые халаты, и обе, как две подруги, приводили косметикой свои лица в порядок. Отец оставил нас одних, отправившись в номер к доктору Шацу сразиться в шахматы.

Мы сосредоточенно и молча натирали свои щеки кремом, красили ресницы, накладывали тон и смотрели в зеркале в глаза друг другу, отрываясь лишь для того, чтобы не промахнуться, потянувшись к баночке с кремом. Какими глазами смотрела она на меня! На мои тугие, как яблочки, грудки, покрытые ровным бронзовым загаром, вкусные, как хорошо поджаренный в тостере хлебец. А ее две пустые, как спустившие воздух мячи, груди уныло распластались, уронив на жировые складки живота черные сморщенные соски. Это не был взгляд матери. Это был нескрываемо завистливый и ненавидящий взгляд. В этот момент я окончательно определила, что мы — враги и не только на сочувствие, но даже на пощаду я не должна рассчитывать.

Равнодушие и отчужденность прежних лет сменились агрессией. Мы вступили с ней в войну. И первый удар по самому чувствительному месту нанесла я.

Во Флориде стояла ровная теплынь, и мои предки решили на недельку дольше насладиться этой благодатью. Мои каникулы кончались, и мне предстояло одной переть в холодный, слякотный Нью-Йорк.

Родителям крупно повезло — удалось сэкономить на моем обратном авиабилете. По удивительному совпадению милейшему доктору Шацу тоже срочно понадобилось в Нью-Йорк, и он согласился прихватить меня в своем «Мустанге», оставив жену загорать в приятной компании моих родителей.

Зеленый «Мустанг» доктора Шаца помчал меня на север в бесконечных потоках автомобилей на автостраде, мимо апельсиновых и грейпфрутовых рощ, как золотом, пронизанных шариками зрелых плодов. Началось веселое, увлекательное путешествие в автомобиле, под мурлыканье доктора Шаца, напевавшего под нос за рулем.

Я косила глазом на его прямоносый профиль, на пористую розовую кожу лица, на седые завитки в бакенбардах, на пухлые избалованные губы, сладострастно мнущие кончик коричневой сигары, и начинала подпадать под его мужское обаяние, как это в свое время случилось с моей мамой.

Я смотрела на его пальцы, сжимавшие руль. Розовые пальцы, белеющие у суставов, с редкими рыжеватыми волосиками на фалангах и холеными, чуть синеватыми ногтями. Этими пальцами он рыскал по вялому телу моей матери, добирался до бедер, просовывал в промежность и, возбуждаясь, ласкал их кончиками то самое чувствительное место, откуда в крови и грязи вылезла на свет божий пятнадцать лет тому назад вот эта гадкая, с развращенными мозгами юная особа, сидящая рядом с доктором Шацем на переднем сиденье

Я решила отдаться доктору Шацу, Маминому любовнику. Чувствительнее удара я придумать не могла.

Ночевали мы в отеле в Джексонвилле, на самом севере штата Флорида, и доктор Шац снял две комнаты. Мы поужинали в ресторане, и нас принимали за путешествующих отца с дочерью. Еще за ужином он заметил странности в моем поведении: лихорадочный блеск в глазах, бледность, сменяемую румянцем на щеках, и обеспокоенно спросил, не заболела ли я?

— Нет, — сказала я.

— Устала в автомобиле?

— Нет.

— Так что ж с тобой, дитя? Ты очень взвинчена, и мне бы хотелось знать причину.

— Причина проста, — с отчаяньем самоубийцы выпалила я, глядя ему прямо в глаза и не видя их, — я хочу вам отдаться. И это произойдет сегодня ночью.

Доктор Шац ничего не ответил. Мне показалось, даже не удивился. Единственной реакцией его был быстрый взгляд направо и налево: не услыхали ли за соседними столиками мои слова.

Потом он отодвинул недопитый кофе, достал сигару из нагрудного кармана пиджака, снял с нее целлофановую обертку, аккуратно обрезал кончик и закурил, окутав себя и меня ароматным синеватым облаком.

— Я знаю, о чем вы думаете, — интимно прошептала я, чувствуя, что еще немного — и у меня от страха лопнет, остановится сердце. — Вы думаете о том, что получается не очень удобно — спать одновременно и с женой, и с дочерью человека, с которым вы любите играть в шахматы.

— Значит, ты все знаешь? — без особого удивления отметил доктор Шац. — А я-то предполагал, что мы с твоей мамой отличные конспираторы.

— Отель «Веллингтон», — сказала я.

Он смотрел на меня каким-то грустным и в то же время испытующим взглядом, словно оценивая и взвешивая, созрела ли я достаточно для такого рискованного шага.

— Я вам не нравлюсь? — спросила я, теряя остатки смелости и начиная краснеть.

— Нет, почему же? Ты очень похожа на свою маму. И ей, я полагаю не понравится, если она узнает...

— Именно поэтому я и хочу вам отдаться. Я ненавижу ее.

— Эдипов комплекс наизнанку, — вздохнул доктор Шац и позвал официанта, чтоб расплатиться за ужин.

Мы поднялись к нему в комнату, и я сказала, что останусь здесь ночевать. Он, не возражая, перенес из моей комнаты к себе мои вещи и спустился вниз к регистратору, чтоб отказаться от одной комнаты.

Когда он вернулся, я уже лежала раздетая под простыней. На мне были только трусики. Их я не решилась снять.

Он погасил свет и, сопя и вздыхая, разделся в темноте. Мне стало страшно, и, когда он грузно присел на кровать, придавив со своей стороны матрас, я почувствовала, как мороз прошел по моей коже.

Он коснулся меня пальцами, поиграл сосками моих грудей, проехал подушечками пальцев, как по клавиатуре, по моим ребрам и животу, просунул пальцы в трусики, и я ощутила их обжигающее прикосновение между ног, которые я судорожно сжала.

Все, что было дальше, я помню, как в полусне. Он снял с меня трусики, с усилием раздвинул мои ноги, но не сделал того, чего я ждала и одновременно боялась.

— Ты — несовершеннолетняя, — сказал он мне непривычным голосом, он тоже возбудился. — Я не стану лишать тебя невинности. Это — преступление перед законом. Да и перед своей совестью.

— Но я хочу, — всхлипнула я, как обиженный ребенок. — Я никому не скажу. Честное слово. Верьте мне, доктор Шац.

Он рассмеялся. А я заплакала от обиды.

— Но ты станешь моей любовницей, — утешая меня, как ребенка, склонился он лицом к моему животу. — Ты испытаешь наслажденье, ничем не рискуя.

Я ничего не поняла.

Он зарылся лицом между моих ног, и меня как будто опалило огнем. Он провел языком по клитору. Шершавым, дразнящим языком по нежному розовому треугольнику. Мне стало жарко, заломило в пояснице. Я задохнулась от не испытанного прежде острого, как иголка, наслаждения и стала раскрытым ртом ловить воздух.

А потом, когда я успокоилась, он предложил мне сделать то же самое с ним — поцеловать его член. Я поднялась на колени, пошарила рукой в волосах и обожглась об его возбужденный, горячий и очень большой член.

— Коснись губами... поцелуй его... — шептал он, и я безвольно подчинилась. Прикоснувшись губами, ничего не испытав.

— Раскрой губки. Прихвати головку губами — ты мне этим доставишь удовольствие.

Я покорно сделала и это, ощутив, что мой рот заполнился и я не могу шевельнуть языком.

Он стал делать членом осторожные, мелкие движения, цепляясь за мои зубы, прижимая язык.

— Не выпускай, — все больше возбуждаясь, шептал он. — Шире открывай рот... еще шире... еще...

Я задыхалась. Мне было нечем дышать, мне хотелось языком вытолкнуть член изо рта, но я была словно парализована.

— Ах, как хорошо... Боже мой... какое наслаждение. — Захлебывался в шепоте этот большой, грузный человек, над которым я, худенький ребенок, склонилась, вытянув шею и раскидав свои волосы по его бедрам.

Потом что-то липкое, пульсируя, хлынуло в глотку, я подавилась, словно вздохнула под водой, и рванулась в сторону, свалилась с кровати на ковер, и меня вырвало. До помутнения в глазах. Я помню большое голое тело доктора Шаца, мечущегося по комнате, затем отмывающего меня в ванне, как запачкавшееся дитя, и мокрым полотенцем скребущего загаженный ковер.

Спать мы легли валетом, и когда я неосторожно касалась его тела под простыней, то вздрагивала от брезгливости, и тошнота опять подкатывала к горлу.

Утром за завтраком я выглядела бледной, с синими кругами под глазами, как после тяжелой болезни, и поймала на себе несколько недоумевающих взглядов с соседних столиков. Мне доктор Шац заказал стакан молока, и стоило сделать первый глоток, как я вскочила и бросилась в туалет, где меня снова стало рвать, и я опустилась на колени возле унитаза, чувствуя, что еще немного, и меня вывернет наизнанку.

В Нью-Йорк мы добрались без особых приключений. Бледность понемногу сошла с моего лица, а на севере свежий холод вернул щекам прежний румянец.

Первым делом я позвонила маме и с нескрываемым торжеством в голосе сообщила ей, что добралась домой благополучно и что это была замечательная идея отправить меня с доктором Шацем — золотым человеком, большим другом нашей семьи. Последние два слова я настолько подчеркнула, что на другом конце провода наступило недоуменное молчание. Чтобы дальше не интриговать, я повесила трубку.

ОН

Есть такая пора, в начале мая, когда все южные курорты Советского Союза, в любое время переполненные до отказа, буквально захлебываются от наплыва людей. В эти дни не только в гостиницах, но и в частных домах почти невозможно найти — о комнате и не мечтают — уголок для ночлега. А билетные кассы аэропортов берутся штурмом тысячными толпами.

Объясняется все просто. На начало мая в Советском Союзе выпадают два официальных праздника: Первое мая — День международной солидарности трудящихся и День Победы над Германией, отмечаемый 9 мая. В первый праздник не работают два дня, во второй — один, а между ними непременные суббота и воскресенье, и, таким образом, набирается пять нерабочих свободных дней. Четыре дня можно взять дополнительно за свой счет и на целых девять дней после холодной зимы и дождливой, слякотной весны умчаться на сухой, солнечный юг, к Черному морю, где уже полно купающихся. Получается дополнительный отпуск.

Особой популярностью пользуется в мае Ялта — белый, поросший темными кипарисами игрушечный город, прижатый крымскими горами к теплому, ароматному морю. На Крымском полуострове, в отличие от Кавказа, — сухой и жаркий воздух и не бывает той духоты, как скажем, в Сочи или Гагре. Поэтому основной поток шального курортного половодья обрушивается на «жемчужину Крыма», как ее именуют в рекламных проспектах, бедную Ялту.

Каждый год в первую декаду мая я стал приземляться в Ялте. Один. Или с кем-нибудь из приятелей, обычно коллегой из нашей столичной газеты. На сей раз компанию мне составил наш политический обозреватель Анатолий Орлов — малый неглупый и занятный, чье соседство десяток дней подряд вряд ли приестся и станет тяготить. Мы не были с ним на короткой ноге. От откровений автоматически сдерживало хотя бы то, что он был секретарем нашей редакционной партийной организации и, по крайней мере формально, числился моим идеологическим наставником, а я его поднадзорным. Да и был он немного примитивен и простоват. За явным недостатком дарования откровенно лизал зад начальству и делал карьеру.

Толя был примерно моих лет. Женат. Жену я его не знал. В гостях у него ни разу не был, а к нам, на коллективные редакционные выпивки, он ее никогда не приводил. И нисколько не стесняемый своим пуританским саном партийного вождя, напропалую ухаживал за женщинами, и не одна из наших дамочек спиной познала звон диванных пружин в его кабинете.

Так что ехать в Ялту в паре с Толей было вдвойне удобно: с одной стороны, его присутствие рядом создавало алиби перед женой, отводило подозрение о возможных курортных шалостях, а с другой — он-то как раз и был незаменим в поисках любительниц скоропалительных романов. А ради чего еще едут в Ялту без жен двое здоровых мужчин?

Отделаться от жены в этом году мне удалось с превеликим трудом. Выручил случай: прихворнула дочь. А то бы мне помирать от тоски в одном номере с супругой, на пляже вечно жмурить глаза, чтобы она по нехорошему блеску в них при виде легкодоступных молодых женских тел вокруг не вычислила безо всяких сложностей, как я тут постился, приезжая без нее.

Длиннющие очереди у билетных касс и непременное отсутствие мест в гостиницах к нам с Толей не имели никакого отношения. Билеты на облюбованный нами авиарейс Москва — Симферополь были доставлены на дом, в Симферополе нас ожидал у выхода из аэропорта корреспондент нашей газеты по Крыму и в казенной редакционной «Волге» помчал нас через зеленеющую степь, потом невысокие темные горы, к бирюзовым водам Черного моря, где на самом краю Ялты зеленела железной крышей среди темных кипарисов старомодная гостиница «Ореанда», жить в которой было по-домашнему уютно, не в пример новым ультрамодерным отелям из бетона и стекла, обезобразившим милый бабушкин облик старейшего русского курорта.

В «Ореанде» некогда останавливались Чехов и Бунин и даже Лев Толстой, а нынче она была отдана исключительно иностранцам — а они-то уж зря денежки не платят, тем более в конвертируемой валюте.

Советским гражданам проникнуть туда практически невозможно. За исключением таких «бобров», как мы с Толей. Есть в Советском Союзе узкая прослоечка людей — партийные верхи, журналисты, заметные ученые, генералы, писатели и артисты, для которых власти создали сладкую жизнь. Перед нами распахиваются двери закрытых для обычных людей магазинов, по первому звонку нам предоставляют места в отелях, как бы переполнены они ни были, если надо, бесцеремонно выдворив других, пониже рангом. Мы не стоим в очередях за билетами. Нас пользуют бесплатно лучшие врачи в спецполиклиниках. И много, много других привилегий и услуг, которые ни за какие деньги не купить.

Нам отвели два соседних номера на первом этаже. Правда, окнами во двор. В номерах с видом на море прочно сидели иностранные туристы, а их, как известно, переселять не совсем удобно. Но мы не обижались. Нас вполне устроило то, что получили. Хорошая комната. С ванной и туалетом. Всего за три рубля в день. Почти бесплатно. С иностранцев за такую комнату дерут несколько десятков долларов.

Толя, еле ополоснувшись с дороги, тут же умчался на пляж. Я не пошел с ним. Я действительно приехал отдохнуть, расслабиться, успокоить расшалившиеся нервы. Всю зиму тяжело работал. Дома с женой постоянная «холодная война». Снова стало побаливать сердце, о котором врачи после осмотра заключили, что оно «оставляет желать лучшего». А чего лучшего может оставлять желать сердце, если оно и так уже на удивление тянет четверть века с запекшимся в нем кусочком стали, трогать который не решались ни армейские хирурги в войну, ни московские светила много лет спустя.

Честно признаться, в отличие от моего напарника, я и не строил особых донжуанских планов. В первую очередь хотелось покоя, дать отдохнуть голове. На десять дней опуститься в дремотную растительную жизнь хрюкающего курортника, а уж если подвернется что-нибудь пикантное, эдакое, такое, без кривляний и жеманства, и рухнет к моим ногам, то...

Я был постояльцем этой гостиницы много маев подряд, и обслуга меня помнила и была приветлива и искренне услужлива, как со своим, чуть ли не родным человеком. Видать, надоело до чертиков среди иностранцев, перед которыми надо ходить по струнке вышколенным лакеем и все молча, да скаля зубы в обязательной улыбке, от которой сводит скулы. Швейцар приветствовал меня по имени-отчеству, сухонькая старушка-горничная обращалась по фамилии, когда меняла в ванной полотенца и уносила в мусорном ведре пестрые иностранные обертки от мыла и порожние, пахнущие флаконы от шампуня — следы покинувшего эту комнату до моего приезда иностранного гостя.

Ужинали мы втроем. Толя привел подхваченную на пляже бабищу, довольно молодую, но избыточно в соку, и она, жена моряка, если верить ее словам, откуда-то из-под Мурманска, плотоядно обозревала Толю, смачно, с аппетитом обгладывая куриную ножку, с кряхтеньем, по-мужски опрокидывая меж густо накрашенных губ стопку с водкой и ничуть не скрывая надежд, возлагаемых на Толю предстоящей ночью.

Утром Толя имел бледный вид и попросил меня пойти с ним загорать куда-нибудь подальше, чтоб разминуться со вчерашней морячкой. И снова за ужином мы сидели втроем. Толя «склеил» на сей раз недурную бабенку из какого-то санатория и, подпоив, уволок к себе. Поздно ночью я слышал, как они протопали, бубня, мимо моей двери — галантный Толя, мечтавший поспать в одиночестве, отправился провожать даму за тридевять земель.

Завтракать я пришел один. Проснулся рано, отлично выспавшись в моем номере, всю ночь с распахнутым настежь окном и вволю надышавшись бодрящим с запахом йода морским воздухом. Толя в такой час видел лишь первый сон, и будить его я не решился. Спустился по ковровым ступеням мраморной лестницы в сонный пустой вестибюль. Двери в ресторан были наглухо закрыты. Зато отворена была дверь на противоположной стороне. Там, во флигеле гостиницы, ютился маленький буфет, завтракать в котором было одним из удовольствий от пребывания в «Ореанде». Потому что открывали буфет очень рано. А главное, из-за огромного стекла, заменявшего фасадную стенку флигелька. В этом окне, как на большом экране, распахивалось Черное море с кораблями и парусниками, и даже виден был бетонный пирс портового причала. Опустив взгляд, можно было обозревать кусок набережной и за ней галечный пляж, густо усеянный, как тюленье лежбище, бесконечным множеством тел.

Я обожал потягивать горячий ароматный кофе, с шипением налитый из итальянской машины «Эспрессо», покусывать желтый пористый сыр «Латвийский» с острым дразнящим запахом и глазеть в чисто вымытое стекло. Чем раньше придешь сюда, тем больше шансов без толкотни и шума спокойно позавтракать, пройдя по еще влажным после мытья крашеным половицам к свободному, блещущему пластмассовой поверхностью столу у окна.

В то утро за «моим» столом уже кто-то сидел. Точнее, не кто-то, а женщина, которую вначале я даже толком не рассмотрел. Единственное, что моментально отметил, — она допивала свой кофе, и, соответственно, скоро покинет буфет, предоставив мне возможность в приятном уединении наслаждаться своим кофе и видом из окна. Меня это вполне устраивало, и я не стал искать другого, менее удобного для обзора места, а сел к «своему» столу напротив женщины, задумчиво потягивающей кофе из крохотной белой чашечки. Она тоже никак не отреагировала на мое появление.

Первый же глоток горячего горького кофе приятно ущипнул небо и горло, и у меня от удовольствия выступили слезы. И все, что я видел за стеклом, чуть расплывалось и было не в «фокусе», как говорят фотографы. Половину обозримого пространства занимало белое длинное тело пассажирского теплохода, медленно, незаметно для глаза ползшего по темно-синей глади к причалу. Корабль был как огромная игрушка, с яркой красной трубой и тремя рядами окошек-иллюминаторов на борту. И нос его, на большой высоте, завершался, как на старинном пиратском судне, бронзовой фигурой женщины с рыбьим хвостом русалки, подпиравшей руками задорно устремленное вперед деревянное бревно бушприта.

— Простите, — услышал я голос моей соседки по столу, — вам удалось прочесть название судна? Я близорука.

Не обернувшись к ней, я по складам прочел название, золотом отливавшее на белом фоне:

— «Стелла Полярис».

— Какая прелесть! — воскликнула она. — «Стелла Полярис»! «Полярная звезда». А из какой страны пришла к нам «Стелла Полярис»?

Тут уж я заглянул ей в лицо. Оно показалось мне ничем не примечательным. Круглое, мягкое. Серые глаза довольно большого размера и расставлены широко над коротким прямым носом. И нос как нос. Правда, ноздри живые. Подрагивают, трепещут. Такие ноздри я наблюдал у породистых скаковых лошадей. И все это окружено довольно пышными и, должно быть, мягкими на ощупь русыми волосами. Никаких особых примет, как говорят криминалисты. Но что-то все же есть в этом лице неординарное, невольно вызывающее ответную улыбку. Доброта. Доверчивая, бесхитростная доброта разлита по всему лицу, по белой, не тронутой загаром коже с блеклыми дробинками еще не проступивших веснушек.

Я, видимо, долго, не отрываясь, разглядывал ее лицо, и ей пришлось с улыбкой напомнить мне:

— Так вы определили, откуда пришла «Стелла Полярис»?

— Откуда пришла? — прищурился я в окно, а сердце у меня упруго запрыгало под ребрами, как это бывает со мной, когда я чем-то радостно поражен. — Откуда пришла эта самая «Стелла Полярис»? Да из Греции. Если судить по флагу над кормой. А порт приписки сообщу вам, когда «Стелла» нам корму покажет. Впрочем, могу пари держать, порт, конечно, Пирей. Какие еще в Греции имеются порты?

— Как вы все это знаете? — искренне восхитилась она. — Вы не моряк?

— Нет.

— Ну, тогда часто бываете за границей?

— Не совсем.

— Вы меня заинтриговали. Живете в гостинице, где лишь одни иностранцы, по виду вы — русский, а по говору — москвич... и весьма эрудированы по морской части.

— Но и вы, если судить по говору, моя землячка и тоже, если не ошибаюсь, проживаете в этой закрытой для советских граждан гостинице.

Она рассмеялась, показав ровные и большие зубы, какие бывают у детей — два верхних резца особенно длинные, как у зайца.

— Проживаю — это хорошо сказано. На самом верху, почти на чердаке, общежитие — двенадцать коек для обслуживающего персонала. Вот там и ночую. Если не выселят.

— Что-то вы не похожи на официантку...

— Почему же? И имя у меня такое. Подходящее к профессии. Лена, подай! Лена, обслужи! Но, но... Так мне мой муж подает команды. Я не официантка. Прилетела в Крым на вот эти полторы недели. День потеряла в Москве — не могла достать места в самолете.

— А я уже второй день тут. И моя жена в Москве обычно обращается ко мне: Олег, помолчи. Олег, не травмируй ребенка.

— Вот видите, как много мы друг о друге узнали из двух фраз!

— Все остальное я могу прочесть в ваших глазах, — сказал я.

— Тогда больше ни слова. Если у вас нет определенных планов на утро, то я приглашаю вас на прогулку. Пойдемте в порт и встретим «Стеллу Полярис». Любопытно, каких заморских гостей она высадит в Ялте? Идет?

— Идет!

Мы не вышли, а выбежали из «Ореанды». И я не заметил, как ее рука очутилась в моей, и мы пошли по набережной, не разнимая рук и беспричинно улыбаясь. Я не понимал, что со мной. Появилась какая-то легкость в походке, как в совсем юные годы. Мое тело лишилось половины веса. Глупая, бессмысленная улыбка помимо моей воли растягивала губы. Что-то в этом роде происходило и с Леной. Мы шли, пританцовывая и размахивая сцепленными руками, и, на трезвый взгляд со стороны, выглядели дурашливой, нелепой парой, впавшей в детство от непривычного южного тепла и курортного безделья.

Но нас меньше всего волновало, как мы выглядели со стороны. Оба были поглощены необъяснимой радостью, охватившей нас, и никак не хотелось анализировать свое состояние, копаться в своих чувствах из опасения нарушить это ощущение беспричинного, назовите как угодно: щенячьего, телячьего — восторга.

Каких-нибудь полчаса назад ни я, ни она и не предполагали, что такое вот с нами случится. Мы даже не подозревали о существовании друг друга. И вот — на тебе!

Ялтинская набережная мягким полукругом огибает бухту и кончается у морского вокзала. Чтобы попасть в порт, надо пройти через вокзал. Но все входы туда в этот час охранялись солдатами в зеленых фуражках пограничников. Перед солдатами теснились кучки таких же, как мы, любопытствующих курортников, пришедших поглазеть, как ошвартуется у причала иностранный теплоход. И как обычно бывает в таких случаях, никого, кроме официальных лиц близко к иностранному судну не подпускали — вход в порт был перекрыт.

Лена была явно огорчена. И хотя не в моих правилах без особой причины козырять всемогущим удостоверением — красной книжкой столичного журналиста, перед которой, как по мановению волшебной палочки, распахиваются очень многие двери в этой стране, желание порадовать Лену оказалось сильнее.

Нас тут же пропустили. И мы, спиной чуя завистливые взгляды других зевак, прошли прохладные пустынные залы морского вокзала и вышли на залитый солнцем причал, где мне пришлось вторично предъявлять газетное удостоверение.

Теперь Лена знала, кто я, и не стала испытывать мое любопытство, сказав, что она — научный работник, служит в исследовательском институте в Москве.

— Химия? Физика?

— Физика. Точнее, баллистика.

— О! — удивился я. — Это уже попахивает военным ведомством.

— Вы — догадливый журналист. Мой институт — закрытый. Почтовый ящик.

Мы не стали вдаваться в подробности ее научной деятельности, так как я и сам понимал, что это неделикатно — она обычно бывает засекреченной, а кроме того, наше внимание приковало зрелище огромного — с близкого расстояния — белого теплохода, осторожно прижимавшегося многоярусно-оконным бортом к бетону причала, смягчая столкновение упругими связками кранцев.

Причал был пуст, лишь через равные промежутки зеленели фуражки пограничников, застывших, как на карауле, да еще темнела официальными костюмами жиденькая группа гражданских лиц — таможенные власти и работники «Интуриста». По косому подвесному трапу, спущенному с борта на причал, вверх торопливо побежали в затылок друг другу пограничники.

Мы стояли у носа «Стеллы Полярис». Над нашими головами уходил в синее небо бронзовым бревном старинный бушприт, и над ним, распластав свое тело по обе стороны корабельного носа, золотилась могучими формами громадная русалка, или как ее еще там называют, и солнце сверкало на крупной, как черепица, чешуе ее кокетливо изогнутого хвоста.

Вверху, на палубах, гремел из динамиков джаз. Оттуда, свесившись через перила, на нас глазели пассажиры. Все, как на подбор, седые, и у всех сверкающие фальшивыми зубами улыбки. И почти у всех на носу очки.

Лена, смеясь, обратила мое внимание на то, что нам снизу они кажутся гномиками, смешными, чудаковатыми масками какого-то заморского карнавала. И этому ощущению способствовал вид самого корабля — ультрасовременного со старомодным маскарадным фасадом.

Скоро Лена потянула меня из порта. Нам быстро наскучило зрелище сползающих по шаткому трапу пестро и крикливо, не по возрасту одетых стариков и старух.

— Взбесившийся дом престарелых, — резюмировала Лена, когда мы выбрались из порта на набережную. Здесь уже было многолюдно, и в полном контрасте с пассажирами «Стеллы Полярис» навстречу нам попадались одни молодые загорелые лица. И даже одежда этих людей, по-советски невзрачная и серая, выглядела теперь куда уместней шутовских многоцветных нарядов, напяленных на еле живых туристов.

— Вот уж чего бы я не хотела, — воскликнула Лена, — жить за границей. Мне кажется, я бы там зачахла среди непривычной пестроты... без нашей серенькой бледности.

Я не понял, шутит она или говорит всерьез. Пребывание в закрытом военном институте должно было приучить скрывать свои мысли.

— А вам случалось там бывать? — осторожно спросил я.

— Не бывала. И особого желания не испытываю. Мне вполне хорошо дома. А глаз у меня не завидущий.

Она вдруг рассмеялась.

— Тем более теперь, когда мы с вами встретились, кому могу я завидовать? А? Угадайте, чего мне хочется? Мучительно хочется.

— Чего?

— А вы не сочтете меня нескромной, гадкой?

— Не сочту.

— Вернуться в «Ореанду». Вот чего мне вдруг захотелось. И укрыться от всех. С вами.

— И мне тоже, — сознался я.

— Тогда чего же мы стоим? Побежали!

Мы действительно побежали, расталкивая встречных, и шарахавшиеся от нас люди, наверное, думали, что мы что-то забыли, очень важное, и мчимся сломя голову, словно промедление чревато для нас Бог знает чем.

В моей комнате, отдышавшись, мы молча стали раздеваться. Не стесняясь. Будто давно знаем один одного. И рухнули в только что аккуратно убранную горничной постель, разметав простыни и подушки.

Впопыхах я даже не запер двери. Мы оба обалдели друг от друга. Забыли обо всем на свете. Лена стонала от наслаждения во весь голос, и из-под ресниц закрытых глаз текли слезы. Я был на седьмом небе. Мне показалось, что такой остроты и сладости от обладания женщиной я еще никогда не испытывал, при том, что моя прежняя жизнь была далеко не монашеской.

Сомнений не было. Произошло точнейшее попадание. Удивительное совпадение. Мы подходили друг другу с точностью до микрона. Как говорят инженеры.

— Я только сейчас открыла для себя, — созналась мне потом Лена, — что это такое — ни с чем не сравнимое наслаждение от секса. Я прожила десять лет с мужем, выскочила замуж на первом курсе, родила двоих детей, регулярно, почти каждую ночь, отдавалась ему и ничего подобного не испытывала. Уступала ему. Не скажу, что мне было безразлично, но особого удовольствия не испытывала. И мне было невдомек, отчего женщины в романах готовы пожертвовать жизнью ради счастья быть с предметом своего обожания. Я не понимала и не верила книгам, когда там описывались постельные страсти, от которых теряют сознание. Я считала непроходимыми дурами баб, которым мужчина весь свет застил. Теперь я всему верю. Господи, да нет ничего равного этому сладостному ощущению, какое я испытываю с тобой. Да что может быть лучше в этой жизни? Какой это подарок природы! Это венец, награда за все наши муки и невзгоды в жизни.

Для меня, более опытного, Лена тоже оказалась открытием. Я открыл новые высоты, новую степень физического наслаждения от обладания женщиной. И должен признать, возбуждала она меня так интенсивно, вызывала острое, неутолимое желание так часто, что я только диву давался, никак не предполагая за собой такой прыти.

У нее было удивительное тело. Нормальных, обычных

форм молодой и здоровой женщины. С первыми признаками проступающей полноты. Отчего ее тренированные спортом мышцы приобрели легкую мягкость, сохранив упругость и свежесть. Женское тело в пору расцвета. Круглый, чуть выпуклый живот. Еще крепкие большие груди. Широкие мягкие бедра. Одно лишь прикосновение пальцем к этому телу вызывало во мне возбуждающую дрожь. Даже не прикасаясь, а просто сидя в постели и рассматривая ее, вольно раскинувшуюся, без стыда, на смятых простынях, я сразу же испытывал вспышку влечения, желание сжать ее до хруста в костях и утонуть, раствориться в ней.

Были у Лены любовники до меня? Всего один. Она лишь однажды изменила мужу. Когда убедилась, что он неверен ей. Лена узнала имя этой женщины, где она живет и, позвонив, договорилась с ее мужем о встрече. С женщиной видеться она не сочла нужным. Решила переспать с ее мужем и этим отомстить ей и наказать своего неверного супруга. Что и совершила. Снова не испытав страсти и никакой радости. Убедившись лишь в том, что все мужчины одинаковы. Она даже поклялась себе больше никогда не испытывать судьбу. И вот эта встреча в Ялте и ослепительное открытие, что и ее судьба не обошла женским счастьем.

Что может быть лестней для стареющего и уже теряющего сексуальное любопытство мужчины? Лена возрождала меня в моих глазах, и уж одного чувства признательности было достаточно, чтобы боготворить ее. И я отдался этому позабытому состоянию без оглядки. Выбросив из головы, как сор, все, что составляло прежде предмет моих забот и размышлений. Жизнь сразу стала легка и прозрачна. Как в ранней юности.

Сколько мы тогда провели времени в постели, ни я, ни она не помнили. Было уже за полдень, когда громкое покашливание совсем близко от кровати вернуло нас к действительности.

В комнате стоял Толя Орлов. Причиной его появления оказалась незапертая дверь. Не найдя меня ни на набережной, ни на пляже и видя, что подходит обеденное время, он решил проверить, не случилось ли что со мной, не лежу ли я больным в своей комнате. И вошел. И увидел.

— Пардон, — хрипло откашлялся он. — Вот вы где? Разрешите представиться.

Он с грубоватой прямотой протянул Лене руку. Она рассмеялась и высунула из-под простыни свою.

— Мы с ним коллеги, — пояснил Толя. — Поэтому стесняться меня не следует. Я сейчас уберусь отсюда. А вы приводите себя в порядок — и обедать. Я придержу места в ресторане.

И уже у самых дверей обернулся:

— Ну и парочка вы! Так подходите друг другу, что мне вдруг захотелось вас запечатлеть. Для вечности. Он стал стаскивать с плеча ремень фотоаппарата.

— Что за глупости? — отмахнулся я.

— Почему глупости, — мягко возразила Лена, запахивая на груди простыню. — Я с ним согласна. Запечатлейте нас, Толя.

Он тут же поднял фотоаппарат, стал наводить на нас, приговаривая:

— Немножко бы пообнаженней. Сдвиньте, Леночка, простыню...

— А это уже, Толя, перебор, — сказала она. — Щелкайте, пока я не раздумала. И убирайтесь!

За обедом Толя не сводил глаз с Лены, был с ней отчаянно любезен и незаметно толкал меня под столом ногой. А она, когда мы вышли на набережную, не церемонясь, попрощалась с Толей, сказав, что предпочитает оставаться со мной наедине, так как времени у нас в Ялте в обрез.

Толя не обиделся, а, наоборот, восхитился:

— Ну, матушка, даешь! — воскликнул он. — Настоящая славянская душа! Нараспашку! Олегу можно только позавидовать.

Не знаю, достоинство это или недостаток, но у меня феноменальная память на лица. Стоит мне даже мельком взглянуть кому-то в лицо, как моментально срабатывает в голове фотовспышка и абсолютно ненужный мне портрет надолго, а возможно и навечно, застревает в закоулках моего мозга. Но добро бы запечатлелось лицо, и все. Дудки! Стоит мне, сколько угодно времени спустя, наткнуться на того же человека, и я, как ненормальный, буду томиться и ни на чем больше не смогу сосредоточиться, пока по крохам не воссоздам в памяти, где же я прежде видел его.

Однажды я вот так битый час преследовал по всей Москве немолодую, ничем не примечательную женщину, шел за ней по пятам из магазина в магазин, спускался в метро, ждал возле дамского туалета, чуть не вывихнул мозги от напряжения и все же вспомнил. Женщина оказалась кондуктором трамвая на маршруте «А», по которому я ездил от силы два раза в жизни, и этого оказалось достаточно, чтоб заурядная физиономия усталой и угрюмой кондукторши, оторвавшей от висевшего на груди рулона билет и протянувшей его мне, не удостоив даже взглядом, застряла в моем мозговом сейфе.

Порой я бывал наказан за свою слабость. Стоял как-то у газетного киоска в очереди за «Вечерней Москвой». Впереди меня человек десять. Стройная брюнетка, стоявшая впереди меня, оглянулась, столкнулась со мной взглядом и тотчас отвернулась. Но этого было достаточно, чтоб я тут же потерял покой. Где я ее видел? Я, несомненно, ее встречал. Но где? При каких обстоятельствах? Под моим черепом запульсировали токи высокой частоты, лихорадочно, до головной боли перебирая несметный запас отпечатков в памяти. И все тщетно. Очередь быстро сокращалась, а ответ не выплывал. Она уже купила газету и быстро, не оглядываясь, пошла от киоска. И я, забыв взять газету, устремился за ней и, чтоб обрести покой, решил больше не утруждать себя догадками, а просто спросить у нее. И действительно, спросил, обогнав и развернувшись лицом к лицу:

— Простите, вы не поможете мне вспомнить, откуда мне знакомо ваше лицо?

— Помогу, — сказала брюнетка, нахмурив брови, и наотмашь влепила мне пощечину. Среди бела дня. В центре Москвы. В голове произошла вспышка — и я явственно вспомнил и эту брюнетку, и обстоятельства, при которых я ее знал. А вернее всего, расстался.

За несколько лет до того эта дамочка как-то побывала в Сочи в моей постели и, не предупредив, без приглашения явилась в следующую ночь ко мне. И застала на своем месте другую женщину. И с криком «негодяй» убежала. И вот вполне заслуженную пощечину я накликал из-за идиотской привычки припоминать лица.

Мы носились с Леной по Крыму как угорелые. Как дети, ушедшие из-под опеки и на время забывшие обо всем, что прежде их стесняло. Для нас не существовало ни государства, ни работы, ни семьи. В этом мире были только мы, а сам мир вращался вокруг нас и только для нас, открывая нам свои новые и новые грани, окрашенные в фантастические тона, прежде так бездумно ускользавшие от нашего внимания.

Форос — острый каменистый мыс фиолетового цвета, со старинным белым маяком на выступе скалы, и до него от Ялты всего несколько часов упругого хлопанья днищем по волнам быстроходной «Кометы» — белого с гнутым прозрачным верхом судёнышка на подводных крыльях. Форос почти безлюден. Скалист, лесист и дик.

Высадившись утречком на тихом, малолюдном причале под сенью нависших скал, мы опрометью кинулись бежать вверх, в горы, подтягивая друг друга, и вместо альпинистской верёвки нам верно служил мой шерстяной свитер, один рукав которого зажал я в своей руке, и за другой цепко держалась, хохоча и задыхаясь от крутого подъема, Лена.

Весь день мы провели в скалах, до предела, до изнеможения вкусив всю прелесть сладостного уединения среди дикого, до жути красивого ландшафта, и когда спустились к морю, еле держась на ногах от усталости, спохватились, что весь день ничего не ели, и, прикинув, что до последнего рейса «Кометы» ещё осталось время, бросились на поиски чего-нибудь съестного. Мы набрели на дощатый барак, в котором ютилась столовая. Несколько столиков были густо облеплены уже хмельными работягами с ближнего каменного карьера, и только за одним столом оставались свободными два стула. Два других занимали немолодая грузная женщина и подросток лет пятнадцати. Мы поспешили к этому столику. Женщина, не перестав жевать, кивком подтвердила, что места свободны и мы можем их занять. А у меня сразу заныло в груди. Я её где-то видел. Эту усталую, крепко помятую жизнью некрасивую еврейку. И не просто видел. А непременно знал когда-то. Снова очнулась моя проклятая память на лица, которая не раз приводила к неприятным открытиям. И теперь я с беспокойством почувствовал, что ничего хорошего припоминание мне не сулит.

Сонная официантка, сопя полным аденоидов носом, принесла нам поесть, а я долго не прикасался к еде, весь погруженный в тщетные воспоминания, и Лене пришлось напомнить мне, чтоб я ел, ибо времени до отъезда у нас в обрез. Она назвала меня по имени. И тогда женщина, сидевшая с нами за столом, быстро взглянула на меня, и в её глазах мелькнула улыбка.

— Олег? — спросила она. — Боже, как вы изменились! Я поначалу и не узнала вас.

И тогда я узнал её. Даже имя вспомнил:

— Соня.

— Какая у тебя... у вас память! Не знаю, как нам, на «ты» или на «вы»?..

— Конечно, на «ты». Что за вопрос? Лена! Представляешь, кого я встретил? Мы с Соней в университете пять лет проучились вместе. Так сказать, соученица... однокурсница.

Лена привстала и протянула Соне руку.

— Извините, что сижу, — сказала, пожимая ей руку, Соня и скосила глаз на металлическую трость с истертой кожаной рукояткой, прислоненную к ее стулу. — Я малоподвижна. Одна нога.

У Лены дрогнули ресницы и брови страдальчески заломились.

— Верно, — вспомнил я. — Соня — инвалид войны. Потеряла ногу. Мы с ней на нашем курсе долго ходили в шинелях.

— Я ее доносила до конца, — мягко и немного виновато улыбнулась Соня. — Никак на пальто не могла собрать денег. Стипендия крохотная. Помнишь, Олег? Да и пенсия такая — только бы ноги не протянуть. Вернее, ногу. Мне приходится и поговорки на свой лад приспосабливать. Ох, Олег, как я рада тебя видеть... будто в юность свою вернулась.

— И я, Соня, рад. Действительно рад.

— Как здоровье? Сердце? У тебя, если память не подводит, оно с железной начинкой? Удалили?

— Таскаю.

— Не беспокоит?

— Как сказать... Иногда дает знать.

— Надо же, — мотнула седеющей головой Соня. — Столько лет... и встретиться случайно где-то в Крыму..

Мы смотрели друг на друга и улыбались. Мальчик, похожий на Соню, такой же длинноносый и с черными, влажными глазами, словно до краев наполненными непролитыми слезами, тоже смотрел на меня, но без улыбки, а настороженно и недоверчиво. Он молчал. И перестал есть..

— Это мой сын, — сказала Соня. — Коля. Отец у него русский. Оттого и такое нееврейское имя. Единственное, что ему досталось от отца. Пятнадцать лет ни копейки не послал на содержание, а теперь, когда мы собрались уехать и требуется его разрешение, уперся — и ни в какую. Проснулись отцовские чувства.

— Куда уехать? — не понял я.

— А куда евреи уезжают?

— В Израиль... уезжаешь?

— Куда же еще? — совсем печально улыбнулась Соня. — Кому еще нужна старая еврейка на протезе... с инвалидом-сыном в придачу.

Я удивленно перевел взгляд на мальчика, и Соня пояснила:

— Он глухонемой. От рождения. Как говорится, яблочко от яблони... Инвалидная семейка. Ладно. Замнем. А то я вам аппетит порчу. Ты, Олег, не сказал мне: Лена — твоя жена?

Я не успел ответить. Лена меня опередила:

— Да. Я жена Олега. И у нас трое детей.

— Поздравляю, — в глазах у Сони затеплились огоньки. — Вы подходите друг другу. Красивые и... здоровые.

— Какой я здоровый, — начал было я, но Соня перебила:

— Вы здоровы уже потому, что вы дома, в своей стране. И никто вас не гонит. А мы вдруг узнали, что ошиблись адресом, родившись в этой стране, и теперь на старости надо искать на земле уголок, где тебя не посчитают чужим.

— Вы работаете? — спросила Лена.

Соня горько усмехнулась.

— Человек, дорогая моя, заикнувшийся, что он хочет покинуть нашу любимую родину, в первую очередь вылетает с работы... А дадут ли ему уехать — одному Богу известно.

— Тебя... из газеты?.. — осторожно спросил я.

— Забыл, Олег, — с мягкой укоризной глянула она на меня. — Да и к чему тебе помнить? Удар пришелся по мне, а не по тебе. С той поры о газетной работе я и мечтать не могла. Пересидела, затаившись, и, когда все улеглось, устроилась в школу учительницей. Благо, в наших с тобой дипломах мы не только журналисты, но и педагоги.

— И все эти годы в Москве? — спросил я.

— Сначала под Москвой. Представляешь, каково каждый день поездом ехать... на одной ноге. А потом нашла место в Москве. Уволили меня уже из этой школы. А сколько сидеть и ждать отъезда — ума не приложу.

— Вся загвоздка в отце ребенка?

— По крайней мере, на этом этапе... Не удивлюсь, если потом еще что-нибудь придумают.

Лена оставила еду и смотрела на Соню.

— На что же вы теперь живете? У вас были сбережения?

— Какие у учительницы сбережения? От получки до получки. Как живу? Вот видите, я не умираю. И даже за этот обед смогу рассчитаться с официанткой. Наш брат, инвалид, сохранил чувство локтя. Еще ползают по земле кое-кто из тех, кого я под огнем тащила на себе. Я была санитаркой... пока обе ноги были целы. Заходят. Кто деньжат подкинет, кто продуктов. Сыну костюм подарили. Но это — не главное. Вот от его отца бумажку получить, тогда мы спасены. Не дает, прохвост. Думаю, не сам, начальство его накрутило. Мы уж тут неделю сидим. Не уедем без бумажки.

— Соня, дорогая, — взволнованно прошептала Лена, — чем я могу вам помочь?

— А ничем, — улыбнулась Соня. — Спасибо за добрый порыв, — и кивнула в окно: — Ваш пароход подходит. Не опоздайте. Это последний.

Я подозвал официантку и стал поспешно рассчитываться. Лена, незаметно от меня, протянула Соне сторублевую бумажку.

— Возьмите, умоляю вас.

— Но я ведь не смогу вернуть, — смутилась Соня. — А впрочем, кто знает? Давайте обменяемся телефонами. Олег, запиши, пожалуйста, мой.

Я покидал мыс Форос, в чьих фиолетовых скалах мы с Леной провели такой чудесный день, в подавленном, беспокойном состоянии. Угрюма и молчалива была и Лена. В серебристой, похожей на космический снаряд «Комете» оказалось много свободных мест, и мы расположились в мягких сиденьях у широкого овального окна, откуда был виден причал и на нем две фигуры, одна покрупнее, другая потоньше. Роста они были одного, Соня и ее сын. Соня стояла немного неуклюже. Одна нога — протез — неестественно отставлена. Она тяжело опиралась на алюминиевую палку, и заходящее солнце, уже утопившее нижний край в море, слепяще отражалось от алюминия, вынуждая меня и Лену щуриться и моргать. По Лениной щеке поползла слеза.

«Комета», загудев и мелко содрогаясь всем корпусом, взбурлила морскую гладь, ударив поочередно несколькими волнами по бетонным сваям причала. Мы понеслись от берега, задрав обтекаемый нос и касаясь воды тонкими, как ножи, ногами, словно жучок-плавунец. Волна изредка ударяла по днищу, и вибрацию от удара погашали мягкие сиденья.

Я сосредоточенно глядел в окно на уплывающий гористый берег, с заходом солнца погружавшийся в тень. Краем глаза я улавливал взгляд Лены, выжидающе обращенный ко мне.

— Тебе не хочется разговаривать? — спросила она.

— Это долгая история.

— У нас и путь долог. Времени хватит.

— Неприятные воспоминания. Омрачили весь день. А нам так хорошо было. Пока не встретили ее.

— У меня ощущение, ты в чем-то виноват перед ней.

— Виноват? Если быть честным перед самим собой — несомненно. Но виноват я в той же мере, в какой вся наша страна виновата. Я — частица этой страны, впрочем, как ты, и мы делим вместе со страной ответственность за ее ошибки.

— Бывают ошибки, которые точнее было бы назвать преступлениями.

— Да, на расстоянии это выглядит, пожалуй, так.

— Когда это было?

— Ты меня допрашиваешь, как следователь.

— Извини, — выдавила улыбку Лена. — Мне хочется знать, когда это случилось.

— Вскоре после войны. В 1948 году. Я и Соня попали по распределению в одну газету, в небольшой провинциальный город.

— Вы учились вместе?

— На одном курсе. Военный поток. Поступили, когда война еще была в разгаре, прямо из госпиталей. Я с куском железа в лопатке, Соня — без ноги. У нее тогда еще не было протеза, и она прыгала по университетским коридорам на костылях. В зеленой военной шинели, на цивильное пальто не хватало денег. После войны была жуткая дороговизна, и, помню, Соня не могла себе купить даже туфли, вернее, одну, левую, и донашивала кирзовый армейский сапог.

Лена прикусила нижнюю губу, ее выгоревшие бровки заломились.

— Продолжай.

— Но она не чувствовала себя несчастной. Возможно, по молодости. Да и все мы, уцелевшие недобитки войны, шалели от радости, что живы, и ждали от мирных времен каких-то чудес, забывали о своих бедах в предвкушении грядущего счастья.

— Ты с ней дружил?

— Пожалуй, нет. Ну, как и со всеми студентами на курсе. Но какой-то дружбы, особенных отношений не было. Просто свой брат, солдат. Только в юбке, я ведь тоже донашивал военное обмундирование.

— Она хорошо училась?

— О да. Даже получала повышенную стипендию за успеваемость. Как, впрочем, и большинство ее соплеменников. Евреи, как ты, наверное, сама знаешь, всегда отличались этим качеством. Способные, подвижные мозги плюс усердие. Соня еще вдобавок была очень активна в общественной жизни. Всякие там доклады, диспуты, загородные экскурсии, коллективные походы в театр по дешевым билетам. Она была, как мотор. Возможно, оттого, что у нее не было никакой личной жизни. Другие-то студенты напропалую влюблялись, сходились, расходились, по утрам еле живые приползали на лекции. Этого Соня была лишена напрочь. Не думаю, чтоб у нее был хоть один роман за все пять лет в университете. Ну, кто проявит интерес к женщине... без ноги... на костылях?.. Когда кругом полно двуногих и в таком количестве, что у уцелевших после войны мужчин голова шла кругом от неограниченных возможностей выбора. Полагаю, что и потом у нее с этим делом было негусто, и этот глухонемой мальчик Коля — плод не любви, а, скорее всего, жалости, которую проявил к Соне какой-нибудь опустившийся инвалид, пропивавший жалкие гроши, что Соня зарабатывала в школе. Я так думаю. Ничего иного не могу предположить.

— Боже, какая участь! — Лена прижала ладони к покрасневшим щекам. — И ты об этом можешь говорить спокойно?

— Леночка, если бы все, что я видел, близко к сердцу принимал, я бы не выжил. Но напрасно ты коришь меня, что я сохраняю спокойствие, говоря о Соне. Жизнь научила меня сдерживать свои чувства, но это нисколько не значит, что я черств душой и застрахован от сострадания. Встреча с Соней обрушила камень на мою душу, зачеркнула всю радость нынешнего дня с тобой в Форосе, и сейчас, рассказывая, я страдаю не меньше, чем ты.

— Прости меня, — мягко взяла меня за руки Лена. — Ты — хороший. Я поняла это с первого взгляда. И первое впечатление не оказалось ложным, а лишь подтверждалось каждый день, что мы провели с тобой.

Знаешь, о чем я подумала? Как несправедлив этот мир. Нам с тобой, здоровым и... успешным, судьба даровала такую любовь, такую радость от близости, а бедной Соне — ничего. Одни страдания. И мне вдруг стало стыдно за наше с тобой счастье, словно оно ворованное, не по заслугам. И страшно при мысли, что это оборвется, что и от нас судьба отвернется. У тебя нет такого предчувствия?

— Глупенькая. Иди ко мне, — обнял я ее и привлек к себе, повернув спиной к моей груди. Она прижалась лопатками, лаская́сь, провела подбородком по моим скрещенным на ее шее рукам. Ее взлохмаченные волосы мягко щекотали мне нос и скулы.

Невдалеке от нас, по тому же борту, чуть впереди по движению, сидел скрюченный, как краб, старичок в курортной белой панаме и с красным до сизости носом алкоголика. Он демонстративно и осуждающе отвернулся от нас, когда я обнял Лену, и, чтоб у нас не оставалось сомнения в его чувствах к нам, злобно сплюнул на серый пластик пола и растер плевок ногой в белой лакированной туфле.

Другим пассажирам, сидевшим у противоположного борта, тоже не Бог весть какую радость доставили наши объятья. Кто-то покачал головой, кто-то удрученно завздыхал, кто-то отвернулся к окну.

— Господи, какие ханжи кругом, — прошептала Лена. — Слушай, в каком окружении мы живем? Средневековая инквизиция. Раньше я этого не замечала, а сейчас словно прозрела. Какие рожи? Что им нужно от нас? Чем мы им мешаем? Неужели они все так злы и недоброжелательны, что один лишь вид счастливых людей действует на них, как едкая кислота, и поднимает весь мутный осадок с души? Но, впрочем, их можно пожалеть. Они сами-то никогда не знали счастья.

— Не знаю, стоит ли их жалеть, — прошептал я, уткнувшись лицом в ее мягкий затылок и обдавая его теплом своего дыхания. — Вот такие-то не пощадили в свое время Соню и сломали ей жизнь... Вернее, доломали... после того, как она потеряла на фронте ногу, а с ней и надежду хоть на какое-то личное счастье.

Мы попали с Соней в провинциальную газету на практику в тот злосчастный год, когда Сталин объявил борьбу с космополитизмом, а вскоре стало ясно каждому, что под космополитами он понимал представителей лишь одной из ста национальностей в СССР — евреев. Тех самых евреев, что часто в истории становились козлами отпущения, стоило какой-нибудь стране, где они проживали, впасть в кризис. А наша страна в ту послевоенную пору переживала уйму трудностей. Ответственность за все беды Сталин возложил на евреев.

Это был сигнал к возрождению антисемитизма, который, казалось, был задушен после революции, и наше поколение, мое и Сонино, выросло в счастливом неведении о том, что бывает национальная рознь и вражда и что людей можно любить или не любить лишь по причинам их расового происхождения. Мы верили, ни минуты не сомневались, что дружба народов, интернационализм — незыблемый краеугольный камень духовной жизни социалистического общества.

И вдруг все рухнуло.

Как в кошмарном сне, все самое подлое и низкое в нашем русском народе всплыло на поверхность, лишь только власти приоткрыли лазейку. Начался подлинный погром по всей стране. Той самой стране, что клялась перед всем миром в успешном строительстве социализма. Я в те дни чуть не тронулся умом. Тебе повезло. Насколько я понимаю, ты еще тогда в школу не ходила.

Ленина макушка колыхнулась в знак согласия. Я не разжимал объятий и прятал свое лицо в ее густых волосах. Мне не хотелось видеть пассажиров, осуждающе отвернувшихся от нас. Вспоминая, я злился. И опасался, что сорву закипавшую во мне злость на какой-нибудь из этих мерзких рож. А в такого рода скандале я меньше всего нуждался. Знаю я эту публику. По прибытии в Ялту немедленно передадут нас в руки милиции за нарушение нравственности, норм приличия в общественном месте. С наслаждением будут давать свидетельские показания. А там — протокол. Выяснение личности. Семейное положение. И — рапорт в Москву, по месту службы и даже и такая подлость, как письмо домой, к обманутым супругам — моей благоверной и мужу Лены.

Я не глядел на них и объятий не разжимал и продолжал рассказ, устремив взгляд поверх Лениной головы в окно, где видна была темная, еле различимая гладь моря и редкие огоньки вдалеке, на невидимом берегу.

О чем я рассказывал? О том, как и до той провинциальной редакции докатился начатый в Москве погром, и нескольких евреев, работавших у нас, тут же выделили, как прокаженных, и устроили собрание, партийное, потому что в газете работают люди исключительно с партийными билетами, коммунисты, и на этом собрании евреев посадили отдельно и стали поливать их помоями, обвиняя во всех мыслимых и немыслимых грехах и призывая к немедленной расправе с ними. И делалось это руками их вчерашних товарищей, с кем евреи не один год мирно работали бок о бок.

Соня была единственной, кого обошли. То ли из-за ее военной инвалидности, то ли потому, что она, как и я, была здесь новичком. Мы с ней сидели в публике, наблюдая расправу над другими. Я подавленно молчал. А Соня не выдержала. И когда кто-то из обличителей обрушил на головы евреев совсем уж нелепую ахинею и стал требовать чуть ли не их смерти и все это от имени партии коммунистов, она вскочила со своего стула и, повиснув на костылях, громко, на весь зал крикнула:

— Не смейте говорить от имени коммунистов! Вы — не коммунист! Вы — фашист! Не добитый во второй мировой войне!

Что тут поднялось! Как разъяренная свора, набросилось все собрание на Соню. С этой минуты весь огонь сконцентрировался на ней. Внезапно вспомнили, что она тоже еврейка. Ее чуть ли не топтали ногами, навешивая на нее ярлыки шпиона, диверсанта, врага советской власти и русского народа и еще много-много гадостей из арсенала шовинистического и антисемитского болота.

Я сидел ни жив ни мертв. В моем воспаленном мозгу с грохотом рушилась вся стройная система моего коммунистического мировоззрения, и в ушах стоял гул, как при артиллерийском обстреле, а сердце ныло от жгучей обиды, как бывает, когда попадешь под уничтожающий огонь своих, а не вражеских батарей.

Соню исключили из партии. Вернее, выгнали. А это означало — волчий билет. Абсолютное бесправие. Никаких надежд на работу. А в перспективе и отправку в концлагерь, в Сибирь.

В этом месте Лена перебила:

— А ты? Ты тоже голосовал?

— Что же я мог сделать?

Лена рывком разжала мои руки и, отодвинувшись, развернулась лицом ко мне.

— Почему ты не проголосовал против?

— Ты что, шутишь? Если шутишь, то очень зло. Кто во всей стране, на тысячах подобных собраний, осмелился поднять руку против? Ты знаешь такого безумца? Назови мне его!

— Значит, ты, как все, — сказала Лена и отвернулась к темному стеклу.

— Я и не претендовал на ореол героя, представляясь тебе, — рассердился я. — Я такой же, как все. И грязь, запятнавшая мою страну, лежит клеймом и на мне. Я этим не горжусь. Но и не отрекаюсь, задним числом обеляя себя.

— Все! — сказала Лена, не оборачиваясь. — Давай помолчим.

Наши соседи-жабы, как я мысленно окрестил их, получили явное удовольствие, видя, как Лена отстранилась от меня, и догадываясь, что между нами произошла размолвка. Они задвигались, зашевелились, выпучились на нас, и по их земноводным рожам зазмеились злорадные усмешечки.

Я внутренне клокотал от горечи и обиды и, конечно же, от стыда за себя и чувствовал, что ненавижу всю эту нечисть, рассевшуюся на мягких сиденьях вокруг меня, словно они и только они были повинны во всех моих грехопадениях. Мне вспомнилось, что точно такие же земноводные мерзко квакали вокруг меня на том собрании, где четвертовали Соню. И здравый смысл с горькой иронией подсказал мне, что четвертование как вид медленной, мучительной казни — последовательное отрубание четырех конечностей обреченного, а у Сони имелись в наличии лишь три конечности, и поэтому расправе над нею следует найти другое наименование.

Они, вот такие же хари, топтали Соню, измывались над ней, ничуть не стесняя себя тем, что она — женщина, что она — инвалид войны и абсолютно беспомощна и не способна защититься. Надругательство велось по излюбленному нашему принципу: бьют и плакать не дают.

Они, жабы, глумились не только над ней. Они и мне плюнули в душу, своим ядовитым зловонием парализовали мою волю и, схватив за локоть перепончатыми лапами, подняли мою нетвердую руку, когда начался подсчет голосов и перст считающего, пройдя по всему ряду, где сидел я с одеревеневшей кожей, воткнулся в меня, в упор, между глаз, как дуло наведенной винтовки.

Мои стиснутые кулаки, покоившиеся на коленях, побелели в суставах, и, обнаружив это, я тут же представил выражение своего лица и отвернулся к стеклу, прижался лбом к его темной холодной глади.

В Ялту «Комета» пришла в чернильной темноте, и весь город, подковой залегший вдоль бухты под сенью высоких гор, мерцал пригоршнями мелких искорок, словно отражение Млечного пути. Только поднявшись с причала на набережную, Лена заговорила со мной. Ласково и мягко, как прежде, и глаза ее при взгляде на меня излучали нежность и сочувствие.

— Давай договоримся, Олег. Больше об этом — ни слова. Только дай мне обещание... вернувшись в Москву, ты поможешь Соне уехать. И я для нее тоже сделаю все, что смогу. Договорились? А теперь ужинать. Я голодна, как зверь.

Мы провели эту ночь без сна. Размолвка на «Комете» только обострила страсть, мы буквально впились друг в друга и всю ночь не разжимали объятий. Хмельных до одурения, терпких до звона в голове. Едкая капля горечи, добавленная к нашему чувству, подстегнула и прежде никак не утолимый любовный голод. В редкие минуты передышки глаза Лены в сумраке разворошенной постели светились нескрываемой благодарностью, и рука ее, еще подрагивая от остывающего возбуждения, нежно и робко гладила мое разгоряченное тело.

— Господи, до чего хорошо, — чуть слышно шептала она. — Мне не верится, что кто-нибудь еще на земле может испытывать такое.

Уснули мы под утро, ее голова на моем плече, волосы шелком рассыпались по моему лицу и от дыхания шевелились, сладко щекоча кожу. И проспали бы Бог весть сколько, если б нас не поднял долгий, настойчивый стук в дверь. С трудом соображая, я разобрал, что стучат двое: сильным мужским кулаком и женским, поменьше, и, напрягши память, вспомнил, что мы условились с Толей Орловым поехать сегодня на водопад Учаньсу, там, высоко над Ялтой, поесть шашлыков и весь обратный путь через горный лес проделать пешком, раздевшись до предела и на время забыв о цивилизации и ее пуританских ограничениях.

Толя дожидался нас со своей новой пассией, подцепленной, видать, вчера на пляже, пока мы ездили в Форос. Девица была совсем молода, студенческого возраста. С короткой светлой стрижкой, пухлогубая и с круглыми и большими, как у теленка, глазами. Сходство с теленком ей придавали и длинные, веером, ресницы, которыми она постоянно взмахивала, моргая. У нее была недурная, потоньше, чем у Лены, фигурка.

— Лида, — представилась она, и этим церемония знакомства исчерпалась. Ни у меня, ни у Лены не возникло желания узнать еще что-либо о ней.

Толя перехватил у подъезда гостиницы такси, высадившее упитанное семейство американских туристов, и мы, бухнувшись на горячие сиденья, понеслись по извилистому шоссе с бесконечными кипарисами по обеим сторонам. Пока мы добрались до водопада высоко-высоко над еле видимой внизу Ялтой, Лиду укачало, и нам даже пришлось останавливаться, чтобы дать ей перевести дух.

Вначале и Лена, и я были медлительны, как сонные мухи. Но горячий, пахучий шашлык, сдобренный холодным грузинским вином, расшевелил, освежил нас, смахнув следы усталости, словно ее и не было в помине.

Водопад был еще выше площадки, где жарились шашлыки. С отвесных скал, со стометровой крутизны падали неширокие белые струи, поочередно рассыпаясь в брызги на ступенях каменных выступов, бородатых от зеленого мха. Внизу, в Ялте, стоял сухой зной, а здесь была сырая прохлада, и мы даже поеживались в своей легкой одежде.

Спускаться в Ялту предстояло узкими тропинками, терявшимися в зарослях. Горы здесь были буквально укутаны растительностью, как компрессом, и все это цвело и благоухало густыми, как эссенция, запахами.

Первые десять минут мы шли вниз в одежде и обуви, потом, когда признаки чего-либо живого укрылись от нас за сырыми цветущими ветвями и мы явственно ощутили, что мы одни в лесу, Толя предложил раздеться.

Лида, с телячьими глазками, первая стала разоблачаться, словно она в нашей компании не новичок и стесняться нас по сему случаю нечего. Она сняла не только верхнюю одежду, но и крохотный бюстгальтер с кружевцами по краям, обнажив белые маленькие груди и белую полоску, пересекавшую загорелую, золотистую спину. Осталась в одних розовых трусиках-бикини да в истоптанных спортивных кедах на ногах. Толя тоже разделся до трусов. Лена бюстгальтера не сняла. Мы свернули снятую одежду в узелки и двинулись в затылок друг другу по крутой извилистой тропинке меж кустов, и скоро наши головы и плечи забелели осыпавшимися и налипшими лепестками цветов. Нас обдавали запахи такой остроты, что при глубоком вдохе слегка кружилась голова. Лиду снова стало подташнивать.

Толя предложил сделать привал. Мы сошли с тропинки на небольшую и относительно ровную полянку среди кустов, плотно укрывших нас от чужих глаз на случай, если кто-нибудь вздумает спускаться за нами следом по нашему маршруту.

— Вы тут полежите на травке, — подмигнул нам Толя, — а мы с Лидочкой походим в кусточках. Тут, говорят, ягод пропасть.

Телячьи глазки Лиды заволокло, она заморгала большими ресницами и, чуть жеманясь, протянула Толе руку. Под их ногами несколько раз хрустнули сухие сучья в кустах, и стало тихо. Потом, почти без паузы, слабо, блеяньем овечки, застонала Лида.

— Могли бы отойти подальше, — сморщила носик Лена. — А впрочем, мне так хорошо, что ничто не коробит. Даже эта телка Лида и твой коллега Толик, который нелепо тщится выглядеть половым пиратом.

Мы лежали навзничь в сочной траве, соприкасаясь лишь кончиками пальцев, и наши влажные от лесной сырости тела осушало горячее крымское солнце. Я и не заметил, как меня снова охватило желание, захотелось сжать Лену, сорвать с нее трусики и овладеть на этой поляне, захлебываясь от одуряющего запаха мокрых цветов. Но я не шевельнулся. Мне показалось кощунством совершить с Леной то же, что сейчас проделывают Толя с Лидой. Да еще у них на виду. И сразу опоганить наше чувство, свести его к зауряду, к примитивному совокуплению, которому предавался с попискивающей Лидочкой мой неразборчивый коллега Толя Орлов.

Лена, будто угадав мои мысли, благодарно погладила мои пальцы своей ладонью. Мы оставались лежать недвижимо, с закрытыми глазами, пока не вернулись из кустов Толя с Лидой. Толя, нагловато усмехаясь, поглядывал на нас с видом бывалого соблазнителя, для которого это очередная птичка в длинном списке незатруднительных и порядком приевшихся побед. Лида невинно хлопала ресницами и всем своим видом старалась показать, что ничего не случилось такого, о чем мы могли бы подумать.

У нас с собой была бутылка вина. Толя откупорил ее, и мы распили из горлышка, передавая бутылку по кругу.

На самом краю площадки росло короткое корявое дерево с пустыми, как бы усохшими ветвями-сучьями. Без листьев и без цветов. Но на сером шероховатом стволе, густо облепив его, как лишаи, топорщились мохнатыми гроздьями лиловые цветы. Я впервые видел такое дерево. Толя, который вообще знал все, был знаком и с этим деревом.

— Знаете, как оно называется? — спросил он и тут же добавил, подмигнув: — Среди нас, надеюсь, нет инвалидов пятой группы?

— Кажется, нет инвалидов, — простодушно ответила Лида, скользнув на всякий случай своими телячьими глазами по нашим обнаженным и потным телам. Мои шрамы на лопатке она не обнаружила — я лежал лицом к ней. — А что значит, пятой группы?

Тут уж не выдержала Лена.

— У тебя паспорт есть? Вот и загляни туда. Пятый параграф — национальность. Инвалидами пятой группы у нас называют тех, у кого в пятом параграфе написано слово «еврей».

— Ах, вот что! — рассмеялась Лида. — Нет среди нас таких инвалидов. Все — здоровые... Все — русские.

— Не говори за всех, — одернула ее Лена. — У меня одна бабушка — татарка.

— Все равно наша, — примирительно сказал Толя. — Советский человек.

— А евреи кто? Не советские люди? — искренне удивилась Лида.

— Ох, Господи, — пожал плечами Толя. — Мне твоя детская любознательность уже плешь проела. Словно вчера на свет родилась.

— Тебя не устраивает, что я моложе всех в этой компании? — уж готова была обидеться Лида.

— Глупенькая, это тебе только плюс, — усмехнулась Лена. — Вот и слушай, что старшие говорят.

— А что старшие говорят? — снова улыбнулась Лида.

— Старшие спрашивают, как называется это дерево? — сказал Толя.

— Это?

— Да, это.

— Не знаю.

— И вы не знаете?

Мы дружно мотнули головами в знак того, что нам эта премудрость тоже не известна.

— Иудино дерево! — изрек Толя. — И отличается оно от всех других деревьев тем, что цветы у него появляются не на ветвях, как и положено, а прямо на стволе. Вроде как лишай.

— Ну почему же лишай? — не согласилась Лена. — Очень красивые гроздья. Словно персидская сирень. Только, действительно, на стволе, а не на ветвях.

— Почему же бедное дерево назвали так? — удивилась Лида.

— На нем, по преданию, повесился Иуда, после того как он предал Христа, — пояснил Толя.

— Ну, допустим, по преданию, Иуда повесился на осине, — возразила Лена.

— Осина, к вашему сведению, дерево северное, — не сдался Толя. — Даже в Крыму не растет, уж о Палестине и говорить нечего.

— Значит, мы с вами знаем разные предания, — не стала спорить Лена. — А вот скажите нам, Толя, раз вы такой дока в иудиных вопросах, почему Иуде за его услуги заплатили 30 сребренников? Не двадцать и не сорок, а тридцать?

— Действительно, почему? — подхватила Лида. — Вот уж никогда не задумывалась над этим.

— А над чем ты когда-нибудь задумывалась? — съязвил Толя. — Тридцать, говоришь, сребренников почему? Такова тогда, видать, была цена предательства.

— Логичный ответ, но не по существу, — улыбнулась Лена. — А почем нынче предательство?

— Нынче? — блеснул глазами Толя. — По нонешним временам цена, мать, считай, стоимость кооперативной квартиры.

— Значит, в библейские времена цена кооператива равнялась тридцати сребренникам, — заключил я.

— Однако же, — покачала головой Лена, — подорожал овес с той поры. А скажите, Толя, вы Иуду кем считаете? Положительным или отрицательным? Вернее, честен ли был его поступок или вдохновлялся низменными, корыстными мотивами? Как по-вашему?

Толя искоса взглянул на Лену, пытаясь угадать, куда она клонит. Я тоже насторожился, уловив в ее вопросе подвох, рикошетом направленный в меня.

— Честно признаться, Леночка, — сказал он помедлив -

я не совсем расположен к серьезному разговору... в такой... я бы сказал... размягчающей обстановке. Горы, лес, теплое солнышко, шум водопада — и надо быть абсолютным кретином, чтоб затевать тут политический диспут, да еще в присутствии таких двух прелестных созданий, как вы с Лидочкой.

— А мы не присутствуем, — надула пухлые губки Лидочка, — мы участвуем. Вы нас, Толя, чем-то вроде мебели считаете... Приложением к красивому пейзажу.

— Грешен, — сознался Толя, театрально прижав ладонь к своей безволосой груди. — Я старомоден. Не разделяю восторгов по поводу равноправия женщин с мужчинами... Равноправие, матушка, привело лишь к тому, что бывший слабый пол таскает тяжелые камни и железные балки на стройках, теряя здоровье и красоту. Считайте меня реакционером, но я предпочитаю видеть женщин свежими и отдохнувшими, источающими аромат тончайших духов, и чтоб меня не покидало желание носить их на руках и оберегать от любых тягот и жизненных сложностей, от чего, вы знаете, кроме преждевременных морщин и увядших глазок ничего хорошего не бывает.

— И с такими взглядами вас держат политическим обозревателем в газете? — спросила Лида, нахмурив бровки.

— Душечка, — взял ее пальцами за круглый подбородок Толя. — Это — единственный пункт, по которому я расхожусь с генеральной линией партии. Но, конечно, неофициально, а в кругу интимных друзей, как вы... Вы на меня, надеюсь, не напишете донос? — не сдержав смеха, заключил он.

— Кстати, о доносе, — не дала ему увильнуть от ответа Лена. — Вернемся к нашему Иуде. Предатель ли он?

— Вам действительно хочется знать мое мнение? — с явной неохотой уступил он ее настойчивости. — Ладно. Скажу. Иуда — предатель. Вне всякого сомнения. Он отдал на поругание и смерть своего единомышленника и даже учителя... Иисуса Христа. Вас удовлетворил мой ответ?

— Не совсем, — мотнула головой Лена. — Позвольте задать дополнительный вопрос. Из корысти поступил так Иуда или усомнившись в правоте Иисуса? Ведь тридцать сребренников ему никто наперед не обещал. Да и после смерти Иисуса он почему-то вдруг поступил не совсем так, как подобает презренному предателю. Удавился. То есть покончил с собой.

— Леночка, — совсем скис Толя, — увольте меня. Ну нет у меня настроения шевелить мозгами... да и вообще думать...

когда жизнь так быстротечна, а отпуск и того короче. Пощадите. Дайте насладиться заслуженным отдыхом.

Тут я включился. Меня заинтриговало, куда все же клонит Лена.

— Скажи нам сама, — обратился я к ней. — Что ты имеешь в виду?

— Одну параллель. Возможно, весьма неожиданную для кое-кого. Конкретней. Во времена Сталина, которые к нам куда ближе, чем эпоха Иуды и Христа, так называемые правоверные коммунисты, не дрогнув душевно, посылали на пытки и смерть своих же товарищей по партии, единомышленников, близких друзей, в чьей верности догме возникало сомнение. Поднимали руку, голосуя за смертный приговор.

Я сжался. Стало яснее ясного, куда клонила Лена. Она продолжала свой разговор со мной, началом которого послужила встреча с Соней на Форосе. Лена смотрела не на меня, а на Толю, и я был благодарен ей хоть за это — она не видела, как я покраснел.

— Я отметаю тех жалких ничтожеств, что голосовали из животного страха, ради спасения собственной шкуры, — горячо продолжала Лена, — я о тех, кто искренне верили, что перед ними враги партии, предатели идеи, и потому были безжалостны. Не таким ли был и Иуда, усомнившийся в праведности Христа? Не посчитал ли он со всей искренностью доверчивой и увлекающейся натуры — вспомните, что он был любимым учеником Иисуса, — что его учитель лжет и своим учением опасен народу Иудеи, против веры и традиций которого он проповедует. Иуда отдал его палачам, искренне, по-моему, веря, что он совершает благое дело. Как поступали совсем недавно наши коммунисты. Не один-единственный, каковым был Иуда, а миллионы мужчин и женщин с членскими билетами коммунистической партии в карманах отдали на заклание своих товарищей и учителей.

Но с большой и принципиальной разницей. Когда после смерти Сталина открылось, что все эти судебные процессы и казни были чудовищной ошибкой, совершенной по воле злодея, что погибли невинные люди, те, кто были честнее и принципиальнее других, голосовавших за их уничтожение, кто из голосовавших поступил как Иуда? Кто повесился на этом вот дереве с цветами не на ветках, а на коре? Много ли висельников с больной совестью мы видели?

Протрезвление после Сталина проходило уже на глазах моего поколения, и я не припомню ни одного случая самоубийства. Кое-кто откупился микроинфарктом. Вроде моего дяди, ходившего в сталинские годы в следователях по особо важным делам и теперь преспокойно залечивающего рубец на сердце в крымском санатории. Кстати сказать, он принимал непосредственное участие в насильственном выселении крымских татар отсюда, с их исконной земли, и преспокойно лежит под южным солнышком на отнятой у целого народа земле. Впрочем, как и мы с вами.

— Ну, матушка, — отмахнулся Толя, — далеко зашла. Послушай моего совета, Леночка. Высказалась? Проветрила пасть? Ну и забудь! И мы забудем. А то ведь в такие дебри подобные разговоры заведут, откуда и возврата-то нет. Мое предложение принято? Единогласно. Тогда — подъем! И приступим к спуску. Вниз, к морю, к нашей белокаменной Ялте, к ресторану «Ореанда», где уже томятся, дожидаясь нас, свиные отбивные с зеленым горошком и не одна бутылочка сухого грузинского вина.

Мы стали осторожно спускаться с гор. Ставя ноги для лучшего упора на выступавшие из земли углы гранита и то и дело пригибаясь под низкими ветвями деревьев. Несколько раз нам снова попадались корявые стволы иудиного дерева, и мы невольно переглядывались и усмехались. Но не произносили ни слова. Даже болтливая Лидочка примолкла, полностью сосредоточившись на поисках безопасного места, куда можно сделать следующий шаг.

А я шел впереди Лены, в крутых местах подавая ей руку, чтоб она могла, опираясь на меня, спуститься ниже. При этом я оглядывался и встречался с ее взглядом, уже смягчившимся и словно просившим у меня извинения за ее не совсем уместную на такой прогулке горячность. Ее явно беспокоил мой угрюмый, сосредоточенный вид.

Я не мог рассеяться. Моя память нервно пульсировала, с отчетливой ясностью, в мельчайших подробностях извлекая воспоминания, явно не способствующие доброму расположению духа.

Татары. Крымские татары. Когда-то в конце войны Сталин обвинил их в нелояльности к советской власти, к России, несколько столетий тому назад оккупировавшей этот полуостров — курортную жемчужину Черного моря — вместе с коренным населением — татарами, названными крымскими в отличие от других татар, населявших верховья Волги и именуемых казанскими татарами. Вот этих-то крымских татар под метелку вымели из Крыма, сорвали с насиженных мест и в скотских вагонах погнали за тысячи километров в Сибирь на медленную гибель от стужи и голода. Теперь в Крыму жили переселенные с севера русские и украинцы. Татарам не только воспрещалось проживать в Крыму, на их родине, они не могли приехать даже в отпуск, даже на один день, взглянуть на могилы предков. За нарушение этого запрета следовал немедленный арест и отправка под конвоем за пределы Крыма.

И мы с этим вопиющим нарушением человеческих прав мирились и, больше того, ничуть не краснея, ездили сюда отдыхать, загорали под ненашим солнцем, любовались прелестными, но украденными видами крымских гор со снежными вершинами в самые жаркие дни, купались в ароматных водах Черного моря, обжирались крымскими фруктами, опивались крымскими винами и предавались разгулу и разврату на чужой, постыдно отнятой у другого народа земле.

Наш аппетит нисколько не пострадал, даже Лена, затеявшая этот разговор, немногим отличалась от всех нас: она-то ведь тоже сюда мчалась отдыхать, не полагая такой отдых греховным и нечистым.

Мне вспомнился мой последний разговор с Соней. В провинциальном городе. В ночь после того рокового собрания, на котором ее публично распинали лишь за то, что она родилась еврейкой. Одноногую Соню, бывшую санитарку полкового медсанбата, вынесшую из-под огня и этим спасшую жизнь сотням солдат разных национальностей, исключили из коммунистической партии, выгнали с работы без права отныне работать, быть близко подпущенной к журналистике. Будущее ее было мрачно и непредсказуемо.

Терзаясь оттого, что принимал участие в постыдном избиении беззащитной женщины, в этом советском варианте суда Линча, я толкался после собрания возле нее на правах университетского товарища. Все в редакции от Сони шарахались, ее с опаской обходили, как прокаженную. Лишь я терся рядом, и многим это казалось мужественным поступком. Но не мне и Соне. Нам было неловко рядом. Мы стыдились глядеть в глаза друг другу.

Соня вела себя молодцом. Ни слез, ни жалоб. Лишь смертельная желтизна на лице и даже ушах. И какая-то чужая, наклеенная улыбка на бескровных губах.

Ее рассчитали с работы в тот же вечер. Оставили бухгалтера на сверхурочные часы — чтобы она лишней минуты не задержалась в редакции. Выдали наспех состряпанные характеристики, без которых в России невозможно устроиться на новое место. С этими характеристиками Соню могли принять только в морг.

Московский поезд проходил через этот город ночью, и я пошел с ней на вокзал. Не из демонстративной храбрости. Уж хотя бы потому, что Соне, на ее костылях, дотащить до станции тяжелый чемодан не под силу. Я нес чемодан, Соня рядом размашисто перекидывала свое тело, стуча копытцами костылей по неровному асфальту безлюдного, погруженного в сон городка. Мы молчали. И уж недалеко от станции, когда впереди засветились зеленые и красные пятнышки семафоров и близко просипел гудок маневрового паровоза, Соня заговорила. Не о себе. О крымских татарах.

— Все, что со мной сегодня случилось, Олег, заслуженная кара. Чем я лучше этой своры, топтавшей меня? Я ведь взвыла лишь потому, что бьют меня. Именно меня. Еврейку. А когда четыре года назад надругались над крымскими татарами, разве я ощущала боль? Я встала на дыбы? Я хоть одно словечко вымолвила? Не в их защиту, упаси Боже! Но хотя бы выразила сострадание? Мы молчим, когда бьют других. Лишь бы не нас. А с такой моралью мы все по очереди будем биты. И поделом. Другого мы не заслуживаем. Поэтому, Олег, я не сойду с ума. Как не свихнулись в холодной Сибири татары. Возможно, выживу. А ты не терзайся. Если бы ты вступился за меня, я посчитала бы тебя ненормальным и не решилась бы рядом с тобой прохаживаться ночью, как это делаю сейчас, потому что за таким безумным поступком можно было ожидать и другого: например, я бы не удивилась, если б ты вдруг откусил мне ухо.

Я посадил тогда Соню в московский поезд, и с тех пор до самой этой встречи на мысе Форос наши пути не пересеклись.

Мы миновали беленький домик-музей Чехова в Аутке, совсем утонувший в зелени темных кипарисов, некогда посаженных его руками, и оттуда дорога пошла положе, и под ногами уже были не осыпающиеся камни, а твердый, с асфаль-

том тротуар. Мы входили в Ялту. И развязав узелки, что всю
дорогу несли за плечами, облачились в одежды и приняли
вполне добропорядочный вид.

Женщины шли впереди нас по узкому тротуару. Толя при-
держал мой локоть и, когда расстояние до них увеличилось,
тихо сказал:

— Ну и птичку ты раскопал. Она и в постели любит так фи-
лософствовать?

Я пробормотал, что в постели ей нет равных.

— Тогда простительно, — заключил Толя.

Впереди показалась зеленая крыша гостиницы «Ореанда».

На том конце провода трубку сняли необычайно быстро,
точно с нетерпением ожидали звонка. Сняла трубку, невзирая
на позднее время, не жена, а дочь, пятилетняя Танечка.

— Доченька, — удивился я. — Ты почему не спишь? Где мама?

— Папочка, — донесся до меня ее всхлип, — мама ушла в
кино. Я дома одна.

Это меня не удивило. Мы приучили девочку уже с трех лет
оставаться одной дома, когда нам с женой нужно было куда-
нибудь уйти вместе. Мы запирали ее в квартире, уложив предварительно в постель, где она еще с полчаса или с час играла
со своими куклами, пока глаза не слипались, и преспокойно
засыпала. Вернувшись, мы выключали свет в ее комнате.

Теперь, по всем моим расчетам, она должна была спать.

— Папочка, — слезливо сказала дочь, — пожалуйста, не
клади трубку. Я боюсь.

— Кого боишься?

— Шпиона.

— Какого шпиона?

— Из телевизора.

— Ничего не понимаю, доченька.

Кабина, из которой я разговаривал с Москвой, была без
дверей, говорил я очень громко, чтоб быть слышным на другом конце провода, потому что в зале было довольно многолюдно и шумно. Люди, в основном это были женщины, тол-
пились у кабин, ожидая, когда освободятся телефоны, и мои
странные слова о шпионе, естественно, привлекли внимание:
у моей кабины выросла большая толпа.

— Понимаешь, папочка, — торопливо объясняла дочь,
словно боялась, что ей не дадут договорить и вырвут трубку, —
когда мама ушла, я включила телевизор. А там показывали про

шпиона. Страшный фильм. Я боялась выключить, пока не кончилось. Потом ушла в ванную. И хорошо еще, телефон взяла с собой. Только разделась — и услышала в квартире шаги. Там ходит шпион... из телевизора. Я заперла дверь в ванную и умираю от страха.

— Так, — озадаченно протянул я. — Сейчас разберемся. Пожалуйста, не плачь... И слушай внимательно. Я бросил в щель телефона последний жетон и, обернувшись к сгоравшей от любопытства толпе женщин, попросил, зажав ладонью микрофон:

— Товарищи! У меня кончились жетоны, а я не могу прервать разговор. Там, в Москве, маленькая девочка... моя дочь... очень напугана... я не могу ее так оставить... Дайте взаймы, у кого есть, жетоны.

Сердобольность русских женщин известна, и в мою протянутую ладонь тут же посыпались медные жетоны. А одна грудастая, полная дама бесцеремонно протиснулась в мою кабину, прижав меня спиной к стеклянной стенке, и сама стала проталкивать жетоны в ненасытную щель.

— А ты, давай, говори. Спасай ребенка.

— Слушай меня, Танечка, — сказал я ровным, спокойным голосом, стараясь этим передать спокойствие на тот конец провода. — Тебе нечего бояться. Тебе показалось, что кто-то ходит по квартире. Там никого нет. Уверяю тебя. Папа тебя никогда не обманывал? Верно?

— Верно, — шепотом согласилась она.

— Значит, и сейчас ты должна ему верить. Ты искупалась?

— Да. Но не вытерлась... Потому что... услышала шаги... Стою в ванной... и дрожу от холода... и страха.

— Вот как? Тогда, в первую очередь, вытрись. А то простудишься и заболеешь.

— А как я вытрусь? У меня же рука занята. Трубка в руке.

— А ты положи трубку. Не на телефон. А рядом. Потом снова возьмешь.

— Нет, — захныкала она. — Боюсь положить трубку. Твой голос пропадет.

— Клади. Не бойся. Я буду ждать, пока ты вытрешься.

Там послышался щелчок от прикосновения пластмассовой трубки к кафельному полу ванной, и я перевел дух и оглянулся на столпившихся у кабины женщин.

— Спасибо, бабоньки. Выручили.

Женщины загалдели хором:

— Вот отец!

— Как ребенка-то любит.

— Таких поискать.

— За тыщи верст о дите своем беспокоится.

— Да не той достался. Где ж она, лахудра, шляется по ночам? Когда муж в отъезде. Кинула ребенка одного. Господи, вот такие и отхватывают себе золотых мужиков.

— Ты здесь, папочка? — снова донесся голос дочери. — Все. Я сухая.

— Молодец, Танечка. Умница. А теперь возьми телефон с собой и иди в свою комнату.

— Как? Он же там.

— Там никого нет. Уверяю тебя.

— Но я слышала его шаги... Я боюсь, папочка.

— Так вот, послушай меня... Не мог шпион войти в нашу квартиру.

— Почему?

— Он знает, что ты моя дочь. А меня он боится.

— Почему?

— Кто самый сильный человек?

— Мой папуля.

— И шпион это знает. И побоится разгневать твоего отца. Поэтому он не мог к нам забраться.

— А к соседям?

— И к соседям тоже. Потому что знает, что будет иметь дело со мной, и ему не поздоровится. Ты согласна?

Я услышал ее неуверенный смех:

— Да, папочка.

— Тогда докажи, что ты моя дочь. И тебя пустяками не испугаешь.

— Хорошо, папочка. Только ты говори со мной. Я пойду, а ты говори, говори, говори...

Я представил, как она, покрываясь гусиной кожей, нагишом, тоненькая, хрупкая, с мокрыми волосиками, облепившими шейку и личико, несет в одной руке черный аппарат, другой прижимает к ушку телефонную трубку. Как выглянула, преодолевая страх, из ванной в коридор и зашлепала по ковру, не оглядываясь, к двери своей комнаты.

— Поставь аппарат у своей кровати, — отдавал я распоряжения, — и, не выпуская трубки, одной рукой приподними одеяло и залезай в тепло. Легла? Умница. Теперь убедилась, что я был прав? Тебе померещилось. В квартире никого нет.

— А я?

— Только ты. Ты у себя в квартире, лежишь в теплой постельке и разговариваешь с папой. Согрелась?

— Ага.

— Успокоилась?

— Ага.

— Что ты хочешь мне сказать?

— Спокойной ночи, папуля. Я уже засыпаю.

— Спокойной ночи, милая.

Я повесил трубку и перевел дух, как после тяжелой, напряженной работы. У меня даже ныли плечевые мышцы.

Женщины одобрительно загляделись и, когда я спросил, сколько я кому должен за жетоны, дружно отказались от денег.

Я вышел из зала на набережную, и вслед мне неслись восхищенные возгласы и вздохи, и, когда я увидел у чугунного парапета ожидавшую меня Лену, мне на миг сделалось неловко, словно я самым постыдным образом обманул женщин на телефонной станции.

Наши безоблачные отношения с Леной, в которых кроме беспрерывной всепоглощающей радости быть друг с другом попросту не оставалось места для чего-нибудь иного, способного навести малейшую тень на наши чувства, внезапно оборвались. Даже не оборвались. А споткнулись. Как если бы мы бежали красивым и легким шагом, глотая пьянящий воздух, и на полном бегу были остановлены, сбились с дыхания, и все тело опалил сухой и скучный зной.

Лена первой не выдержала бездумности, до того владевшей нами. Кажется, это произошло после того телефонного разговора с моей дочерью. Мы задержались на набережной допоздна. Толпы фланирующей вдоль моря публики заметно поредели. Человеческие голоса приглушились. Им на смену стал все явственней докатываться до слуха ропот воды на прибрежных камнях, а с другой стороны, из темных кустарников, с еле видных деревьев, проступил звон цикад.

Мы стояли лицом к морю, облокотившись на парапет чугунной ограды, и неотрывно смотрели в остро пахнущую йодом темноту. Подальше от набережной медленно ползли несколько цветных огоньков — маленькие суденышки, возможно рыбачьи, запоздало тянулись в сторону порта.

— Я надеюсь, ты меня правильно поймешь, — не повернув ко мне лица и слишком сосредоточенно следя за этими ползущими огоньками, сказала Лена. — В ином случае я бы не отважилась заговорить об этом.

— О чем, Лена? — с неосознанным ощущением тревоги спросил я.

— О том, о чем мы оба непрерывно думаем. Каждый про себя. Не решаясь заговорить. Чтоб не потревожить, не вспугнуть эту искорку счастья, что судьба подарила нам... — она перевела дыхание, чтоб прошептать, — отмерив нам срок... в десять дней.

И умолкла. Я тоже сосредоточенно смотрел на движущиеся в темноте огоньки и все явственней понимал, что в наших отношениях с Леной наступал неизбежный перелом. Начиналось отрезвление. В дело вступали рассудок, трезвое мышление. А неповторимая сладость нашей с ней короткой любви заключалась именно в полном отказе от рассудочности и трезвых прозаических мыслей. С обеих сторон в равной степени. Я даже не подозревал, что способен на такое. И несказанно радовался этому открытию, словно обнаружил, как удивительный сюрприз, в своей душе совсем иные качества, каких ни я, ни окружающие не замечали до сих пор. Затеянный Леной разговор был несомненной прелюдией к возвращению на землю.

— Слушаю тебя, Лена.

— Скажи мне, Олег, — она повернула ко мне лицо, и в ее серых глазах отсвечивал двумя огоньками молочный плафон ближнего, за моей головой, фонаря. — Ты мыслишь в дальнейшем жизнь без меня?

— Не мыслю, — улыбнулся я, — потому что не задумывался. Мне слишком хорошо безо всяких мыслей. Я провел эти дни, как счастливое бездумное растение.

— И я не мыслю, — огоньки в зрачках у Лены сузились. — Но по другой причине. Потому что все время чувствую приближение разлуки. Возможно, женщина прозаичней мужчины. Нам не совсем удается абсолютная бездумность. А может быть, виной тому моя профессия. Точность. Беспрерывные поиски различных вариантов, если задача не решена и ответ на нее не высвечивается в обозримом времени.

Как бы то ни было, я поняла с абсолютной ясностью — жить без тебя я отныне уже не смогу. Это будет не жизнь, а какое-то тоскливое серое доживание отмеренных мне дней. Знаешь, какая мысль пришла мне в голову? Пожалуйста, не смейся над ее банальностью. Пять дней назад я бы тоже пронически хмыкнула. А теперь она мне кажется удивительно мудрой. Мудрой в своей простоте. Как мудра природа. Как мудры законы физики, управляющие всем мирозданием.

Люди в этом мире, как две половинки рассеченного кольца, брошенные чьей-то беззаботной рукой в сонмище таких же половинок, таких же обломков колец, мечущихся в этом муравейнике, сталкивающихся и разбегающихся. И все это хаотичное движение имеет одну конечную цель: найти свою вторую половину. Именно свою, от того же кольца, и слиться с ней, сойтись всеми зазубринами, всеми впадинами и выпуклостями и ощутить настоящее блаженство от такого слияния.

Нынче я поняла, что притча о двух половинах кольца — не душещипательный романс, а откровение. Я вдруг не умом, а кожей почуяла в этом высшую правду. Все, что случалось до сих пор в моей жизни, было неосознанным поиском второй половинки кольца. Я теперь точно знаю, что мое замужество было нелепостью, механическим соединением с половинкой совсем иного, не моего кольца, и поэтому оно было пресным и скучным, как жизнь на бессолевой диете. Поняла я это сейчас. Раньше мне и в голову не приходило, что мой брак — ошибка, что моим мужем мог бы оказаться другой человек. Я даже по-своему была счастлива. Прозаичным ровным счастьем добропорядочной семейной жизни, о которой мечтают многие женщины, обделенные даже и этим.

С тобой я познала страсть. Я поняла, что такое умереть от наслаждения в объятиях мужчины. Прежде я об этом читала в непритязательных романах и с недоверчивой усмешкой откладывала книгу. Оказывается, это существует. Я случайно набрела на алмаз. Ты и только ты... вторая половина моего кольца. И чтоб не расстаться с тобой, я готова на любые жертвы. Я говорю это не в ажиотаже, а здраво все взвесив и обдумав Я иду на тягчайшие жертвы, не колеблясь ни минуты. Потому что на карту поставлено главное в жизни, собственно говоря, то, ради чего, по самому большому счету, мы явились на свет — любовь. Все остальное — мелочь. И семья, и работа. Мои так называемые научные успе-

...и кажутся мне сейчас мишурой, мелкой тщеславной суетой. И семья, какой бы священной ни представлялась она мне до сих пор, отступает на второй план перед подлинным счастьем, обрушившимся на меня.

С любой позиции, кроме моей, шаг, который я готова совершить, покажется преступным, не имеющим оправдания. Я, не задумываясь, жертвую своими детьми, я оставляю мужа, моих мальчиков, которых я одна, без чьей-либо помощи растила. Не только дала им жизнь, но растила. Кормила, купала, одевала. Разрываясь между ними и наукой и не оставляя себе ни минуты, то есть той минуты, когда бы я полностью принадлежала себе. Я ухожу из семьи. Я тяжко обижу мужа, не сделавшего мне зла. Я обездолю моих детей, обворую их детство. Совершу множество деяний, осуждаемых с точки зрения стандартной морали. И при всем при том я абсолютно уверена, что права в своем решении. Потому что, отказавшись от счастья, которое дал мне ты, я совершу преступление перед матерью-природой. Ведь то, что я сейчас ощущаю, — венец ее творения. Меня она выделила из многих тысяч, чтоб дать вкусить сладость подлинного счастья. И отказаться от этого, во имя чего бы то ни было, выглядело бы безумием.

Теперь тебе все ясно. Я не требую немедленного ответа. Не спеши. Подумай. Ты мне скажешь завтра. Согласен ли ты поступить таким образом? Пожертвуешь ли ты своей дочерью? Я знаю, как ты ее любишь. Но и я не меньше, поверь мне, люблю моих сыновей. А сейчас ухожу. К себе. Проведи эту ночь один. А утром мы встретимся за завтраком, и ты мне скажешь. Я приму любой твой ответ. Даже отказ. И ничего не нарушится в наших отношениях до самой последней минуты. Пока не разъедемся по разным адресам, каждый к своей семье. Потому что я так тебя люблю, что даже смогу простить тебя, если ты не сможешь пойти на отчаянный шаг, какого я от тебя ожидаю.

А сейчас... спокойной ночи.

Она горько усмехнулась.

— Сомневаюсь, будет ли эта ночь спокойной... и для тебя... и для меня. Но ничего... переживем... дотянем до утра.

Лена наклонилась ко мне, но не поцеловала, а лишь потерлась холодной щекой об мою, уже колючую к ночи, и быстро пошла по опустевшей набережной, вдоль чугунной резной ограды, на бетонных тумбах которой изогнули металлические шеи матовые шары фонарей, сея кругом молочный неяркий свет, и в нем, трепеща крыльями, бились мотыльки и какая-то мошкара — их, как магнит, тянет из темноты электрический свет.

А меня свет раздражал. Проследив какое-то время за удалявшейся Леной, я спустился с набережной на темный пляж и, оскользаясь на мелкой гальке, добрел до забытого кем-то у самой воды деревянного лежака, сел и уставился в пенную бахрому, шевелившуюся в шаге от меня, там, где море лизало берег.

Я был слегка оглушен признанием Лены. И не слегка, а весьма, весьма. Самые разноречивые чувства забурлили в моей душе. Первой реакцией была мужская самцовая гордость. Вызвать такую страсть, такой самозабвенный, такой всесокрушающий порыв у женщины, взрослой семейной женщины, и не какой-нибудь задавленной осточертевшим бытом домашней хозяйки, а успешной, даже, в своем роде, знаменитой на научном поприще личности. И вызвал такую бурю в душе незаурядной, красивой и молодой особы я. Ничем не примечательный, как я считал до сих пор, не выделявшийся среди мужчин среднего, если не сказать посредственного, уровня.

Будь я не так оглушен и взволнован признанием Лены, я бы, пожалуй, не устоял перед соблазном раздуться, как индюк, от накатившей волны польщенной мужской спеси. Но не спесивый самец, а слабый, не совсем защищенный человек, каким я был в реальной жизни, когда не позировал и не лгал самому себе, возобладал во мне, и мое одинокое, не избалованное теплом и лаской сердце возопило:

— Не упусти! Это твой единственный и последний шанс вкусить хоть немного счастья.

Если уж для Лены я оказался той половинкой кольца, какую ее половинка искала в дебрях мироздания, то о моей половинке и говорить нечего. Я рылся в своей памяти и не мог вспомнить хотя бы одну женщину, с кем мне было так сладостно в постели. Мы были физически созданы один для другого. Лена, ничего особого для этого не предпринимая, ибо была чиста и неопытна в сексе, одним лишь своим естеством, своим прекрасным телом, самой природой созданным для любовных услад, вернула мне на пятом десятке молодость, сделала неутомимым любовником, каким я себя уж и не помнил. А что может быть драгоценней в жизни, чем постоянная, никак не утоляемая потребность обладать этой, именно этой женщи-

ной. Обладать каждый день, каждый раз, когда в тебе вспыхнет желание, иметь ее рядом, коснуться, запламенеть и забыть
все вокруг: и карьеру, и друзей, и врагов.

Боже мой, до чего права моя умница Лена, почти вдвое моложе меня, старого козла, полагая, что максимальная сексу-
альная гармония, какая выпала на нашу с ней долю, и есть
редчайшая вершина блаженства, чтоб насладиться которым —
и с этой и только с этой целью — природа сотворила человека
на земле. Но не каждого, далеко не каждого одарила счастьем
познать это. Мы с Леной оказались избранными.

И во всем остальном, что хоть и было не главным, но тоже
немаловажным, Лена являла собой совершенство. Умна.
Мужским логичным умом ученого-аналитика, смягченным
женским обаянием и тончайшей деликатностью. Талантлива.
Не только как ученый. Я не сомневался, что у себя в институте она пребывает в фаворитах. Она была талантлива вообще,
как человек. Будь она не успешным математиком, а просто Леной, какой я ее вижу, и этого достаточно, чтоб почуять в ней
всесторонне одаренную личность. От нее исходила удивитель-
ная, кипучая энергия, и было ощущение, что, за что бы она ни
взялась, все сделает талантливо и легко.

Я выиграл бесценный приз, не вполне заслужив его. И
упустить его, отказаться от него по каким угодно причинам
было бы нелепостью, глупостью, поражением, от какого уже
никогда не оправиться. Ибо бессмысленно ожидать, что судьба еще когда-либо одарит меня подобным сокровищем.

Я был счастлив все эти дни. Счастлив — не то слово. Я был
пьян от счастья. Я забыл обо всем. Кроме Лены. Я провел эти
дни в бездумном сладком наваждении. И мне показалось жут-
ким выпасть из этого состояния, вернуться в прежнюю жизнь.
Лена точно назвала такую пресную жизнь существованием на
бессолевой диете.

Я вспомнил свою жену, эти рутинные, скучные, как смен-
ная вахта, хождения в пижаме и ночных туфлях из моей комнаты к ней в спальню дважды в неделю, молчаливое лежанье
рядом под назойливый, бьющий по черепу стук часов у изго-
ловья и мои отчаянные попытки возбудиться, призывая на помощь смазливые личики киноактрис, запавшие в память из
виденных фильмов.

При этом воспоминании мои руки покрылись гусиной кожей. Возможно, причиной этому была ночная свежесть, нака-

тившая на пляж с остывающего моря. Я передернул плечами и застегнул пиджак. Но не поднялся с места.

Мне нравилось сидеть, вперившись в чешуйчатую черноту моря, ловить краем глаза мигающий огонек плавучего маяка слева, у входа в порт, и строить в уме воздушные замки нашей будущей жизни с Леной.

Помнится, Лена говорила мне, что ее переманивают из Москвы на Кавказ, на высокогорную научную станцию, суля золотые горы в смысле исследовательских перспектив. Мы уедем туда. Прочь из Москвы. Забыть. Унесемся высоко в горы. К снежным вершинам. Дышать вкусным и чистым воздухом ледников. Лена будет работать положенное время в лаборатории, а я — готовить обед и дожидаться ее в бревенчатой хижине, и, как только она войдет, румяная, загорелая на горном солнце, я наброшусь на нее на пороге, до хруста костей сдавлю в объятиях и, не дав раздеться, увлеку на постель — широченную тахту, покрытую упругим и колючим кавказским ковром.

Мы порвем всякую связь с окружающим миром. Никого не хочу знать. Никаких телефонов, никаких писем. Стоп! А дочь? Танечка? Как я смогу жить, не имея вестей от нее? Не зная, что с ней, здорова ли, как выглядит? Жена не простит мне ухода и в отместку лишит какого-либо доступа к дочери. Отрежет ее от меня. Наглухо. А сама она, Танечка? Она-то как переживет мое предательство? Для нее мой уход из дому будет равносилен удару обухом по голове. Как она выдержит? Как не свихнется? Ведь я своей любовью вселил в нее незыблемую веру в меня, как в каменную стену, под защитой которой ей уютно, тепло и спокойно. И вот стена рухнет, и мой ребенок, самое дорогое мне существо на земле, останется без прикрытия, на всех ветрах, и в ее трепетную душу врежется навечно саднящий рубец и поселится страх и недоверие к людям. Если самый-самый обманул, чего ожидать от других? И будет расти на земле озлобленный, безрадостный зверек, преданный, брошенный, обездоленный.

Я зябко поежился. Становилось все холоднее. Сыростью веяло от тающей пены, кипевшей на гальке у самых моих ног.

Меня буквально раздирали противоречивые чувства. На ум вдруг пришла аналогия. Чеховский персонаж Гуров из рассказа «Дама с собачкой». Рассказ, который я очень любил.

Как и, впрочем, все, написанное Чеховым, за исключением, пожалуй, его пьес.

В этой же самой Ялте, на этой же набережной, чьи чугунные решетки узорно чернели за моей спиной (я где-то вычитал, что решетки эти — точная копия тех, какие ограждали набережную во времена Чехова), каких-нибудь три четверти века назад встретились, как мы с Леной, два человека — приехавший из Москвы отдохнуть от дел и своей семьи господин Гуров и кроткая замужняя молодая дама Анна Сергеевна, чей белый шпиц, с которым она обычно прогуливалась вдоль моря, послужил поводом для знакомства. И начался роман. Не такой страстный и самозабвенный, как у нас с Леной. Более уравновешенный, какой, по-видимому, была и сама жизнь в ту пору, в конце прошлого столетия. Но такой же серьезный, способный сломать жизнь роман. А чем кончился? Ничем. Капитуляцией Гурова. Он, добрый и неглупый человек, не чуждый романтики и даже идеализма, не нашел в себе сил на решительный шаг и предпочел доживать... на бессолевой диете. Бедной Анне Сергеевне остался лишь один удел — горько плакать.

Как и в нашем с Леной случае, инициативу проявил не мужчина, а представительница слабого пола, кроткая, тишайшая Анна Сергеевна — дама с собачкой. Возможно, это в характере русской женщины: самоотверженность, беззаветная, без оглядки смелость в решительный час жизни. А может быть, это вообще женская черта, так сказать, интернациональная. Женщина в своем чувстве оказывается сильнее мужчины.

— Постой, постой, — остановил я ход своих мыслей. — Так уж и все мужчины слабее и мельче женщин? Я-то ведь не собираюсь отступать и тем паче предавать Лену. Как я могу себя сравнивать с чеховским Гуровым? То был, в сущности, типичный для своего времени интеллигентный обыватель, из так называемых благодушных либералов. Мягкий, избалованный беспечной и сытой до свинства жизнью человек. Какой из него борец? Мог ли он противостоять среде, своему кругу, в котором ему было, в конечном итоге, так уютно и тепло? Конечно, не мог.

Другое дело — я. Я — тертый калач. Меня жизнь не баловала. Я знаю, почем фунт лиха. Цену жизни и смерти. Я не прекраснодушен и мягок, как тюфяк. Меня жизнь обкатала, набив мозолей на всех мослах. У меня хватит воли на решающий шаг. Чем бы он мне ни грозил... Если только я смогу убедить себя сделать этот шаг.

Я — не Гуров. Хоть мы оба — русские. Я — человек иной формации. На мне сказались революция и войны, голод и... почти вечная бедность, а также... строгий, аскетический коммунизм, который я принял на веру глубже и жертвенней, чем Гуров свое прекраснодушное христианство со сладкими молитвами и малиновым перезвоном колоколов.

Вот почему в нашем с Леной романе будет иной финал.

Какой?

Горная научная станция, запах снежных вершин, романтическое уединение уже казались мне розовыми слюнями. Сырой холод ночного моря понемногу остудил мою перегревшуюся голову. Почему-то вдруг возникла жалость к жене. Она-то в чем виновата? Лишь только потому, что передо мной мелькнула надежда на счастье, я наношу ей, ничего не ведающей, удар в спину, ломаю ее уже сложившуюся жизнь и, возможно, обрекаю на холодное одиночество до самой могилы. Чистейшей воды эгоизм. Какими бы страстями ни оправдываться.

Но Бог с ней, с женой. Ничем я ей не обязан. Мы оба давно уже знали, что наш брак был ошибкой, и тянули канитель, связав себя по рукам и ногам целой пропастью объективных причин.

Совсем иное дело вот такая юркая, нехорошая мыслишка: а что будет у нас с Леной через год? Или два? Когда обязательно, иного быть не может, притупятся нынешние жгучие ощущения. Все утрясется. И снова жизнь покатит по своей колее, мало отличной от прежней. Не вечно же буду я изнемогать от желания и, как юный нерастраченный кретин, кидаться на Лену по многу раз за ночь. Я иссякну. У меня не хватит сил. Законы природы возьмут свое. И я не чаще двух раз в неделю шаркающей походкой и без большого энтузиазма буду пробираться к супружескому ложу, чтобы исполнить рутинные, приевшиеся обязанности, и тогда нас обоих потихоньку станет заедать совесть. Меня — за Танечку, ее — за брошенных сыновей. Нам станет беспокойно и неуютно без них. Мы начнем раздражать друг друга...

Я, должно быть, задремал, склонив голову к коленям, и продремал в таком положении довольно долго. Когда я очнулся, пробудился от крика, небо над морем было светлым, без звезд, и весь восточный край его алел, предвещая скорый восход солнца. Море же было серым и пустынным. Огонек на плавучем маяке больше не мигал.

Окликнула меня Лена, свесившись через парапет.

— Я тебе звонила и поняла, что ты в гостинице не ночевал. Вот и побежала искать.

Я поднялся по лестнице на набережную. Асфальт был темен от выпавшей за ночь росы. Лена мельком взглянула в мое небритое, измятое лицо и тут же отвела глаза. Ничего не спросив. Без слов поняла мой ответ.

Но самообладание не покинуло ее. Улыбнулась мне прежней влюбленной улыбкой.

Мы улетели в Москву разными рейсами. Лену в аэропорту встречали муж с детьми, и быть свидетелем этой встречи я счел неуместным и бестактным. Меня никто не встречал. Так уж у нас повелось в семье. Ритуал объятий и поцелуев совершался не публично, на глазах у других пассажиров, а дома, с соблюдением целомудренного интима. Но это нисколько не свидетельствовало о теплоте наших с женой отношений. Наоборот, отдавало официальным и пуританским холодком.

Только Танечка, моя дочь, искренне и восторженно встретила меня. И с замиранием сердца, обнимая ее, ощущая под ладонями ее подвижные худые лопатки, я окончательно утвердился в мысли, что был прав, отказавшись от Лены и тем самым сохранив это трогательное существо и его неподдельную любовь ко мне.

Лена имела мой служебный телефон, и я долго, почти месяц, ждал звонка. И когда мое терпение совсем истощилось, она позвонила.

У меня перехватило дыхание и обдало жаром при первых звуках ее голоса. Ей тоже нелегко давался разговор. Даже в трубке я улавливал волнение, подавить которое ей не всегда удавалось. Она произносила слова медленно, с паузами. А разговор-то был банальный. Вроде ни о чем. Как долетела. Как встретили на службе. Так зарылась в дела, что и следа от отдыха не осталось. Даже загар сошел. Я тоже вякал нечто в этом роде. Возникало ощущение, что нам, собственно, и не о чем говорить.

— Послушай, Лена, — прервал я эту муть. — Давай встретимся.

— Когда? — без паузы спросила она зазвеневшим от радости голосом, — где?

— Ну, хотя бы... — протянул я, быстро прикидывая в уме и ничего не находя, — у памятника Пушкину... возле кинотеатра «Россия».

— Господи, ты прелесть! — воскликнула она. — Славное облюбовал местечко.

Действительно, что-нибудь побанальнее было трудно придумать. Пушкинская площадь в Москве — открытый пятачок вокруг памятника поэту в самом пупке столицы — была традиционным местом свиданий домашней прислуги с солдатами, а в погожие дни все скамьи там были плотно оккупированы пенсионерами.

Нам с Леной повезло. Даже нашлась свободная скамья, и мы сели рядышком, и она сжала в своей ладони мою руку, покоившуюся на моем подрагивающем колене.

Сначала мы не говорили, а молча рассматривали друг друга. Лена — сияющими глазами. Я, возможно, тоже. Выражение собственных глаз не видишь, но ощущаешь.

— Какой ты молодец, — тихим шепотом заговорила она.

— Чем это я отличился? — не понял я.

— Тем, что в тебе нет пошлости. Что ты чист и красив даже в мыслях. Честно признаюсь, я опасалась, тебе непременно захочется завершить нашу встречу в чьей-нибудь постели, в комнате, одолженной на пару часов у приятеля. И меня брала оторопь, когда я представляла, как ты обзваниваешь своих знакомых, что-нибудь путано врешь, скабрезно пошучиваешь, лишь бы вырвать на часок-другой ключи. Как я рада, что ты ничего этого не сделал, и мы вот встретились с тобой у Пушкина, как школьники, и сидим на скамье и держимся за ручки. Какой трогательный финал нашего с тобой романа.

У нее на глазах навернулись слезы. И у меня зачесались веки. Я даже шмыгнул носом — до того раскис. Какая-то сладкая и безмятежная радость охватила душу. С примесью легкой печали. И тоже сладкой. Оттого, что судьба так щедро улыбнулась мне, подарив те десять дней с Леной. И разлучив нас до того, как мы успели пресытиться, и оставив обоим на всю жизнь, как солнечное искрящееся пятнышко, память об этих днях.

Я, признаться, и не помню, о чем мы толковали, сидя на скамье и держась за руки. Уже когда расставались и Лена подняла с земли свой портфель-атташе, ее лицо озабоченно нахмурилось, и она вдруг попросила:

— Можешь ты мне сделать одолжение, Олег?

— Леночка, о чем речь? Да ради Бога... Все, что в моих силах...

— В данном случае никаких сил не потребуется... Лишь твоя порядочность. Унеси этот портфель к себе... Недельку-другую постоит у тебя... потом заберу. Вот и будет повод еще раз повидаться.

— Пожалуйста, — я широко улыбнулся. — Скрываешь какие-нибудь улики от мужа?

— Если бы от мужа... Здесь литература. Которую наши власти очень недолюбливают. Самиздат. Я обнаружила слежку за моим домом. Будет худо, если у меня это найдут. Не бери, если сомневаешься. Поищу другое место. Просто подумала, у тебя безопаснее всего. Тебя-то уж никто не заподозрит.

Еще в Ялте у меня возникло ощущение, что Лена живет и другой, скрытой от меня жизнью, о которой не решалась заговорить, не в состоянии предугадать моей реакции, когда я обо всем узнаю. Я даже подумал, что среди ее знакомых в научной среде немало фрондирующих диссидентов, и политическая горячность Лены — несомненный отголосок их дискуссий, запавших в ее отзывчивую душу. Это было вроде кори, и этим в ту пору переболело большинство молодой интеллигенции. Мое поколение было циничней и мудрее. Мы точно знали, что плетью обуха не перешибешь, а ходить с кукишем в кармане, как молодые петушки, казалось нам нелепым, да и суставы пальцев с годами стали менее подвижны, и, чтоб сложить их в кукиш, требовались усилия.

Даже у нас наверху, в кабинетах редакции, погуливал «самиздат». Передавали друг другу, не стесняясь. Правда, читали за закрытыми дверями или унеся на одну ночь домой. И соглашались с отважными авторами, и удивлялись их проницательности и мужеству. И вскоре забывали, слегка пощекотав нервы. Или, как говорил Толя Орлов, пополировав себе кровь. Это запретное чтиво, как и вообще любой запретный плод, было острой приправой к пресной надоевшей пище, и ее аромат какое-то время дразнил обоняние. И все. Не больше.

У Лены же все обстояло серьезней.

— Тебе ничего не грозит? — встревоженно спросил я.

— Полагаю, что нет. Но на всякий случай... не нужно лишних улик. Так берешь?

— Разумеется. Сохраню, не открывая.

— Можешь открыть. Кое-что тебя заинтересует. Но для страховки звонить я тебе буду только из автомата. Возможно, мой телефон подслушивают. Я тебе и на сей раз звонила с улицы.

Лена мне больше не позвонила. Вскоре после нашего свидания ее арестовали органы государственной безопасности. Вместе с группой молодых ученых-диссидентов. Об этом я с замирающим сердцем прочитал в кратком информационном сообщении в нашей собственной газете, когда дежурил ночью на выпуске номера и искал опечатки в еще мокрых оттисках газетных полос, перед тем как пустить их в машину.

Через два дня в моей квартире был обыск. В мое отсутствие. Когда я был на работе. Дома была лишь жена. И это не случайно. Такая диспозиция была частью разработанного в кабинетах ГБ плана по загону меня в угол. Откуда нет выхода. Кроме одного: в постыдные объятия моих преследователей.

Узнал я об обыске лишь несколько дней спустя. И не из официального уведомления, а от жены. Я, правда, заметил, что она замкнулась и глядит на меня волком. Но не придал этому значения.

Однако нехорошее предчувствие подтолкнуло меня заглянуть в запертый нижний ящик книжного шкафа, куда я укрыл за передним рядом книг портфель-атташе Лены. Я отпер ящик. Портфеля за книгами не было. И когда я, сидя на корточках, в недоумении обернулся, в дверях гостиной возникла моя жена с насмешливо-презрительным выражением на лице.

— Садись, — сказала она, — нам нужно поговорить.

И она рассказала мне об обыске. О том, что портфель Лены, естественно, со всем его содержимым конфискован властями.

— Что она за решеткой, ты, надеюсь, знаешь? — спросила жена. — При такой горячей любви, какая вспыхнула у вас в Ялте, ты не мог остаться равнодушным к ее судьбе. Не так ли?

— Что ты знаешь о Ялте?

— А все. От первой вашей встречи в гостинице «Ореанда» и до недавнего свидания... на Пушкинской площади... когда ты, обалдев от любви, поставил на карту будущее мое и твоей дочери, взяв у своей возлюбленной на хранение этот портфель. Все этапы ваших... отношений мне были продемонстрированы с предельной четкостью на фотографиях. Цветных.

Больше говорить было не о чем. Все и так было ясно. Надо мной захлопнулась крышка западни. Я медленно, с деревенеющей от бессильного ужаса кожей рушился в пропасть, темную-темную, дна которой никак не разглядеть, как это бывает в мучительном, в холодном поту, сне.

— Надеюсь, тебе ясно, что оставаться под одной крышей нам не имеет смысла, — заключила жена. — Я подаю на развод. Хотя бы во имя будущего нашего ребенка. Жалею, что не сделала этого давным-давно. А тебе советую поискать место жительства. Льщу себя надеждой, что у тебя хватит джентльменства не претендовать на эту квартиру, не пытаться отсуживать ее у нас с Танечкой.

— Я перееду к отцу, — сказал я, вставая и давая ей этим понять, что все ясно и больше нам разговаривать не о чем.

Наутро я с двумя чемоданами перебрался в Уланский переулок к отцу, кое-как растолковав ему, что у меня с женой размолвка и мне надо какое-то время пожить у него и переждать, пока утихнет буря.

Отец понимающе тряс головой, уставившись на меня выцветшими голубыми глазами из-под складок бледной кожи. От волнения у него начался приступ Паркинсоновой болезни, затряслись жилистые руки и задергались в коленях ноги под мятыми, неглажеными брюками.

— Это с ними бывает. Бывает, — кивнул он и силился улыбнуться, чтоб подбодрить меня, — Твоя покойница-мать такие концерты устраивала... ты тогда был мал... не помнишь... что мы разбегались в разные стороны на месяц... на два. А потом снова съезжались. Еще крепче любили.

Он говорил это скрипучим, непрокашлявшимся голосом и все норовил удержать непослушными руками сползающие с усохших бедер штаны. Из деликатности, а может быть, из-за старческих провалов памяти не спросил о причине нашей размолвки.

И в редакции, на удивление, никто ничего не спрашивал. Ни взглядом, ни намеком, словно пребывали в абсолютном неведении о сгущающихся над моей головой тучах. Толя Орлов хитро подмигивал, сталкиваясь в узких редакционных коридорах, и сладострастно закатывал глаза, давая понять, что сладкие воспоминания о наших курортных романах все еще не выветрились из его кудрявой, с пробивающейся на макушке плешью головы. Я тоже предпочитал не заговаривать с ним о моей беде.

Долго так тянуться не могло. И однажды, заглянув ко мне в кабинет, Орлов мимоходом сказал:

— Ты бы зашел ко мне. Есть разговор.

У себя в кабинете он запер изнутри дверь на ключ, кивком пригласил меня сесть на диван и, усевшись рядом, дружески обнял за плечи.

— Лену-то помнишь? Занятной пташкой оказалась.

— Толя, не финти, — снял я его руку со своего плеча. — Помнишь, на водопаде ты фотографировал меня с Леной? Эти снимки потом были предъявлены моей жене.

— Возможно, — невозмутимо ответил он. — И для твоей же пользы.

— Значит, ты все заранее знал? И писал на меня доносы?

— Не то говоришь, Олег. Это не донос. Я выполнял партийное поручение. Кто такая Лена, я не знал. Но догадывался, что это из нынешних... так называемых... инакомыслящих. Помнишь ее рассуждения тогда... у Иудина дерева. Только тебе невдомек было, куда гнет девица? Да, правда, ты был в угаре. А любовь, она, того, слепа... Но я-то слушал трезвыми ушами. Да и Лидочка... Помнишь? Мы рядом с вами трахались. Она тоже подтвердила. Ее разыскали где-то в провинции, дева дала полные показания. Я, соответственно, тоже все представил, как было. Теперь очередь за тобой.

— Что ты имеешь в виду?

— Послушай, Олег. Я же с тобой по-дружески, не официально...

— Я предпочитаю официальный разговор. Дружеского разговора у нас и до встречи с Леной не получалось, а теперь и подавно. Давай выкладывай, что тебе велели.

— Тогда пересядем, — поднялся Орлов. — А то диван размагничивает. Будь любезен сесть сюда, а я уж на свое рабочее место.

Он сел за письменный стол, я на стул перед ним. Как на допросе.

— Обращаться к тебе по фамилии? Или Олегом называть? — сдвинув брови и нагоняя на себя серьезность, насупился Орлов.

— Называй, как хочешь. Давай ближе к делу.

— Ладно. Приступим. Значит, первое. Лена, как тебе известно, под следствием.

— Она арестована, — поправил я.

— Верно. Это и есть пребывание под следствием. Ей инкриминируются серьезные антигосударственные преступления. Как то: клевета на наш советский строй, подрывная пропаганда, распространение нелегальной антисоветской литературы. Эт цетера. Она, как и ее подельники, вся эта диссидентская шатия-братия, отпирается, путает следствие, изворачивается, как может. Ты, именно ты, в состоянии крепко помочь следствию припереть эту суку к стене. Ведь она-то тебя не щадила, передавая на хранение чемодан с нелегальной литературой.

— Ты и об этом знаешь?

— Насколько мне известно, это не секрет даже для твоей жены.

— Ах, вот как далеко зашли твои познания. Скажи мне, Орлов, в каком ты звании числишься в органах государственной безопасности? Капитаном? Майором?

— Как ты справедливо заметил, мы не такие уж друзья, чтоб я перед тобой во всем отчитывался. А насчет капитана ты прав. Человек в звании капитана дожидается у нас тут, в отдельной комнате, чтоб побеседовать с тобой с глазу на глаз. Но чтоб у тебя не было шока, я решил по старой памяти смягчить удар и подготовить тебя немножко к этой встрече.

Я поник. Тупо смотрел в пол, на носки своих ботинок и, как сквозь вату, слышал, низкий голос Толи Орлова:

— Ты, Олег, должен дать чистосердечные показания. Она же тебя, ни о чем не предупредив, вовлекла в свои грязные делишки. Воспользовавшись твоим чувством. Спекулируя на нем. А нашего брата куда угодно заманить можно, виляя клитором. По себе знаю. Да я тверже тебя. Не раскисаю. Вот ты и влип. Хер беды не знает. И выйти из этой беды чистеньким ты сможешь при одном условии: полное сотрудничество со следствием против этой бляди. Подтвердить и подписать все, что велят. Тебе устроят с ней очную ставку. Там-то ты ее к ногтю и прижмешь. Она же, сука, не признает даже и то, что дала тебе портфель с литературой. Мол, ничего не знаю. Следовательно, валит на тебя. Шкуру спасает. А тебе-то зачем за ее грехи отдуваться? Будь мужчиной... Ну, трахнул разок-дру-

гой и пошли ее к чертовой матери. Бесстыдство! Отрицать то,
что фотографии наглядно подтверждают.

— Кто нас фотографировал на Пушкинской площади?
Что-то я тебя там не видел.

— Я, что ли, один? — усмехнулся Толя. — Имя нам — легион.

Я поднял глаза от пола.

— А я вот не из вашего легиона.

— С каких это пор? — прищурился он.

— Да вот хотя бы с этой минуты.

— Ну, тогда нам с тобой не о чем разговаривать. Привле-
кут тебя, голубчика, ни за что ни про что вместе с ней и ее
приятелями к этому делу, и будешь ты проходить в нем уже
не как свидетель, а как подсудимый. Состав преступления
налицо. Соучастие. Ты хранил нелегальные материалы, в
твоем доме они были изъяты при обыске. Загремишь годика
на три в лагерь. А уж о карьере и говорить нечего. До конца
своих дней будешь барахтаться на дне. Такая перспектива устраивает?

Я кивнул.

— Тогда поздравляю. Ты своего добился.

Он встал из-за стола, давая понять, что разговор закончен.
Я тоже встал и, не прощаясь, двинулся к двери.

— Да. Чуть не забыл, — бросил мне вслед Орлов. — Об от-
це-то своем ты подумал?

Меня как оглушило.

Господи, мой бедный, умирающий в трясучке Паркинсоновой болезни отец. О нем-то я совсем забыл. Для него это будет как горный обвал. Раздавит вмятку.

— Каково-то будет старому коммунисту, уважаемому в
стране человеку, — тянул из меня жилы Орлов, — узнать в конце жизни, что его единственный сын ходит во врагах советской власти, которой он, отец, честно отдал всю свою непо-
рочную жизнь. Ты же его убьешь! Он и дня не проживет, узнав
о приговоре.

Меня затошнило, по ногам расползлась слабость. Я был
вынужден сесть на диван. Толя выскочил из-за стола, сел рядом и обнял меня.

— Успокойся, Олег. Не так черт страшен. Ты опомнись,
подумай. Капитан подождет. Мы с тобой водички попьем. Ус-
покоимся. Потолкуем по душам. Да ты же наш человек, Олег.
Мы тебя в беде не оставим.

Прошла неделя. Наступил день очной ставки с Леной, согласие на которую из меня выжал тогда в редакции капитан. Запугав меня, раздавив постоянным напоминанием о судьбе отца в случае, если я откажусь сотрудничать с властями и карающий меч, естественно, обрушится на мою голову.

Почти ничего не сохранилось у меня в памяти об этой неделе. Вроде жил и не жил. Пребывал в каком-то полусонном, полубессознательном состоянии. Словно в меня всадили шприцем лошадиную дозу оглушающего наркотика. И ходил на работу, и что-то диктовал машинисткам, правил чьи-то рукописи. Ничего не помню. Какой-то бред.

Очная ставка осталась в памяти обрывками, отдельными фразами, мельканием лиц. В центре почти пустой комнаты с зарешеченным окном сидела на стуле Лена. Металлический серый стул был привинчен к полу болтами. Она сидела в том же самом платье, в каком приходила на свидание к памятнику Пушкина. Руки лежали на коленях. Серые глаза на поблекшем лице устремлены на меня, и в них горькая, даже сочувственная усмешка.

Мне тоже дали стул, у стенки, прямо против Лены. А между нами, и тоже у стенки, но другой, с решетчатым окном, за старым, исцарапанным письменным столом примостились два чина в форме: тот же капитан и то ли майор, то ли полковник.

Я смотрел Лене в глаза, не моргая, и, как попугай, не своим, а скрипучим деревянным голосом продавал ее. Подтвердил, что дала мне на хранение портфель с нелегальной литературой. Что эта литература — злостная клевета на наш советский строй. Что и в устных высказываниях подследственная тоже порочила наш государственный строй. И что-то еще. Какую-то абсолютную ересь, услужливо подбрасываемую мне для подтверждения то одним, то другим чином за письменным столом.

Лена молчала. Не проронила ни слова. И улыбалась. Мне.

Лишь когда ее уводили, уже в дверях, она обернулась и расклеила губы:

— Я тебя прощаю, Олег.

Кровь хлынула мне в голову. Перед глазами заметались радужные круги, и, не поднеси мне капитан воды, я бы рухнул со стула в обмороке. Как нервная дама.

На выходе, сопровождаемый довольным, улыбающимся

капитаном, я успел разглядеть в приемной на стульях у серой крашеной стены странную троицу: довольно молодого, крепкого мужчину с курчавой бородой и двух мальчиков, лет семи и пяти, в одинаковых матросских костюмчиках. У всех троих был испуганный, подавленный вид. И не по мужчине, а по мальчикам, в их лицах мелькнуло что-то до боли знакомое, сходство с Леной, я понял, что это ее муж и сыновья, явившиеся сюда на свидание с мамой.

Я еще глубже втянул голову в плечи.

До суда оставалось не много дней. Там я должен был публично подтвердить все, что сказал на очной ставке. В кармане уже лежала повестка с вызовом в суд с точным указанием даты и времени первого заседания.

Я перестал выходить на работу. Наш врач в спецполиклинике, лишь глянув на меня, без разговора выписал больничный лист на две недели.

Сидеть целыми днями дома в Уланском переулке и лицезреть беспрестанно трясущегося от болезни, усохшего, как мумия, отца было невыносимо, и я отправлялся бесцельно бродить по Москве, забредал в кино на дневные сеансы, чтоб хоть как-нибудь убить время. Ни к кому из знакомых заглянуть в гости я не решался. Предстоящий процесс группы диссидентов уже волновал умы, а иностранное радио на русском языке сообщало имена подсудимых, и в том числе имя Лены, еще больше возбуждая атмосферу. Мне казалось, что сведения о моих показаниях против Лены просочились на волю, и в каждом встречном знакомом я искал презирающий, осуждающий взгляд. И доискался. Человек, абсолютно мне незнакомый, с такой же бородой, как у мужа Лены, по всему виду — из молодых ученых, столкнувшись со мной лицом к лицу на той же злополучной Пушкинской площади, у пьедестала бронзовой фигуры поэта, округлил глаза за роговыми очками и удивленно спросил:

— Вы — Олег?

Я, естественно, кивнул.

И тут же, без промедления звучная, как взрыв хлопушки, пощечина обожгла мне щеку и ухо. У меня загудело в голове.

Я весь сжался и быстро, чуть не бегом, с грохочущим за ребрами сердцем ринулся в толпу, даже не оглянувшись на обидчика.

Дома за меня принялся отец. Усадил против себя и потребовал откровенности. Он хоть и болен и подслеповат, но явственно видит, что я на себя не похож и со мной происходит что-то гнетущее меня и от него скрываемое. И тогда я открылся ему. Рассказал все, как на духу. Что совершил позорное предательство. Заложил любимую женщину. Неповторимую в своей чистоте. Святую. И свой мерзкий поступок я оправдывал одним: желанием спасти отца от горя, от верной смерти. Если б я отказался сотрудничать с властями и меня бы посадили на скамью подсудимых, он бы этого не перенес.

Я говорил, захлебываясь и всхлипывая. Точно как в детстве, когда изливал ему свои мальчишечьи обиды, ожидая утешения и совета.

Отец молчал. Откинувшись сухой, с седеньким пушком головой, на спинку кресла. Глаза его были закрыты, и на выпуклых веках змеились синие кровеносные сосуды. Он был хрупок и жалок. Выглядел умирающим. С коричневыми пятнами на дряблых веках и шелушащемся лбу. Такие же пятна безобразили его руки со вздутыми венами, вцепившиеся в облезлые подлокотники кресла.

Он все молчал. И я снова стал сбивчиво объяснять ему, что для него мой арест и осуждение как политического преступника, врага советской власти, той власти, которую он создавал своими руками и кровью, зачеркнул бы всю его биографию, представил бы всю его жизнь как нелепую и страшную ошибку.

— Почему ты меня не спросил? — разлепил он губы.

— О чем?

— Что я думаю о своей биографии.

— Что ты о ней думаешь? — с замирающим сердцем спросил я.

— То, что ты и предположил, — он приподнял тяжелые веки и устремил на меня прикрытые мутной пленкой зрачки. — Что это нелепая и страшная ошибка. Свой первый инфаркт я схлопотал, как только почуял эту жуткую догадку. Вскоре после смерти Сталина. А второй инфаркт пришел, когда я пытался расставить в своей душе все по своим местам и обнаружил, что ставить-то негде. Души нет. Продана дьяволу.

Помолчав, сипло дыша, он добавил:

— Сними груз с совести. Попробуй спасти эту женщину.

В ту ночь я написал письмо в прокуратуру, полностью отказавшись от своих показаний на очной ставке, объяснив мое прежнее поведение давлением и шантажом следователей. Я дошел до того, что портфель с нелегальной литературой, найденной в моей квартире при обыске, объявил принадлежащим мне и никакого отношения к Лене не имеющим и выразил готовность нести за это ответственность перед судом.

Последствием этого письма было незамедлительное исключение меня из партии и, соответственно, автоматическое увольнение с работы.

В здание суда меня не впустили, отобрав в дверях старую повестку. Отказались от моих услуг как свидетеля и не посадили на скамью подсудимых как соучастника. Просто отшвырнули в сторону, как бесполезный, не представляющий никакого интереса предмет. Это больше всего уязвило мое самолюбие.

Диссидентов осудили, дав разные сроки каторги в концентрационных лагерях. Лена получила пять лет. Об этом я узнал из газет, из советской прессы, злопыхательски и хулигански улюлюкавшей вслед мужественной группе, не убоявшейся репрессий. И моя бывшая газета не отстала от других, выливая грязные помои на головы этих ребят. Мое имя нигде не упоминалось.

Меня брезгливо обошли. Я был вычеркнут из списка живых. Перестал существовать. Осталась лишь моя тень. От которой спешили отвернуться прежние знакомые. Я остался один.

И тогда я вспомнил о Соне. Она ведь собиралась покинуть эту страну навсегда. Для нее, еврейки, открылась такая возможность благодаря Израилю. Но куда могу податься я, русский? Для меня границы намертво заперты, как для Лены ворота концлагеря в мордовской тайге.

Я позвонил Соне, и мы встретились. Она внимательно выслушала меня, ни в чем не упрекнув, и деловито предложила помощь: быстренько зарегистрировать фиктивный брак и в качестве ее мужа легально покинуть СССР. При этом она с теплотой вспомнила Лену. До ареста она дважды была в гостях у Сони и приносила деньги. У меня горела кожа от стыда.

В утешение мне Соня сказала, что я ни в чем не виноват. Я такая же жертва этого строя, бесчеловечного и неумолимого, как и она. Только она попала под колеса чуть раньше, а я с некоторой задержкой. Предварительно, как верный раб, отдав этой чудовищной машине все свои силы.

Говоря это, она невольно покосилась на своего сына словно он мог подслушать ее крамольные речи, хотя даже я помнил, что мальчик — глухонемой.

Дальше все взяла в свои руки энергичная Соня Я подчинялся ей во всем. Переселился к ней в тесную комнату в скособоченном деревянном доме в Марьиной роще, зарегистрировал в загсе брак, после оформления которого чтоб придать делу элемент правдоподобия, мы втроем — она, я и глухонемой мальчик Коля — допоздна ужинали в ресторане и даже крепко выпили, имитируя свадебную пирушку. Соня, подпив, по дороге домой плакала, и мальчик ее утешал, нечленораздельно мыча и кидая на меня далеко не дружелюбные взгляды.

Наступил день, когда с визами в руках и с двумя чемоданами в багажнике такси мы, в невероятном возбуждении, мчались из Марьиной рощи в международный аэропорт Шереметьево.

Мимо нас проносились московские улицы. Гудели автомобили, разбрызгивая грязь. На тротуарах толкались под зонтиками прохожие. Люди выглядели серыми, невзрачными и от этого близкими и родными, как бедные, не вылезающие из нищеты родственники, которых мы покидаем навсегда расстаемся до могилы, а им и невдомек. Бредут, как ни в чем не бывало, никто и не взглянет нам вслед. Словно мы уже мертвы. Или они неживые.

ород, где мы родились, где за долгие годы исходили все улицы и переулки вдоль и поперек, оставался к нам глух и нем, как Сонин сын Коля. Москва отторгала нас выплевывала в неизвестность, на чужбину и продолжала равнодушно чавкать по лужам

Потом, в аэропорту, Россия Родина показала нам на прощанье жуткую гримасу, которой навсегда до последнего моего вздоха, перечеркнула некогда вызывавшее сантимент лицо моего отечества Конечно не сама Россия а коммунизм, болезненной сыпью покрывший ее исстрадавшееся измученное тело, ощерил на нас мертвящий оскал И это было венцом цепи унижений и издевательств которыми нас покидающих страну навсегда осыпали на всем пути с момента подачи заявления о выезде и до самой двери самолета австрийской авиакомпании, увозившего нас в Вену — первый этап эмиграции Мою душу обварило кипятком и с этого мига мне стало легко

Я понял, что никогда меня не охватит болезнь эмигрантов — тоска по родине.

Когда-то, века назад, в царской армии было такое наказание — шпицрутенами. Провинившегося прогоняли между двумя шеренгами солдат, державших в руках розги, и каждый солдат стегал его, и обычно до конца строя он не доходил, а сваливался под градом ударов. Но это было в почти доисторические времена. И мы же не были преступниками. Мы лишь желали подобру-поздорову убраться из объятий мачехи-родины. А нас, как и беднягу солдата при царе, народная власть, свергнувшая царя, прогоняла сквозь тот же строй шпицрутенов. Тогда наказывали лишь мужчин. А теперь и женщин, и детей, и бабушек. И колотили, и пинали, и плевали в лицо в каждом учреждении, что стояли бесчисленной чередой на многострадальном пути к московскому аэропорту.

А там Родина плюнула нам в лицо последний раз.

Перед тем как выпустить к самолету, нас долго обыскивали, проверяя, как у воришек, содержимое карманов и перетряхнув все вещи в наших чемоданах. А потом произошло самое чудовищное. Соню попросили снять протез.

— Зачем? — не поняла она.

— А затем, чтоб прощупать, не зашиты ли там драгоценности, не подлежащие вывозу, — с гнусной ухмылкой ответил молодой, но уже жиреющий от малоподвижного образа жизни таможенник с каким-то невыразительным, как стертый пятак, гладким лицом. Он был удивительно похож на других своих коллег, со злорадным любопытством теснившихся за ним. Они все были на одно лицо Словно отштампованные на одном прессе И это безликое сходство усиливали серые служебные мундиры на них.

Соня, не проронив ни слова, опустилась, заскрипев протезом, на стул и, не стыдясь приподняла край юбки и стала отстегивать кожаные ремни на бедре Согнутый в колене протез со множеством металлических застежек был затянут в бежевый чулок, такой же как и на ее собственной, левой ноге Руки плохо слушались Соню Сын, угрюмо взиравший на нее из-за моего плеча вдруг опустился на колени и протянул руки к протезу, чтоб помочь ей

— Пошел прочь! — отстранила его Соня.

Таможенники не отводили глаз. Здоровенные, без единого увечья мужланы нагло уставились на редкое зрелище — женщину-инвалида снимавшую с обрубка лилового в шрамах бедра протез.

Наконец Соня справилась. Она резко отодвинула от себя согнутый в колене кожаный, с металлическими частями протез в неровно опавшем чулке, и он не свалился, а остался стоять, опираясь на подошву плоского ботинка.

— Возьмите на память, — тихо сказала она. — Это единственная драгоценность, которую увозила с Родины. Дарю ее вам.

Она отвязала от чемодана костыли и, опершись на них, поднялась со стула и сделала скачок на единственной ноге.

— Пошли, — кивнула она, не оборачиваясь, мне и сыну.

И мы, подхватив чемоданы, зашагали за ней, прыгавшей между двумя костылями на скользком пластиковом полу, на котором позади нас сиротливо стоял, согнувшись в колене, коричневый протез в бежевом чулке.

Даже бесчувственные таможенники оторопели, и мы беспрепятственно прошествовали к летному полю, где в лицо ударил сиплый вой прогреваемых реактивных двигателей. И мне показалось, что это вою я сам.

В Венском аэропорту мы с Соней расстались вскоре после приземления. Вокруг пассажиров самолета Москва — Вена сразу образовался кордон из австрийских полицейских, одетых в форму, очень напоминавшую ту, в которой конвоировали евреев к месту расстрела во время войны. И автоматы у полицейских были такие же, как у тех конвоиров, и язык, на котором они отрывисто переговаривались, был тот же. А люди, чью жизнь они теперь охраняли, были с такими же печальными и растерянными еврейскими физиономиями, какие были у тех, у погибших в числе шести миллионов.

Русским был я один в этой толпе. Да еще две женщины, замужем за евреями Эти семьи как и я, избрали себе конечной целью Америку. А не Израиль. И еще несколько семей, абсолютно еврейских упрямо твердили, что они едут в Америку.

Какие-то шустрые молодые люди с крепкими плечами переходили от одной группы беженцев к другой и на странном с чужим акцентом русском языке настойчиво уговаривали всех ехать в Израиль Всех Даже смешанные семьи Кроме меня Меня, русского, сразу оставили в покое

Соню с сыном уговаривать не пришлось. Сын был глухонемым. И вообще вряд ли отличал одну страну от другой Соня же еще в Москве твердо решила, что не хочет ехать на новую чужбину, а только в свое еврейское государство, как бы худо там ни было по сравнению с богатой Америкой.

Нас, «американцев», отвозили в городские отели, а «израильтян» под усиленной охраной куда-то за город.

Мы расставались с Соней. И, возможно, навсегда. Вряд ли снова наши пути пересекутся. Когда-то я ее предал, а сейчас она меня выручила. И я испытывал к ней чувство смущенной признательности.

— Да, чуть не забыла, — спохватилась она и, порывшись в сумке, извлекла какую-то бумагу. Это было наше брачное свидетельство, удостоверявшее наш фиктивный, только бы выехать из СССР, брак и заверенное, как подлинное, множеством советских печатей, включая и печать Министерства иностранных дел.

Я качнул головой, отказываясь.

— Ну, тогда, — Соня порвала бумагу пополам и хотела смять обрывки в ладони, но раздумала. — Возьми ты одну половину, а я — вторую. Будет память... о том, что все в мире суета сует. и всяческая суета.

Я взял неровный обрывок бумаги, сложил вдвое, потом вчетверо и сунул в нагрудный карман пиджака. Соня свою половинку спрятала в сумку.

— Ну, давай хоть поцелуемся, — со вздохом сказала она. — В первый и последний раз.. в нашей семейной жизни.

Я поцеловал ее вспыхнувшую щеку, потом обнял глухонемого И они пошли к автобусу. Потом автобус ушел.

Я остался один. Один как перст в этом мире. У меня больше не было ни одного близкого человека. Мне предстояло неизвестно сколько томиться в чужой Вене в ожидании отправки дальше, не имея даже с кем перемолвиться доверительным словом

Хотя вру В Вене был один человек, еще совсем недавно очень близкий мне Корреспондент нашей газеты в Австрии Шалико Гогуа Толстый, огромный, бородатый грузин Всегда с веселым оскалом белых-белых зубов Или в хохоте или готовый расхохотаться Удивительно полнокровный, брызжущий жизненной энергией кавказский человек. У которого нет золотой серединки Или черное или белое Или любит. или ненавидит

Меня он любил В моем доме его баловали, как шалопая

сына. Даже моя жена, старательно процеживавшая круг знакомых, в нем души не чаяла. А уж Танечка не слезала с его рук. Кстати, все ее наряды: прелестные платьица, пальтишки туфельки — все присылал из Австрии и привозил, когда наезжал в Москву, Шалико. Он даже останавливался не в гостинице а у нас. И в моем доме начинался разгульный праздник, который, доводя всех до изнеможения, длился до самой последней минуты, пока мы не усаживали орущего и хохочущего Шалико в самолет.

Он был намного моложе меня. И потому не знал войны и пребывал в отличном здравии. Недурно владел немецким и английским.

Но к писанию склонности не имел. Поэтому из Австрии в нашей газете появлялись лишь коротенькие информационные заметки, а когда в этой стране случалось что-нибудь серьезное, достойное большой статьи, в Вену вылетал наш специальный корреспондент. Это, однако, нисколько не умаляло в редакции дружелюбного отношения к шумливому и добродушному верзиле-грузину. Он прочно сидел на своем месте. Еще и благодаря тому, что в Тбилиси его многочисленная родня занимала высокое положение в партийной иерархии.

У меня в записной книжке были его венские телефоны: и служебный, и домашний. Но звонить, искать встречи не имело смысла. Душка Шалико не так уж прост, чтобы не понимать, чем грозит ему общение со мной. Он, несомненно, находится, как и любой советский представитель за границей, под неослабным наблюдением. Не так со стороны местных властей, как под недремлющим оком секретных советских агентов, которыми густо нафарширована нейтральная Австрия. О последних роковых переменах в моей жизни он, конечно осведомлен и не решится заговорить с человеком, причисленным отныне к врагам государства, которое он, Шалико в какой-то степени представляет здесь, за рубежом

Я оказался в полном одиночестве. Потому что я русский ни одна еврейская благотворительная организация ведающая беженцами, не взяла меня под свое покровительство. Я мог рассчитывать лишь на Толстовский фонд. Но и там меня приняли с кислыми гримасами, когда я не тая и не считая нужным подчищать в угодном им духе свою биографию рассказал, что работал журналистом в центральной московской газете и почти до самого отъезда пребывал в коммунистической партии. Меня взяли на учет, поставили на довольствие, весьма скудное, согласились оплачивать жилье в затруханном, вонючем пансионе и велели ждать, покуда соответствующие американские власти произведут проверку на предмет, подхожу ли я под категорию беженцев, кому въезд в США не возбраняется.

Вскоре меня посетил человек, явившийся с самыми лучшими намерениями, но расставшийся со мной откровенно недружелюбно и зарекшийся впредь ко мне заходить. Это был поп. Православный священник. Молодой, упитанный, с жидкой азиатской бородкой. В черной рясе, с большим белым, должно быть, серебряным крестом на мягкой женственной груди. Он говорил по-русски хорошо, даже как-то по-волжски окая, хотя родился не в России, а в Канаде.

Поговорив для порядка о пустяках, он, наконец, спросил меня, какой я веры.

— Никакой, — простодушно ответил я.

— Как же так, — мягко укорил меня поп. — Вы же русский? Следовательно, вера ваша православная.

— Знаете что, батюшка, — терпеливо возразил я. — Не всякий русский — православный. Например, Брежнев — кто, по-вашему? А? Он, уж поверьте мне, ни в Бога, ни в черта не верует. Так же, впрочем, как и я.

— Следовательно, вы — коммунист и... соответственно, безбожник.

— Насчет второго с вами согласен. Я — атеист, вернее, агностик. Бога от рождения не знал и, да простится мне, до сих пор от этого неудобств не испытывал. А что касается того, коммунист ли я, тут вы ошиблись. Я не коммунист, а антикоммунист. Я верил в коммунизм и окончательно разочаровался в нем и, заплатив за это очень дорогую цену, отныне ненавижу коммунизм, считаю его заклятым врагом и покинул Родину, чтоб бороться с ним всеми доступными мне средствами.

— Добро, — согласился поп. — Но как же полагаете жить в абсолютном безверии? Не может русский человек существовать на земле, ни во что не веруя. Без идеала. Чем жить-то будете?

— Ненавистью.

— Это уж совсем противно христианству, — взмахнул он руками, и широкие рукава его рясы взлетели, как черные крылья летучей мыши — И жизнь вашу погрузите в глубокую безысходность.

— Куда уж погружать глубже? Я лишился всего. Родины Семьи. И веры. Хуже, чем мне сейчас, быть не может. Однако я жив. Следовательно, могу смотреть в будущее хоть с какой-нибудь, микроскопической надеждой.

— Надеждой на что?

— На что? Ну, хотя бы на то что, как говорят в России, как-нибудь перезимуем. То есть выживем, выдюжим. Не рухнем в оглоблях.

— Вот, вот, — вскочил со стула поп. — И я о том же толкую. Выживете. Конечно. Вы — сильный человек. Но нельзя вам оставаться в торичеллиевой пустоте, в вакууме. Никак нельзя божьему созданию без веры. Придите к Богу и в вере обретете душевное равновесие и покой. Я с радостью стану вашим крестным отцом. Мы совершим обряд крещения в нашем приходе. У нас в Вене достойный и уважаемый приход. Подумайте. Не спешите. Я приду за ответом в другой раз.

— А я вас не приглашаю. Вы и на сей раз явились без приглашения. У воспитанных людей так не принято. И для священников исключение не делается. Креститься я не собираюсь. Прожил жизнь без креста, авось и до могилы дотяну без него. Недолго осталось. А вот если вам так уже хочется сделать добро, то окажите любезность... как человек человеку, как славянин славянину. Хотел бы поговорить с Москвой, с отцом. Мне это не по карману. Ну, десять минут... даже пять. Устроюсь в Америке — рассчитаюсь. А? Вышлю должок, даже с процентами... если хотите.

Я обидел человека, в сущности ни в чем не повинного. Пришедшего ко мне с единственной целью: помочь. Я плюнул в протянутую мне руку. И был наказан. В этот же вечер

Ко мне в комнату позвонила снизу хозяйка пансиона и сказала, что может соединить с Москвой. Десять минут. Не больше. Разговор оплачен заранее. Я продиктовал ей номер телефона отца. Ждать пришлось довольно долго Я сидел на своей постели и поглядывал то на телефон, то в единственное окно. За окном было темно, и лишь в глубине площади, куда выходил фасадом пансион, горели два фонаря возле бронзо вой, позеленевшей от времени конной статуи какого-то австрийского деятеля Имя его было выбито на каменном пьедестале, мимо которого я ежедневно проходил, но так и не удосужился прочесть надпись.

Всадник, в подражание античным фигурам, был безглазым. Вместо глаз в бронзе чернели дырки. Это придавало его взгляду зловещее безразличие. Сталкиваясь с этим взглядом, я еще острее ощущал, что я на чужбине, отрезанный от своих корней, и быть мне отныне и во веки чужим среди чужих.

Уже было около полуночи, когда наконец дали Москву. Там, в квартире отца в Уланском переулке, зазвонил телефон. Один звонок. Другой. Третий. Отец уж, наверное, лег, даже, возможно, уснул и сейчас, кряхтя, вылезает из-под одеяла, долго старается попасть непослушными, дергающимися ногами в свои шлепанцы и идет, подергиваясь, в коридор к телефону.

Я насчитал десять гудков. Отец не снимал трубку. Его нет дома? А где еще он может быть? Или там что-нибудь случилось? Куда так поздно может уйти больной, еле передвигающийся старик? К кому?

Мои лихорадочные размышления перебил сонный, скучный голос московской телефонистки:

— Абонент не отвечает.

— Это очень странно, — ответил я.

— Не знаю. Позвоните еще раз.

— Постойте, постойте. Можно другой номер в Москве?

И я назвал по памяти мой прежний телефон, тот, что много лет был моим домашним и после развода остался телефоном моей бывшей жены.

Ответил незнакомый мужской голос:

— Какая Вена? Нам не могут звонить из Вены.

— Эй, ты! Не знаю, кто ты! — взорвался я. — Позови Люсю. Или мою дочь.

В трубке зашипело, и спустя какое-то время тихо прошелестел голос, какой я узнал бы и во сне.

— Да. Я слушаю, — сказала моя бывшая жена.

— Люся! Это я!

— Можешь не представляться. Я догадалась. И сразу хочу предупредить. Не звони мне. Никогда. Нас ничто не связывает.

— А дочь?

— И даже дочь. Для ее будущего лучше не считаться твоей дочерью. Надеюсь, ты понимаешь. Она уже не носит твою фамилию. Я поменяла ее на свою девичью.

— Спасибо. Утешила. Обещаю больше не тревожить. Я и позвонил-то тебе лишь потому, что телефон отца не отвечает.

— И не ответит.

— Почему?

— Потому что у тебя больше нет отца. Наберись мужества... мы его вчера похоронили.

— Не понимаю, — прошептал я.

— А понимать нечего. Ты его убил. Он покончил с собой.

— Как покончил? — не своим голосом вскричал я.

— Тривиально. Повесился дома... на бельевой веревке. Все. Нам больше не о чем разговаривать. Заботу о его могиле я беру на себя. Прощай.

— Люся! Постой!

В трубке щелкнуло — и послышались заунывные короткие гудки, как будто взвыл щенок, которому отдавили лапу. Это скулил я, тихо и заунывно, по-щенячьи, потому что мне отдавили не лапу, а душу. Я держал во вспотевшей руке подвывающую трубку и тихо скулил в унисон с ней. И чувствовал, как холодеет, деревенеет кожа на затылке, потом на лбу, висках.

— Плакать. Нужно плакать, — повторял я в уме. — Иначе взорвусь. Спасение в слезах.

Трубка легла на рычаг траурно-черного аппарата, пульсирующий вой оборвался, и я тяжело, мешком опустился на смятую постель.

Как ни силился, заплакать не удавалось. Не сумел выжать даже маленькой слезинки. А в голове ныло, гудело. Как в растапливаемой печи. Так бывает при высокой температуре, в гриппозном состоянии.

Я повинен в смерти отца. Я был последней нитью, связывающей его с жизнью. Он гордился мной, высоким положением, какое я занимал. Скрывая от меня, стыдясь этого как проявления слабости, он аккуратно вырезал из газет все статьи, подписанные моим именем, сортировал их по годам, сшивал в тетради и бережно хранил. Я случайно обнаружил их в шкафу, когда после развода переехал на время к нему.

Нет, не я убил его. Мой отъезд был лишь внешним поводом. Последней каплей. Его убила та же чудовищная, неумолимая сила, которая раздавила, разрушила меня и держит в трепете весь мир. Сила, которой честно и самоотверженно служил он всю жизнь, по кирпичику складывая ее стены, а они, как в насмешку, стали его и моей тюрьмой, душегубкой, вконец удушившей и его, и меня, последовавшего по его стопам. И там, в этой тюрьме, я оставил единственное близкое существо, мою дочь, и она вырастет в атмосфере тюрьмы, наглухо огражденная от всего мира, и жизнь ей не сможет предложить никакого иного выбора: или быть заключенным, или охранником. Но и в том и в другом случае ей придется провести свои дни за тюремной стеной, фундамент которой старательно и даже вдохновенно складывал дед, а стены, с меньшим тщанием и уже без веры, отец. То есть я.

Я поймал себя на мысли, что пытаюсь представить, как это все произошло. Я видел моего отца, трясущегося от Паркинсоновой болезни, взбирающегося на табурет. Нет, не на табурет. На табурете он бы не устоял, свалился. Он воспользовался стулом, чтоб можно было держаться за спинку. Какой он выбрал крюк? Тот, что в спальне и держит на цепи люстру? Или в кухне, с маленькой лампой, которая не помешает зацепить на тот же крюк бельевую веревку с вывязанной на конце петлей? Как он трясущимися руками смог сделать петлю? Ведь последние несколько лет он не мог даже зашнуровывать ботинки. Обувать его поднималась к нам дворничиха-татарка Фатима. Она же и убирала в квартире и готовила ему на несколько дней вперед. Я ей платил за эти услуги, не торгуясь, и она вполне добросовестно исполняла роль няньки возле моего отца в часы, которые урывала от своих дворницких обязанностей.

Вернее всего, нашла его висящим Фатима. Я представил, как она, отперев своим ключом квартиру, с удивлением обнаружила сначала опрокинутый посреди комнаты стул, потом узрела ноги висящего отца и затем уж всего его. Со свешенной набок головой и распухшим, вывалившимся изо рта синим языком.

Я тупо смотрел в темное окно, и с площади на меня уставился черными дырками вместо глаз бронзовый, позеленевший от времени всадник. Впереди была полная жуткого одиночества ночь. И я понял, что не выдержу один, натворю Бог весть что, если не поделюсь своим горем с кем-нибудь живым, теплокровным, а не с этим безглазым медным австрийцем на толстом медном коне.

В моей записной книжке, которую я стал поспешно листать, были лишь московские телефоны моих прежних друзей и знакомых, замолчавшие еще задолго до моего отъезда. Были еще и ленинградские, киевские телефоны. Мертвые, вычеркнутые из жизни, но еще оставшиеся на бумаге.

И вдруг мои глаза обожгло. Венские телефоны. Телефоны Шалико Гогуа. Нашего корреспондента в Вене. Шалико — единственный в этом городе знал моего отца и несколько последних лет регулярно снабжал его заграничным дефицитным лекарством «эльдопа», которого нельзя было достать в СССР, а оно было единственным средством, заметно смягчавшим страдания пораженного Паркинсоновой болезнью старика.

— Ладно, пусть он со мной не захочет говорить, — решил я, — но хоть выслушает печальную весть о кончине человека, к которому он не был безразличен. Лишь бы не швырнул трубку, услышав мой голос.

Он снял трубку и по-немецки, с грузинским акцентом, спросил, кто это, и какое-то время слушал, как кто-то тяжело дышит на другом конце.

— Шалико, — выдавил я наконец. — Умоляю, не бросай трубку. Удели мне одну минуту.

— Говори, — помедлив, глухо ответил он. — Но заранее предупреждаю: особого удовольствия я от этого разговора не испытываю. Нам не о чем говорить. Мы — враги. Понимаешь? Смертельные враги. Именно потому, что раньше дружили.

— Вот именно потому я тебе и позвонил, Шалико. У меня беда. Страшная беда. И в этом чужом городе нет ни одного живого существа, кому я бы мог выплакать свое горе. Мне так плохо, Шалико, один шаг до самоубийства.

— Постой, постой, — как я и предполагал, смягчился Шалико и встревоженно спросил: — Что случилось? Отец?

— Да. Повесился.

И тут меня затрясло, и я зарыдал в трубку громко, со стоном, со всхлипываниями, как рыдают женщины на похоронах.

— Дорогой! — заорал в трубку Шалико. — Диктуй адрес! Я еду!

Он ввалился в тесную комнату пансиона, огромный и тяжелый, сразу заполнив собой все, по-медвежьи сжал меня в объятиях и, с места в карьер, не заплакал, а взвыл во все горло.

Мы, рыдая, сидели на кровати, не разжимая объятий, и наши тела сотрясались от плача.

Господи, какое горькое наслаждение, какое ни с чем не сравнимое терпкое счастье в беде и одиночестве вдруг почувствовать рядом плечо близкого человека!

Ни слова не произнесли мы в эту ночь. Словно сговорились не трогать ран. Лишь плакали. Двое здоровых мужчин. Плакали, как маленькие дети, потерявшие родителей.

Под утро я задремал на его мягком плече и сквозь дрему слышал, как он снял с моих ног ботинки и, склонившись надо мной, поцеловал дрожащими губами в лоб и в оба закрытых глаза. Как покойника.

Затем тихо, на цыпочках вышел, прикрыв за собой дверь. С тех пор я его не видал.

ОНА

Сегодня утром я чуть было не рассталась с моей «Тойотой». По объявлению в газете явился наконец приличный покупатель. Несколько предыдущих звонили мне и, не посмотрев машины, по телефону срезали цену вдвое. И таким тоном, будто делали мне одолжение. Я их послала подальше.

И вот он, серьезный покупатель. Толстоватый, я бы сказала, чрезмерно упитанный малый, из тех, что не соблюдают диету и наполняют свой желудок, как автомобильный бак горючим, до отказа. Автомобиль от этого не страдает, а, наоборот, тянет на предельно возможную дистанцию. Человек же с полным баком быстро теряет скорость, мякнет, слабеет и превращается в мешок с говном. За примером далеко не ходить. Вот он. Мой Олег. Моя радость и мое горе. Подброшенный мне Богом, непонятно за какие грехи. Стоит сзади «Тойоты», отвернувшись от меня и покупателя, который с головой нырнул под поднятый капот, выставив наружу широкий, дамский зад — заманчивую мишень для гомосексуалистов.

Я хочу за свою машину 2600 долларов. Машина в прекрасном состоянии. Пользовалась ею сравнительно мало. В Калифорнии мы большей частью ездили на серебристом «Корветте» Ди Джея. А моя желтенькая «Тойота» дремала в гараже в благодатной тени и потому сохранила такой свежий вид, словно ее только что купили. Ну и к тому же я хороший водитель — не перегрею мотор, не зверствую тормозами. Срабатывает неудовлетворенный материнский инстинкт — за отсутствием детей переносишь свою нежность на машину. Моя бедная «Тойота», такая маленькая, хрупкая, даже жалкая, когда ее давят и жмут на автострадах ревущие стада широкозадых, как бегемоты, раскормленных американских машин, воистину кажется мне беззащитным существом, нуждающимся в моей опеке.

Этот покупатель оказался лучшим из всех предыдущих. Не стал срезать цену вдвое, а предложил свою, весьма божескую — 2000 долларов. Это был тот предел, на который я была в душе согласна, еще когда только задумала продать машину. Казалось бы, чего лучше: отторгуй, если удастся, еще сотню-другую и отдай ему машину, чтобы раз и навсегда избавиться от этих хлопот. Лучшей цены мне не дадут. Машина у меня висит как камень на шее. Каждое утро я просыпаюсь с этой мыслью: куда бы ее сплавить? С собой в Европу ее не захватишь, а несколько тысяч долларов мне очень пригодятся, если я хоть в какой-то степени захочу там сохранить свою независимость. Нелепо и опасно рассчитывать на то, что все мои расходы будут оплачивать очарованные мною испанские идальго и итальянские кабальеро. Так недолго скатиться до элементарной проституции.

Вот как важно продать «Тойоту». Это даже может предотвратить неизбежное падение нравственности у небезупречной девочки из приличного еврейского дома в Форест Хиллс.

Я «Тойоту» не продала. Я идиотка, я кретинка. Мой покупатель согласился на 2400 долларов. О такой цене я даже и не мечтала.

Я сказала, что раздумала продавать, и извинилась за доставленное беспокойство. Мне не понравился покупатель. Я вдруг пожалела мою «Тойоту», у меня сжалось сердце, что ее хозяином будет этот жирный человек с неприятными злыми глазами. Он не будет жалеть ее. Он выжмет из нее все, что сможет, и выбросит на свалку. «Плимут», на котором он приехал ко мне, носит на себе все следы недоброй руки хозяина. Разбита передняя правая фара, вмятина в кузове, немытое, в пыльных подтеках ветровое стекло «Тойота» — часть меня Я к ней слишком привыкла, чтоб безболезненно отдать в такие руки

Вот она стоит желтенькая, чистенькая, такая маленькая и ласковая и смотрит на меня своими круглыми, немодными фарами с явной укоризной. За что, мол, предаешь своего друга? Разве не служила я тебе верно? В чем ты можешь меня упрекнуть?

У меня защекотало в переносице. Так бывает перед слезами.

— Олег, садись, едем.

Я включила газ, и моя «Тойота» возбужденно задрожала, готовая взлететь от радости, легко и кокетливо отчалила от тротуара, высокомерно обогнула мятый неуклюжий «Плимут» и сзади мигнула чистым, отмытым до блеска красным фонариком поворота обескураженному покупателю, так и не ставшему ее владельцем.

Мы покатили в Чайнатаун. Вернее, на Орчад-стрит, где тысячи лавочек и можно найти среди гор тряпья все, что душе угодно, по самым умеренным ценам. И без налога. Я хочу купить удобный кошелек. Не слишком большой и не слишком маленький, куда можно уложить все документы и билеты, потребные в дороге, а главное, тревеллерс чеки — все мое состояние.

Я нашла свободную стоянку прямо на Орчад-стрит, с облегчением бросила в счетчик 50 центов — здесь разрешалось стоять два часа, и мы с Олегом в обнимку — он положил мне руку на плечо, я свою — на его поясницу, точнее на его раскормленный зад, раскачивающийся, как у дамы, при ходьбе — нырнули в толпу, крикливую, потную, вороватую, пуэрториканскую, китайскую и негритянскую вперемешку с еврейскими физиономиями за прилавками с кучами тряпья.

Барометр его настроения скатывался к нулю. Я знала — он сноб и не выносит этой толпы. Но не брезгливость делала его лицо все более мрачным. Ох, как я изучила этот орех. Его глаза наливались до боли знакомой мне волчьей тоской. Явственно запахло моим отъездом. Поиски кошелька — к дороге. Он молчал. И я молчала. Мне тоже стало грустно. Мне стало жаль его. И себя мне стало жаль.

Я уже осмотрела в нескольких лавочках кошельки и ни один не приглянулся мне. Олег молчал, равнодушно рассматривая горы дешевых дамских сумок, накиданных на прилавках и прямо на полу.

Я ласково взяла его за локоть и заглянула снизу в лицо, в его глаза, которые он упрямо как обиженный ребенок, отводил от меня.

— Я раздумала покупать кошелек, — сказала я

Он недоверчиво покосился на меня.

— Ну его к черту! Пойдем, Олег, к итальянцам. Поедим вкусно. Посидим под зонтиком.

Мы стали пробираться в толпе к итальянским кварталам, в «Литл Итали». Лицо Олега прояснилось. Ему понравилась моя уловка, он принял игру и разрезал толпу, бережно, по-рыцарски прокладывая мне дорогу.

Я бы не остановилась у этого прилавка, если бы меня не прижали к нему. На глаза мне попался ворох дамских трусиков, бикини, но не купальных, а для повседневной носки. Невесомые, приятно облегающие, игриво и со вкусом разукрашенные цветами. И невероятно дешевые. Обычно я покупаю их по доллару за штуку. А тут их предлагали по три штуки за доллар. Ну, и как не взять дюжину? Ведь в Европе такой дешевизны нет.

Последние слова я произнесла вслух, Олегу. Глаза его недобро замерцали. Ироничная усмешка скривила губы.

— Конечно, деточка, — процедил он. — Зачем дюжину? Возьми сотню. Если денег не хватит, я заплачу. Зато мы покажем Европе. После каждого пистона будем надевать свежие трусики. Ста тебе не хватит. Возьми тысячу.

Когда он зол, в его английском языке особенно чувствуется железный русский акцент. То ли из-за этого, то ли сами слова, угрюмо произнесенные, привлекли внимание, несколько негров остановились, прижатые толпой к нам, и похотливое любопытство заиграло на их лицах.

Я забыла положить трусики на прилавок и держала одну пару, растянув ее на пальцах.

— Сучка! Блядь! — задыхаясь, как плевки, швырял мне в лицо Олег. Злоба ко мне, ненависть, таившаяся в нем до времени, потекла грязью через край. Вместе со словами он освобождался от этого гнетущего бремени, и я видела, ощущала, что он испытывает облегчение после каждого выплюнутого в меня оскорбления.

— Почему ты так бестактна? Примитивна, как амеба? Почему вы все в этой стране такие лошади? При мне... а ты знаешь, что ты мне... небезразлична... выбираешь, смакуя, белье, в котором ты будешь щеголять перед другими. Почему я должен смотреть на трусики, которые скоро с тебя будут стаскивать нетерпеливыми пальцами ебари в Европе?

Негры заржали, взвыли от удовольствия. Один снял с моих пальцев трусики и высоко поднял над головой. Я стояла в центре хохочущих рож. Смеялись надо мной, как над уличной потаскухой, избитой покровителем, которому она не угодила.

Я все простила Олегу. Только он из всех, кого я знала, мог так поступить.

— Молчать! — не крикнул, а по-офицерски повелительно приказал он, и его серые глаза стали белеть от гнева. От него хлынула такая волна силы и превосходства, что хохот оборвался, как по команде, и потные лица застыли в нелепых гримасах, в каких их заморозил окрик Олега.

Он взял у негра трусики, и тот безропотно отдал их. Медленно, аккуратно сложил их вдвое и вернул грудастой пуэрториканке за прилавком.

— Извините за беспокойство, — учтиво и очень спокойно сказал он ей и даже улыбнулся. — Мы придем в другой раз.

Он взял меня под руку. Негры беззвучно расступились, и мы пошли. У меня горела спина. Меня жгли злорадные взгляды, но ни одного смешка я не услышала за собой.

Я прижалась к его руке. Его кисть лежала на моей груди, и я, как собачонка, стала заискивающе, словно прося прощения, тереться об нее щекой. Боже мой! Как уютно, как безопасно я себя чувствую за его спиной. За этим очень больным и нервным, как сухой порох, человеком. Ему прощаю все. Даже эту безобразную сцену, которая только доставила удовольствие толпе. И при этом мне мучительно хотелось впиться зубами в эту руку, прокусить ее до кости. Чтоб понял, что со мной нельзя так обходиться. Что я никому не позволяла этого И впредь не позволю.

Итальянский квартал в Манхэттене напоминал Италию Примерно в той же мере, как фильмы похожи на жизнь. Италию я знала лишь по итальянским фильмам, и там, как и здесь, стояли на углах улиц в сонном безделье молодые, здоровенные парни, полуодетые с татуировкой на выпуклых мускулах и глазели на прохожих, по большей части туристов, любящих заглядывать в этот достопримечательный уголок Нью-Йорка, где ресторанные столики вынесены на тротуар, жирные женщины и кучи детей перекрикиваются из окон через улицу по-английски, но на средиземноморский манер Здесь самое безопасное место в Нью-Йорке. Покой обитателей «Малой Италии» и ее гостей охраняет не полиция, а местная мафия Возможно, эти вот парни с татуировкой на бицепсах. Здесь тебя никто не тронет. Абсолютная гарантия

Мы присели к мраморному столику на тротуаре Столик стоял в тени но официант в белом колпаке и переднике, одетый словно повар, расправил над нами многоцветный как купол парашюта, зонт.

Остальные мраморные столики стояли пустыми Мы были единственными клиентами, и пока рассматривали меню к скучающему в ожидании заказа официанту присоединился сам хозяин ресторана, немолодой, но по-спортивному подтянутый, с очень мужским, даже свирепым лицом. Перебитый, чуть сплющенный нос придавал еще большую сексуальность его ястребиному лицу. Такими бывают итальянские бандиты в фильмах.

Олегов барометр снова пополз к нулю. Принимая заказ, хозяин разговаривал только со мной, изредка бросая на Олега полупрезрительный взгляд. Сработало сексуальное магнитное поле, которое я создаю вокруг себя помимо своей воли. И этот видавший жизнь итальянец, самоуверенный и жестокий самец, попал в мое поле и завибрировал. Распушил перья, как говорит Олег, роет копытом землю.

Он пожирал меня своими стр-р-растными очами, томно заломил брови, и тонкие, не знающие пощады губы заняли атакующую позицию, перед которой, по его опыту, дамы устоять не могли.

Мне хотелось рассмеяться ему в лицо но меня опередил Олег.

— Приняли заказ? — выразительно глянул он на итальянца. — Потрудитесь выполнить его Счастливо!

Итальянец с трудом погасил вспышку гнева и удалился, весь натянутый, как пружина, и даже его прямая мускулистая спина под красным пиджаком выражала презрение к Олегу, а заодно, возможно, и ко мне

— За такие штучки — сказала я — здесь легко получить нож под ребро

— Не сомневаюсь Ведь ты облюбовала это место

— Олег, — положила я ладонь на его руку, — давай посидим мирно Ведь я уезжаю

Он сник. Втянул голову в плечи, отвел глаза

— Не касайся меня — отнял он руку - Я сейчас полон ненависти к тебе

— За что?

— За то что ты такая

— Какая?

— Какая есть. Отвратительное, гнусное существо, без которого я, умный, по мнению людей, знавших меня, человек, не могу жить. Мне без тебя одиноко до жути, если ты покидаешь меня даже на час. Я презираю себя. А тебя ненавижу.

— Сказать тебе правду? — посмотрела я на него исподлобья.

— Я знаю эту правду. Ты отвечаешь мне тем же. Мы больше ненавидим друг друга, чем любим.

— Нет, — покачала я головой.

Олег насторожился. В глазах его промелькнул испуг. Он ждал моих слов, как удара топором по голове.

— Не верь всему, что я говорю о себе. Не знаю почему, но, когда я с тобой, у меня возникает садистское желание говорить о себе гадости. Вымазывать себя говном. Чтоб ты корчился от вони. Почему это так, Олег?

— Значит, все неправда, что ты о себе говорила? — его мрачный взгляд прояснился хрупкой, недоверчивой надеждой. Как он ждал моих слов! Он бы зарыдал, скажи я ему «да», «конечно».

Но я не совладала с собой. Помимо моей воли мои губы скривились нехорошей ухмылкой, я сказала, дразня:

— Я этого не сказала.

— Так как тебя понимать? — затравленно глянул он мне в глаза.

— Понимай, как хочешь. Ты вдвое старше меня.

Он уронил голову, уперся бородой в грудь, обиженно выставил вперед нижнюю губу. Такую беззащитную. Я поднялась и, перегнувшись через стол, поцеловала эту губу.

— Пойдем отсюда, Олег. Я не хочу есть. Ну его к черту, этого итальянца. Поехали домой. Зачем мы теряем время? Я хочу тебя. Ты слышишь? Побежали. Иначе я отдамся тебе здесь, сейчас, на улице.

Он рассмеялся счастливым, беспечным смехом. Мы выскочили из-под зонта, воровато оглянулись, как расшалившиеся дети, не видит ли хозяин-итальянец нашего бегства и вприпрыжку как сумасшедшие пересекли улицу, чудом не угодив под колеса.

Уже заскочив за угол, мы, продолжая игру, на цыпочках сделали несколько шагов назад, украдкой выглянули, и, увидев в дверях его, совершенно сбитого с толку видом пустого мраморного столика под зонтом, где мы только что сидели и таким волшебным образом испарились дружно не сговариваясь, показали ему язык.

Мы снова были сообщниками, неразлучными друзьями, что друг без друга дышать не могут. Нелепым и диким казалось, что минуту назад мы, словно два паука в одной банке изощренно, без жалости, с каким-то изуверским наслаждением кусали один другого как можно больней.

Крепко держась за руки, мы продирались через липкую потную толпу, сквозь смрад от жаровен, где шипели в жиру шиш-кебабы, и устоявшийся запах антитараканьего спрея, которым несло из подъездов и окон облупленных старых домов. К нашей «Тойоте». К нашей бедненькой рыжей лошадке. Как на привязи, возле одноглазого счетчика нетерпеливо дожидавшейся нас. Наша желтая «Тойота Королла», завидев нас, на радостях заржала... Ну, ей-Богу. Возможно, это слуховая галлюцинация, но я явственно слышала конское ржание и счастливый собачий скулеж. Ни лошадей, ни собак вокруг я не видела. Значит, только моя «Тойота Королла», зверски соскучившаяся по мне, а возможно, и по Олегу, могла издавать такие звуки.

Я ласково погладила ее разогретый на солнце бок, и она, клянусь честью, от удовольствия зажмурила одну фару.

Наше возбуждение, наша страсть, наше острейшее желание добраться до постели передались «Тойоте». Она понеслась с такой прытью, обгоняя машины, мечась из одного ряда в другой, что из других автомобилей на нас стали кричать а один дурак даже кулаком погрозил. На перекрестках, если не удавалось проскочить перед красным светом, «Тойота» останавливалась как вкопанная и содрогалась всем корпусом от нетерпения, устремив свои фары на круглый глаз светофора. Я еле сдерживала руль, и то ли от него дрожь передавалась всему моему телу, то ли от ладони Олега, жарко давившей мое бедро.

Я не сомневалась, что мы не найдем стоянки возле отеля. С обеих сторон улицы плотно стояли автомобили с интервалами там, где были ворота или пожарный гидрант.

Мы завернули за угол. Картина та же. «Тойота» сердито фыркала, сочувствуя нам, и, казалось, сама рыщет в поисках свободного крохотного местечка у тротуара. Я уверена, она готова была сжаться в комок, лишь бы припарковаться и выпустить нас поскорей.

Наконец мы нашли место Но на этой улице были самые коварные счетчики. Стоять можно лишь полчаса. И снова беги, не опоздай бросить в щель монету. Иначе — штрафная квитанция на ветровом стекле, аккуратно засунутая под «дворник» — 25 долларов как не бывало.

И каждый раз, когда я спешила из его отеля, порой полуодетая, на выручку моей «Тойоте» с пятьюдесятью центами в руке, чтоб успеть до злополучного срока бросить их в ненасытную щель счетчика, моя машина смотрела на меня виновато и преданно, смущаясь, что причиняет мне столько хлопот. А когда случалось ей получить квитанцию под «дворник», она встречала меня с таким виноватым видом, словно не я, а она в этом повинна.

Я опустила в счетчик монеты, повернула рычаг, и стрелка на циферблате, дрогнув, стала отсчитывать жалкие тридцать минут, которые нам эта бездушная тварь отпустила для любви. Я ударила по головке счетчика кулаком. Моя «Тойота» замерла у кромки тротуара, вся напряглась, словно тоже прислушиваясь к еле слышному тиканью счетчика.

— Ну, не скучай, — ласково хлопнула я ее по крыше. — Мы быстренько. Через полчаса прибегу и выручу тебя. А ты не трусь, не давай себя в обиду.

В его комнате мы раздевались молча и быстро, без суеты, но и без пауз. Я уж совершенно разделась. На мне оставались лишь трусики. Крошечное, в обтяжку синтетическое бикини с лиловыми цветочками по белому полю. Точно такие же, что меня угораздило покупать сегодня на Орчад-стрит. Я уже сунула пальцы под резинку, чтоб спустить их вниз по бедрам, как перехватила его взгляд. И он вспомнил Орчад-стрит.

— Раздень меня, — попросила я.

Никогда прежде я этого не делала. Я не люблю, чтоб с меня снимали штанишки Я это делаю сама. Иначе мне кажется, что кто-то, не имеющий на это права, посягает на мою свободу, подчиняет меня себе

В моих ушах, как удары по барабанной перепонке, снова загремели злые слова, с хулиганской подчеркнутостью плюнутые мне в лицо

— Почему я должен смотреть на трусики, которые скоро с тебя будут стаскивать нетерпеливыми пальцами ебари в Европе?

— Раздень меня, — повторила я

Он набычился. Будто ожидая подвоха. Потом опустился на колени у моих босых ног, взялся пальцами за резинку трусиков, коснулся ими моего тела, и я почувствовала его нетерпеливую дрожь

У меня закружилась голова. Я уперлась ладонями в его плечи, чтоб не упасть. А он мелко подрагивающими пальцами бережно, миллиметр за миллиметром, опускал прохладную синтетическую ткань вниз, к коленям, и, когда открылся в темных завитушках лобок, обессиленно ткнулся туда головой и замер.

Я часов не ношу, а его, очевидно, остановились, захлебнувшись от нашей страсти, наполнившей до предела всю комнату.

Мы никак не могли прикинуть, сколько времени прошло Полчаса? Час? Бедная «Тойота». Она наверняка стоит и плачет со штрафной квитанцией на стекле, как с бельмом на глазу.

— Бог с ним, со штрафом, — сказал Олег. — Я заплачу.

— Нет, милый, — мотнула я головой, торопливо одеваясь. — Я за любовь денег не беру. Считай меня блядью, проституткой, сукой. Вот такая я. Бесплатная. А ведь что мне сунуть в руку 25 долларов, что уплатить полиции за мой автомобиль — один черт. Не нужно быть великодушным.

Он тоже стал поспешно одеваться, поругиваясь сквозь зубы:

— Чертов город! Иметь в Нью-Йорке автомобиль — больше хлопот, чем с грудным ребенком. Только сунешься ночью к жене, а он, стервец, и поднимает рев.

В лифт мы вбежали, я — застегивая пуговицы на рубашке а Олег — никак не совладая с заупрямившейся «молнией» в штанах.

Квитанции на «Тойоте» мы не нашли Но мы не нашли и «Тойоту» Ее место пустовало, и наглый счетчик, как кобра ставшая на хвост уставился на нас ухмыляющимся циферблатом

Сомнения не было Машину угнала полиция И теперь чтобы ее выручить придется уплатить 75 долларов

Я на миг представила, как корчилась и стонала моя «Тойота», когда бессердечные полисмены задрали ей нос краном больно прищемив бампер, подогнали под нее арестантскую тележку, безжалостно стянули тросом и поволокли на прицепе, как преступницу, на глазах у праздных и равнодушных прохожих

Олег остановил такси. Мы поехали поперек Манхэттена к Гудзону. Туда угоняют арестованные автомобили.

За железной сетчатой оградой, действительно, как в тюрьме, а вернее в концентрационном лагере, стояли пыльной кучей сотни несчастных машин всех марок, всех цветов и всех возрастов.

Я искала глазами желтый цвет. Но желтые пятна рябили во множестве среди серых, красных, зеленых. Машины стояли неровными рядами, такие разные по происхождению и форме и такие одинаково скучные, какими бывают только арестанты.

Олег захотел взять на себя половину расходов, но я отклонила такое проявление рыцарства.

— Завтра тебе нечем будет платить за гостиницу.

— А что тебе останется для Европы?

— Обойдусь.

— Ну, это уж мы знаем, каким путем. Дорого тебе обойдутся чужие ужины.

— Не сотрется. Что-нибудь останется.

Олег наливался черной злобой. Но, слава богу, полисмен уже вел нас мимо бесконечных автомобилей, жалких, грустных арестантов, к нашей недотепе, и затлевшая ссора погасла, так и не вспыхнув пламенем.

«Тойота» стояла между «Бьюиком» и «Фордом» и выглядела карманным воришкой среди двух здоровенных громил-гангстеров.

Мне это не показалось. Я это видела.

Завидев нас, «Тойота», как обиженный щенок, припала на передние колеса, словно выдавив из них воздух, и заскулила виновато и счастливо.

— У тебя на глазах слезы, — удивился Олег, тоже растроганный. Но не так, как я

Я вытерла кистью руки глаза и прикусила губу.

— Сколько я с тобой, ни разу не видел у тебя слез. Даже когда я унижал тебя, ты оставалась непроницаемой. Ты что, не умеешь плакать?

— На людях плакать — слишком большая роскошь. Слезы — это слабость. А слабостью легко воспользоваться.

— Хорошо ты себя выдрессировала. Даже страшно.

— Почему страшно? Я ведь, дорогой тоже плачу. Но когда никого рядом нет. Когда я одна в машине на автостраде и кругом стада автомобилей и ни одной живой души, я даю волю слезам... за все обиды, что мне нанесли такие вот друзья, как ты. И свидетель этому один Моя «Тойота Королла» Она не воспользуется моей слабостью не сочтет меня дурочкой не обидит фальшивым сочувствием Она повздыхает и потащит меня дальше. А куда? Она думает, я знаю. А я не знаю

Мы остановились в мотеле. В каком? Мотели одинаковы по всей Америке, как близнецы. Их можно различить лишь по месту расположения. Даже не по ландшафту. Ландшафты тоже похожи. Автострады и рекламы придали американским ландшафтам убийственное однообразие.

Поэтому самым верным будет такое определение: мы остановились в безликом мотеле на таком-то градусе северной широты и таком-то градусе западной долготы. Самый точный адрес — и слепой найдет, если мы вообще кому-то нужны. Но слава Богу, мы никому не нужны. Им до нас никакого дела и нам нет никакой надобности в них.

Значит, мы нужны друг другу?

Это тоже вопрос. Мы нужны друг другу постольку, поскольку каждый из нас в отдельности взвыл бы от одиночества и, может быть, вскрыл себе вены, чтоб испачкать, испоганить своей кровью стерильно-чистое белье в мотеле, вымазать его лакированные стены, прожечь нашей ядовитой желчью эти розовые пушистые ковры, такие мягкие, такие удобные, глушащие любой звук, что кажется, ты не живой, а призрак, летающий по клетке. Очень удобной клетке. С белоснежной эмалевой ванной, хромированными кранами и душем, с пластиковой занавеской в неживых цветочках, с мертвым светом из-под элегантных, не утруждающих глаз матовых плафонов С вечно закрытым окном на всю стену и уныло гудящим кондиционером. Дающим в любую погоду ровную прохладу, до несносности ровную как компресс на воспаленном лбу. Эта прохлада пахнет синтетикой и лекарством

По всей Америке, от побережья до побережья, в тысячах одинаковых мотелей в миллионах одинаковых комнат ложатся в одинаковые кровати, предварительно помывшись одинаковым мылом с одним и тем же клеймом на обертках и тем же клеймом на до безобразия чистых махровых полотенцах, которые сложены в ванной высокой стопкой, втрое превышающей каждодневную потребность нормального человека совсем неодинаковые люди, все стремление которых — тоже стать одинаковыми

Моя любимая страна избыточного изобилия уже вывела инкубаторный экземпляр среднего американца. Эта биологическая особь — и он и она — имеет свой первый признак: избыточный вес. Шире нормального зад, тяжелые бедра, бесследно растворившуюся талию. Диеты, режимы, оздоровительные клубы — пустой треп, помогающий убивать праздную скуку, и рай для шарлатанов с медицинскими дипломами, стригущих купоны с доверчивых и тупых толстозадых баранов, одетых в брюки независимо от пола.

— Следите за своим весом! — главный лозунг Америки, ее хрюкающий стон.

Где-то на планете истошно, придушенно кричат:

— Свобода, равенство, братство!

Где-то, не совсем искренне, но все же с завидным вдохновением требуют, не знаю у кого:

— Миру мир!

Или же пытаются уговорить самих себя, что:

— Человек человеку — друг, товарищ и брат.

— Следите за своим весом, — с одышкой, астматически отдувается Америка. Цитадель свободного мира. Сладкая приманка, недосягаемая мечта остального человечества, лишенного благословенного американского гражданства.

Это очень похоже на анекдот, рассказанный мне Олегом на автостраде, когда он развлекал меня в машине, не давая уснуть за рулем.

Согласно марксистскому учению, вся история человечества делится на пять формаций:

Первобытнообщинный строй.

Рабовладельческий строй.

Феодальный строй.

Капиталистический строй.

И наконец, социализм, как венец прогресса.

В исторической перспективе каждая последующая формация была, естественно, прогрессивнее предыдущей, и поэтому для людей, скажем, капиталистического общества социализм является светлой мечтой, за осуществление которой борются лучшие сыны человечества.

Русские уже пребывают в нирване осуществленной мечты человечества и из своего социалистического рая, забранного решетками и колючей проволокой, зубоскалят очень зло. Едкий, талантливый народ.

Так о чем же анекдот? Я, к сожалению, слишком растянула вступление. Но ведь мы люди другой планеты, и, чтоб понять юмор с того света, надо кое-что предварительно объяснить среднему американцу, все представления которого о России сводятся к тому, что там пьют чай из самовара катаются на тройках и играют на таких банджо именуемых «балалайка»

Олег и меня считает таким средним американцем и долго внушал мне, что в России уже давно предпочитают кофе, а не чай. И прежде всего хороший «эспрессо» или кофе по-турецки, а не американское пойло для коров. Самовар, при всем желании, купить невозможно. Их продают только иностранным туристам за твердую конвертируемую валюту. Троек нет и в помине. Их держат несколько штук, чтоб покатать заезжих гостей. За валюту. И балалайки покупают только иностранцы, чтоб удивить дома своих соседей, а русскому, приплати, он ее не возьмет. Ему подавай японский транзистор «Сони» и стереопластинку с воплями «битлзов» Конечно, из-под полы на черном рынке.

Да, так о чем же анекдот?

Первобытнообщинный строй.

В каменной пещере, уютно декорированной шкурой мамонта, Она, в набедренной повязке, у очага добывает огонь трением, а Он каменным топориком высекает на стене слова лозунга «Да здравствует рабовладельческий строй — светлая мечта человечества»

Мы, американцы, достигли предела человеческих мечтаний. Мы страна Макдональдов и Хоувард Джонсонов. Мы пьем самый невкусный кофе в мире, гастрономические изыски рафинированного человечества увенчались у нас гамбургерами, рассчитанными на верблюжьи желудки, и сахариновым порошком «Свит ин лоу»

Мы производим больше всех продуктов, а едим дерьмо без вкуса и с минимальным количеством калорий.

Вот мы сидим с Олегом в кафетерии при мотеле и поедаем это дерьмо. Пьем жуткий кофе, жуем мочало — гамбургер. На высоких хромированных стульях у стойки десяток американцев, как и мы, соскочивших с автострады переспать ночку и завтра снова сесть в свои автомобили, жуют то же самое, безо всякого выражения на лицах. Я когда-то была на молочной ферме в Мичигане и видела автоматическое кормление коров

К каждой морде насыпали одинаковый рацион концентрата, и морды меланхолично жевали и отличались друг от друга размером и формой белых пятен на черном фоне Наши соседи по кафе отличались цветом и размером клеток на брюках.

Комнаты в мотеле, как стойла для коров, разнятся лишь номером на дверях, выходящих солдатским строем на асфальтовый плац, где против каждой двери прилег отдохнуть автомобиль обладателя комнаты.

Мы ушли из кафе с неприятной тяжестью в желудках и оскоминой на зубах. В своей комнате поспешно приняли душ Каждый по отдельности. Какая-то все еще стоящая между нами неловкость не позволяет нам мыться вместе. Хотя в постели мы лежим обнаженные, сбросив простыни, и без всякого стеснения рассматриваем друг друга и касаемся пальцами самых интимных мест.

В комнате, как и во всех мотелях, цветной телевизор и обязательная Библия с крестом на темной обложке. Библия лежит на телевизоре. Телевизор включен, но без звука. На экране то и дело стреляют, то и дело кто-то крупным планом демонстрирует нам предсмертную агонию на своем лице. Мы звук убрали, слишком много крика и грохота, а изображение оставили. Это действует даже успокаивающе, когда видишь беззвучные страсти. Только, как муха, бьющаяся об стекло, жужжит кондиционер, охлаждая наши взмокшие от любовных страстей тела

Наши страсти тоже беззвучны. Он сгреб меня под себя без единого слова, и я не издала ни звука, ни вздоха, пока он возился на мне, сосредоточенный и угрюмый, как ученый математик на кафедре.

Мы оба не испытали никакой радости. Словно выполнили обязательный и нудный ритуал. Только опустошение добавилось к нашей дорожной усталости.

Мы лежим голые в смятой постели, раскинув циркулем ноги, и мизинец моей левой ноги касается мизинца его правой ноги. Вот и все общение.

На экране телевизора блондин-красавчик в ковбойской шляпе душит брюнета-красавчика с индейским пером на голове. Без звука. Как и подобает мужчинам. Это мы их сделали мужчинами, выключив звук.

Мы видим друг друга в большом зеркале на стене Удобно Не нужно поворачивать голову.

У Олега рыхлое, стареющее тело и седина на груди. Я вдвое моложе, и моя безволосая кожа гладкая, без лишней капли жира под ней, и обе груди, небольшие, но крепкие, с длинными сосками, даже когда я лежу на спине, не опадают, как блины, а стоят твердо, как солдаты на посту. Что они сторожат?

— Тебе не кажется, — нарушила я неприятно долгое молчание, — что наша кровать напоминает двуспальный гроб?

Он усмехнулся и, помедлив, продолжил за меня:

— А весь мир — бесконечное кладбище, где одни уж управились и тихо лежат под надгробным камнем, а другие все еще бродят, как призраки, ищут незанятого места между могил.

Я скосила на него глаз, не повернув головы. И он проделал то же самое.

Контакт между нами усилился вдвое. Кроме мизинцев ног подключены мой левый и его правый глаз. На экране телевизора малый в ковбойской шляпе целовал взасос девицу, спасенную из индейского плена. Целовал профессионально. На крупном плане. Всосав ее губы чуть ли не вместе с носом в свою пасть. Целовал долго. До омерзения.

— Почему ты меня не целуешь?

— Когда?

Мы видим друг друга и зеркале. Глаза не спрячешь. Смотрим в упор.

— Все время. Мы с тобой очень недолго. Но сколько-то ночей провели в одной постели. Ты ни разу меня не поцеловал.

— Я никого ни разу не целовал.

— Позволь... Но как же можно взбираться... лезть на женщину... вводить в ее тело свой член.. не коснувшись губами ее губ?

— Как видишь, можно..

— Это больше похоже на насилие.. Но я читала, что даже насильники, возбуждаясь, ищут губы своей жертвы... Возможно, по инерции.. Они тоже были прежде нормальными людьми

— Ты хочешь со мной поссориться?

— Я слишком устала за рулем, чтоб еще и ссориться. Просто я чувствую, что начинаю тебя ненавидеть

В зеркале я увидела, как он вскинул брови, сделал удивленную гримасу губами.

— За что? Какое зло я тебе сделал?

— В том-то и дело Ты не способен даже на зло Ты мертв. В тебе нет ни капли человеческого тепла

Он устало закрыл глаза. Не рассердился не вспылил. Не среагировал.

— Может быть, тебе не нравятся мои губы? — раздражаясь спросила я. — Или у меня не в порядке зубы?

— У тебя прекрасные зубы. На зависть. Это у меня половины недостает во рту, а те, что остались, держатся на честном слове.

— Поэтому? — поднялась я на локте. — Ты стесняешься целоваться?

— И поэтому тоже, — с закрытыми глазами ответил он.

— А еще почему? — не отставала я, склонившись над ним.

— Меня от рождения не приучили к поцелуям.

Он открыл глаза.

— Я долго, пока не стал взрослым, не знал, что такое поцелуй. А когда узнал, не смог перестроить себя, воспринимать поцелуй как проявление чувства или... на худой конец, элементарного человеческого тепла. Для меня поцелуй остался пустым звуком. Обменом слюнями.

— Мама тебя не целовала? — я села на подушку, подобрав колени к подбородку.

— Нет... — сказал он. — По крайней мере, моя память не засекла ни одного подобного случая

И вздохнув, он усмехнулся какой-то еле заметной, как ползучая змея, неприятной усмешкой.

— Есть законы природы, которые не обойдешь и не перепрыгнешь. Например, закон земного притяжения. Или закон Архимеда. Тело, погруженное в воду, вытесняет столько же воды, сколько весит погруженное тело. И ничего не поделаешь. Так было при Архимеде, так есть и сейчас, при водородной бомбе. Так будет вечно... Если Земля сохранится как планета и не рассыплется в порошок.

Так вот. Есть еще такой закон. Человек возвращает миру столько же тепла, сколько он получил от него. Если в детстве его не зарядили достаточной порцией тепла, чего ждать от такого человека?

И он посмотрел на меня уже без усмешки. Печально и беспомощно.

— У тебя было тяжелое детство?

— А у тебя?

— У меня не было детства. Нормального детства, — сказала я.

— У меня тоже, — сказал он и улыбнулся. — Видишь, вот и первое совпадение. Нашли что-то общее. Мы же совершенно не знаем друг друга. Давай познакомимся. Меня зовут Олег.

— А меня — Майра. — Я протянула ему руку, и у меня защипало в носу, когда он пожал ее. Его ладонь была теплая, добрая и совсем не чужая. Мне остро захотелось что-то сделать для него, приласкать. Именно сейчас. В эту минуту. Я поправила подушку под его головой, как это делает заботливая сиделка лежачему больному. И он понял мой порыв, оценил его. Улыбкой. Благодарной и совсем не такой, какую я привыкла видеть у него.

— Начнем с тебя, — сказал он, потершись бородатой щекой о мою руку. — Что трудного было в твоем детстве? Ты голодала?

— Нет.

— Тебя били родители?

— Нет.

— Что же?

— Как тебе объяснить? Меня не хотели. У них были две дочери, и больше мать не собиралась рожать. Но... не все предусмотришь. Аборт сделать не успела. Или врачи запретили по здоровью. Я ее понимаю, ей хотелось пожить для себя. Она же привлекательна и сексапильна. До сих пор мужчины делают стойку, увидев ее. Мое появление на свет нарушило все ее планы. Меня невзлюбили еще до того, как я издала первый писк.

А у отца пробилась седина, когда он узнал, что родилась третья дочь. Все! Сына уже никогда не будет. А какой еврейский отец не мечтает иметь сына, в чьи надежные руки передаст он свое дело, на которое ухлопал всю жизнь.

Меня спихнули на руки черной няньке. И когда я стала кое-что понимать, нянька Ширли, жалеючи меня, говорила, что я в своей семье, как негр в Америке.

Первым актом дискриминации было лишение материнской груди. Мои сестры почти до года лакали грудное молоко. Меня до маминой груди не допустили. Как же! Это варварство! Это средневековье! Моя мама прозрела на мне. Молодая женщина губит свою фигуру, кормя грудью ребенка. Меня даже не подпустили к груди. Нянька Ширли вскормила из бутылочки.

— Стой, — обнял меня за шею Олег. — Кошмарное совпадение. Я тоже не знал материнской груди, хотя был первым ребенком и последним. У матери не было молока из-за голода, и я сосал из тряпочки жеваный хлеб из жалкого пайка, который получал отец.

— Ты вырос совсем без молока?

— Если б только это, еще полбеды, — горько усмехнулся Олег. — Я не получил другого. Тепла.

— Тоже был нежеланным ребенком?

— Думаю, что нет. Но я родился в годы массовой шизофрении в России. После революции растоптали старую мораль и создавали новую, коммунистическую, рассчитанную не на людей, а на роботов. Как сейчас в Китае. Поцелуи и ласки презрительно называли «телячьими нежностями», считая пережитком буржуазного прошлого. Любовные страсти, ревность, кокетство, красивую одежду, косметику отвергали как нелепости, атавизм. Создавался новый человек. И мои родители, фанатичные коммунисты, из кожи вон лезли, чтобы шагать в ногу со временем и — упаси Боже! — не проявлять человеческих слабостей.

Я не помню, чтоб мать усадила меня к себе на колени, погладила по головке. Спросила: ну, как ты, сыночек? На что жалуешься?

Он говорил об этом с наигранной усмешкой. А я взвинтилась, у меня пылало лицо.

В телевизоре рекламировали пищу для кошек, и кошки жевали на экране, беззвучно чавкая и хищно скалясь.

Нас прорвало обоих, как маленьких детей, дорвавшихся до сочувственных ушей, и мы без пауз, взахлеб жаловались друг другу, сидя голыми в постели, привалившись спинами к подушкам, глядя в телевизор и не видя изображения.

— А меня..

— А меня...

— А меня, — вдруг вспомнила я, — в три года обидели так, что я уже тогда хотела умереть, покончить с собой. Представь себе Я совершила страшный грех — уписалась в своей кроватке, куда меня днем уложили спать. Подобного со мной давно не случалось И вдруг — ну что будешь делать? Проснулась в луже. У нас, как на грех, были гости, и мои две старшие сестрицы выволокли мокрый матрасик и с необъяснимым наслаждением стали демонстрировать его всем. Я, в мокрой рубашечке, босая, стояла посередине комнаты, куда меня притащили за руку сестры, и корчилась от унижения и обиды.

Гости смеялись. Я помню темные пломбы в их разинутых пастях и куски непрожеванной курицы в глотках. Я смотрела на маму, я искала папин взгляд. Ну они-то должны меня защитить. Немедленно выгнать гостей из дома, а сестер поставить в угол.

Мама и папа смеялись с гостями, и мама даже пожаловалась им, как ее Бог наказал младшей дочерью.

Я решила умереть. Убежала, наполнила раковину умывальника до краев водой, взобралась на стул и окунула лицо до ушей в воду. Я хотела утопиться и, возможно, сделала бы так — характер у меня уже тогда был упрямый, но стул покачнулся подо мной, и я свалилась на пол, больно ударившись головой, и громко и горько зарыдала. Потом у меня целый месяц была высокая температура и даже бред, но кроме черной няньки Ширли я никого к себе не подпускала и даже отказалась отвечать доктору, потому что он был одним из гостей на том злополучном обеде, видел мой позор и унижение и смеялся со всеми.

Никогда прежде Олег не слушал меня с таким пониманием. Мы впервые пробили стенку, стоявшую между нами, и прикоснулись друг к другу обнаженными нервами, и теплые токи сострадания потекли по нашим жилам, как по единой замкнутой системе.

Он положил свою голову мне на колени, уютно вдавившись затылком в мой лобок, и снизу смотрел мне в подбородок между разведенными в стороны грудями.

Я склонилась над его лицом, и сосок моей груди лег на его губы. Он шевельнул ими, припал к соску, как крошечный ребенок, и я бережно приподняла его голову, прижав к моей груди. Неведомое доселе тепло пронизало меня. Должно быть, такое испытывает юная мать, дающая грудь своему первенцу. И он шевелил губами, не выпуская соска.

Мой младенец был всего на пять лет моложе моего отца и вдвое старше меня. Но в этот миг я была старше всех. Я была матерью, способной утолить печаль, прикрыть от беды и напасти. И мне было сладко до звона в ушах. Я стала нежно покачивать приникшую к моей груди голову, замурлыкала без слов колыбельную песенку, которую пела мне черная нянька Ширли

В телевизоре что-то разладилось, и вместо изображения замелькали, поплыли многоцветные волнистые полосы Кондиционер гудел тихо и приятно как пчелка над цветком

ТОЙОТА

Моя судьба решилась окончательно за несколько дней до отъезда Майры Ей нежданно-негаданно подвалило немного денег — сколько, я не знаю, — и стало ясно, что больше она не сделает попытки меня продать.

Деньги дал ей Сол. Мы заехали к нему в дом престарелых, чтоб попрощаться, и он между делом, среди обычной суеты, какая бывает при расставаниях, выписал чек и протянул Майре.

— Возьми на дорогу, — заморгал он покрасневшими веками. — Мне это уже ни к чему. Похороны оплачены вперед.

Он дал понять без слов, что на следующую встречу с внучкой не рассчитывает и похоронят его в ее отсутствие.

Мы приехали к нему утром, и всю дорогу радио с тревогой сообщало, что к Нью-Йорку движется с юга, из бассейна Карибского моря, со скоростью до ста миль в час ураган «Пегги» Он достигнет Нью-Йорка за полночь и пройдет по его северо-западной части и Лонг-Айленду. Предполагаются разрушения, а возможно, и жертвы. Население города и пригородов предупреждалось об опасности, и диктор радио монотонно перечислял номера телефонов, по которым следует обращаться в экстренных случаях за помощью

Утром ураган еще был далеко на юге, где-то у берегов Джорджии, в основном отыгрываясь на кораблях в океане. Но вчера он успел накуролесить на Багамских островах и даже зацепил краем Флориду. В Майами, в Форт Лодердейле и в Вест Палм-биче ущерб был значителен и исчислялся в сотнях миллионов долларов.

Еще радио таинственно сообщало, что барометр неумолимо падает и быстрая перемена атмосферного давления уже начинает ощущаться людьми преклонного возраста а также больными, страдающими сердечными недугами.

На дедушке Соле перепад в атмосферном давлении внешне никак не сказался Он был, как всегда, подвижен и многоречив И бурно проявлял радость по поводу приезда внучки Но другие обитатели этого дома уже лежали пластом в кроватях, задыхаясь и ловя воздух пустыми без искусст венных челюстей ртами. Коридоры были необычно пустынны, и по ним лишь шмыгали озабоченные негритянки в белых халатах, распахивая то одну, то другую дверь. Остро пахло лекарствами

В большом зале с десятками столов, за каждым из которых обычно завтракали по четыре человека, теперь можно было насчитать в разных концах не больше дюжины еще способных передвигаться стариков. Вернее, старух. Они крепче и живучей стариков. Из мужчин в столовой сиял серебристым пушком вокруг розового темени один лишь дедушка Сол. Если не считать седогривого Альберта Эйнштейна, из рамы на стене взиравшего своими печальными глазами на непривычно пустой обеденный зал.

Черная официантка в распираемом от жира белом одеянии, не скупясь, завалила стол едой — кухня не знала, куда девать заготовленные блюда. Майра и дедушка ели с аппетитом. Дед и с набитым ртом не умолкал.

— Представляешь, что будет в Нью-Йорке? В кои веки и сюда добрался ураган. Сколько я здесь живу, это, кажется, первый раз. В других штатах — обычное явление. В Техасе, Оклахоме, Луизиане. То ураган, то смерчи, то наводнение. Но чтоб в Нью-Йорке? Конец света! Здесь столько стариков! Столько сердечников! Крематории захлебнутся от работы! Вот уж нагреют руки все эти похоронные бюро, все эти могильщики! Не управятся! Хоть и сверхурочно будут работать. Покойники пойдут навалом! Что я говорю пойдут? Уже пошли.

Он наклонился к ее уху и, понизив голос, сообщил конфиденциально

— У нас за ночь шестеро сыграли в ящик. В одну ночь! Рекорд! А что будет следующей ночью? Когда ураган собственной персоной явится в Нью-Йорк и потребует новой пищи.

— Как ты себя чувствуешь? — спросила Майра.

— Меня ничто не берет! — хорохорился дед. — Вот увидишь! Хотя ты ничего не увидишь! Ты улетаешь в Европу! Все здесь вымрут, а я останусь. Один буду в столовой! И еще он, Альберт Эйнштейн. Вот поживу! Без злых языков! Без косых взглядов! Как барин! И вся обслуга, чтоб не сократили штат будет за мной ухаживать, как мать за единственным ненаглядным ребенком Мне будут в рот глядеть а я буду капризничать. То мне не нравится и это

— Будет тебе — мягко прервала его Майра и положила ладонь на его сухую руку с круто вздувшимися жилами. — Лекарства принимаешь... для профилактики?

— Чего-то глотал. Какую-то гадость. Ночью всех обносили. Как в лазарете. Не беспокойся... Я переживу ураган. Над моей головой за долгую жизнь столько бурь пронеслось... политических... финансовых. Я закалился. Что мне какой-то жалкий ураганишко по кличке «Пегги»! Пегги! Тоже мне! Подумаешь!

Он смешно передернул плечами и закатил глаза, как делал всегда, когда иронизировал над чем-то.

— Дедушка, а не кажется тебе, что ураган этот имеет еще и символическое значение?

— Символическое? Хорошенькое дело! Сносит дома, ломает деревья, душит людей. Какой же это символ? Это самое настоящее бедствие! Совершенно откровенное! Без всяких символов!

— Я имею другое в виду. Все эти ураганы зарождаются на юге, в Карибском море. Там родина ураганов, и оттуда они устремляются на север.

— Какое мне дело до того, где рождаются ураганы. Мне интересней знать, где они умирают. И не по соседству ли со мной... норовя и меня утащить в могилу. А где они рождаются? Кого это волнует?

— Господи, как ты все впрямую принимаешь, — рассердилась Майра. — А выглядишь умным человеком. Это же аллегория.

— Ах, аллегория? Вот оно что? — комично закивал старик, давая понять, что ссоры он не хочет и наперед согласен с любым ее доводом. — Давай, рассказывай свою аллегорию.

— Ты смеешься надо мной, дедушка, а для меня это вопрос жизни.

— Прямо-таки жизни? Тогда тем более. Я весь внимание.

— Только постарайся понять. Как и ураганы, на том же юге его рождается революция. Там, в нищей и ограбленной Латинской Америке, пар перегрелся в котле и прорвется таким ураганом, что Северу, богатым Соединенным Штатам, не устоять. Ты понял мою мысль? Оттуда идут не только ураганы. Революция придет оттуда. А ураган лишь репетиция. Так сказать, аллегория. А когда настоящая буря грянет, наша с тобой страна рухнет, как когда-то рухнул Древний Рим. Согласен?

— Нет, — замотал головой дед. — Категорически не согласен. Внешне, на словах твоя аллегория выглядит красиво. Даже похожа на что-то реальное. А пощупаешь, помнешь в руках — и пусто. Словоблудие. Для незрелых умов. Странно, что и ты этому поддалась. Запомни, деточка. Западная демократия еще крепка. Ее так легко не свалишь. И знаешь почему? Потому что люди убедились, а Россия и Китай дали этому блестящее подтверждение, все, что революционеры всех мастей противопоставляют старому, надоевшему капитализму, намного хуже его и ничего, кроме бедности и страха, не несет. Черчилль, эта старая акула капитализма, был далеко не дурак, и он сказал, что у демократии много изъянов, но я не знаю альтернативы, которая была бы лучше. Что-то в этом роде он сказал. Красивыми словами сейчас мало кого убедишь. Люди хотят жить. Вы же им предлагаете смерть на баррикадах. А уцелевшим — голод. Хочешь послушать моего совета?

— Говори. Я слушаю.

— Выходи замуж. И непременно по любви. Проживи жизнь чисто, красиво, романтично. А что может быть романтичней любви? Устрой свою жизнь не так, как твои сестры. Да и отец с матерью. Забудь про революции... и сексуальные в том числе. Все ваши женские движения лишь разрушают семью и никакой радости вам не принесут. Ну, переспите с сотней мужчин. С двумя сотнями! Чтоб в глазах зарябило. Станете бесплодными и больными по-женски. А жизнь проходит. Не успеешь оглянуться, и ты уже в доме престарелых. И у тебя даже не будет внучки, чтоб изредка, как ты меня, навещала. Послушай, милая, старика. Я тебе зла не желаю.

— Ладно, дедушка. Не будем спорить. Ты прожил свою жизнь. А мне еще предстоит свою строить. У каждого его путь. И если я даже заблуждаюсь, то это будут мои ошибки и я из-за них буду страдать.

— Часто страдают и окружающие. Ты это учти. Ведь мир нынешний колотится в лихорадке из-за чьих-то ошибок. Из за того, что кто-то решил: ему одному известна абсолютная истина, и он насильно стал вбивать ее в мозги человечеству Мир устал от ошибок. Не добавляй ему новых.

На одном из столов потрескивал перед завтракавшей старушкой крохотный транзисторный приемник. Диктор сообщал хорошо поставленным голосом, что ураган «Пегги» продолжает движение на север с неубывающей силой, и скороговоркой перечислял номера телефонов «Скорой помощи».

Дедушка вышел проводить Майру. Он остановился возле меня, положив ладонь на мой капот, такой худенький, пушистый, как птенчик, и мне его стало жаль, точно он не ее, а мой родной дедушка. Как быстро привязываешься к людям! До чего они хрупки и беззащитны, хотя и пытаются убедить всех, что они — цари природы.

У дедушки затряслись губы, когда она его поцеловала на прощанье.

— Позвони мне из аэропорта... Обещаешь?

— Я улечу после урагана. Отменили полеты.

— Вот и позвони... после урагана. Перед посадкой в самолет. Позвонишь? Скажешь в трубку: «Дедушка, ау!» А я, возможно, и не отвечу...

У него затуманились очки, а из-под роговой оправы закапали, как горошинки, слезы. Майра, уже было открывавшая дверцу, бросилась к нему, обняла, прижала к себе и тоже заплакала. Плечи у обоих задрожали, как мой корпус, когда включают зажигание.

Нью-Йорк затаился в ожидании урагана. Город стал не похож на себя. Поредели потоки автомобилей на улицах. Люди сновали по тротуарам с растерянными и озабоченными лицами. А лающие сирены автомобилей «Скорой помощи» неслись с разных сторон, смешиваясь и сливаясь в многоголосый вой, точно заранее оплакивая покойников.

Барометр продолжал падать. В приемных покоях госпиталей образовались очереди из носилок, на которых доставили первые партии жертв: стариков, сраженных инфарктом.

А мы с Майрой колесили по Нью-Йорку как ни в чем не бывало. Она заходила в магазины, в банк. Предотъездные заботы и суета. Они начались за несколько дней до того. Когда еще об урагане никто не помышлял — он, возможно, еще не зародился в южных просторах Карибского моря.

Тогда с нами ездил и Олег. Майра убегала куда-нибудь, припарковав меня у тротуара, а Олег оставался со мной, чтоб полиция не наложила штрафа. Денег у Майры было в обрез — она и не предполагала получить чек от деда и поэтому экономила на всем. А как она умудрялась изворачиваться, знаю только я. Но не Олег. А узнай он, и его, бедного, хватила бы кондрашка.

В Европе у Майры не было никакой медицинской страховки, и, чтоб избежать там разорительных посещений врача, она загодя проверилась здесь у знакомых эскулапов и запаслась различными лекарствами тоже у знакомых фармацевтов. Бесплатно Если не считать платой то, что она им на момент отдавала свое тело, уже привычное отдаваться без чувства и желания, а просто так, от скуки, от нечего делать. Сейчас в этом была какая-то цель. Это было хоть чем-то оправдано.

Я стояла у кромки тротуара под вывеской аптеки. И не находила себе места от смущения. Словно я вместе с Майрой обманывала Олега. Он сидел на переднем сиденье и нетерпеливо посвистывал, глазея на прохожих. А Майра все не выходила из аптеки. Немудрено. Ведь ей требовалось время не только на то, чтоб получить длинный перечень медикаментов, но и прошмыгнуть в заднюю комнату аптеки, до потолка заставленную коробками, снять с себя если не все, то, по крайней мере, часть одежды, лечь на неудобный узкий диван и, закинув одну ногу на его спинку, принять на свои грудь и живот тяжесть тела немолодого и грузного аптекаря, который, я вполне допускаю, и не возбудился сразу. Даже мотор не всегда заводится с первой попытки.

Она вышла минут десять спустя. Со сбитой прической и слегка припухшей верхней губой: аптекарь, надо полагать, проявил темперамент и прихватил зубами губу. Олег ничего не заметил.

— Извини, — сказала Майра, сев к рулю. — Много народу, пришлось ждать.

Только диву даешься, насколько мужчины доверчивы и простодушны. Обвести их вокруг пальца совсем несложное дело.

То же самое она проделала у дантиста. Мы с Олегом ждали долго, и к нам дважды подходил полицейский, предлагая убраться куда-нибудь на платную стоянку — здесь стоянка возбранялась. Олег лениво отговаривался, просил позволить еще пять минут подождать: жена, мол, вот-вот выйдет. А жена тем временем раскачивала на себе сопевшего дантиста, не удосужившегося даже снять халат, а лишь расстегнувшего его.

На обратном пути они поссорились. Майра была взвинчена, устала. Еще бы не устать! Олег был тоже раздражен этими долгими ожиданиями и спорами с полицейскими. И сцепились.

— Дура ты! — обозвал он ее — Безмозглая дура! Мчаться в

Европу без гроша в кармане. Надеясь лишь что кто-нибудь накормит предварительно переспав.. Для чего? С какой стати? Делать революцию? Спасать Европу от изобилия? И всучить ей взамен голодный паек социализма? Нужно это Европе? А тебе зачем все это? Чешется одно место? Так и здесь, в Америке, найдутся любители почесать его. Расчешут до крови. Благо, ты за это денег не берешь.

— Замолчи! Не желаю слушать оскорбления!

— Проще всего неприятную правду называть оскорблением. Твой незрелый ум не способен воспринять полезный совет. Ты уверена, что все знаешь и посему в поучениях не нуждаешься. Так ведь? А на деле ты — цыпленок. Неоперившийся. И ум у тебя куриный.

— Мне достаточно того, что имею. Тебя не устраивает — можешь выйти и насладиться прогулкой пешком. Или сесть в автобус. На билет я тебе дам — ты заработал, караулил машину.

— Нет уж, довези меня. А то я тебе не все успею на прощанье сказать.

— Говори побыстрей, нам недолго ехать.

— Так вот... Подводя, некоторым образом, итоги... нашей с тобой связи... называй это как хочешь... в знак признательности за те недолгие приятные мгновенья, что ты мне подарила... я не могу да и не хочу оставаться уж совсем равнодушным к твоей судьбе... Ведь что-то в тебе меня привлекло? Вот и хочу дать напутствие. Запомни, детка, — я старше и опытней тебя — революции оплачиваются кровью, но отнюдь не менструальной. На баррикадах надо стрелять и убивать. И всегда быть готовым самому быть убитым. Одним минетом или, скажем, анальным способом противника не истощишь до капитуляции. Клитор, хоть и бывает красным, не подменит кровавое знамя. Вот так. А засим желаю успехов... на поприще мировой революции.

— И я тебе желаю Согреться душой и расцвести в столь любезной твоему сердцу Америке. Вылезть из трущобного отеля и поселиться на Исте за тысячу долларов в месяц. И жрать в самых дорогих ресторанах и давать чаевые недрогнувшей рукой. Вкуси капиталистического рая. И пусть минут тебя безработица, фудстэмпы, жалкая, одинокая старость. Все подлинные прелести нашего американского образа жизни. А главное, чтоб Бог отвел от тебя нож или пистолет голодного негра. Жи-

ви и радуйся, новый американец! Правда, у тебя еще нет пас-
порта. Хочешь, я тебе оставлю свой? Я им сыта по горло.

В самом дурном расположении духа подкатила я к его отелю. Он тяжело выбрался наружу и, придержав дверцу, сказал
Майре.

— Мне тебя жаль.

— Мне тебя тоже, — ответила она, не подняв глаз

На том и расстались.

И после этого они не виделись. Майра ни разу ему не позвонила. Словно забыла окончательно, вычеркнула из памяти.
А мне было больно.

В день перед ураганом, когда мы в спешке носились по
Нью-Йорку, чтоб успеть сделать все предотъездные дела, нас
помимо воли Майры вынесло в потоке машин на улицу, где
жил Олег. Мы ехали мимо его отеля, и я вся напряглась,
мучительно желая, чтоб Майра затормозила, съехала к тротуару, к знакомому счетчику на стоянке. Но она была настолько
погружена в свои заботы, что и не заметила, мимо чего проез-
жает. И тогда я не выдержала. Стала терять скорость, забарах-
лила мотором. Майра ругнулась и нажала на педаль газа.

— Что с тобой? Этого еще недоставало!

А я, кося фарой, искала зазора в соседнем ряду, чтоб юркнуть поближе к тротуару. Майра больно рванула руль и удер-
жала меня на месте. Мотор обиженно заревел. Я всем корпусом содрогалась от обиды.

Мы миновали отель.

Я с горечью размышляла о том, что, хоть Майра, в отличие
от меня, не может видеть сквозь стены, неужели не вспомнит
она о своем возлюбленном, у которого больное, с железным
осколком сердце, и теперь оно захлебывается от перепада атмосферного давления, свалив Олега с помутневшим сознанием в пустом номере отеля. Без ухода. Без присмотра. Неужели
ее здоровое сердце не подсказало ей, что друг, которым она совсем недавно дорожила, попал в беду?

В этот момент я ее презирала. И ей передалось мое состояние. Нет, она не повернула к отелю. А подрулила к синему
почтовому ящику на углу, остановилась и, не вылезая из машины, в своей книжке заполнила чек на имя Олега. Вывела
прописью двести долларов, но, подумав, оторвала этот чек и
смяла в кулаке. На другом она проставила. триста долларов

Положила в конверт, надписала адрес отеля и выскочив на тротуар, бросила в щель почтового ящика.

Поделилась подарком дедушки Сола.

Я с облегчением перевела дух. Вот такой я ее люблю! А если б она еще отважилась заглянуть к Олегу на прощанье я бы не знаю что сделала от радости.

К сожалению, этот чек пришел к Олегу, когда он уже в нем не нуждался. Конверт вскрыли чужие руки.

Ураган «Пегги» прошел над Нью-Йорком точно в предсказанное метеорологами время. Прошел, в основном, стороной лишь краем задев город. Но и этого было достаточно, чтоб целые районы лишились электричества из-за порванных проводов и чтоб на улицах валялись стволы поваленных деревьев и громоздились навалом обломанные сучья. Во многих домах выбило стекла. Кое-где даже сорвало крыши.

Сразу после урагана на город обрушился жестокий ливень. С неба хлынул потоп. Словно стараясь смыть в океан этот огромный и неуютный город.

Материальным ущербом, нанесенным городу, займется статистика. А главный удар урагана задолго до его прихода, приняли на себя пожилые люди, сердечные больные. В морги Нью-Йорка поступило в один день небывалое число умерших и, набитые до отказа, они прекратили прием новых партий.

Олег умер не сразу. Он долго валялся в своей комнате без сознания и громко бредил. Его стоны наконец услышали в коридоре и, взломав дверь, унесли на носилках к лифту, а из лифта в белую машину «Скорой помощи»

Он лежал с закрытыми глазами, и пульс с трудом прощупывался. Посиневшие губы шевелились и санитары долго не могли разобрать, что он бормочет.

А он, позабыв и свой родной, русский, и английский языки, без конца бессмысленно повторял одно и то же:

— «Тойота Королла»   «Тойота Королла»

Мое имя. Оно, единственное, почему-то всплыло из глубин его угасающей памяти и оно было последним произнесенным Олегом на этом свете

— «Тойота Королла»   «Тойота Королла»

Ни имени Майры ни своих родных.

— «Тойота Королла»   «Тойота Королла»

— Что он бормочет? -- удивился молодой упитанный врач

когда Олега на носилках вкатили в приемный покой госпиталя — На каком это языке? Кто-нибудь понимает?

— Он, говорят, русский, — сказал кто-то.

— Странный язык, — покачал головой врач. — Постойте, знакомые слова. Я их непременно где-то слышал. Тойота... да ведь так называется мой автомобиль!

После ливня умытый город облегченно вздохнул. Атмосферное давление пришло в норму, и дышать стало легко и приятно.

Мы неслись к аэропорту Кеннеди по журчащим ручьям, и брызги, искрясь, летели из-под мокрых колес. Солнце сияло над городом, и там, куда мы ехали, в сияющем небе робко проступала дугой бледная радуга. К радуге, как под арку, уходили с земли с интервалом в две минуты серебристые самолеты, переполненные заждавшимися в аэропорту пассажирами.

На обширной автомобильной стоянке у аэропорта отсвечивали лужи. Мы нашли свободное место, и Майра выключила мотор. Достала из багажника чемодан. Захлопнула багажник. Подергала ручки дверей, проверяя, заперты ли. Подняла чемодан и тихо сказала:

— Прощай, подружка.

И тогда я поняла, что она никому не отдала меня, а бросила на стоянке на произвол судьбы. И я не знала, радоваться мне или плакать.

Проходя мимо, она свободной рукой ласково провела по выступу левой фары, и я зажмурилась, чтоб не зареветь.

И пошла.

Я хотела было крикнуть ей вслед, напомнить, чтобы позвонила дедушке, как он просил. Но у меня не было сил.

Капли воды стекали по моим фарам, двоя изображение, и вместо одного пузатого «Боинга», с задранным носом пошедшего на подъем под арку радуги, я видела два. И оба нечетко

Нью-Йорк.
Сан-Франциско,
Оксфорд,
штат Коннектикут
1981 — 1982 гг

СОДЕРЖАНИЕ

Издательство выражает благодарность всем,
кто оказал помощь в подготовке
Собрания сочинений Э. Севелы.
Особо благодарим И. Раскина
за большой вклад в работу над проектом.

Уважаемый читатель!

Издательство «Грамма» предлагает Вашему вниманию первое в России Собрание сочинений классика современной литературы Эфраима Севелы.

В **Том первый** включены два замечательных произведения, неоднократно издававшихся у нас в стране и за рубежом: «Легенды Инвалидной улицы» и «Тойота Королла».

Уже подготовлены к печати и в ближайшее время выходят следующие книги:

Том второй: «Остановите самолет — я слезу», «Продай твою мать» и «Моня Цацкес — знаменосец».

Том третий: «Мужской разговор в русской бане», «Попугай, говорящий на идиш».

Том четвертый: «Почему нет рая на земле», «Зуб мудрости» и «Викинг».

Том пятый: «Все не как у людей», «Мама».

Впервые увидят свет «Сказки Брайтон Бич».

Наша серия удовлетворит самые взыскательные вкусы и коллекционеров, и читателей, желающих ознакомиться лишь с отдельными произведениями, хотя по своему опыту знаем, что прочтя лишь одну книгу, хочется и дальше жить удивительной жизнью героев Севелы, участвовать в событиях, мастерски воссозданных автором.

ЭФРАИМ СЕВЕЛА

Собрание сочинений

Том первый

Ответственный за выпуск: К. Беляков
Редактор. Г. Вартапетян
Корректоры С. Бредис, А. Чебурина
Компьютерная верстка: М Солдатенкова
Оформление· В. Зорин

Л Р № 061962 от 18 12 1992г
Подписано в печать 5 02 96г Формат 84х108/32
Гарнитура Ньютон Печать офсетная
Усл печ л 15 5 Тираж 10 000 экз

Отпечатано с оригинал-макета издательства
«Грамма» по заказу фирмы «Экобизнес»
Марийским полиграфическо-издательским
комбинатом республики Марий Эл 424000
г Йошкар-Ола ул Комсомольская 112

Заказ 130